Genua, 1813. Ludwig van Beethoven und der dunkelhäutige Geigen-virtuose George Bridgetower besteigen die *Southern Cross*, einen Dreimaster mit Kurs auf Westafrika. Mit an Bord sind ein maskierter Gentleman in geheimer Mission und eine junge Adlige mit ihrer Tante. Während der Schiffsreise, von Piraten bedroht, kommt es zu einer An-näherung zwischen Beethoven und der jungen Charlotte von Trebnitz. Das empfindsame Hin und Her setzt sich auch nach der Ankunft am Kap Verde fort: Spaziergänge in der afrikanischen Nacht, Gespräche im Morgenschatten eines Kapokbaumes unter den rhythmischen Klängen schwingender Stampfhölzer – und doch ist nicht abzuwenden, was Bridgetower von Anfang an vor Augen stand.

Dieser Roman ist ein Meisterwerk der Fabulierkunst und der Sprach-musik. Dieter Kühn erzählt die Geschichte historischer Figuren im Spielraum des Wahrscheinlichen, setzt sich über die Schranken des Faktischen phantasievoll hinweg. Daß Beethoven in Afrika war, ist nicht überliefert – sicher ist hingegen, daß seine zunächst Bridgetower gewidmete A-Dur-Sonate letztlich als Kreutzer-Sonate in die Musikge-schichte eingegangen ist. Kühn läßt den gekränkten Mulatten auf Mög-lichkeiten sinnen, Beethoven zur Komposition einer neuen ›Sonata mu-lattica‹ zu bewegen. Mit dem Entwurf eines afrikanischen ›Reisebuchs‹ will er den Komponisten für sich gewinnen.

Dieter Kühn, geboren 1935, lebt als freier Schriftsteller in Köln. Für seine Romane, Biographien, Erzählungen, Hör- und Schauspiele wurde er mit zahlreichen Literaturpreisen ausgezeichnet. Zuletzt veröffent-lichte er die Biographie *Clara Schumann, Klavier* (1996, S. Fischer). Als Fischer Taschenbuch liegen von Dieter Kühn bereits vor: die Bio-graphie *Ich Wolkenstein* (Bd. 13334) sowie die Kinderbücher *Es fliegt ein Pferd ins Abendland* (Bd. 80009) und *Prinz Achmed und die Pferde des Sultans* (Bd. 80111).

Dieter Kühn

Beethoven und der schwarze Geiger

Roman

Fischer Taschenbuch Verlag

Der Autor hat den Roman für diese Neuausgabe gekürzt
und revidiert.

Veröffentlicht im Fischer Taschenbuch Verlag GmbH,
Frankfurt am Main, August 1996

© 1990 Insel Verlag Frankfurt am Main
Für diese überarbeitete Neuausgabe:
© 1996 Fischer Taschenbuch Verlag GmbH, Frankfurt am Main
Gesamtherstellung: Clausen & Bosse, Leck
Printed in Germany
ISBN 3-596-13170-7

Gedruckt auf chlor- und säurefreiem Papier

Erster Teil
»Übers Meer ins heiße Afrika«

Afrikanisch hell das Licht! Wer sich nicht in Häuser und Innenhöfe zurückzog, wer nicht Schatten fand von Mauern und Bäumen, suchte ihn unter Markttischen oder Karren, deren hochgeschrägte Deichseln sich ins vibrierende Licht bohren. Er allein, George Augustus Polgreen Bridgetower, stimmt nicht ein in die Klagen der Hausgäste, der Straßenbewohner über die für einen Herbst außerordentlich hohen Temperaturen: das ferne Afrika scheint nah ...! Vor zwei Tagen hat sich im Süden der Halbinsel ein Höllenmaul aufgetan, bocca del'inferno, sehr heiße Luft der Sahara und rotbrauner Sand, der sich auf alle Dächer und Kuppeln, Mauerkronen und Statuen der Stadt Genua legt, und stumpf rotbrauner Belag auf Bäumen und Büschen. Zuweilen spürt er ein Sandkörnchen zwischen den Zähnen: allerkleinster, herangewehter Vorbote Afrikas, über wie viele Seemeilen, Landmeilen hinweg!

Er geht zwischen Tür und Fenster auf und ab im Baumwollburnus, den er in London einem Seemann abgekauft hat. Alle anderen im albergo haben sich in den Schlaf geflüchtet, auch Beethoven im Zimmer nebenan. Schon am Morgen hatte er gestöhnt: Mühsames Aufwachen ... Herausarbeiten aus großer Dumpfheit ... jeder Ansatz zu einem Gedanken mußte sich durch eine zähe Masse hindurcharbeiten – wie viele Gedankenimpulse blieben stecken? Und früh schon fiel das Licht über Bäume und Büsche her, versuchte, sie von den flimmernden Konturen her aufzuzehren. Und Lichtkalk ätzte die Hauswände, Lichtkalkspritzer bis unter die Dächer. Schließlich der gefürchtete Mittag: Hitzekapitulation! Und Beethoven liegt aufs Bett gestreckt, sein schwarzes Haar strähnig, die Pockennarben betont, und er atmet mit offenen Lippen. George sieht das vor sich, ohne in das Zimmer nebenan zu gehen, er will dem Schlafenden nicht ins Gesicht schauen, das täte er nicht mal bei einer Frau im Bett.

Er hört Schritte, geht zum Fenster, schaut hinunter durch den Spalt zwischen den angelehnten Schlagläden. Ein Mann tritt auf: schwarze Schuhe, helle Strümpfe, hellblaue Seidenbundhose, weites

Hemd, hellblaue Weste, dunkelblaue Stoffmaske. Er nimmt den Hut ab, obwohl kein Windhauch durchs rotblonde, schon etwas gelichtete Haar streichen kann, starrt zur Fassade hoch, als lese er ein Erinnerungsschild: Signore Luigi van Beethoven ha abitato in questo albergo in Settembre 1813. Mit grüßender Gebärde setzt er den Hut auf, geht weiter. Die Straße wieder leer. Das Licht scheint noch greller zu werden.

Stille. Diese Stille betont vom Grillenzirpen, Zikadenschrillen aus einem Garten in der Nähe. Und George setzt ein mit seiner Beschwörung, halblaut, langsam: uhmto ... umuunto ... Wieder Stille mit Grillengezirp und Zikadengeschrill: akustische Hitzekörner, als Granulat ausgestreut, verschmelzend. Nun, in fast magischem Ritual, sein zweiter Doppelruf, weckend, lockend: inueele ... isibeele ... Und es sinken afrikanische Wörter herab auf Stadt und Republik Genua, Wörter wie gefiederte Samen, herangetragen von der mächtigen Drift, und sie senken sich mit dem puderfeinen rotbraunen Sand auf Dächer, Terrassen: ingwa ... iloosi ... auf Kuppen, Gesimse: iputhi ... inthuuko ... auf alle Blätter an allen Bäumen: mloomu ... umloomu ... In dieser Stunde ist der afrikanische Kontinent so nah herangerückt, als beginne er an der Südküste Apuliens, der Nordküste Siziliens.

Sie gehen am Kai auf die Schauseite des Schiffes zu: das Spiegelheck. Beinah plane Fläche, oben vier Fenster gereiht, darunter eine zweite Fensterreihe; Schnitzwerk; hoch oben die Reling des Oberdecks; drei Maste.

Beethoven wird dies alles kaum wahrnehmen; er schreitet mit gesenktem Kopf, Hände auf dem Rücken, das Gesicht beschattet vom breitkrempigen Hut. Er scheint mit seinen Gedanken einige hundert Meilen entfernt zu sein – nordöstlich? Sein dickes Reisebündel schultert ein junger Mann des albergo; auch George läßt sein Gepäck tragen, die Seekiste. Das Fallreep, Beethoven stapft voran.

Oben an Deck schaut er sich nicht um, schon gar nicht aufatmend, er bleibt stehn, weil George ihn am Ellbogen festhält. Hinter ihnen übernehmen ein Schiffsjunge und ein Seemann die Gepäckstücke.

Der Kapitän kommt auf sie zu. Nicht ein Kapitän, wie er im Buche steht: breites Lachen, breite Gesten, besonders breitspurige Ausprägung des Seemannsgangs, vielmehr: das Fleisch unter den Wangenknochen wie eingesogen; die Magerkeit des Gesichts bestätigt durch die Hagerkeit des Körpers; in diesem Mann scheint ein Feuer zu brennen, dieses Feuer hat fast alles Körperfett aufgezehrt. Kevin Flamsteed, Kapitän der Southern Cross, im Auftrag der East Indian Company – so stellt er sich vor, baritonal, nennt auch gleich seinen Spitznamen: Cargo, Mister Cargo, Captain Cargo … Ein Lächeln, neutral wie ein Marine-Signalement. Er begrüßt die beiden Herren Passagiere, wünscht ihnen angenehmen Aufenthalt an Bord, gute Reise, führt sie persönlich zu den Kajüten.

Zwei Türen rechts, zwei Türen links von der steilen Stiege hinauf zum Achterdeck. Die beiden Kajüten steuerbord seien übrigens für zwei Damen reserviert, auf die er noch warte; in den Kajüten, die über das Zwischendeck zu erreichen seien, ein weiterer, bereits eingetroffener Mitreisender und, um das gleich zu komplettieren: sein eigener Raum und der des Ersten Offiziers, Gilbert McConglinney.

Er öffnet die Eck-Kajüte backbord: hohe Schwelle; Koje, Spind, Klapptisch, Stuhl; das rechteckige, hochformatige Fenster im Spiegelheck. So werden sie von den Kajüten aus jeweils zurückblicken in die Vergangenheit der Fahrt, das Wasser als bereits durchsegeltes Wasser, und es verliert sich der Schaum, den der Rumpf aus Wellen schlug. Noch ist der Wasserspiegel glatt im Hafenbecken; vor dem Fenster der Bug eines anderen Schiffs, mit Galionsfigur.

In der kleinen, noch hitzespeichernden Kajüte will Beethoven sich erst einmal zurechtkramen. Das könnte rasch geschehn, viel Gepäck haben sie nicht mitgenommen, doch George versteht das so: Beethoven will vorerst in der Kajüte bleiben. Doch er verspricht, durch den Spalt der fast schon geschlossenen Tür, daß er beim Auslaufen des Schiffs an Deck sein wird, George soll ihm Bescheid sagen. Und er zieht die Tür hinter sich zu.

George schiebt seine Seekiste an die Kajütenwand, bleibt am Stiegenaufgang zum kleinen Oberdeck stehen, schaut sich um: sichtlich übernächtigte Seeleute führen Befehle eines hageren Mannes mit scharfer Stimme aus – die meisten arbeiten in der Takelage, lösen

Seilschlaufen von Segelwülsten, lassen schon einige der Segelflächen herab; sie schlackern, schlagen lose. George hält Ausschau nach den beiden Damen, die in den Nachbarkajüten wohnen werden.

Ein Windstoß, und mit dumpfem Prallgeräusch bauchen sich die Segel. Knarren in der Takelage, tiefes Summen in den Masten. Sie stehen auf dem Oberdeck, schauen zurück: Dutzende von Masten, Hunderte gereffter Segel; die Stadt Genua mit Dächern und Türmen; hinter ihr das Kreissegment der Küstenberge. Rufe des Kapitäns weitergegeben vom Ersten Offizier; Pfiffe des Obersteuermanns; Antwortrufe von Seeleuten auf dem gescheuerten Deck, in den Wanten, in der Takelage. Wind von den Hängen, den Bergen herab – er läßt kurz nach, stülpt sich erneut mit hörbarem Ruck in die Segel. Und Wind im störrischen schwarzen Haar, Wind im Kraushaar; Windmaske aufgepreßt der hellen, leicht geröteten, pockennarbigen Gesichtshaut, Windmaske aufgepreßt der glatten, braunen Gesichtshaut; Windtränen in den Winkeln der graublauen, der dunkelbraunen Augen ...

Der Landwind treibt das Schiff hinaus aufs Mittelmeer. Weite Glitzerflächen sonnenwärts, vibrierendes Gleißen. Wellen, die anrennen gegen den Bug, doch bildet sich, trotz regelmäßiger Staffelung, kein gleichförmiger Rhythmus des Aufklatschens, denn beiseite geworfene Wellen brechen, gischtend, die heranziehenden Wellen. Ein Hauch von salziger Kühle auf Deck. Das helle Braun der Segel über ihnen; zwischen diesen Flächen scheint das Blau des Himmels eingedunkelt; betont weiß wiederum die Möwen.

Der Küste schauten sie nach, bis sie sich auflöste im Hitzedunst, dann zog Beethoven sich wieder zurück. Keine Bewegungen zu hören aus der Kajüte, kein Räuspern, kein Brummeln. Ein Zustand fast der Erstarrung? Während der Wartetage in Genua hat Beethoven angedeutet, daß ihn etwas belaste und daß er hoffe, mit dieser Reise davon loszukommen.

Am ersten Tag auf dem Mittelmeer: Beethoven, sonst bewegungshungrig, macht nicht mal einen kurzen Spaziergang an Deck, dreißig Schritte zum Bug, dreißig Schritte zurück. Das Schiff und das Meer scheinen für ihn noch nicht Realität zu sein; er hat eine Decke vor das Fenster gehängt, künstliche Dämmerung. Beethoven in schwebendem Gehäuse, herausgelöst aus den Koordinaten von Raum und Zeit.

Der Passagier der fünften Kajüte, ein Deck tiefer: er zeigt sich nur mit der Stoffmaske. Ihr dunkles Blau abgestimmt auf die Kleidung: Seidenbundhose in Hellblau, weites Hemd, blaugetönt. Er spricht englisch, vor allem mit seinem Begleiter: Diener oder Leibwächter? Jedenfalls ein Schotte: bauchige Gestalt; um den Schottenrock ein besonders breiter und dicker Ledergürtel, den zwei Schnallen geschlossen halten; muskulöse, mit Sommersprossen gesprenkelte Arme, Brustbehaarung, das Rotblond setzt sich über den Bart fort auf den Schädel.

Als er den maskierten Gentleman und seinen voluminösen Begleiter zum erstenmal an Deck sah, war George erleichtert: Beethoven noch immer in der Kajüte. Erleichterung vor allem darüber, daß Beethoven den Fremden noch nicht an Deck gesehen hat, solange das Schiff am Kai lag, da hätte Beethoven womöglich gefordert, ultimativ, sie sollten das Schiff sofort wieder verlassen – keine Reise mit einem Maskierten an Bord …! Auch am ersten Reisetag hätte Beethoven noch fordern können, man soll wieder Genua anlaufen und entweder er oder der andre geht von Bord. Nach zwei Tagen Reise aber kann ihm nur eins bleiben: sich abzufinden.

Der Kapitän behandelt den maskierten Reisenden mit Höflichkeit, die Mannschaft erweist dem dicken Schotten Respekt: er überragt alle Mitglieder der Besatzung, übertrifft sie an Körpervolumen – eine wahrscheinlich auch kampferprobte Körpermasse. Zuweilen hockt der Schotte auf einem Poller und spielt Karten mit Männern der Freiwache. Und sein Herr sitzt auf dem Oberdeck im Segelschatten, liest. Gelegentlich scheint der Maskierte umherzustreifen im Schiff; bereits am ersten Nachmittag geht er unter Deck, bleibt dort etwa eine Stunde, kommt langsam wieder herauf – als hätte ihn die kleine Exkursion ermüdet. Aber George fragt nicht; zu einem Mann mit Maske, zu einem Mann also in geheimer Mission, gehören auch Handlungen, die sich der Beobachtung und Beurteilung entziehen.

Besorgt wartet er auf den Tag, an dem Beethoven aus der Kajüte kommt und womöglich als erstes den Maskierten sieht. Dann muß er vermitteln: aus der Begegnung darf keine Konfrontation werden ... Also legt er sich beschwichtigende Sätze zurecht. Dann aber verschläft er den Moment dieser Begegnung. Ausgerechnet mittags geht Beethoven zum erstenmal wieder an Deck, sieht den Schotten und den maskierten Herrn, stürmt, ohne anzuklopfen, in die Kajüte: Ein Maskierter an Bord – ein Spitzel – ein Geheimer – ein Agent! Zwar hat der höflich gegrüßt, am Bug, aber diese Höflichkeit gehört zum professionellen Verhalten. Er ist aufs äußerste empört! Es kann nur *einer* von ihnen an Deck sein zur selben Zeit, das wird er vom Kapitän fordern – in dieser Forderung wird er nicht *einen* Schritt nachgeben, nicht einen Deut. Keinen Deut, schreit er, keinen Deut! Zwei Tage lang konnte sich der Mann mit der Maske draußen aufhalten, für die nächsten zwei Tage muß er von Deck verschwinden, und zwar völlig, dann wird man weiterschaun. Sein dickes Faktotum kann draußen bleiben, aber einen Mann mit Maske will er auf Deck nicht sehen! Hier auf diesem englischen Schiff muß die österreichische Herrschaft der Spitzel und Agenten ein Ende haben! Nein, er denke gar nicht dran, das leise zu sagen! Dieser Spitzel soll hören, daß er in seinen Augen entdeckt ist – erkannt ist – enttarnt ist. Ja, so heißt das: der Spitzel ist in seinen Augen enttarnt, da nützt ihm die Maske überhaupt nichts, die wird er ihm eines Tages von der Visage reißen, dann steht er da in der charakteristischen Häßlichkeit eines Agenten ...!

Und Beethoven schweigt; die Suada scheint ihn erschöpft zu haben. Jetzt erst nimmt er wahr, daß der Schotte begonnen hat, Dudelsack zu spielen – der scharf näselnde Klang einer weitgesponnenen Melodie. Beethoven reißt die Tür auf, schaut hinaus, wirft die Tür zu, hockt sich auf den Kojenrand. Jetzt auch noch Dudelsackmusik – ausgerechnet Dudelsackmusik ...! Und der Maskierte, der Spitzel, zynisch lächelnd am Bug ...!

Nun setzt sich George auf in der Koje, kauert schräg hinter Beethoven: Ein Spitzel würde sich nicht auffällig machen mit einer Stoffmaske! Der würde vortäuschen, daß er ein harmloser Reisender sei, beispielsweise Kaufmann. Und George legt sich erleichtert zurück.

»Soll das Logik sein?!« Spitzel, die in Künstlerkreisen verkehren, kennt man meist von Angesicht, vielfach auch mit Namen, und irgendwie kommt ihm das Gesicht, kommt ihm die Gestalt bekannt, beinah vertraut vor, soweit sich das bei einem Spitzel sagen läßt; damit er den aber nicht namhaft und damit dingfest machen kann, hat er die Maske vorgebunden. Außerdem: es könnte durchaus zur Tarnung gehören, daß er von einem geschäftlichen Unternehmen redet oder von einer geheimen politischen oder militärischen Mission – mit so was aber kann der ihm nicht kommen – er hat auf den ersten Blick gesehn, daß der Mann eine richtige Schlabberschnüß hat! Das kommt daher, daß ein Spitzel alles weitermelden muß, was er erlauscht hat – und was man beruflich tut, das prägt sich in der Physiognomie aus, in der Physis!

Und er scheint seinem Satz nachzulauschen. Der Schotte spielt nun einen Hochlandtanz – bewegt er sich dabei im Tanzschritt? Beethoven lauscht. Dreivierteltakt … sauber intoniert … Weil er also milder gestimmt scheint, macht George den Vorschlag, gemeinsam hinauszugehen, sich den Herrn und seinen Diener aus der Nähe anzuschauen.

Helles Nachmittagslicht. Am Bug noch immer der Fremde, einen Ellbogen auf die Reling gestützt, ein Bein vor das andre gesetzt, und er schaut dem Schotten zu, der im Takt des Hochlandtanzes auf Deck hin und her schreitet. Der Fellsack zwischen Arm und Oberkörper, die Spielpfeife fast senkrecht nach unten gehalten; drei gedrechselte schwarze Pfeifen lehnen an seiner linken Schulter – die Baßpfeife überragt den Kopf um eine Spanne; obendran ein Wimpel. Überraschend die Gelenkigkeit dieser massigen Erscheinung: der voluminöse Mann bewegt sich fast graziös, ohne affektiert zu wirken, ein quickes Schwergewicht. Als er Beethoven sieht, macht er weiterspielend eine kleine Verbeugung. Sein Herr hat sich bereits aufgerichtet.

Sie gehen auf ihn zu wie eine Delegation, beinah im Gleichschritt.

Beethoven in heller Nankinghose, in weißem Hemd, mit weinroter Weste, alle vier Metallknöpfe geschlossen. Der Maskierte senkt zur Begrüßung den Kopf, verharrt so – der Wind spielt im dünnen Haar, legt Kopfhaut frei.

Ich darf Ihnen, sagt George, den großen Komponisten Ludwig van Beethoven vorstellen.

Der Fremde hebt den Kopf: Hier bedürfe es keines Vorstellens, er sei einer der glühendsten Bewunderer des Werkes und der Person Beethovens. Er sagt das in einer Sprache, in der sich Klänge von Berlin und Wien zu mischen scheinen. Weil Beethoven mit maskenhaft verschlossenem Gesicht dasteht, fügt der Mitreisende hinzu, er habe bereits mehrere Werke des von ihm so sehr verehrten Maestro gehört, besonders lieb sei ihm die zweite Sinfonie in D-Dur, am 5. April 1803 im Theater an der Wien aufgeführt, gefolgt vom Klavierkonzert c-Moll und dem in knapp fünf Wochen komponierten Oratorium »Christus am Ölberge« – ein Konzert, so fügt er lächelnd hinzu, das genau einen Monat vor der denkwürdigen Uraufführung der Violinsonate opus 47 stattfand, mit dem von ihm gleichfalls bewunderten Virtuosen Bridgetower.

Beethoven schaut den Maskierten mit zusammengezogenen Brauen an. Was von der Stoffmaske nicht verborgen ist, scheint modelliert mit einem Übermaß an Materie: die tief angesetzten Ohren sind groß mit weiten Ohrläppchen; die Nase langgestreckt; bei den Lippen wußte der Modelleur offenbar nicht recht, welche Linienführung er ihnen geben sollte; viel Modelliermaterial für das Kinn.

»Irgendwie kommen Sie mir bekannt vor«, meint Beethoven.

Der Fremde, mit Nachdruck: »Das dürfte kaum der Fall sein!« Wieder eine Verbeugung. Er bittet den hochverehrten Maestro, die kleine Maskerade zu entschuldigen und zu akzeptieren, sie sei in keiner Weise gegen ihn gerichtet, auch nicht gegen eine andere Person hier an Bord, sie sei notwendig, um eine schwierige Mission zu sichern; vielleicht lasse sich im weiteren Verlauf der gemeinsamen Reise auch der letzte Rest von Mißtrauen abbauen – er jedenfalls wünsche sich nichts mehr als dies, wenn auch nicht um den Preis der Aufhebung seiner Anonymität. Gleichsam als Vorgabe bitte er um Vertrauen.

Beethoven hebt die Schultern. ›Auf Wiedersehn‹ brauche er jetzt nicht zu sagen, das werde hier an Bord ja unausweichlich sein.

Er faßt George am Ellbogen, sie gehen zum Heck. »Der ist *doch* ein Spitzel!« Wie der sich vorgestellt und wie der gesprochen hat, als käme er aus Berlin und Wien zugleich – er hat so was schon gehört, hat das noch gut im Ohr, aber dies hier klingt nachgeahmt – dieser Mann will seine Herkunft vertuschen! Und daß er so exakt über das Konzert vom soundsovielten Bescheid weiß, daß er sogar zu wissen glaubt, wie lang oder kurz er am Oratorium gearbeitet hat, was ja glücklicherweise nur den allerwenigsten bekannt ist – dies alles beweist, daß er sich gezielt mit seiner Person befaßt hat, im Auftrag der Polizei- und Zensurhofstelle. Also ein besonders gefährlicher Mann! Vor dem wird er auf der Hut sein! Und von Einwänden, Begütigungen will er jetzt nichts hören! Er kennt diese Art von Leuten, er kennt sie zur Genüge! Damit kein Wort mehr über diesen Fall!

George sieht auf dem Oberdeck die Frau sitzen, mit der er bereits geplaudert hat. Er packt Beethoven am Ellbogen, führt ihn die Stiege hinauf. Sommersprossige Frau von etwa vierzig, Klöppelkissen auf dem Schoß; noch ist kein Ornament, kein Bildansatz zu erkennen. George stellt vor: Johanna Sartorius aus Wiesbaden, mit ihrer Nichte unterwegs nach Westafrika; Ludwig van Beethoven, Tonsetzer, gleiches Reiseziel. Beethoven küßt über dem Klöppelkissen ihren Handrücken.

»Verehrte Frau Sartorius«, sagt er mit einer zweiten Verbeugung, die wie ein Reflex wirkt auf weltmännische Verbeugungen des jungen Beethoven: sie, auch sie könne nichts für die Namenswahl ihrer Eltern, hier werde man zuweilen Opfer eines nicht immer guten Geschmacks, diesen Namen höre er, um es klar zu sagen, äußerst ungern, er halte dies für eine ungeschickte Umwandlung des männlichen Namens Johann oder Johannes, sie werde während der Schiffsreise diesen Namen nie von ihm hören, dieser Name passe ganz einfach nicht zu ihr. »Im Ernst, Madame, er wird mir nicht über die Lippen kommen.«

Auf einen anderen Namen höre sie aber nicht – das sagt sie so entschieden wie knapp.

Gut, meint Beethoven, dann eben eine kleine Übertragung – da sie sich hier glücklicherweise auf einem britischen Schiff befänden, könne man auf die englische Namensform ausweichen: Joan.

»Ich weiß zwar nicht, worauf das Ganze hinaus soll – aber wenn Ihnen das unbedingt notwendig scheint ...«

»Ja, es ist in der Tat unabweisbar notwendig!«

Beethoven auf dem Oberdeck sitzend, Beine ausgestreckt, Brille aufgesetzt, Brauen über der Nasenwurzel zusammengezogen: Lektüre eines der Bücher, die er im Reisebündel mitgenommen hat. Den (bereits länger vorliegenden) Roman kennt er sicher schon, liest ihn zum zweiten Mal: »Anton Reiser«, von Karl Philipp Moritz.

George nimmt sich vor, ausführlicher auf den Roman hinzuweisen im Bericht, den er – gleich nach der Rückkehr – in Brighton schreiben, dann in London publizieren will. Als Titel seines Reisebuchs wird er dem Verlagsbuchhändler vorschlagen: »Sonata mulattica«.

Captain Kevin Flamsteed gibt sich die Ehre, die Herren Passagiere zu einem verspäteten Begrüßungstrunk einzuladen, auf Achterdeck, leewärts. Sie stellen sich auf in lockerem Kreis; neben dem Kapitän der Erste Offizier. Der Schiffsjunge bringt auf einem Tablett gefüllte Rotweingläser, nach fünf Griffen ist das Tablett leer, der Junge läuft die Stiege hinunter.

Der Kapitän hätte gern auch die mitreisenden Damen eingeladen, aber die jüngere der beiden halte sich, nach offensichtlich sehr anstrengender Landreise, weiter in der Kajüte auf; ihre Tante leiste ihr derzeit Gesellschaft. Selbstverständlich aber beziehe er Frau von Trebnitz und Frau Sartorius in den Toast mit ein. Er wünsche den Damen und Herren, daß für sie auf dieser Reise alles nach Wunsch verlaufe; er wolle mit dem Leutnant alles tun, um sie schnell und sicher ans Ziel zu bringen; dafür stehe er ein mit seinem Namen.

Sehr kurz ein Lächeln, er hebt das Rotweinglas. McConglinney, Beethoven, der Maskierte und George heben gleichfalls die Gläser. Italienischer Rotwein.

Beethoven nickt dem Kapitän zu, dem Ersten Offizier, übersieht den Maskierten. Er sei stolz, besonders stolz, auf einem englischen Schiff fahren zu dürfen, unter einem Kapitän, der einen so hervorragenden Ruf besitze, mit einer Mannschaft, die als sehr diszipliniert gelte. Einen Toast auf die Southern Cross! Und einen Toast auf das gesamte britische Volk! Er dürfe hervorheben, daß er sich zu keinem anderen Land Europas so hingezogen fühle wie zu England.

Damit keiner annehme, er sage dies nur aus Höflichkeit, dürfe er die Gründe für seinen England-Enthusiasmus, ja seine Anglomanie benennen. England sei für ihn die Nation, die seit langem die Initiative übernommen habe im Kampf gegen Napoleon, der von Eroberungssucht und Kriegswut besessen sei. Dieser Napoleon sei noch immer nicht endgültig besiegt, es sei aber bereits unübersehbar, daß der Stern dieses Mannes sinke. Einer der Männer, die sich im Kampf gegen Napoleon besonders ausgezeichnet hätten, sei Admiral Nelson. Es sei selbstverständlich für ihn, den Namen dieses Helden als ersten zu nennen an Bord eines britischen Dreimasters. Sein Toast schließe den Ausdruck großer Bewunderung ein für Admiral Horatio Nelson.

Dieser Toast gelte zugleich und gleicherweise Sir Isaac Newton. Schon vom Klang her seien die Namen brüderlich miteinander verbunden: Nelson und Newton, Newton und Nelson – es könne einfach kein Zufall sein, daß zwei so herausragende Inkorporationen Englands beinah klanggleiche Namen hätten, und er wundere sich, daß er offenbar der erste sei, der auf diese Klang-Ähnlichkeit reagiere und eingehe. So wie Nelson nüchtern die Schiffsrouten berechnete, so hat Newton Bewegungen im All nüchtern berechnet. Und was verbinde Nelson und Newton weiter? Das Fernrohr! Der eine machte mit dem Teleskop den napoleonischen Feind aus, besiegte ihn wiederholt, der andere richtete sein Teleskop auf die Sterne und las aus ihren Bewegungen das Wirken der Schwungkraft und der Schwerkraft ab. Wie durch ein Fernrohr sehe er seinerseits diese beiden Genies aneinander herangerückt. »A salute to Nelson and Newton!«

George sieht voraus, daß er während der Reise einiges von sich erzählen muß, denn es wird viel über ihn erzählt: Gerüchte und Geschichten, die ihm vorauseilen, die ihn umgeben. Eine dieser Geschichten: sein Vater als abessinischer Fürst.

Von einem Fürstenvater in Abessinien ließe sich gut erzählen. Seine Hauptstadt von hoher Lehmmauer umgeben; während vor dem Mauerwerk Hitze flimmert und flirrt, hält sich dieser Vater samt Frau und Nebenfrauen im Stadtpalast auf, einem Lehmbau mit Innenhöfen; in denen sitzt er meist abends, nachts, wenn auf dem Laufgang der Stadtmauer Hunderudel die Hyänen und Räuber verbellen. Von Hunden akustisch markierter Kreis! In dessen Mittelpunkt der Vater. Langsame Bewegungen, doch ausgeführt mit Bestimmtheit; wenn er kauert, ist er völlig reglos. Dies etwa, wenn ein afrikanischer Spielmann vorsingt, das geigenähnliche Instrument senkrecht auf dem Oberschenkel, und mit waagrechtem Bogen wird auf der einzigen Saite musiziert zu Strophen, die sich reihen.

So ungefähr könnte er zu erzählen beginnen über seinen Vater, wenn der ein abessinischer Fürst wäre. Oder: sein Vater als Kapitän? So ist ihm das zu Ohren gekommen: der erste dunkelhäutige Kapitän auf den sieben Weltmeeren …!

Sein Vater, das stimmt, hat viel Zeit auf dem Atlantik verbracht: die Verschiffung von Afrika nach Westindien, die Flucht nach Westeuropa. Auch wenn sein Vater auf dem Weg nach Westindien im Laderaum war, auf dem Weg nach Westeuropa im Versteck – er wird Befehlsrufe gehört haben, und die ließen sich wiedergeben: »Aufgeien!« oder »Back halsen!«. Mit solchen Befehlsrufen könnte er seinen Vater präsent werden lassen. Ja, es wäre naheliegend, auf der Southern Cross von einem Vater zu erzählen, der ein dunkelhäutiger Kapitän war, aber es wäre auch riskant: Zwischenfragen kundiger Zuhörer könnten bloßstellen. Er wollte sich ohnedies nie seinen Vater als Kapitän zurechtphantasieren – warum jetzt auf dem Mittelmeer?

Daß sein Vater jedoch ein guter Musiker war oder zumindest, daß er musizieren konnte, dies wird sofort plausibel erscheinen: musikalischer Sohn hat musikalischen Vater ... Woher hat der wiederum seine Musikalität? Vom Großvater! Dieser Großvater, so wird er an Bord erzählen, dürfte ein in seiner Region bekannter Spielmann gewesen sein, der umherzog mit einer Frau und vielleicht auch mit Musikerfreunden, und er trat auf vor Häuptlingen und vor Händlern, mit Erzählgedichten und mit Tanzliedern, und er bewegte sich im Tanztakt, die Harfe mit dem kürbisrunden Resonanzkörper in die Hüfte gestemmt oder an den Bauch gedrückt, und tanzend sang und spielte er vor, im Tanzschritt folgte man ihm. Von diesem Großvater, dem Spielmann, wird er mehr erzählen können, den wird er im geplanten Reisebuch genauer beschreiben können, sobald er in Afrika einen Spielmann beobachtet haben wird.

Ein Spielmann bringt seinem Sohn, vor allem seinem ältesten, rechtzeitig das Singen bei und das Musizieren auf Instrumenten. Und sein Vater, so könnte er auf Achterdeck weitererzählen, war begabt, wie sich rasch zeigte, er spielte bald die Fiedel mit der einen Saite, blies Flöte, schlug Felltrommeln, eventuell die dumpfe Wassertrommel. Auch aus diesem Jungen, so mochte sein Großvater denken, könnte ein guter Spielmann werden.

Doch jäh die Zäsur: sein Vater als Junge von Sklavenjägern gefaßt, mit anderen Opfern nach Westen getrieben, in wachsender Karawane, Seile um die Handgelenke, vielleicht sogar um den Hals eine Holzzarge, die ihn an den nächsten Jungen koppelte. Womöglich wurde er zum Kap Verde getrieben, wurde vorübergehend eingekerkert auf der Insel Gorée, in den Kellerräumen einer reichen Sklavenhändlerin, einer Mulattin, wurde verfrachtet. Niedrige Decks; zu Beginn der Reise hatten die Sklavinnen auf den Sklavinnendecks und die Sklaven auf den Sklavendecks so wenig Platz, daß sie Kopf an Fuß an Kopf schlafen mußten; auf dieser langen Reise keine Musik, erst recht kein Tanz; wer nicht unterwürfig und rasch genug Befehle befolgte, wurde ausgepeitscht. Wenn er anderen Kindern von seinem Vater, dem Sklaven, erzählte, mußte er das Aufklatschen der neunschwänzigen Meerkatze beschreiben: blutige Striemen auf Rücken. Zusätzlich: aufgeschwemmte Gliedmaßen von Sklaven, die an Skorbut erkrankten. Schließlich: Leichen über Bord geworfen, das Wasser aufschäumend von scharfen Flossenschlägen. Wenn er so etwas erzählte, wurde er von anderen Kindern, auch von Erwachsenen angestaunt, als wäre er selbst auf einem Sklavenschiff gereist. Muß man auf einem Sklavenschiff gereist sein, um von einem Sklavenschiff erzählen zu können? Stichworte wie: Leichenwürfe, Skorbut, neunschwänzige Meerkatze jedenfalls ließen die zuhörenden Kinder näher heranrücken, und nun erst recht mußte er die Peitsche zischen und klatschen lassen. Die neunschwänzige Meerkatze biß sich zugleich in Gehirne ein, hinterließ dort Spuren. Alles so grausam, wie man es sich vorstellt …! Und so bunt: er nahm seine Zuhörer mit in ferne Länder, in denen Geschichten aufblühen. Trinidad! Barbados! Auf Barbados mußte sein Vater, auch sein Vater, in Zuckerrohrplantagen schuften.

Als besonders wirkungsvoll erwies, erweist es sich, wenn er von seinem Vater als dem Sklavenjungen erzählt, der im Zuckerrohrwald das lange Messer schwang. Dieser Zuckerrohrwald aus der Perspektive des Zwölf- oder Dreizehnjährigen: noch höher als die üblichen drei Meter, und dschungeldicht das süße Riesenschilf. Messerschwingen in feuchter Hitze; Fliegen, Insekten; schwärende Verletzungen an Füßen und Händen; die Haut roch nach Zuckerrohrsaft. Und Vater schnitt, sein Vater schnitt das Zuckerrohr, als Junge schon, hieb Stauden um, so tief wie möglich, hieb sie um, und gleich die Spitze abgehackt, die Wedel bringen keinen Zucker, das Rohr dann mittendurch geschlagen, zwei Stücke nun, so groß wie er, ein Meter jeweils, weiter, schwang das breite Messer, hieb die nächste Staude um, die Spitze ab und mittendurch und weiter, schon die nächste Staude, hieb sie überm Boden um, hackte ihr die Spitze ab, schlug sie in der Mitte durch und weiter, gleich die nächste Staude, der Vater hat nun Tritt gefaßt, sein Sohn folgt auf dem Versfuß nach. Ja, er sollte eine große Ballade über seinen Vater komponieren, auch den Text sollte er schreiben, Ballade für Singstimme und Klavier, und zusätzlich ein Tamburin oder zwei kleine Trommeln, die könnten vor allem im Refrain eingesetzt werden, der hörbar macht, wie sich Wiederholtes wiederhole.

Am Ende vieler langer Staudenreihen wartete nicht jemand, der seinem Vater beim Zuckerrohrhacken zuschaute und der sich sagte: Ein tüchtiger, ein hübscher Negerjunge, der schneidet zügig, schwitzt nicht allzu sehr, der könnte gut auch Fliegen scheuchen, mit dem Fächer an der Tafel des Plantagenherrn – es war vielmehr so: sein Vater spielte sich frei.

Was hier zur Pointe verkürzt ist, muß er zumindest skizzieren. Ein Instrument, das Henry Augustus geliehen wurde, der Sklavenjunge spielte sich rasch wieder ein, obwohl seine Finger nicht mehr so gelenkig waren nach dem Hacken bambusrohrstarker Stauden, doch je öfter er spielte, desto beweglicher wurden wieder seine Hände. So fiel sein Vater auf. Ein Aufseher brachte ihn, auf Belohnung hoffend, zum Plantagenherrn, der ließ sich vorspielen, nahm den Jungen in die Dienerschaft auf, nicht allein wegen der musikalischen Begabung: Henry Augustus war von auffallender Schönheit, war gewandt, gewitzt, geschickt – der »geborene Diener«? Zu Schönheit und Geschicklichkeit kam Zielstrebigkeit: sein Vater lernte die Sprache der Familie des Plantagenbesitzers. Er wußte: nur über ihre Sprache konnte er frei werden. So fragte er die Haushälterin, eine Mulattin, nach den englischen Bezeichnungen der Gegenstände, mit denen sie hantierte; so lernte er Wörter von den beiden Kindern des Plantagenherrn und seiner braunhäutigen Verwalterin; so lernte er Wörter vom Pferdeknecht, lernte Wörter und Melodien vom Musiksklaven. Und Henry Augustus, der junge, schöne, anstellige, geschickte Sklave, lernte das Spielen eines europäischen Instruments, zum Beispiel der kleinen Harfe, die man auf den Oberschenkel setzt. Und der Plantagenbesitzer brachte ihm Lieder bei, die seine Mutter gesungen hatte, eine Schottin. Klänge seiner Muttersprache; diese Sprachklänge, Musikklänge weckten Erinnerungen des Plantagenbesitzers an Reisen mit der Mutter. Zu den schottischen Liedern kamen schottische Geschichten: Nebel, Sturm, Krähen, Köpfe auf Tellern. Er sang bald auch vor Gästen des Hausherrn – dessen Ansehen wuchs unter anderen Sklavenhaltern. Und Henry Augustus zog mit seinem Instrument zu einem Verwandten des Plantagenbesitzers, trat dort erfolgreich auf, kehrte zu seinem Herrn zurück. Dessen Vertrauen wuchs: der Sklave, der auch nach längeren Exkursionen nicht wegblieb. So schuf er sich mit Musik wachsenden Spielraum, Bewegungsraum.

Schließlich die Flucht. Sein Vater hatte, stellvertretend, das Verladen von Rohrzucker beaufsichtigt, hatte in Pausen dem Kapitän einige Lieder vorgespielt, war kurz vor dem Ablegen des Schiffs verschwunden. Über Einzelheiten der wahrhaft finsteren ersten Zeit wird sein Vater ihm nie zusammenhängend erzählt haben, nur Stichworte, Andeutungen: Kielraum … Bilgenwasser … fauliger Gestank … Ratten. Erst nach einigen Tagen tauchte er auf, taumelig, ausgehungert, mit durstgeblähten Lippen, stellte sich dem Kapitän. Und das Schiff wurde nicht von widrigem Sturm zurückgetrieben zu den Antillen: rasche, gute Fahrt. In deren Verlauf wurde sein Vater zweiter Steward in der winzigen Offiziersmesse, spielte abends auf seiner celtic harp, sang Lieder, auch schottische – die wurden erst verlacht, dann geduldet, schließlich erbeten, die Reise war lang. Zum Vorsingen das Vortanzen. Ein sogenannter übermütiger Einfall: »Der Neger soll tanzen!« Sein Vater ahmte einen Kampftanz nach, den er auf Barbados gesehen hatte bei älteren Sklaven.

Mit schlitzschmalen Augen schaut Beethoven ins Meergleißen: So viel Licht, wie hier an einem einzigen Tag auf ihn eindringt, gab es in Wien nicht mal in einer ganzen Hochsommerwoche! Er kann jetzt verstehen, weshalb Admiral Nelson solche Molesten mit seinem einen Auge hatte, nachdem das andere bei irgendeiner Seeschlacht durch Splitter zerstört worden war. So hat das in der Zeitung gestanden. In den Journalen war überhaupt viel über Nelson zu lesen, an diese Berichte hat er sich stets als erstes herangemacht, im Café. In einem dieser Artikel stand auch, daß er sich eine Kappe anfertigen ließ, die das eine Auge abschirmte vor dem Mittelmeerlicht. Fällt ihm jetzt ein, aber nur so nebenher, es geht ihm eigentlich um einen anderen Seefahrer, Meerfahrer. Aus gegebenem Anlaß – und das hebt er distanzierend hervor in der Wiederholung – aus gegebenem Anlaß befaßt er sich lesend wieder mit einem Mann, der ebenfalls Jahre auf dem Meer verbrachte, wenn auch ohne Schirmkappe, es waren zuletzt anderthalb oder zwei Jahrzehnte – meist auf dem Meer, auf dem sie jetzt segeln. Obwohl sie in Genua ablegten –

dies ist für ihn das griechische Meer, das königsblaue Meer des Dichters Homer. Ja, die Odyssee als eins seiner Lieblingsbücher! Irgendwann mal wird er eine Odysseus-Oper schreiben. Und eine Shakespeare-Oper noch dazu, einen Macbeth oder Lear. Doch er denkt zur Zeit eher an eine Odysseus-Oper. So einfach, wie George sich das jetzt vielleicht vorstellt, sind die Verbindungen allerdings nicht: Beethoven auf dem Mittelmeer, also liest er wieder einmal, wie Odysseus auf dem Mittelmeer umherfuhr. Diese Figur hatte ihn schon beschäftigt, als ihm der Gedanke an diese Reise noch längst nicht souffliert worden war. Er hat sich Odysseus, dem unglücklichen Odysseus immer schon nah gefühlt – der »göttliche Dulder«, so heißt es doch. Damit ist wahrscheinlich gemeint: der Mann, der göttlich, beinah göttlich ist im Erdulden. Jetzt, auf diesem odysseischen Meer, wird ihm erst völlig klar, was Odysseus so sehr leiden läßt. Das sind nicht die Stürme und die Kämpfe, vielmehr: Odysseus fühlt sich allein, fast einsam auf seinen Fahrten. Gewiß, er hat seine Gefährten, hat unter ihnen auch Freunde, aber was ihm fehlt, ist die Familie: Penelope und Telemach. Ja, auf den jahrelangen, anderthalb Jahrzehnte langen Irrfahrten ist er jemand, der keine Familie hat – er hört nichts mehr von seiner Frau, nichts mehr über seinen Sohn – als wären sie nicht mehr existent. Und dieser Zustand: ohne Familie zu sein, der läßt Odysseus klagen, da schämt er sich auch der Tränen nicht. Er will zurück zu seiner Familie, aber widrige Winde, mißgünstige Götter lassen ihn sein Glück nicht wiederfinden. Wenn er von diesem Unglück des Odysseus liest, wird ihm sein eigenes Unglück um so schmerzhafter bewußt, im vollen Ausmaß oder Unmaß. Auch deshalb, vor allem deshalb die innere Verfinsterung in den vergangenen Tagen – er wollte dieses Meer nicht sehen, zuviel Licht, viel zuviel Licht, auftrumpfend, blendend – da hätte ihm selbst Nelsons Schirmkappe nicht geholfen!

Könnte Beethoven nicht ein Instrument mitgenommen haben, weil er weiß, er wird viel Zeit haben unterwegs? Er hat, zumindest in den Bonner Jahren, verschiedene Instrumente gespielt – könnte er nicht eins von ihnen hervorgeholt haben für die Reise?

Zum Beispiel die Bratsche? Dieses Instrument hat Beethoven im Bonner Hoforchester gespielt, also: Bratsche! Diese Wahl hätte den Vorteil: George könnte, zur Abwechslung auf dieser Bratsche vorspielend, Beethoven dazu motivieren, ein Konzert für Viola und Orchester zu komponieren – wie viele Bratschisten dieser Welt blieben dann George für immer dankbar?

Also: Beethoven kommt mit der Bratsche aus der Kajüte, stimmt sie, wenn auch nicht völlig rein, darauf hat er noch nie großen Wert gelegt, und er spielt ein paarmal die Tonleiter, das setzt sich fort in einer Improvisation, in der er mehr wagt, als er kann: Fehlgriffe. Denn kaum hat er begonnen, will er möglichst rasch spielen. Und weil das nicht so recht gelingt, stößt er kleine Flüche aus. Aber seine Energie läßt sich nicht brechen. Überraschend schnell könnte er sich einspielen, und von nun an würde der Klang der Bratsche zur Reise gehören.

D iese Reise, sagt Beethoven, und er spricht langsamer als sonst, diese Reise findet statt zu einer Zeit, in der er zu intensiver Arbeit nicht fähig wäre. Zu stark wirkt nach, was er in den letzten Jahren erlebte, erlitt – Erfahrungen, die vor dieser Reise ihren schlimmen Abschluß fanden, äußerlich – eine Trennlinie gezogen wie mit tödlich scharfem Messer. Auch jetzt noch: er spürt fast unablässig die innere Wunde – wie eine Körperwunde, die sich nicht schließen will – oder deren Narbe schmerzt – unaufhörliches Wahrnehmen von seelischem Schmerz – dazu verurteilt, verdammt sein, den seelischen Schmerz zu spüren … Er macht diese Reise mit der geringen Hoffnung, daß der Wundschmerz, der innere, nachläßt. Daß er wieder seine Umrisse findet. Was ihm helfen könnte, klare Konturen zu finden, vor sich selbst: die Arbeit. Das Komponieren als einzige Leidenschaft, die in den Jahren und Jahrzehnten nichts an Intensität verloren hat – bis auf wenige Phasen innerer Erschöpfung, wie derzeit. Doch er will nicht dramatisieren: er spürt, diese Intensität wird zurückkehren – wahrscheinlich nach der Reise. Diese Intensität wird womöglich noch zunehmen. Um so wichtiger dann: er muß sich und seine Kunst schützen. Was er wieder braucht, ist Ste-

tigkeit der inneren und äußeren Lebensverhältnisse. Keine Liebesgeschichte mehr, nur ja kein Liebesverhältnis …!

Manchmal eine viertel, eine halbe, eine ganze Stunde, die Beethoven an der Reling lehnt, und er schaut zurück aufs Meer,
das sie durchsegelt haben. George wagt es kaum, ihn dann anzusprechen. Versucht er es dennoch, muß er sich zwei-, dreimal wiederholen, und dann ist Beethoven meist unwirsch oder erschrocken wie
nach einem Stüber. Es kommt auch vor, daß er kein Geräusch, keinen Ruf der Welt mehr wahrzunehmen scheint – Beethoven in sich
versunken, tief, und es dauert lang, ehe er wieder auftaucht. Das
kann beschleunigt werden, wenn George das rechte Thema findet.

Er stellt sich neben Beethoven, schweigt mit ihm, beginnt endlich
mit einer Feststellung, in der sich gemeinsame Erfahrungen sammeln: Das Glück wie das Unglück wollen ausschließlich herrschen,
wollen Zustand werden, sein, bleiben. Diese Zustandsformen lassen
sich in Metaphern übersetzen. Das Unglück, so sagte Beethoven, als
seelische Wunde, die unablässig schmerzt. Auch wenn die erste
Phase heftiger Einwirkung vorbei ist, bleibt die Wunde als Wunde
spürbar, und das bei allen Tätigkeiten: beim Üben, beim Essen,
beim Lesen, beim Spazieren. Zuletzt die Narbe: verhärtete Präsenz
einer unglücklichen Erfahrung. Nur in sehr langer Zeit kann die
Erfahrung sich auflösen, doch die Narbe bleibt, und bei jedem
Wechsel wird sie spürbar.

Auch Glücksgefühle wollen sich ausdehnen, Erfahrungen des
Glücks. Doch er hat, so erzählt er Beethoven, diese Erfahrung gemacht: Glücksgefühl zehrt auf, um sich zu erhalten, und als erstes
verzehrt es Schlaf. Wenn er mit einer Frau sehr glücklich war, sagte
er sich zuweilen: Nun müßte er eigentlich im Handumdrehen einschlafen. Aber: Glück will nachschwingen. Über Stunden lag er im
Bett, nach einem Liebesnachmittag, einem Liebesabend, und diese
Stunden waren nicht erfüllt von der Ungeduld, nun endlich den
Schlaf zu finden, den er eigentlich verdient hatte, es waren Stunden,
die ihre Konturen als Stunden verloren, ihr Volumen vor allem als
Stunden, und sie unterlagen nicht mehr dem Prinzip der Zählung,

diese Stunden lösten sich auf in Obertonschwingung, in reinste, hellste Obertonschwingung, und die war zugleich in ihm und um ihn herum, ein Zustand wacher Müdigkeit, angespannter Lässigkeit, ein gleichförmiges Flirren, Vibrieren, das hielt an, setzte Zeit um in Schwingung, hob damit Bewußtsein auf vom Vergehen der Zeit, da war nur dieses Nachschwingen, dieses selbständig gewordene Schwingen, das sich nicht verstärkte, nicht in der Höhe, nicht in der Intensität. Und er war damit zufrieden, dieses Schwingen wahrzunehmen, von diesem Schwingen erfüllt zu sein im ganzen Körper, in allen Hirnregionen, dieses Schwingen zehrte Lebenskraft auf, erzeugte zugleich Lebenskraft, das spürte er am nächsten Morgen: auch wenn er zu früh aufwachte, war er nicht müde, den ganzen Tag über nicht, das Obertonschwingen war nicht mehr so stark, aber es hatte ihn mit Kraft erfüllt, die machte jede Folge von gewohnten Bewegungen leicht, die machte sein Musizieren intensiver, und das über Stunden. Schließlich nachschwingendes Erinnern an Obertonschwingungen. Auch dieses Nachschwingen wurde schwächer. Dagegen kann sich die andere Erfahrung, der Zustand von Unglück, in gleicher Intensität über längere Zeit hinweg halten, kann sich auch, aus sich selbst heraus, wiederholen, manchmal genügt ein Stichwort. Glücksgefühl herrscht nur für begrenzte Zeit, dann bleibt Erinnerung an Glückserfahrung und Obertonschwingung.

Und George resümiert: Unglück hat kontrahierende Wirkung, es prägt sich am deutlichsten aus in der schmerzhaft konturierten Narbe. Glück aber will sich ausdehnen – wirkt es deshalb so flüchtig? Wenn er mit einer Frau, die er liebte, geschlafen hatte: Überschwang, und der breitete sich aus, alles wie von feinster ätherischer Substanz überhaucht – Glücksgefühl! Und das verflüchtigte sich. Deshalb: Glück ist angewiesen auf Wiederholung.

Beethoven schaut ihn an, von der Seite her. Ja, George habe völlig recht, diesen Satz werde er sich aneignen: Glück braucht Wiederholung. Er schweigt, dieser Satz scheint sich in ihm zu wiederholen. Plötzlich nimmt er George in die Arme. Aber nur kurz.

Der dicke Schotte fordert wiederholt Aufmerksamkeit; diese Momente und Phasen verteilen sich über Tage der Schiffsreise, aber George nimmt sich vor, hier zusammenzufassen – Higginbotham erhält noch oft genug das Stichwort für einen Auftritt.

Zuerst: Präsentation des Musikers aus dem schottischen Hochland. Der sitzt an Deck, am liebsten auf dem Oberdeck, an der Treppe, die breitgestellten Füße auf einer der Stufen, und er spielt langgezogene Melodien, die überlieferte Melodien weiterzuspinnen scheinen, wehmütig: schottische Hochlandseufzer. Fast riecht es auf dem Schiff nach frisch gestochenem Torf, nach getrocknetem Torf, nach Torf, der im Kamin verbrennt. Und Wollgrashalme nikken mit kleinen, weißen Schöpfen, und Wasser fließt torfbraun, und Regen fällt, kühlende Hülle beim Zuhören. Melancholische Andachtsstündlein schottischen Heimwehs, der mächtige Mann wirkt beim Spielen statuarisch reglos, nur Arme und Finger bewegen sich und – wie im Reflex – einige Zehen seiner nackten Füße.

Wieder Bewegung, ein Wirbel von Bewegungen: er übt Messerwerfen, Ziel ist der Großmast. Die beiden Messerspitzen jeweils nur zwei, drei Fingerbreit voneinander entfernt im Holz, auf zehn Meter Distanz. Obwohl alle an Bord sehen, wie zielsicher Dougall wirft – keiner hält sich hinter, neben dem Mast auf, solange er übt, bei weiterhin ruhiger See. Die Klingenspitzen rücken näher aneinander heran; wenn sie sich im Holz mit hellem und zugleich dumpfem Klang berühren, beendet er diese Übung, schiebt die Messer dekorativ hinter den breiten Gürtel, den er nie ablegt.

Zuweilen auch Kraftübungen. Der Schiffszimmermann hat ihm erlaubt, vom Holz, das für Notfälle verzurrt liegt, den schwersten Balken zu benutzen. Den packt er mit klammernden Pranken, stemmt ihn hoch, senkrecht, das untere Balkenende in Höhe des Nabels, balanciert ihn, schleudert ihn hoch, fängt ihn senkrecht wieder auf, wiederholt das ein paarmal, läßt den Balken zum Abschluß der Übung senkrecht aufs Deck niederdröhnen – der Schiffsleib als Resonanzkörper für die kraftvollen, kräftestärkenden Übungen des Mannes vom Hochland.

Und weiter: Marschieren an Deck! Da bläst er zuerst den Fellsack prall, beginnt einen Schottenmarsch zu spielen, auf der Stelle stampfend im Takt, setzt sich dann in Bewegung, bugwärts, stampfender Marschtritt, bleibt am Bug stehen, stampft auf der Stelle, dreht sich um, marschiert zum Aufgang des Oberdecks, bleibt dort stehen, auf der Stelle stampfend, dreht sich am Ende einer Strophe um, marschiert bugwärts, stampfender Marschtritt, bleibt am Bug stehen, stampft im Marschtritt auf der Stelle, dreht sich um, marschiert zum Aufgang, scheint mit dem Spielen des Dudelsacks zu wachsen, in die Höhe wie in die Breite.

Die an Bord beliebteste Nummer: er nimmt zwei Schwerter, legt sie gekreuzt aufs Deck – dieser Mann, aus dessen Körpermasse sich leicht zwei Personen herstellen ließen, scheint alle Waffen doppelt zu führen: die Dolche, die Pistolen, die Schwerter. Er beginnt mit dem Schwerttanz, eine Hand an der Hüfte locker aufgesetzt, der freie Arm schwingend. Eine fast graziöse Leichtigkeit, mit der dieser schwere Mann Kreuzschritte, Wechselschritte, Pendelschritte, Sprungschritte ausführt; leichtfüßig springt er auf, schnellkräftig hebt er ab, mal die rechte, mal die linke Hand an der Hüfte, die andere Hand zuweilen in waagrechter Schwing- und Schwebebewegung.

Seine Übungen, Vorführungen locken Seeleute, soweit sie unter Deck nicht arbeiten müssen, nach oben, sie schauen und hören ihm zu. Auch Beethoven, auf Oberdeck, hat Augen und Ohren für den Schotten. Nach dem Schwerttanz kommt Ludwig die Stiege herunter – vor allem diese Vorführung hat sein Interesse geweckt. Auch ein Dudelsackspieler hat sein Schicksal, auch ein Leibwächter seine Geschichte, er möge bitte ein wenig von ihr mitteilen.

Der Schotte betrachtet ihn aufmerksam, dann sagt er im rauhen, wie von Hochlandstürmen aufgerauhten Bariton, es lasse sich sehr viel oder nur recht wenig über sein Leben berichten, er wolle es lieber kurz machen, schließlich bleibe er Nebenfigur. Geboren in Schottland; Geburtsort und Geburtsdatum without significance. Früh schon wegen seiner Körperkraft beliebt auf Festen und Veranstaltungen: Steinblöcke hochreißen, Baumstämme werfen. Soldat in einem englischen Regiment, eingesetzt in Kämpfen gegen napoleonische Truppen, und er stets vorneweg, bevorzugtes Ziel von Gewehren, sogar von Kanonen, doch es muß einen Schutzzauber gegeben haben, von schottischen Hexen oder eher von Feen über ihm gemurmelt, als er vormals unter einem windverdrehten Baum geschlafen hatte. Derzeit Privatsöldner und wandelnder Kassenschrank des Herrn, dessen Namen er nicht nennen darf, den könnte er sowieso kaum aussprechen, klingt polnisch oder so, mehr kann er hier nicht sagen, er darf die geheime Mission nicht gefährden, wird auch für Geheimhaltung bezahlt. Und für den Schutz seines gegenwärtigen Herrn. Er würde gern auch Master Beethoven unter seinen persönlichen Schutz nehmen – wenn der nur ein geneigtes Ohr für ihn hätte.

Beethoven hebt die Brauen: Kaum etwas über sich erzählt, schon eine Bitte?!

Ja, er weiß, daß Master Beethoven ein sehr bekannter composer ist, daß er auch dancing-music geschrieben hat, und er fragt höflich an, ob Master Beethoven ihm nicht zwei oder drei – bitte nicht langatmige – Kompositionen schreiben könne, for bagpipes.

Da hebt Beethoven noch einmal die Brauen, schaut auf den schlaffen Fellsack, den herabhängenden »chanter«, blickt den Schotten an mit dicht über der Nasenwurzel zusammengezogenen Brauen: »Komm mir bloß nicht so! Komm mir bloß nicht mit so was an!« Und er dreht ab, stampft die Stiege hoch zum Achterdeck.

Warum öffnet Beethoven an diesem Tag nicht die Kajütentür? Da sähe er Licht, mittelmeerisches Licht, sähe Wanten und Rahen, sähe hoch hinauf und breit hinaus Segelflächen, lichtgesättigt, windgebaucht, könnte sich in Licht und Schatten bewegen, könnte durchatmen in der Luft, in die Delphine schnellen, lässig kraftvoll, in der zuweilen fliegende Fische in weiten Sprung- und Flugbögen dahingleiten, und er könnte zum Bug gehen, in das Gleißen blicken, in das sie hineinfahren, nachmittags, könnte aufs Oberdeck steigen und zurückschauen auf die Wasserfläche, die der Dreimaster durchpflügt hat, schäumend. Doch Beethoven bleibt in der Kajüte – denkt er nach über kontrahierendes Unglück, expandierendes Glücksgefühl? Unglück, das sich mit Narben markiert, Glück, das Wiederholungen braucht? Es sind kaum einmal Schritte zu hören zwischen Tür und Heckfenster. Als er ihm Essen hineinreicht durch die nur spaltweite Türöffnung, sieht er im künstlichen Dämmerlicht auf dem Klapptischchen ein Buch, sieht Blätter mit Notizen auf dem Boden – raumgreifende Schrift; keine Noten.

Eine andere Kajüte bleibt tagsüber ebenfalls verschlossen: die junge Frau hat sich noch nicht gezeigt. Dafür sitzt ihre Tante fast immer auf Achterdeck, klöppelnd. Mehr als Andeutungen macht sie nicht im Gespräch: Charlotte braucht Ruhe ... Nachwirkungen einer Erkrankung ... lange Zeitphase der Überlastungen ... Aber nun: ihr Vater hat sie nach Afrika gerufen ... großes Haus am Kap Verde, außerhalb, oberhalb der neueren Hafensiedlung ... reicher Händler ... Fiebertod seiner Frau ... er will Vize-Gouverneur werden in diesem Gebiet ... Charlotte soll fürs erste repräsentierend an seiner Seite stehen ... sie machte seinen Wunsch zu ihrem Wunsch ... sie möchte Distanz finden zu einem Problem ... Doch darüber mag Johanna Sartorius nicht sprechen. Sagt nur noch, die Kajüte sei in den letzten Tagen zur Zelle geworden, mehrere Meter über dem Meeresspiegel. Und sie lacht auf, diese hellhäutige, sommersprossige Frau mit dem rotblonden Haar, das streng zusammengefaßt ist, doch es lösen sich Strähnen, und im Lachen zeigt sie überraschend große, schön gereihte Zähne – sie schließt wie ertappt die Lippen. Ihre bestimmt sehr sinnliche Haut – George assoziiert dabei eine ebenfalls rotblonde, sommersprossige Frau, die schon aufstöhnte, als er sie in der Kniekehle streichelte. Johanna dagegen scheint von unsichtbarer Schutzschicht überzogen, die macht sie unberührbar. Doch plaudern will sie weiterhin mit ihm auf Achterdeck, Stuhl im Segelschatten. Helles Kleid; Strähnen umspielen die Schläfen, die Stirn; Klöppelmuster, Satzfolgen. Charlotte hat mehrere Bücher mitgenommen auf die Reise, für das Jahr auf dem Odongo-Hügel, hat nun begonnen, einen umfangreichen Roman zu lesen – freilich keine zielstrebige Lektüre, zuweilen liest sie nur an, schließt das Buch wieder, legt es weg, starrt zum verhängten Heckfenster. Mit Zuspruch ist ihr nicht zu helfen, höchstens durch Zuhören. Doch Charlotte bleibt über viele Tagesstunden hinweg stumm.

Verstummen nun auch bei Johanna. Wind. Holzknarren. Er steht auf, senkt grüßend den Kopf.

Gespräche, auch Fachgespräche auf der Southern Cross. Mit dem Kompaß, den er in Genua gekauft hat, stellt sich George neben den Rudergänger, vergleicht die Nadelstellung mit der des Schiffskompasses: das kleine Gerät arbeitet zuverlässig.

Dann schaut er McConglinney bei erneuter Positionsbestimmung zu, läßt sich den Quadranten erklären, wird überschüttet mit nautischen Begriffen. Wie zur Belohnung darf er durch das Teleskop schauen: Nelson hätte kein besseres benutzen können, betont er.

Kurz schaut der Erste Offizier zum Achterdeck hinauf, zur rotblonden, klöppelnden Frau, grüßt mit einem Kopfnicken; salutierend hebt sie eine Nadel.

Fachgespräch mit dem Schiffszimmermann. Dem hat er vor Tagen die Violine gezeigt, dafür bleibt der Grauschopf dankbar; eine Viertelstunde lang hat er den Blick nicht herausholen können aus dem Klanggehäuse: sorgsam verarbeitetes, kostbares Holz! Deckenholz, Zargen, Bodenholz ... Griffbrett, Steg, Wirbelkasten ... Er berichtet von Erfahrungen beim Bearbeiten von Holz: das weite Spektrum zwischen weichem, biegsamem Holz und beinhartem, fast metallhartem Holz aus Afrika.

Wer mit dem Ersten Offizier und dem Schiffszimmermann plaudern darf, während sie arbeiten, der ist auch dem Segelmeister willkommen. Aus Segelresten näht er ein Zelt zusammen, das die Afrikareisenden vor Morgenkühle und Regengüssen schützen soll. Sagt er und stichelt weiter, Segeltuchhandschuh über der rechten Faust. Dreikantnadel, und jeweils sieben Stich auf die Länge der Nadel, da kommt keine Mücke durch – bei Segeln hält er es mit den Nähten genauso.

Aye, aye, Sir, sieben Stich auf die Länge der Nadel: läßt sich vormerken für das geplante Reisebuch...

Die Mannschaft ist bald daran gewöhnt, den Mulatten überall zu sehen an Deck, auch im Zwischendeck mit den zehn Kanonen. Während der Freiwachen winken ihn Erster Offizier oder Steuermann Stanhope schon mal zu sich heran, auch sie erzählen gern von ihren Tätigkeiten. Da schweigt auch nicht der Rudergänger: Luvoder leeward eine Sturmwelle richtig nehmen ... Die Segel wegnehmen und den Anker vor die Klüse fieren, sonst gibt's beim Aufdrehen zum Ankern einen Mords-Swooling ...!

Das Schiff, auf dem sie zwei oder drei Wochen reisen: wie viele Wörter und Sätze in diesem Entwurf für die Southern Cross? Details vom Kielbaum bis zum Mastkorb? Von Backbord bis Steuerbord? Vom Spiegelheck bis zum Bugspriet? Angaben zu Länge, Breite, Höhe? Nur dies ist für ihn wichtig: am Bug soll keine Galionsfigur sein, auch kein Schnabelkopf, sondern ein »Violinkopf« – der Bug ungefähr wie ein Geigenhals geformt. Zum Violinkopf gehören zwangsläufig »Bugsprietviolinen«. Dieser Schiffskopf und die hölzernen Klampen wären selbstverständlich kein Zufall: die Bauform als Hommage an ihn, George Augustus Polgreen Bridgetower! Also, da capo: Violinkopf, Bugsprietviolinen ...

Er hat an der Reling gestanden, berichtet der Maskierte der klöppelnden Johanna, eine Stunde lang hat er am Bug dem Heranziehen der Wellen von Westen her zugeschaut, den Wellen und der sie tragenden Dünung, die das Schiff hob und senkte; sehr gleichmäßig, gleichförmig das Heranziehen, Vorbeiziehen der Wellen, das hatte eine fast vernichtende Wirkung auf sein Bewußtsein, mehr noch: auf das Selbstbewußtsein. Auf dem Land kann er, könnte er Spuren hinterlassen, in der Donau-Ebene oder in Schlesien, er könnte beispielsweise einen Graben schaufeln, der nutzlos ist, der sich aber, wenn er lang und tief genug wird, der Erinnerung einprägt. Im Wasser dagegen hinterläßt er keine Spuren. Nicht einmal dieser Dreimaster mit seinen fast tausend Tonnen könnte eine Spur hinterlassen: das Schäumen hinter dem Heck, aber bereits in Sichtnähe lösen sich die Bläschen auf, die kurze Glättung des Wassers wird von neuen Wellen überspielt – dieses Meer sieht aus, als wäre nie ein Schiff auf ihm gefahren. Er kann keine Beziehung herstellen zwischen sich und dem Wasser; jede seiner Gesten und Gebärden wird mit dem gleichen Wellenschlag beantwortet, und dieser Wellenschlag schon vor ihm, zur Zeit eines Königs Heinrich des Fünften, zur Zeit eines Königs Heinrich des Dritten, zur Zeit eines Königs Heinrich des Ersten, zur Zeit eines Vor-Heinrich und eines Vor-Vor-Heinrich, und weiter, weiter zurück in Zeiten, in denen es noch keine Menschen gab, im Zeitalter des Schachtelhalms, der fliegenden Reptilien – Wellenschlag, Wellenschlag, Wellenschlag an Felsküsten, deren Verlauf sich kaum je änderte. Und so weit der Wellenschlag in die Vergangenheit zurückreicht, so weit reicht er in die Zukunft. Unablässig der Wellenschlag an Küsten, mal tosend, mal schlippend, und kein Ruf, kein Schrei ändert etwas an der Wiederholung des wiederholt Wiederholten, Wellenschlag um Wellenschlag wird alles ausgelöscht, was gesagt, gesehen, gesungen, gespielt wird ...

Viele Stunden an Bord, in denen er diese auslöschende Wirkung des Meeres nicht gespürt hat, er war von Licht überschüttet oder von einem pastellgetönten Himmel überwölbt, aber an diesem Tag mit hoher, dünner Bewölkung, an diesem Tag des gleichsam nackten Wellenschlags ist er kleinlaut geworden. Dafür braucht das Meer gar nicht erst aufzubrausen, sich großsprecherisch zu gebärden, es genügt dieses Verschäumen der Wellen. Diese Erfahrung hat offenbar darauf gewartet, daß er sich ihr einmal aussetzte. Nun muß, nun mußte er davon sprechen. In seinen Ohren dabei das Echo des Wellenschlags, des unablässigen, alles verneinenden Wellenschlags, der auch diese Anmerkungen, Randbemerkungen zum Wellenschlag begleitet, sich über diese Bemerkung hinaus fortsetzt mit unabweisbarer Selbstverständlichkeit.

Vom Staumeister erhält George ein Windlicht: er will den Fuß des Hauptmastes nicht nur berühren, er will ihn sehen. Freilich wird er nicht sagen können, daß er den Hauptmast, auf den er nicht zu klettern wagt, von unten beschauen, daß er den »Mastschuh« betasten will, um ihn später genau beschreiben zu können – er muß einen Vorwand erfinden, der für einen Seemann plausibel klingen wird, wahrscheinlich sogar überzeugend, denn gerade das Phantastische erfüllt den Realitätssinn von Seeleuten: Er habe mit seinen empfindlichen Ohren während der Nacht ein Geräusch gehört, tief unten im Schiff, das sich wiederholte, nicht in einer Zufallsfolge, sondern in einer Periodisierung, die so charakteristisch war, daß es nicht von einem Seemann erzeugte Geräusche sein konnten, auch nicht Geräusche von querlaufenden Wellen, vielmehr hat er die Vermutung, dort unten haust ein Klabautermann, den will er aufspüren, nach seinen Wünschen fragen – und für diese Klabautermann-Pirsch braucht er Licht.

Wie sieht der Klabautermann aus?!

Das kann er erst beschreiben, sagt er, wenn er ihn gesehen hat! Doch Anhaltspunkte für einen Entwurf gibt es schon: verfilztes Haar in der Farbe von Moorfröschen; die Haut zu Schuppen aufgerauht; unter den Ohren Kiemen; zusätzlich eine Nase; Reißzähne; sein Werkzeug: der kleine Spitzhammer. Mit dem pocht er rhythmisch.

Der Staumeister verspricht, keinem von der Besatzung, schon gar nicht Stanhope, über die Exkursion des Mulatten unter den Wasserspiegel zu berichten, dies auch nicht anzudeuten, und sei es noch so geheimnisvoll.

Im Laderaum eine Bodenklappe, unter ihr der Schwapp- und Gluckerraum. Um nicht ins faulige Wasser zu treten, macht er genau bemessene Schritte von Spant zu Spant. Die Kreuz- und Querbalken verwandelt die Lampe in Licht- und Schattenmuster dichtester Verschränkung. Am Fuß des Großmastes bleibt er stehen: er spürt im Holz ein Schwingen, hört dumpfes Wummern. Er legt das Ohr ans Holz, an dessen oberem Ende keiner im Mastkorb hockt – der Mast vibriert. Beim Hineinhören in das kraftvolle Schwingen scheint der Mast im Umfang zu wachsen, so sehr, daß er ihn mit beiden Armen nicht umschließen, ja nicht einmal zur Hälfte umfangen kann – beinah walfischstarker Holzleib ...! Er hört sich ein in das dumpfe Schwingen, sieht sich im Wurzelwerk dieses Mastbaums kauern, die Spanten ringsum als Luftwurzeln, ein im Licht der Lampe dichtes, sich bewegendes Luftwurzelwerk und er als kauernder Wurzelgnom, dunkelhäutig, ganz Ohr, ganz Resonanz. Und Wasserschlagen an die Schiffswand, etwas oberhalb vom Kielraum, dumpfes Anwummern zugleich auch unterhalb des Wasserspiegels, er hört, wie das Schiff Fahrt macht, und damit diese Bewegung noch rascher ihr Ziel findet, sagt er flüsterleise, dann murmelnd, dann halblaut beschwörend einige der afrikanischen Wörter, die er gelernt hat: isaanga … umbaandi … unduuku … umkhonto … ingwa … uhmto … uhma …

Und er schweigt, damit das Mastholz diese Wörter aufnehmen kann. In diesem Schweigen glaubt er etwas wahrzunehmen, fast körperlich zu spüren im Kielraum: Atem, der angehalten wird. Er hat den Klabautermann als Vorwand benutzt, der besitzt keine Realität für ihn – was, wenn er nun tatsächlich einen Klabautermann aufspürte …?! Den kleinen Kerl in die Ecke treiben, beleuchten …?

Er kriecht weiter durch Balkenwerk, die Öffnungen werden enger zum Bug hin, und im sanften Ansteigen des Plankengangs kommt er aus dem Bereich des Bilgenwassers heraus, erreicht den Fuß, den Schuh des Fockmasts, berührt ihn kurz, leuchtet um sich, kriecht durch das noch engere Balkenwerk, verharrt, glaubt den angehaltenen Atem noch deutlicher zu hören – ein Zucken des Arms, ein Schwenken des Windlichts, und er sieht eine zusammengekauerte Gestalt mit starren Augen, schon ist sie wieder im Balkenschatten. Noch stärker beschleunigt sein Herzschlag. Zurückkriechen? Aber wird er es den Lesern seines geplanten Reisebuchs nicht schuldig sein, sich in Situationen zu führen, die sich einprägen?

Wieder, als Schutzzauber, afrikanische Wörter, der Beschwörungston aber will sich nicht einstellen, Intonationstrübungen, seine Stimme ist heiser: umpoomlu … mloomu … umloomu… unduku … uhmto … uhmta …

Findet dieses letzte Wort ein Echo, ebenfalls heiser, im Balkenwinkel bugwärts? Nicht mehr ganz so panischer Herzschlag, er schwenkt das Windlicht, nun sieht er die Gestalt genauer: in einer Art Balkennest eine schwarze Frau, die ihn ohne Lidschlag anstarrt! Blinde Passagierin …?! Probeweise schickt er noch einmal das Wort aus, das sein Echo gefunden hat, uhmta, und die Frau öffnet die dicken, sichtlich starren Lippen, wiederholt das uhmta, das er nun gleich noch einmal sagt, damit sie es erneut wiederholt. Schon ist da kleine Vertrautheit, weil er diesen Laut wiedererkennt.

Er kriecht weiter, zu ihr heran: aus zwei Beuteln eine Sitz- und Liegemulde. Er kauert sich vor die Frau, zwischen ihnen ein Balkenkreuz, und mit sehr langsamen, wie hypnotisierten Bewegungen öffnet sie das Kleid, zeigt ihm die Brüste. Er spürt, wie sich seine Lippen öffnen, er muß dieser Frau im Streulicht ein Lächeln zeigen. Sie verhüllt ihre Brüste nicht: sind nicht mehr mädchenhaft spitz.

Halblaut beschwörend wieder einige der afrikanischen Wörter: loomu … umloomu … inthuuko … inguhlo … Sie finden Echos in ihrer sanft gutturalen Stimme, und er kriecht durch das Balkenkreuz, inguhlo, inthuuko, umloomu, ihre Stimme wiederholt diese Laute, er spürt ihren Sprechatem, die Gesichter berühren sich, und nun geht alles rasch im Holzraum, Balkenraum, umkaala, ingaala, isaanga, im Wurzelreich der drei Maste, er dringt in die Frau ein, uboolo, uboolo, hat eine Hand auf ihren Mund gepreßt, die andre unter ihren Hintern geschoben, sie finden rasch ihren Rhythmus, der könnte im Laderaum vielleicht zu hören sein, aber dort oben wird er dann erklären, er hätte den Klabautermann aufgespürt, als der Geisternägel ins Schiffsholz trieb, um eine Hängematte zu befestigen – daraufhin wird außer ihm keiner mehr hinabsteigen in den Kielraum, der wird für die kommende Zeit sicher sein, und das läßt ihn noch rascher werden in seinen Stoßbewegungen, umsila, usiba, umsila, usiba, schmerzhaft intensive Lust.

Die Fabelfigur braucht lange, bis die Geisternägel ins harte Holz getrieben sind. Wenn er das nächste Mal in den Kielraum steigt, wird er Essen mitbringen, damit sie nicht bloß harte Fladen kauen muß. Was er runterträgt, das mag der Staumeister dann getrost sehen: Opfergaben für den Klabautermann …! Und der wird dafür sorgen, zum Lohn, daß dieses Schiff nicht in Brand gerät, nicht aufläuft, nicht gekapert wird. Zum Klabautermann gehen …

Hat er erst einmal begonnen, Johanna Sartorius von seiner Herkunft zu erzählen, muß er noch mehr über seinen Vater berichten.

Als Henry Augustus in Europa ankam, war er frei – so das Gesetz. Vor diesem Gesetz wohl der Gedanke: Wer die Flucht über den Atlantik schafft, der hat die Freiheit verdient, kann als freier Mann nützlich werden.

Zwischen der Flucht über den Atlantik und der Ankunft in
Österreich, Ungarn: ein Zeitsprung. Verschiedene Reisen mittlerweile, und sein Vater wurde angeworben (nicht mehr: erworben)
für den Hof des Fürsten Nikolaus von Esterházy, des Dienstherrn
Joseph Haydns. Sein Vater als Mohrenpage, als Hofmohr: Schau-
stück, lebendiges, in dem an Schaustücken reichen Schloß am Plat-
tensee, in dem an Schaustücken ebenfalls reichen Schloß zu Eisenstadt. Sein Vater in einer Livree, wie auch Haydn sie trug: hellblau
und weiß, metallene Knöpfe, poliert. Der schöne und geschickte
und gewitzte und sprachbegabte und sogar noch musikalische Page
Henry Augustus! Der sah Joseph Haydn, und Haydn sah den Pagen
aus Barbados: wechselweise selbstverständlicher Anblick. Und:
sein Vater hörte Haydn musizieren, Haydn hörte bestimmt auch
seinen Vater musizieren. Ja, könnte der nicht beispielsweise die Pauken gespielt haben im Orchester – Naturbegabung für das Spielen
von Rhythmen?

Wechsel von Esterház nach Eisenstadt, von Eisenstadt nach
Esterház. Eine Reise gewiß auch nach Wien und eine Reise nach
Galizien. Und sein Vater lernte die Polin kennen. Er fand leicht
Interesse bei Frauen: der Mann, dessen Vater ein afrikanischer
Spielmann war; der Mann, der von Westindien geflohen war; der
Mann, der zusätzlich auf sich aufmerksam macht durch Singen,
Spielen, Tanzen. Und nun: das nachgetragene Mitleid, die keimende
Zuneigung, die aufblühende Liebe einer selbstverständlich schönen
Polin, die sich vor einem Abenteuer nicht schützen wollte. Die Ehe
geschlossen; zwei Söhne geboren: George und Frederick. Und der
Vater, der musizierte, sorgte dafür, daß seine Söhne das Spielen von
Musikinstrumenten erlernten: der erste die Geige, der zweite das
Cello und beide Klavier. Henry Augustus war sicher, daß er mit
dieser Entscheidung die Zustimmung seines Vaters gefunden hätte,
des afrikanischen Spielmanns, daß er hier einen unausgesprochenen
Auftrag erfüllte: die Enkel des Spielmanns, die Söhne des musizie-
renden Pagen werden ebenfalls Musiker. Kontinentweite, doch
konsequente Verbindungslinien ...! Wer von nun an weiß, daß er,
der Violinvirtuose Bridgetower, einen Vater hat, der von früh auf
musiziert hat, und daß sein Großvater ein afrikanischer Spielmann

gewesen ist, der wird George mit anderen Augen sehen, mit anderen Ohren hören: ist seine Musik, seine Interpretation rhythmisch akzentuiert, so wird man Grundschwingungen afrikanischer Rhythmen hören; spielt er mit dem ganzen Körper, wird man etwas von der Wildheit afrikanischer Tanzbewegungen sehen. So wird seine Afrika-Reise auch zur Rückkehr in das Kindheitsland seines Vaters, in das Land seines Großvaters, der in Erzählungen eine so mächtige, so imposante Figur werden könnte wie Beethovens Großvater Lodewyk, der aus Flandern kam. Der flandrische Großvater und der afrikanische Großvater – sie werden in seinen Reiseerzählungen, in seinem geplanten Reisebuch zusammenrücken wie die Enkel Louis und George. Und die Großväter werden, flandrisch und afrikanisch, ihren Enkeln den Segen spenden.

Gibraltar; sobald der berühmte Fels deutlich genug zu sehen ist, steuerbord, wird George mit der rotblonden, sommersprossigen Frau die Verabredung einlösen, die sie etliche Seemeilen vorher getroffen haben werden: die beiden Kajütenbewohner heraufzuholen aufs Oberdeck.

Als erstes muß der Bär aus seiner Höhle ans Tageslicht gelockt werden. Wiederholtes Klopfen. Beethoven sitzt am Klapptisch, macht Notizen – die Feder spreizt sich unter dem Druck der breiten Hand in der Körnung des Papiers. George legt die braune Hand auf die weiße Hand, meldet, daß Afrika zu sehen sei und der Fels von Gibraltar.

Als hätte er nur auf dieses Stichwort gewartet, legt Beethoven die Feder beiseite, verstöpselt den Tintentopf, schlüpft in die halbhohen Stiefel, greift zur Weste, schließt die metallenen Knöpfe, setzt den Hut auf, steht einen Moment reglos, als sollte George sich den Anblick einprägen: die halbhohen Stiefel, die helle Nankinghose, das weiße Hemd mit den hochgeschlagenen Ärmeln, die weinrote Weste mit den vier Metallknöpfen, den breitkrempigen Strohhut, das bleiche Gesicht, breit, blatternarbig, Kerben am Kinn. Er nickt Beethoven zu, sie treten ins Licht.

Nach den ersten Schritten bleibt Beethoven stehen, vom Wind

umfaßt, wie nachgeformt, das wird er vor allem im Gesicht spüren, der Mittelmeerwind nimmt von ihm eine luftige Maske und trägt sie vervielfältigend hinaus. Vor ihnen, über ihnen Segelflächen, windgebläht und lichtgesättigt: in den Wanten und in der Takelage Seeleute, die möglichst viel von Europa und Afrika sehen wollen, gleichzeitig. Mit einem Blick hinauf scheint Beethoven die Segelflächen ausmessen zu wollen, sein Mund leicht geöffnet, und er nickt, als hätten diese Flächen genau die von ihm erwartete Größe.

Die steilen Stufen hinauf zum Oberdeck: Bühnenfläche der Begegnung. Kapitän, Erster Offizier und Maskierter am Bugspriet, aber auch vom Heck aus ist der feine Strich Afrika, ist der Fels zu sehen. Beethoven stellt sich an die Reling, späht zum Felsklotz. Der wirkt, über die noch trennenden Seemeilen hinweg, kleiner als erwartet. Doch im Umriß entspricht er den Abbildungen, die zu Vorlagen wurden dieses Entwurfs: die sanft ansteigende, sich kurz waagrecht haltende, jäh abstürzende Kontur. Beethoven löst den Blick von ihr, läßt ihn durch den Luftraum schweifen: zahlreich bereits die Möwen, sehr weiß vor diesigem Blau. Bevor sein Blick sich verliert, führt Johanna ihre Nichte die Treppe empor.

Die helle Stirn mit dichtem Haaransatz; schwarzes gelocktes Haar; die Brauenlinien mit vollendeter Leichtigkeit gezogen; die dunkelbraunen Augen; die schmale Nase mit hoch angeschnittenen Flügeln; die Lippen, die, obwohl geschlossen, eine winzige Öffnung freilassen, genau in der Mitte. Und: helles Kleid mit kleinem Ausschnitt, der zeigt, daß auf der Reise bisher keine Sonne, kaum Wind die Haut berührt haben; ihre schmale Taille betont. So kommt sie über die Bohlen auf die beiden Musiker zu, und der Mann und die Frau, die schon öfter miteinander gesprochen haben, stellen die Frau und den Mann einander vor, die sich nur dem Namen nach kennen und aus Andeutungen, Hinweisen, Berichten, Erzählungen. Als müßten sie sich erst an die Verbindung der Namen mit den nun leibhaftigen Personen gewöhnen, stehen Ludwig van Beethoven und Charlotte von Trebnitz an der Reling, schauen hinüber zum Felsen von Gibraltar.

Nach einem Schweigen, das eine halbe Seemeile währen mag, beginnt Beethoven zu sprechen: man bräuchte nun ein Teleskop, um den Felsen näher heranzuholen, ein Teleskop, wie Admiral Nelson es benutzte – nicht eins der Teleskope, wie Newton es baute, um in den Sternenraum zu blicken. Seine, Beethovens, Vorliebe für Teleskope – im Dachgeschoß des Hauses in der Rheingasse zu Bonn zwei Teleskope des Vaters, eins auf Stativ, meist eingestellt Richtung Siebengebirge: er versetzte sich zuweilen hinüber in die Hügelreihe. Er hätte ein Fernrohr mitnehmen sollen auf diese Reise; bisher hätte er das allerdings nicht gebraucht, sein bevorzugtes optisches Gerät war die Brille.

Schon jetzt: er kann den Blick nicht lösen von ihren Lippen, die sanft geschlossen sind, dennoch die pupillenkleine Öffnung zeigen, als würde die junge Frau ansetzen zu einem fast unhörbar leisen, obertonreichen Pfiff. Und beide wenden sich dem Felsen von Gibraltar zu, mit den Körpern, kaum mit den Augen. Er hat, sagt er weiter, viel gelesen und viel nachgedacht, hat wichtige Sätze abgeschrieben, allgemeine Überlegungen notiert – keine Noten, nein, keine einzige Note bisher! Das Gedrängel von Noten in den Jahren zuvor – mit Beginn der Reise hat in seinem Kopf eine Massenflucht von Noten eingesetzt …!

Ihr fast schwebeleichtes Lachen, in das er nicht nur hineinhorcht, in das er hineinzublicken scheint. Ja, er hat viel gelesen in diesen Tagen – erst mal wieder in sich aufnehmen! Bücher, die nichts mit Musik zu tun haben. Philosophische Texte: mehrere Seiten Kant. Auch Poetisches – wobei nachzudenken wäre über das Verhältnis von Philosophie zu Poesie, von Poesie zu Philosophie – aber bitte nicht jetzt, fällt er sich selbst ins Wort, schon gar nicht hier! Sie lacht wieder, mädchenhaft hell.

Und nun, da zwischen dieser Frau und diesem Mann Schwingungen zu entstehen scheinen, nun könnte auch das Unwahrscheinliche zur Sprache kommen, das eine der Voraussetzungen fast jeder beginnenden Liebesgeschichte ist: was sich, wenn man es nacherzählt, unglaubwürdig, weil konstruiert ausnehmen kann, das ereignet sich hier mit oft staunenswerter Selbstverständlichkeit, als sollte durch kleine und große Unwahrscheinlichkeiten das Außerordentliche einer neuen Liebe betont werden. Diese Unwahrscheinlichkeit könnte darin bestehen, daß Beethoven einen der Titel seiner bisherigen Reiselektüre nennt und Charlotte ausruft, genau in diesem Buch habe sie während der vergangenen Tage gelesen!

Beethoven schaut sie an, als müsse er von ihrem Gesicht eine weitere Bestätigung ablesen: daß sie wirklich und wahrhaftig zwei Kajüten weiter in dem Roman gelesen hat, in dem auch er gelesen hat! Karl Philipp Moritz der Verfasser, Anton Reiser als Titel und Hauptfigur. Mit frohlockendem Staunen sehen sie sich an. Begeistert sprechen sie weiter, zum heranwachsenden Felshügel blickend, aber der scheint für sie keine Materie zu besitzen; in der gemeinsamen Sprechperspektive der beiden nimmt eine Person Gestalt an, die weder sie noch er gesehen haben, eine Gestalt aus dem Buch und zugleich wie aus dem Leben, jedenfalls sprechen sie abwechselnd von diesem Anton Reiser wie von einer lebendigen, für sie lebendig gewordenen Gestalt, die geht ihm durch den Kopf, die geht ihr durch den Kopf, vor der Meerenge von Gibraltar, zwischen Spanien und Marokko.

Eine Szene, ein Bild, das schon von der frühen Lektüre her in seiner Erinnerung blieb: Wie der junge Anton mit einem anderen Lehrling, mit dem er sich angefreundet hatte, in der Trockenstube des Hutmachers Lohenstein saß. Und er beschreibt, an George gerichtet und an Johanna, eine Trockenstube als eine runde, etwa zur Hälfte in den Boden eingelassene, aus Backsteinen gemauerte, von Backsteinen überwölbte, etwa mannshohe Kammer mit einem Kohlenbecken in der Mitte, und an den Wänden, regelmäßig wie Schindeln, die Hasenfelle, deren Haare weichgebeizt werden sollen in der Wärme des Kohlenfeuers. So hat Karl Philipp Moritz die Trockenstube beschrieben, er kann dem nichts hinzufügen aus eigener Anschauung – was er hier wiederholt, das wird im Roman sehr knapp berichtet, nur eine halbe Seite unter mehreren hundert, nur ein Abschnitt, ein Absatz.

Und scheinbar an Johanna und George gewandt, gibt er wieder, was Charlotte ebenfalls gelesen haben muß, aber sie lauscht, als höre sie dies zum erstenmal – Augen geweitet, Lippen leicht geöffnet. In vielen Nächten mußte Anton mit einem Freund in der Trockenstube oder Trockenkammer wachen, sie mußten, sich wechselseitig vor dem Einschlafen schützend, dafür sorgen, daß die Temperatur gleichmäßig blieb; so hockten sie vor dem Kohlenbecken, pokelten Glut frei, legten Kohlen nach, bliesen zuweilen in die Glut, saßen wieder reglos in der halben Dunkelheit, in der Wärme, der Stille.

Dieses Bild vor allem hat sich selbständig gemacht in ihm, es füllt sich mit eigenen oder: von ihm selbst entwickelten Vorstellungen, und er sieht sich beispielsweise mit Freund Zsmeskall im engen, überkuppelten Rundraum sitzen, und sie sprechen über Philosophie und Poesie und selbstverständlich über Musik – kleine freundschaftliche Dispute. Auch berichten sie sich von Büchern, die sie gelesen, von Gesprächen, die sie geführt haben.

Und es folgt eine Randbemerkung, mit kleinem Lachen: Wenn er mit Brischdauer in der Trockenstube säße, wäre es verflucht schwierig, den Gesprächspartner und Freund im Auge zu behalten, sein dunkles Gesicht könnte in diesem von Kohlenglut erhellten Raum leicht entschwinden, bis auf das Augenweiß … Wirklich, ruft er, weil Charlotte lächelt, weil er selbst lachen muß: Säße er mit dem Brischdauer in der fast finsteren Trockenkammer, so wäre es verteufelt schwierig, den Adressaten kluger und erlesener Gedanken im Blick zu behalten … Wie George einmal in Genua über sein dunkles Gesicht sagte, scherzhaft: No light, no reflection …

Er schweigt. Steht mit gesenktem Kopf, als sähe er sich in der Rundkammer unter tiefer Kuppel. Hört er keinen der Rufe von Seeleuten, der Befehlsschreie des Steuermanns, nimmt er nichts wahr von den Bewegungen Wanten hinauf und Rahen entlang? Noch verdichtet sich die Realität Schiffahrt nicht in Landemanövern, noch bleibt genügend Spielraum – nun zur Entfaltung von Assoziationen, die Charlotte mit diesem Buch verbindet.

Sie hat einige der Passagen zweimal, dreimal gelesen, in denen von weiten Wanderungen des Reiser erzählt wird, und besonders auf sie eingewirkt, in ihr nachgewirkt hat diese Episode: Wie Anton Reiser mitternachts aufbrechen mußte, Richtung Hannover, und es begann zu regnen, starker Regen – entsprechend groß der innere Widerstand, sie kann das sehr gut nachempfinden. Und sie ist, lesend, dicht hinter Reiser hergegangen, »in Regen und Dunkelheit durch das hohe Korn querfeldein«, das hat sie behalten, und auch, daß es eine »warme Sommernacht« war, immerhin, und aus dem einen

Kornfeld wurden viele Kornfelder, er ging und ging und ging durch hohes Korn, im Regen, in der Nacht, und während er wanderte, änderten sich seine Gefühle: Die Dunkelheit, der Regen waren ihm nun willkommen, er fühlte sich unbeobachtet, und nichts Bedrükkendes mehr, nichts Einengendes, ganz einfach nur das Gehen im Korn, »er fühlte sich frei wie das Wild in der Wüste«. Ja, »frei wie das Wild in der Wüste« – dies bezog sie, bezieht sie auf sich, sie wird die Wüsten kennenlernen in Westafrika, die Steppen oder Savannen ...

Kurz schweigt sie, mit Blick auf den kleinen Berg. Als sie hörte, daß sie nicht mehr weit von Gibraltar entfernt seien, daß sie bald ankämen im Hafen dort, da entstand erst richtig das Bewußtsein des Aufbruchs. Sie weiß jetzt: für sie wird die eigentliche Reise beginnen, sobald die Southern Cross wieder ablegt, und sie haben die Meerenge hinter sich, fahren hinein in die Weite des Atlantischen Ozeans. Die Fahrt von Genua nach Gibraltar als Ouvertüre, ihr folgt die Suite, die Satzfolge der Meeresfahrt, Atlantikfahrt – weiträumigste Wassermusik!

Beethoven lacht auf, aber lautlos – will er sich keine Silbe entgehen lassen?

Sie möchte, sagt sie, von Gibraltar an erleben, wie Weite sich entfaltet, wie Weite aus Weite wächst, wie Weite in Weite führt – jetzt ist sie reif für diese Erfahrung. Und sie weiß, sie wird sich freier fühlen im täglich wiederholten Erlebnis von Weite, es wird Lust entstehen an der Fortbewegung des Schiffs, vielleicht möchte sie sich sogar noch selbst in Bewegung setzen auf dem bewegten Schiff, Richtung Bug, um die Bewegung zu beschleunigen.

Und sie schweigt. Sanft geschlossen die Lippen und wieder die pupillenkleine Öffnung – doch nun, als wäre die Pupille im Dunkel geweitet. Jetzt kann Beethoven den Blick erst recht nicht mehr von ihr lösen.

Der Wind schiebt das Schiff in den Hafen, es wird vertäut, die Segel werden geborgen und festgemacht, der Landgang beginnt. Einen Tag wird die Southern Cross an der Mole liegen, die

Seeleute werden ausschwärmen, Schlägereien wegen Dirnen, jeder will zuerst dran. Auch die Passagiere werden an Land gehen, die beiden Damen werden vielleicht sogar mit einer gemieteten Kutsche eine Exkursion machen, auf der Beethoven sie begleiten könnte.

Das wird für George bedeuten: er sieht Beethoven einen Tag lang nicht, kann tun, was für ihn, für ihn allein wichtig ist. So wird er, ohne Ludwig über seinen Plan zu informieren, einen Treiber anheuern, einen Esel mieten, und der wird ihn – am späten Nachmittag, wenn die Hitze sich verflüchtigt, die Farben sich wieder entfalten – auf den mächtigen Felsen bringen, mit der Geige im Kasten. Oben wird er den Eselstreiber auffordern zu warten, erst nach dem Rückweg gibt es Geld. Und er geht mit der Violine auf dem Höhenrükken, bis der Treiber ihn nicht mehr hören, nur noch sehen kann. Es muß ein besonders charakteristischer Felsbrocken sein auf der einprägsamen Hügelform, ein Punkt, der sich nach seiner Reisebuch-Beschreibung später leicht auffinden ließe, ein Punkt, der vielleicht sogar markiert würde, beispielsweise mit dem eingemeißelten Hinweis: BRIDGETOWER'S POINT. Von diesem Sockel der Blick hinunter aufs Schiff, das reglos liegt, kein Seemann in den Wanten, in der Takelage, das Achterdeck leer; der Blick dann hinaus und hinüber nach Süden, zur afrikanischen Küste, die sich, zumindest in einem Abschnitt, deutlich genug zeigen muß, damit er sie später treffend beschreiben kann.

An diesem Punkt, noch bevor er die Geige aus dem Kasten nimmt, wird er sich die besondere geographische und zugleich biographische Situation bewußtmachen. G. A. P. Bridgetower auf dem südlichsten Ausläufer Europas, im Anblick eines nördlichen Ausläufers Afrikas; er steht auf einem Felssporn des Kontinents der Weißen, schaut hinüber zum Kontinent der Schwarzen. Bridgetower, »Mulatte«, »Mischling«, »Halbblut«, Sohn eines Afrikaners und einer Polin: er gehört weder ganz zur Welt der Schwarzen noch zur Welt der Weißen, von keiner wird er rückhaltlos akzeptiert, er muß Achtung gewinnen bei Weißen wie bei Schwarzen, bei Weißen mehr als bei Schwarzen. BRIDGETOWER'S POINT: letzter Vorsprung Europas, Blick hinüber nach Afrika.

Der Eselstreiber, ein junger Mann, wird späteren Reisenden zeigen können, wo George gestanden und wo er gespielt hat, für sich allein und für alle, die davon hören und lesen werden. Die einzigen größeren Lebewesen, die ihn umgeben: schwirrende Vögel und herumspringende, umherturnende, sich zuweilen mit Gekreisch zankende Affen.

Und er, George Augustus Polgreen Bridgetower, packt die Reisegeige aus, setzt sie an, stimmt sie, und was er nun spielen wird, das wußte er schon beim Ritt herauf: die Introduktion der Sonate opus siebenundvierzig, der Sonata mulattica. George setzt ein mit den ersten, unbegleiteten Takten. Und er beginnt, die Akkordfolge der Introduktion frei auszuspielen, mit der Vollmacht dessen, der selbst komponiert. Die vom Gibraltarfelsen aufsteigende, auf das Meer hinausschwingende, nach Afrika hinüberschwingende, in den Kontinent hineinschwingende Melodie. Fast ein Ritual auf dem Felshügel von Gibraltar, als erstes die springenden, bleckenden, zankenden Affen besänftigend, die nun ihre kleinen, präzis modellierten Ohren spitzen, und dieses veränderte Verhalten der notorisch unruhigen Affen wird dem Eselstreiber auffallen, davon wird er erzählen, Zeugnis ablegen. Und George beendet die Improvisation über Beethovens Thema mit einem tiefen, voluminös vibrierenden Akkord.

Die Southern Cross legt ab am nächsten Tag. Alle Fässer mit Wasser gefüllt, Fladenbrote und Zwieback verstaut, Gemüse und Obst für die nächsten Tage gelagert. Die Mannschaft mit satten Bäuchen, matten Genitalien.

Und nun wieder Handgriffe, die auf die Handgriffe anderer abgestimmt sind, dafür sorgen Befehle, die Flamsteed erteilt, die der Leutnant weitergibt in veränderter Klangfarbe, die der Obersteuermann zum Teil übersetzt in Pfeifsignale von kurzer und langer Dauer in immer gleicher Tonhöhe. Und Seeleute antworten mit Rückrufen, Bestätigungsrufen, Vollzugsrufen. Einige aber, vor allem Kanoniere, aufgereiht an der Reling; Erster Offizier und Kapitän stellen sich zu ihnen; an der Mole haben sich anderthalb Dutzend Soldaten der kleinen englischen Garnison formiert: Farewell für ein britisches Schiff.

Die Musik zur Abschiedsszene wird gespielt vom dicken Schotten, der hält den Fellsack prall, der kleine Wimpel an der Bordunpfeife flattert. Dougall »Tootie« Higginbotham spielt, englisch-schottische oder eher schottisch-englische Animositäten übertönend, den Marsch Rule Britannia, da hört Beethoven mit offenbar großem Interesse zu, auf dem Oberdeck neben Charlotte und Johanna; neben ihr wiederum der Maskierte. Der Schotte blickt nicht zu den aufgereihten Soldaten, auch nicht zum Leutnant, mit dem diese Männerlinie beginnt, er schaut nicht zu den unruhigen Händlern, die im letzten Moment noch etwas verkaufen wollen, Ware hopp hinaufgeworfen, Geld aufgeschnappt, er blickt zu einer kleinen, zusammengedrängten Gruppe: eine Frau mit schätzungsweise sieben Kindern, die kann George nicht abzählen, die sind ständig in Bewegung rund um die statuarische Frau – sie ist etwa vierzig, hat breite Füße, breite Hüften, einen breiten Schädel. Als der Mittagswind die ersten Segel baucht, hebt die Frau langsam die rechte Hand; die Kinder rangeln, feixen, winken, ein Junge macht einen Handstand, wackelt mit den Füßen. Higginbotham hat den Marsch beendet, der fast zum Trauermarsch wurde, setzt an zu einem weit ausgesponnenen Hochlandseufzer, der macht die Frau zu einer Statue des Schmerzes. Kein Laut der Klage, kein Ruf: ihre Lippen leicht geöffnet, als hätten sie andere Erinnerungen als ihre Hand, die leicht eingekrümmt ist in der erstarrten Winkbewegung. Die Tränen, die diese Frau nicht weint, nicht weinen will an der Mole, sie trüben den Blick des Schotten – hellsichtig nimmt George den Feuchtigkeitsschleier wahr. Immer machtvoller der Hochlandseufzer auf der Klangbasis der permanenten Quinte. Higginbotham muß mit vollem Druck spielen, weil der Wind – wie auf Befehl des Kapitäns – auffrischt, von der Sierra herab, um das Schiff zur Meerenge zu schieben. Die Klänge tragen nicht mehr über die rasch wachsende Entfernung hinweg, mit winselndem Geräusch bricht der Hochlandseufzer ab. Der Schotte steht wie ausgepumpt. Den Fellsack legt er nicht auf die Planken, er will den Blick nicht losreißen von der Miniatur des Familienbildes. Plötzlich, als wäre noch eine eruptive Luftblase in einer Lungenkaverne geblieben: ein rauher, heiser umrissener Schrei, den er zum Festland hinüberschickt, und als Zeichen, daß dieser Ruf angekommen ist, hebt die Frau beide Arme, verharrt so.

Topographische Engführung: Durchquerung der Meerenge von Gibraltar. Der Bergrücken des Atlasgebirges näher herangeschoben, aber noch mit flimmernden Konturen – immerhin zehn Meilen Weite in dieser Meerenge! Der Auslug doppelt besetzt, Fernrohre nach Süden gerichtet: kreuzt ein Piratenschiff auf? Aber es ist Mittag, zu dieser Zeit sollten auch Piraten ruhen. Die Southern Cross, von der nordafrikanischen Küste gesehen, falls überhaupt: Schiff im Diesigen, Schiff einer Mittags-Fata-Morgana auf dem Wasser, Geisterschiff, wortwörtlich: verschwimmend.

An der Reling des Achterdecks Charlotte und Ludwig, sie schauen zum Felsen von Gibraltar, der beginnt, in der Mittagshitze zu verflirren. Machen sie im Gespräch die Durchquerung der Meerenge zur privaten Zäsur? Zeit vor der Meerenge, Zeit nach der Meerenge? Auf der Landfahrt, von der George nicht berichten kann, scheint sich fast Vertraulichkeit entwickelt zu haben. Anspielungen auf ein Kartenspiel zu dritt in einem Landgasthaus, unter einer Weinreben-Pergola, und beim Rotwein Erzählungen aus dem fernen Rheinland und dem fast genausoweit entfernten Rheingau. Der kleine Ludwig als Spaniole bezeichnet, weil er so schwarzhaarigsüdländisch wirkte – ein schwarzhaariger Irrwisch zu Wiesbaden; ein Teleskop in Bonn, auf den Drachenfels gerichtet – ein Ritt von Wiesbaden auf den Feldberg im Taunus; Eindringen des Spaniolen in einen Hühnerhof, und er klaute Eier – Stibitzen einer Sauciere, die so wunderschön bemalt war, in Wiesbaden.

Bevor die Southern Cross westwärts hinausfährt in den offenen Atlantik, vorerst Richtung Madeira, bis zur Zone des Nordost-Passats, ein Alarmschrei vom Auslug: jenseits der Meerenge, vor der marokkanischen Küste, hat ein Segler gelauert, der Zweimaster nähert sich von Südosten. Der Erste Offizier schaut durch ein Teleskop, reicht es dem Kapitän. Der setzt es an, senkt es, erteilt einen

Befehl, aber der löst im Zwischendeck nur wenig Bewegung aus: die Kanonen offenbar schußbereit. McConglinney und Flamsteed stimmen überein: das Piratenschiff wird im spitzen Winkel ihre Route schneiden, einige Seemeilen westlich der Meerenge. Flamsteed macht, durch das Fernrohr blickend, Angaben zum rasch aufholenden Schiff: Brigg, zwei Kanonendecks. Der Kapitän befiehlt Kursänderung: die Southern Cross hält ein paar Strich nach Süden, damit verkürzt sich die Zeit bis zum Schnittpunkt der Kurslinien.

Auf dem Oberdeck bereitet sich Higginbotham auf einen Kampfeinsatz vor: die beiden Schwerter lehnt er griffbereit an die Reling; zwei Pistolen werden sorgsam geladen, Pulver und Kugeln für weitere Schüsse bereitgelegt; zwei Messer stecken im Gürtel – zum Werfen oder Stechen? Der Dudelsack schlaff auf Bohlen. Wird der dicke Schotte zum Angriff blasen, sobald geentert wird, oder liegt das Instrument bereit für die Siegeshymne? Sein Herr, der Maskierte, ist an Deck nicht mehr zu sehen – hat er Angst, ein Splitter könnte das Maskenband zerfetzen?

George schaut zu Beethoven, der neben dem Besanmast steht, großäugig. Wichtiger als eine Beschreibung des bevorstehenden Seegefechts werden Beethovens Reaktionen sein. Die beiden Damen ziehen sich zurück nach barscher Aufforderung des Kapitäns. Dennoch scheint er kaum irritiert durch das Piratenschiff, plaudernd steht er neben McConglinney an der Reling, backbord, sie schauen abwechselnd durch das Teleskop. An Deck nur wenige Seeleute; der Obersteuermann neben dem Rudergänger. Ein Ruf des Kapitäns, und das Schiff nimmt noch entschiedener Kurs auf Südwest.

Der Erste Offizier, vorbildliche Gelassenheit demonstrierend, gibt einige Erläuterungen ab für die beiden Reisenden. Zwei Grundformen der Armierung eines Einzelseglers: entweder für den Kampf Rumpf an Rumpf, dafür hat man Kanonen von schwerem Kaliber an Bord, die nicht weit tragen; die Southern Cross dagegen mit neuentwickelten, besonders weit tragenden Kanonen leichteren Kalibers. Generell: ein Handelsschiff, das nicht gut armiert ist, nicht von einem entschlossenen Mann geleitet wird, hat normalerweise keine Chance gegen Piraten dieser Region, die meist auf leistungsfähigen

48

gekaperten Schiffen fahren. Und: Piratenherrscher, Piratenkönige
von Tanger oder Ceuta bemannen diese Schiffe durchweg mit gefangenen weißen Seeleuten und Offizieren – die haben nur die Wahl,
auf einem Galeerenschiff zu krepieren oder sich auf Piratenschiffen
unter arabischem Kommando, mit arabischer Bewachung hervorzutun; weil weiße Piraten als Gefangene sofort umgebracht werden,
kämpfen sie mit wildester Entschlossenheit. Würde es also zum Entern kommen, so müßten sie hier bald den Kampf aufgeben. Man
müsse sich diesen – rein theoretischen – Vorgang so vorstellen: das
Korsarenschiff käme an die Southern Cross heran, von wild schrei-
enden Seeräubern würden lange Holzstangen herübergeschwenkt,
an denen kräftige Eisenhaken befestigt sind, die schlügen ins Holz
der Reling, diese Stangen müßten gekappt werden, aber es wären
derart viele Enterhaken, daß die beiden Segelschiffe dicht aneinander herangezogen würden, und schon würden die ersten Seeräuber
über die nun verdoppelte Reling springen, und es begänne der oft
schon beschriebene, hier neu zu beschreibende Kampf Mann gegen
Mann. Dabei würden sich Mannschaft und Offiziere der Southern
Cross mit rasender Entschlossenheit wehren, dies würde sich gewiß
auf Master Bridgetower übertragen, denn als Sohn eines befreiten
Sklaven würde er sicherlich nicht gern wieder in Sklaverei geraten,
und so würde er, dunkel vor Zorn und Entschlossenheit, um sein
Leben kämpfen. Auch der Komponist würde voraussichtlich von
der Kampfwut gepackt. Und der dicke Schotte würde knochenbre-
chend, schädelknackend kämpfen. Doch aller Einsatz wäre umsonst, die Southern Cross würde von den siegreichen Piraten in den
Hafen gesteuert, geschleppt, und alle hier an Bord würden zur Handelsware: A cargo of very fine stout men … in good order … none
of them is dishonest … a mulatto, aged 33 years, first rate musician
… a white man, aged 42, first rate musician … been in that capacity
for many years … a white man, aged 57, still good in use … Einzige
Rettung: sie würden durch eine Sklavenkasse, beispielsweise die
von Triest, ausgelöst; für die Ablösesummen gibt es Tabellen, auf
denen sind jeweils die Tarife verzeichnet für Kapitäne, Offiziere,
Mannschaften, aber wie, zum Beispiel, würden Musiker taxiert?
Und welche Handelsgesellschaft würde sich für sie verbürgen? Nur

ein Gedankenspiel, sagt McConglinney lächelnd, um bewußtzumachen, was den Passagieren an Bord erspart bleiben wird ...

Als hätte der arabische Kapitän höflich das Ende dieser Ausführungen abgewartet oder als würde es ihn nun doch nervös machen, daß der Handelssegler nicht mit vollen Segeln zu fliehen versucht, vielmehr unbeirrt Kurs hält auf einen deutlich vorgezogenen Schnittpunkt der beiden Routen, gibt die Brigg einen ersten Schuß ab – vor den Bug? Aber die Kugel schlägt ins Wasser, einige hundert Yards zu kurz. Als sei dies ein Zeichen für ihn, setzt Flamsteed das Fernrohr auf der Reling ab, schreit einen Befehl, der Erste Offizier ruft ihn, in der Lautstärke noch erheblich gesteigert, zu Stanhope, der nun am Treppenaufgang steht, der schreit hinunter, ein Antwortruf und schon ein mächtiger, das Schiff mit seinen neunhundert Tonnen von dem Mastschuhen bis zu den Mastspitzen, vom Bugspriet bis zum Plattheck durchbebender Kanonenschlag, fünf Kanonen fast völlig simultan. Auch Beethoven, Hände an die Ohren gepreßt, starrt zum gekaperten Segler: Schiffsbauholz wirbelt hoch, ein Mast knickt im oberen Drittel ab – Zufallstreffer, Meisterschuß? Der Kapitän schreit einen weiteren Befehl – Stanhope wieder neben dem Rudergänger. Aufquellender Pulverdampf nun auf dem Piratenschiff, in voller Breite, dann das Dröhnen, aber die Einschläge liegen zu kurz: aufgereihte Wasserfontänen, in exakten Abständen, da könnte man abmessen, wie lang die Southern Cross ist zwischen Bug und Heck.

Und es wird eine zweite Salve vorbereitet: das Rumpeln der Kanonen, die von den Stückpforten weggezogen werden zum Laden; Rufe, Arbeitsgeräusche.

Beethoven rennt zur Kajüte, schlägt die Tür zu. Und George hinter ihm her. Die zweite Salve: fünfmal zwölf Pfund Metall werden hinausgeschleudert, unsichtbare Flugbahnen, sichtbare Treffer – nun knickt der vordere Mast ein. Das kann kein Zufallstreffer mehr sein – eine Salve ins Schwarze! Und gleich wieder: das Rumpeln der Kanonen, die von den Stückpforten weggezogen werden zum Laden; Rufe, Arbeitsgeräusche.

Beethoven liegt in der Koje, das Kissen mit beiden Händen an die Ohren gepreßt. George geht vor der Koje in die Hocke, spürt dabei Zittern im Körper – also doch! Er bleibt in der Hocke, da sieht Ludwig nicht allzuviel Körperoberfläche, auf der sich das Zittern verraten könnte. Er schaut Beethoven ins Gesicht, signalisiert, daß er ihm etwas mitteilen will, Ludwig preßt weiterhin das Kissen an die Ohren. Über See das dumpfe Dröhnen, das schwere Rollen einer weiteren Breitseite des Piratenschiffs, aber George sieht voraus: auch diese Salve wird zu kurz liegen. Nein, keine Einschläge an Bord, doch Arbeitsgeräusche im Zwischendeck. Und Beethoven schreit, als wäre er plötzlich wieder harthörig, er brauche seinen Kopf noch! Und er versucht zu lächeln. Endlich die dritte Salve der Southern Cross, und Beethoven preßt beinah konvulsivisch das Kissen an die Ohren, schließt kurz die Augen. Ein Jubelschrei draußen.

Aber noch ist Bewegung unter Deck, das Rumpeln der Kanonen, die von den Stückpforten weggezogen werden zum Laden; Rufe, Arbeitsgeräusche. Aber George sieht voraus, daß nicht noch einmal geschossen wird; es wird bloß zur Sicherheit nachgeladen.

Er setzt sich auf den Kojenrand – nun ist das Zittern aus dem Körper heraus, nur einzelne Muskelstränge zucken nach. Er hebt, ein wenig gewaltsam, Beethovens linke Faust vom Kissen, vom Ohr ab, erstattet Bericht zur Gefechtslage.

Beethoven schiebt das Kissen beiseite. Er mußte, sagt er, sein Gehör schützen, dieses unvergleichlich brutale Geräusch hätte seine neu erworbene Hörfähigkeit wieder gefährdet. Schon nach der ersten Salve war es dumpf in den Ohren – zugleich hohes Zischen – das Hörvermögen kleiner zwischen dem dumpfen und dem zischenden Geräusch – er hätte sich weitere Einwirkungen nicht leisten können. Er hört so gut wie seit Jahren nicht mehr, ruft er, und noch schneller als sonst folgen einander die Wörter: Gewiß, das Abnehmen der Hörfähigkeit war nicht gleichmäßig, es gab Zeitphasen, in denen wurde sein Gehör nicht schlechter, es wurde sogar besser, schien wenigstens besser zu werden, kein Vergleich jedoch mit den Besserungen auf der Reise bisher, der Druck, der dumpfe Druck von innen ist fort, das begann schon in Genua, in den Hitzetagen, dann auf dem Mittelmeer dieser helle, leichte Wind, der durchpustete seine

Ohren, er hört zwar nicht die Flöhe husten, aber aus dumpfem Gemurmel wurden wieder klar artikulierte Sätze; das Rauschen und Brausen, in dem Töne und Wörter ihre Konturen verloren, es löste sich auf oder: löste sich von ihm ab, auch das helle Zischen, in dem hohe Töne, Obertöne spurlos verwirbelten – dies alles vorbei, vorüber, aber dann, mit der ersten Salve, die massive Einwirkung auf die Ohren, obwohl er die Hände an die Muscheln gepreßt hatte mit aller Kraft, es war zu laut, es war zu laut, er haßt Kanonaden, dieses brüllende Aufreißen von Feuermäulern, dieses Ausspeien riesiger eiserner Kirschkerne, herüber, hinüber, und das ganze Schiff stinkt nach Pulver, auch hier in der Kajüte, durch alle Holzritzen, Holzfugen dringt das ein, dazu diese brutale Reihung übergroßer Geräusche, nur rhythmisch geordnet wären sie zu ertragen und über viele Seemeilen hinweg, hier aber hat er das Gefühl, der Boden wölbe sich auf unter der Kajüte, ja, die Koje würde hochgebuckelt – haben die endlich genug geschossen?!

Er blickt zur Tür. Als Antwort auf seine Frage setzt näselnd scharf der Dudelsack ein; der dicke Schotte spielt die Siegeshymne! Da lächelt Beethoven, und diesmal ist es ein gelöstes Lächeln.

Während Charlotte und Johanna in der Abendstunde auf Oberdeck sitzen, klöppelnd und lesend die Ruhe genießen nach den Salven der Mittagsstunde, findet in der großen Kajüte des Kapitäns ein Raucherkollegium statt.

Der Tisch ist nach dem Dinner abgeräumt, nur noch Gläser auf der Fläche und ein Aschteller. Die Herren schauen zu, wie Beethoven beinah rituell den fast unterarmlangen Pfeifenstiel aus dem schützenden Holzrohr zieht: die vielen unberechenbaren Einwirkungen einer See- und Landreise auf einen überlangen Pfeifenstiel ... Er stopft zerkrümelten Rolltabak in den Pfeifenkopf, drückt ihn fest mit breiter Daumenkuppe. Der Tabak wird angezündet, die ersten angestrengten Saugbewegungen, rasch entwickelt sich genügend Rauch. Ludwig paffend, schmauchend. Eine kurzstielige, klobige Seemannspfeife rauchend, schaut Flamsteed ihm zu, ironisch vergnügt. Sein Erster Offizier hat sich für Kautabak entschieden –

zuweilen ein brauner Jutsch auf den Aschteller. Der Maskierte raucht eine Zigarre – damit wird noch mehr Gesichtsfläche verdeckt. George raucht nicht, er schaut in den graublauen Schleier, der sich in der Doppelkajüte ausbreitet, zum admiralsblau bezogenen Sofa, zum Waffenschrank, zur Tür, die in eine Schlafkammer führt. Langsam zieht der Rauchschleier zu den beiden offenen Fenstern.

Der Kapitän nennt das Stichwort Nelson. Er möchte dem verehrten Passagier aus Vienna sagen, daß es eine erfreuliche Überraschung war, als hier an Bord der Toast ausgebracht wurde auf den Admiral aller Admiräle. Er hat seither mehrfach über die Frage nachgedacht, wie man sich diese Bewunderung eines Komponisten für einen Admiral erklären könnte.

Dies, antwortet Beethoven schmauchend, hat sich ganz einfach ergeben: er hat fast alles gelesen, was in Zeitungen über den Admiral veröffentlicht wurde. Sobald er den Namen gedruckt sah, las er sich fest! Es gab auch einen unmittelbaren Impuls: Nelson in Wien, vor einem Dutzend Jahren, auf seiner Triumphreise nach dem Seesieg vor Ägypten; in seiner Begleitung Lady Hamilton, auf ihre Weise ebenfalls eine europäische Berühmtheit ... Neben dieser Frau, die sich glanzvoll entfaltete, die parlierte und brillierte, die sang und tanzte, die endlose Soupers und lange Glücksspiele liebte, neben ihr muß Nelson unscheinbar gewirkt haben, aber was sagt das aus über seine Fähigkeiten als Offizier, über sein Genie? Gerade weil Nelson auf viele enttäuschend wirkte, trotz aller Orden auf der Brust, gerade weil er mit seinem Ruhm nicht auftrumpfte, ist ihm Nelson im Gedächtnis geblieben: als Mann, der auf äußeren Glanz kaum Wert legt, als Mann, der durch das überzeugt, was er vollbringt.

Dougall »Tootie« Higginbotham spielt, auf einem Poller sitzend, einen seiner Hochlandseufzer; Beethoven, dicht neben ihm, hört nicht nur zu, er schaut dem bagpiper auf die Finger am »chanter«, an der Spielpfeife, nickt ihm aufmunternd oder bestätigend zu, geht in seine Kajüte, läßt die Tür offenstehen. Das Klagelied ohne Worte scheint weite Ebenen der Entfaltung zu finden, moosgrüne Flächen mit basaltgrauen Findlingen, und Wind bringt noch mehr Weite in dieses phantasmagorische Hochland, über das Schafherden und Räuberbanden ziehen, alle struppig.

Nach einiger Zeit kommt Beethoven mit einem Notenblatt an Deck, schlenkert es trocken. Als der Hochlandseufzer erstirbt – winselndes Aushauchen der Windsackluft –, wird das Notenblatt dem Schotten vor die Augen gehalten: Drei rheinische Tänze für Dudelsack; ohne Opuszahl.

Mit einem Ruck schwenkt der Schotte den Dudelsack beiseite, steht auf, umarmt den Komponisten: »The saints of Scotland may bless you!« Er packt das Notenblatt an den oberen Ecken, beschaut es, dreht es um.

»Komm, spiel das mal, a prima vista.«

Der Schotte wiegt den Kopf, hebt die Schultern. Er macht alles nach Gehör, sagt George. Aber das mag Beethoven nicht akzeptieren: »Bestellt eine Komposition bei mir und kann nicht Noten lesen! Dat jit et doch jaarnit!« Die Arme hebend, schreitet er in weitem Kreis.

Nun heißt es vermitteln, ehe Beethoven das Notenblatt zerfetzt, es wäre nicht das erste. Ihn abfangend, macht George diesen Vorschlag: Er wird Dougall die Kompositionen auf der Geige vorspielen, und der setzt das gleich um.

Er geht in die Kajüte, holt die Violine, stimmt sie, der Schotte klemmt sich den Windsack unter den linken Arm, intoniert schon mal, erwartungsvoll. Beethoven nimmt das Notenblatt, hält es straff, George spielt den ersten der kurzen rheinischen Tänze.

Der Schotte blickt nachdenklich auf das Notenblatt. »Jetzt sag bloß nicht, das ist unaufführbar! Dazu müßte erst ein neuer, leistungsfähigerer Dudelsack gebaut werden! Komm mir bloß nicht so! Wenn das nicht auf Anhieb klappt, setz dich auf deinen Hochlandhintern und üb das, bis es fluppt!«

Aber der Schotte bleibt gelassen: »No problem.« Noch einmal spielt George den ersten Tanz, und gleich nach dem zweiten Takt setzt Dougall ein auf dem Dudelsack, sie spielen gemeinsam.

Als das Tänzchen beendet ist, jubelt Beethoven: Wohl zum erstenmal in dieser Welt ein Duett für Violine und Dudelsack! Das möchte er beim zweiten Tanz auch so hören!

Johanna vor der halb offenen Kajütentür – ob sie mal den Kopf reinstecken dürfe?

Aber ja doch – hier gibt es viel zu sehen! Und er bezeichnet nach ihrem zögernden Eintreten die Kajüte als Naturalienkabinett, Abteilung Echter Mulatte, mulatticus verus. Mit brauner Haut exponiert in diesem Kabinett …! Ein wahres Kabinettstück: die Haut, die er zu Markte getragen hat …! In der Zeit seiner großen Erfolge kamen viele nur in seine Konzerte, weil sie sein Kraushaar, seine exotische braune Haut sehen wollten … Und die wilden Bewegungen: Zurückwerfen des Kopfs, Zurückbiegen des Körpers, stark wie der Bogen des Odysseus … Erblickten Damen und Herren, vor allem Damen, auf seiner braunen Haut auch noch Schweiß, so fühlten sie sich fast wie in Afrika – selbst wenn er Mozart spielte oder Viotti. Diese zu Markte getragene Haut sollen Meerwind und Landwind gerben, damit sie ausgestellt werden kann in einem Glaskasten. Aus dieser endgültigen Perspektive betrachtet, müßte der Mensch sich häuten, zumindest ein so seltenes Exemplar wie er! In seinem Fall wäre sogar doppelte Häutung vorzuschlagen …! Als erstes müßte im Naturalienkabinett die abgeworfene Haut des jungen, erfolgreichen, auf Zeichnungen und Kupferstichen europäisierend dargestellten Geigenvirtuosen von Mitte Zwanzig ausgestellt werden; in einer zweiten Vitrine die Haut nach der Afrikareise; zuletzt die Haut des Mulattengreises Bridgetower, weißhaarig geworden wie ein afrikanischer Schamane. Three skins of mulatto George A. P. Bridgetower.

Ja, sie merke schon: es war nicht der rechte Moment für einen Besuch, sie hätte der Regung nicht nachgeben sollen … Und mit kleinem Winken geht Johanna hinaus.

Daß der Großvater ein Spielmann war, ist mittlerweile im Bewußtsein des Enkels festgeschrieben. George ist sicher: in Afrika wird er auf dem Weg nach Osten Spielleute sehen und hören, bei den Dogons ebenfalls, und er wird ihnen Details abgucken, wird sie auf seinen Großvater übertragen oder überschreiben.

Doch dies steht schon in England fest: auch sein Großvater wird einer der Spielleute gewesen sein, die singend erzählen, sich dabei auf einer Geige begleiten, die, senkrecht auf den Oberschenkel gestützt, mit waagrechtem Bogen gespielt wird.

Noch etwas sieht er mit zwingender Deutlichkeit: seinem Großvater fehlen zwei Schneidezähne. Die wurden ihm rituell ausgeschlagen, als er mannbar wurde – durch diese Lücke sollte der Geist der Alten, der Geist der Vorfahren leichter in ihn eindringen. Ob dies in Westafrika üblich ist oder nicht, ist George gleichgültig – wenn es nicht stammestypisch ist, dann eben familienüblich, dagegen soll mal einer etwas einwenden …! Überhaupt: er gehört nicht zu den Menschen, für die etwas nur wahr ist und relevant, wenn es sich wie auf Nelsons Seekarten in den Koordinaten exakt bestimmen läßt, und flottierende Wirklichkeiten werden von ihnen nicht zur Kenntnis genommen. Es bleibt also bei den fehlenden Schneidezähnen im sonst starken, hellen Gebiß seines Großvaters, dem im Alter das Kraushaar weiß wurde und der Krausbart ebenfalls – durch die Zahnlücke drang in den Großvater der Geist des Urgroßvaters ein, der ebenfalls Spielmann gewesen sein dürfte, und durch die Zahnlücke des Urgroßvaters wiederum drang der Geist von dessen Vater ein: Geist des Lebens, Geist der Lieder. Sobald also der Großvater ein Lied anstimmte, sang eine Reihe von Vorfahren mit: in die Vergangenheit zurückgestaffeltes Echo.

E r betritt Beethovens Kajüte mit einem dickwandigen Glas: Atlantikwasser als Morgengruß. Ludwig wendet das Gesicht zur Wand: Salzwasser auf nüchternen Magen …?!

Ja, er wird ihm von nun an jeden Morgen ein Glas Meerwasser bringen, das ist gut gegen Harthörigkeit und Hartleibigkeit, gegen Koliken und Schwermut.

Beethoven richtet sich auf, seufzend, setzt sich auf die Kojenkante. Während er in kleinen Schlucken trinkt, souffliert George: Die Heilkraft des Meerwassers ist erwiesen, er könnte Expertisen aus Brighton einholen, und zwar glaubwürdige!

»Ävver dat schmeck wie Bejinge-Piß!«

Macht nichts – im Jahr zuvor hat Ludwig im böhmischen Heilbad

Wasser getrunken, das nicht bloß salzig, sondern höllen-schweflig schmeckte. Also bitte leertrinken!

Beethoven geht auf und ab, vorgebeugt, Hände auf dem Rücken verschränkt, bleibt stehen, brummelt vor sich hin, geht weiter auf Deck umher, vergrößert die Schritte, macht sie kleiner, es kommen nun hellere, fast krächzende Laute aus ihm heraus, halb Singen, halb Stöhnen, er bleibt stehen, stampft einen Rhythmus auf die Bohlen, geht weiter. Wollte man im Mastkorb seine Bewegungslinien nachzeichnen, so ergäben sich Kreise, Spiralen, Ovale, Schlängellinien mit vielen Überschneidungen, ein Labyrinth, aus dem ihn nur der Faden einer neuen Melodie herausführen kann, und die scheint sich zu formen: eine sich wiederholende Folge gebrummelter und krächzend ausgestoßener Laute. Und größer, weiter seine Schritte, doch mit einem Ruck bleibt er stehen – Aufstampfen, wie im Protest, dieses Aufstampfen wiederholt sich, er hält plötzlich inne, breitet die Arme aus, als wolle er Ruhe fordern in einem Orchester, wirft die Arme hoch, Auftakt, ein paar Dirigierbewegungen, er beugt sich vor, abdämpfende Gesten, er richtet sich wieder auf, und in diesem Aufrichten nimmt er wahr, wie ein Seemann ihn nachäfft, Arme schlenkernd. Mit ausgreifenden Schritten geht er auf den Seemann zu, brüllt ihn an: Verunglimpfung … Verhöhnung … öffentliche Verhöhnung …! So ungefähr übersetzt sich George in Schlüsselwörtern, was Beethoven in rheinischem Idiom hinausschreit, mit Würzwörtern wie Peijaß und Pimock.

Der Seemann, erstaunt über die rasche und rauhe Reaktion, sagt halblaut: »Hij zou zich niet zo moeten opwinden!«

Ein Niederländer! ruft Beethoven, ein Mann womöglich aus Flandern, und der, ausgerechnet er macht ihn lächerlich, hier an Deck, ein Flame?!

Ja, er kommt aus Flandern, sagt der Seemann, glaubt Beethoven damit begütigen zu können, aber der schreit sich immer mehr in seinen Zorn hinein: Ausgerechnet ein Flame macht ihn vor versammelter Mannschaft lächerlich. Ja, vor versammelter Mannschaft! ruft er dem Ersten Offizier zu, der hinzukommt, und er macht eine schlenkernde Armbewegung, als wolle er damit die Mannschaft präsentieren, aber es sind nur drei, vier Mann auf Deck, und die scheinen sich für diese Szene nur mäßig zu interessieren.

Der Niederländer verteidigt sich vor dem Offizier: »Die man zou zich toch niet zo moeten opwinden; hij is toch helemaal niets gebuerd.«

Die flämischen Sprachklänge scheinen Beethovens Wut neu zu stimulieren: Ja, ausgerechnet ein Niederländer, ruft er und zeigt auf den Übeltäter, ausgerechnet ein Flame gibt sich dazu her – läßt sich hinreißen, ihn vor versammelter Mannschaft lächerlich zu machen – ein Banause, ein Pimock der übelsten Sorte – er hat stets die Niederländer verteidigt, wenn denen nachgesagt wurde, sie seien Trunkenbolde, Raufbolde – was ihm jetzt vorgeführt wurde, macht es schwer, sehr schwer, die Niederländer weiterhin zu verteidigen. Und weil ihm dieser Mann aus Flandern solche Schande angetan, ihn damit in seinem Innersten verletzt hat, wird er ihn nicht mehr anschauen. Ja, dieser Flamenpimock wird von jetzt an nicht mehr für ihn existieren, er wird ihn mit vollständiger Mißachtung strafen, das soll ihm eine Lehre sein. Wenn der ein Schwede wäre oder ein Portugiese, da könnte er Milde walten lassen, bei einem Portugiesen, erst recht bei einem Schweden muß man ganz einfach Nachsicht üben, aber einem Flamen kann er das nicht durchgehen lassen – gerade ein Flame müßte ein besonderes Gespür – als Mitglied eines seit Jahrhunderten seegängigen Volkes – er müßte offen sein für andere Lebensformen – müßte ein Gefühl der Verbundenheit entwickeln – gerade mit ihm, Lodewyk van Beethoven – innerhalb einer Volksfamilie tut man so was nicht!

McConglinney nickt, sagt Begütigendes.

»Nein«, schreit Ludwig, »ich laß mir das nicht ausreden!« Dieser Pimock kann ihm von jetzt an dutzendfach über den Weg laufen, der ist für ihn aus der Stammrolle gestrichen, definitiv, der könnte genausogut im Kielraum angeschmiedet sein, dieser Mann ist –. Und Beethoven starrt den Offizier an, schreit: »Aus, aus, aus!«, wendet sich jäh ab, läuft in seine Kajüte, schlägt die Tür zu.

Im Vormittagslicht geht der Maskierte, Hände auf dem Rücken, zum Bug, dreht sich um, schreitet auf den Heckaufbau zu, sieht seine beiden Zuschauer, winkt, ruft fröhlich einen Morgengruß, spaziert wieder nach vorn, bleibt an der Reling stehen. Die Brise fährt durch sein rotblondes und angegrautes Haar.

Dieser schleichende Gang, diese Schlabberschnüß, diese aufgesetzte Fröhlichkeit des Grußes – Beethoven ist sicherer denn je, daß dieser Mann Spitzeldienste leistet! Und der weiß als Professioneller genau: das geht auf so engem Raum wie hier nicht ohne Anbiedern. Und das versucht der ständig! Aber er wird sich diesen Mann schon vom Leibe halten …! Erste Voraussetzung dazu: er durchschaut ihn. Und er sieht ganz klar: bevor der in den Ruhestand geht, will er noch eine Spitzel-Ruhmestat vollbringen. Und die Herren, die ihm diesen Auftrag erteilt haben, sie werden in Wien zuweilen auf eine Weltkarte schauen, stolz: So weit reicht ihre Macht – bis auf den Atlantik und bald bis ans Kap Verde, österreichische Spitzelohren schließlich auch in der Savanne …!

Beethoven schaut zum Maskierten, der weiter am Bug steht. Es trifft immer die Falschen …! Eigentlich müßte solch eine Kreatur dort bestraft werden, wo sie sich an Menschen versündigt, und die Schwerhörigkeit, die drohende Ertaubung, die ihn vor dieser Reise oftmals in Verzweiflung gestürzt hat, die müßte auf solch einen Mann überspringen! Da könnte der seine Maske an den Nagel hängen! Alles ungerecht verteilt auf dieser Welt: die schönsten Frauen bei Männern, die sie nicht verdient haben, Spitzel bleiben hellhörig bis ins hohe Alter, und einer, der sein Leben der Musik gewidmet hat, den befällt der Dämon der Ertaubung! Nein, er macht sich hier keine Illusionen: sobald er nach Wien zurückgekehrt ist, wird es wieder dumpf in seinen Ohren, verstärkt sich das Brausen und Zischen, wird das Zerstörungswerk fortgesetzt. Aber so einer wie der dort unten, der wird noch seinen letzten Schnaufer mit allen Obertönen hören!

Beethoven schaut George von der Seite an. »War das nicht gut gesagt?! Das mußt du nachher in dein Notizbuch schreiben: Wird seinen letzten Schnaufer mit allen Obertönen hören …« Er lacht. Und beobachtet den Maskierten, der wieder auf sie zukommt, zu ihnen hochwinkt, sich umdreht, zum Bug geht, auf sie zukommt. Ja, dieser schleichende Gang, diese Schlabberschnüß …

»Haben Sie sich abfällig über mich geäußert?«

Beethoven lacht auf: »Ich habe Ihr spezifisches Organ charakterisiert.«

Der Maskierte, mit kurzem, heftigem Kopfschütteln: »Sekkieren Sie mich nicht!«

»Sekkieren Sie mich nicht!« echot Beethoven. »Sekkarieren, sekkerieren Sie mich nicht, sekkmatieren Sie mich nicht!« Und solch ein Wort auf hoher See …! Nicht im Prater, nicht im Augarten, nicht zwischen Burg und Dom – hier auf Deck belieben Signore nicht sekkiert werden zu wollen …! Sekkieren: solch ein Wort kann man sich wirklich nur leisten, wenn man eine Maske trägt! Wenn Signore ihm noch einmal mit so einem Wort kommt, gibt er ihm die einzige Antwort, die das verdient: »Triez mich nit! Ich loß mich nit trieze!«

Die Wiederholung muß er dem Maskierten bereits nachrufen zur Treppe, die unter Deck führt. »Den hätten wir in die Flucht geschlagen!« Beethoven lehnt sich zurück. Und weil er so schön in Fahrt sei, gleich zu George …! Hat er sich getäuscht, oder war ein verräterisches Aufleuchten in seinen Augen, als er diese rheinische Äußerung hörte? »Heda, brauchst mir gar nicht zu antworten, ich seh's dir an! Hast du vielleicht vor, solche Wörter in dein Reisebuch aufzunehmen?«

Yes, Sir.

»Mir soll's recht sein, aber machst du es damit auch deinen Lesern recht? Man wird es dir nicht ohne weiteres abnehmen – ein Mulatte aus Galizien, der mich zuweilen rheinisch reden läßt! Krauses Haar, krause Gedanken! wird man sagen.« Er will, um das klarzustellen, George nicht ausreden, rheinische Wörter und Sätze einzubringen, solange sie nur richtig wiedergegeben werden – bitte kein Mulatten-Rheinisch! George soll gefälligst einen Rheinländer konsultieren, der ihm alles so aufschreibt, wie man es am Rhein zu hören kriegt. Auch hier muß der rechte Ton getroffen werden! Der Ton, der die rheinische Musik macht … Außerhalb Bonns hat man es mit dieser »Musik« oft schwer, erst recht in Wien. Die komplett andere Sprache dort. Das eine und andere Wort hat er ja gelernt, Schmäh und Schmock, doch er bleibt beim Rheinischen, prinzipiell. Auch in seiner Sprache: er hat sich bei keinem Menschen angebiedert, also soll George ihn nicht den Lesern andienen. »In diesem Sinne ...!«

Beethoven kommt zum erstenmal in seine Kajüte, in das »Naturalienkabinett«. Er muß mit George reden! Eigentlich darf er nicht einmal erwähnen, worüber gesprochen, unbedingt gesprochen werden muß, aber er braucht einen Menschen, der ihm zuhört, sonst erstickt er!

Und Beethoven geht hin und her zwischen dem Fenster, das er nach dem Eintreten geschlossen hat, und der Tür, die fest ins Schloß gedrückt ist. Hände auf dem Rücken, Oberkörper leicht nach vorn, Kopf gesenkt. Charlotte hat sich ihm anvertraut! Hat ihm erzählt, was sie mit zwei Ehemännern erlebt, ja erlitten hat. Erst vierundzwanzig Jahre alt und schon am Ende der zweiten Ehe ...!

Sie vierundzwanzig – er zweiundvierzig: spiegelbildliche Zahlen ... Das muß ein gutes Omen sein! Aber sieht sie nicht aus wie achtzehn, neunzehn? Er kann das Alter junger Frauen gut abschätzen, auch durch seine Schülerinnen, und er hatte bei Charlotte vorausgesetzt, daß sie neunzehn sei – das Alter von Giulietta, als sie geheiratet, durch die Heirat entführt wurde. Auf den Gedanken, Charlotte könnte bereits ein zweites Mal verheiratet sein, wäre er nie gekommen! Auch bei der Begegnung gestern abend, die sich wie durch Zufall ergab – er sieht darin übrigens weitaus mehr als Zufall – sie wirkte mädchenhaft jung auf ihn! Dabei hat es sehr belastende Kapitel gegeben in ihrem Lebensbuch! Der erste Mann – sie hat ihn mit achtzehn geheiratet – ist auf einer Reise nach Rom an Sumpffieber gestorben. Er hat ihr ein Weinkontor und eine Galerie hinterlassen. Anderthalb Jahre später der zweite Mann. Die Geschichte mit ihm läßt sich nicht in einem Satz wiedergeben, auch nicht in einem Monstrum von Satz. Was sie ihm erzählt hat, das hat ihn bedrückt – äußerst bedrückt – es hat ihn aufgewühlt. Das Gespräch dauerte bis tief in die Nacht – seine anschließende Nachtwache.

Nun erst weiß er, was das ist: ein vertrauliches Gespräch – ein

Gespräch, in dem man sich einem anderen öffnet – ein Gespräch, in dem man sich dem anderen mit-teilt. Bei allem Unglück, das zur Sprache kam – er fühlte sich glücklich, denn sie vertraute ihm an, was sie keinem Mann zuvor erzählt hat. Daß es so etwas geben kann: eine Bürde wird aufgelastet, und man fühlt sich beschwingt! Ihr Vertrauen, ihr Vertrauen, ihr Vertrauen ...!

Er steht in der Kajüte, blickt zur Wand. Es ist für George vielleicht wichtig zu erfahren, wie es dazu kam, daß sie von ihren sehr persönlichen Erfahrungen berichtete gleich beim ersten Gespräch, das sie allein führten oben an Deck. Ja, und welche Vorgaben er hier geleistet – nein, nicht geleistet, eher: gegeben hat. Auch dieses Wort gefällt ihm nicht, das klingt zu sehr nach Handel. Wenn er das einfacher sagt, kommt er dem Vorgang wohl näher: sie hat offen gesprochen, weil er sich offen geäußert hat.

Es begann mit einem Gespräch über Musik, ausgelöst von ihrer Frage, ob es nur ein Gerücht sei, daß er schon in frühen Vormittagsstunden komponiere. Auch sie konnte nicht recht glauben, daß man beispielsweise an einer As-Dur-Klaviersonate morgens ab sechs oder acht weiterarbeitet. Sie selbst hat diese Komposition als Beispiel genannt – warum gerade opus 26, schon ein gutes Dutzend Jahre alt, seinerzeit dem Fürsten Lichnowsky gewidmet? Es stellte sich heraus, daß sie eine offenbar gute, wenn nicht sogar vorzügliche Pianistin ist, die mehrere seiner Sonaten eingeübt hat, für einen kleineren Kreis von Zuhörern: Sonntagmorgen-Konzerte, die in der Galerie stattfanden, in unregelmäßigen Abständen. An dieser Sonate bewunderte sie vor allem das Adagio con variazioni, mit dem die Sonate ganz unorthodox beginnt, und den Trauermarsch und das »Wunder« des Schlußsatzes. Sie rühmte nicht nur spezifische Qualitäten der Sätze, sie feierte die Befreiung vom Sonatenschema, die rhapsodische Form.

Einverständnis und Verständigung ...! Enthusiasmus und Eloquenz ...! Sie blieb allerdings bei der Vorstellung, an solch »exzeptionellen« Werken arbeite man in magischen Nachtstunden – und nicht in frühen Morgenstunden. Wo blieb hier das, wie sie sagte: Numinose?

Er mußte abschwächend ergänzen, daß er im gegenwärtigen Jahr fast noch gar nichts komponiert hat. Die inneren Kräfte, die bei seiner Arbeit in ungeheurem Ausmaß verbraucht werden, sie müssen sich regenerieren. Zum Nachlassen der Arbeitslust und Arbeitsenergie kam eine niederdrückende Erfahrung.

Er brauchte ein paar Anläufe, bis er seine innere Lage wenigstens skizzieren konnte; Charlottes einfühlsame Geduld half ihm dabei. Der lang nachwirkende Schmerz einer Trennung. Er nannte keinen Namen, deutete keinen Zeitpunkt an, der spielt sowieso kaum eine Rolle – etwas kann ein Jahrzehnt zurückliegen und doch die gleiche Nachwirkung haben, als wäre es ein Vierteljahr zuvor geschehen.

Also, noch einmal: er hat Charlotte weder den Namen dieser Frau genannt noch den Namen der Stadt, in der sie lebt, in anhaltender Verzweiflung. Er schilderte ihr Giulietta nur mit allgemeinen Eigenschaftswörtern: als jung, schön, als grazil, graziös, als sensibel und sinnlich – davon geht er aus! Und es verbanden sich Intelligenz und Charme, Eleganz und Witz. Sie wurde eingeladen in Salons, wurde verehrt, ja angebetet. Eine Frau, die anderen Frauen ihres Alters um Jahre voraus war, auch als Pianistin. Mit dieser Frau, so erzählte er Charlotte, hätte er sich damals gern zusammengetan – nicht für ein ganzes Leben, aber für eine längere Frist; die hätte sich ja in freiwilliger Übereinkunft verlängern lassen – ein erneuerter contrat social. Doch zwischen diesen Plan und seine Erfüllung schob sich der andere Mann. Ein Mann, der auch musizierte, aber zu dem er nach dem Vorspielen vermutlich gesagt hätte: Sie haben keine wahre Neigung zur Musik. Ein Mann, der sogar komponierte, doch nur mit Echos auf Kompositionen anderer. Ein Mann, dessen Selbstbewußtsein vielleicht imponieren konnte, der aber auch Anlässe gab zu Befürchtungen für die Zukunft. Dieser Mann – dessen Namen er nie aussprechen wird! – holte sie sich ins Bett, ins Haus, nahm sie in Besitz – ein besonders schönes Repräsentationsstück bei Einladungen, auf Empfängen, im Konzertsaal, in der Oper – die Frau, auf die sich aus anderen Logen die Operngläser richteten, über die man tuschelte. Diese Frau aber durfte bald nur noch selten in der Öffentlichkeit auftreten – sie wurde in die häusliche Pflicht genommen, in den Dienst gezwungen! Wurde belastet, eingeengt! Wurde vieler Möglichkeiten der Entfaltung beraubt! Damit wurde auch ihm etwas entrissen. Daraus entstand nicht Fatalismus, nicht Zynismus, daraus wuchsen Traurigkeit, Niedergeschlagenheit, Verzweiflung. Und Zorn: diese schöne junge Frau, in der sich seine Wünsche erfüllt hätten, sie war in Besitz genommen von einem Mann, der in ihr nicht ein Geschenk sah, sondern eine selbstverständliche Kontribution.

Er sagte Charlotte nichts von seinen Gefühlen dem Ehemann gegenüber – die kann er nur George eingestehen, dem Freund. Seine Verachtung, sein Haß, sein fast biblischer Zorn – damit hätte er sich vor Charlotte auf wenig liebenswerte Weise dargestellt – hier geht es nicht bloß um Eitelkeit, er will keine Hindernisse schaffen.

Also: ohne von seinen Aversionen gegenüber diesem Pimock von Ehemann zu sprechen, hat er ihr geschildert, in welcher inneren Situation er sich befand, als der plötzlich aus der Vergangenheit auftauchende Mulattenfreund ihm diese Reise nach Afrika vorschlug – da sah er gleich die Möglichkeit, aus der Trauer herauszukommen ...

Er wendet sich ab. Von Traurigem sprechen schafft keine Erleichterung – weckt nur neue Trauer ... Glücklicherweise ist es beim Gespräch mit ihr nicht zu Tränen gekommen ... Mit großen, sehr großen Augen hat Charlotte ihn angeschaut, als er von seiner Erfahrung sprach. Ihr Gesicht wurde weich – als würden die schönen, einprägsamen Konturen sich lösen. Sie betonte, wie gut sie ihn verstehen könne. Als müßte das begründet werden, begann sie von eigenen Erfahrungen zu berichten. Sie sprach leise. So ergab es sich von selbst, daß er mit dem Stuhl näher an sie heranrückte.

Daß sie von ihrer Ehe erzählte, war, wie gesagt, keine Gegengabe. Vielleicht wäre sie von selbst darauf gekommen, und sei es, um ihm verständlich zu machen, weshalb sie sich wieder tagelang in der Kajüte »versteckt« hatte. Was sie erzählt hat, kann er George nicht wiedergeben, höchstens in allgemeinen Zügen – er will sie nicht preisgeben, will ihres Vertrauens würdig bleiben. Aber weil George auf sehr intrikate Weise zuständig, fast verantwortlich ist für alles, was auf dieser Reise geschieht, soll er wenigstens in Andeutungen erfahren, wie sich dieses Gespräch weiter entwickelte.

Es lief – um das vorwegzunehmen, weil dies für ihn der entscheidende Punkt ist – darauf hinaus: ihre zweite Ehe ist gescheitert. Formell besteht die Verbindung noch, aber Charlotte hofft, daß mit dieser Reise die Entscheidung fällt. Die Einladung ihres Vaters kam genau zum rechten Zeitpunkt. Sie hat die Lage ihrem Mann gegenüber dramatisiert: ihr Vater sei krank, im fernen Afrika, sie müsse zu ihm mit dem nächsten Schiff. Trotz dieser – vorgetäuschten – Dringlichkeit: vehemente Auseinandersetzungen. Wer ist dir eigentlich wichtiger, wer ist dir näher?! Aber sie hat sich nicht erpressen lassen zu bleiben. Nicht einmal sie selbst hat sich dazu beredet – und mit sich hat sie es am allerschwersten: Skrupel, Bedenken, Ängste, Schuldgefühle – ein wahrer Natternkorb!

Ja, sie spricht mit einer Genauigkeit über Gefühlsregungen, wie er das noch nie erlebt hat! Und ihr Witz, zuweilen, die pointierten Bemerkungen, ihre Souveränität – er ist hingerissen von dieser Frau. Oder: fühlt sich zu ihr hin gerissen. Wie unendlich schwer nimmt sie alles! Sie hat die Zeit bis Gibraltar fast ausschließlich in der Kajüte verbracht, um nachzudenken über diese Ehe. Umfangreiche Aufzeichnungen, weil sie beim Schreiben genauer denken kann. Bis Gibraltar mußte die Entscheidung fallen. Als sie sich zum erstenmal tagsüber auf Deck zeigte, war sie erleichtert, beinah heiter, denn sie wußte nun: sie wird im Hafen von Gibraltar diese Reise nicht abbrechen, um mit dem nächsten Schiff nach Genua zurückzukehren oder auf dem Landweg nach Genf. Und er hat nichts von ihren Problemen geahnt! Auch nicht beim gemeinsamen Landausflug! Aus Rücksichtnahme, Höflichkeit: Charlotte hat sich dargestellt als unbelastete, klug plaudernde Frau. Allerdings, sie waren kaum je allein – Joan stets mit im Wagen, beim Spazierengehn, im Gasthaus.

Ein Seufzen – das er selbst nicht hört?

L ear!« ruft Beethoven nach dem ersten Schluck Meerwasser, »Lear!« wiederholt er mit kleinem Keuchen, reicht das leere Glas zurück: er wachte auf, früh wie immer, und sofort war im Kopf das Stichwort Lear! Er wird im Lauf des Vormittags noch einmal dieses Werk lesen – in das Drama hineinhorchen ... erste Klänge heraushören ... Er versuchte zwar ein paarmal, den alten Lear beiseite zu drängen im Kopf, schließlich hat er sich die Odyssee vorgenommen, doch King Lear behauptete sich. Erste Überlegungen zum Libretto – erste Vorausklänge der Musik – das Drama als eminente Herausforderung für einen Komponisten! Zum Beispiel, wenn im ersten Akt Goneril und Regan damit auftrumpfen, wie sehr sie ihren Vater lieben: reine Arien …! Und wenn Cordelia mit dem Arzt dem alten Lear aus dem Wahnsinn heraushelfen will – musikalische Besänftigung der inneren Furien, die Lear umtreiben … Und die Klage des Lear über den Tod der Cordelia …

Johanna deutet an, daß sie George gern mal allein sprechen würde. Sogleich lädt er sie in seine Kajüte ein – er habe vor einigen Tagen unnötig gereizt reagiert, nun aber soll sie ihm willkommen sein.

Sobald sie am Fenster sitzen, auf das bereits durchsegelte Wasser blickend, berichtet Johanna, was George (und mit ihm Beethoven, der sich wieder einmal in Arbeit vergraben hat) »ruhig erfahren« darf …

Charlotte, sie wurde achtzehnjährig mit einem Mann verheiratet, den ihr Vater, damals noch in Wiesbaden, für sie ausgesucht hatte: Mathias Wilhelmi, Witwer, zweieinhalb Jahrzehnte älter. Dieser Mann wollte nicht nur in seinem »Weinkontor« erfolgreich sein und bleiben, er rühmte sich auch seiner Kunstsammlung: Statuen, Statuetten, Gemälde. Die Statuen als Gipsabgüsse hellenistischer oder römischer Bildwerke; die Gemälde meist nach Motiven antiker Dichtungen. Er hatte eine private Galerie eingerichtet, führte hier gern Besucher herum, beklagte sich zuweilen über die hohen Kosten für Heizung und Beleuchtung der Ausstellungsräume, die ihm nichts einbrachten, außer gelegentlichen Bestellungen kultivierter Weintrinker, die in ihm jetzt nicht mehr bloß den Rheingauer Weinschwelg sahen. Ein Mann, der im Gespräch jovial wirkte, der beim Feiern überschwenglich wurde; der Frau gegenüber war er Ehemann und Vater zugleich. Beispielsweise hielt er nicht allzuviel vom Lesen, schon gar nicht von Büchern, die nicht unmittelbar nützlich sind, also gab er Charlotte keine Bücher, und wenn er zu viele Bücher bei ihr sah, nahm er ihr einige weg, und er glaubte, sie würde das nicht merken. Er hielt auch nicht viel von Musik, also schenkte er Charlotte keine Notendrucke; stapelten sich dennoch zu viele neben dem Klavier, machte er den Stapel kleiner. Wenn er auf Reisen war, las und las sie, spielte Klavier. Bald das erste Kind, Raimund, und der zweite Sohn, Sigbert. Wilhelmi verreiste immer häufiger. Schließlich seine Italienreise. Er bestand darauf, diese Reise allein zu machen – obwohl ihre Schwester Dorothee die beiden Buben versorgt hätte. Für Charlotte verdichteten sich Gerüchte: eine Geliebte?

Wilhelmi, in den dreieinhalb Jahren der Ehe wiederholt krank, ließ vor der Reise ein Testament erstellen. Alle Vollmachten auf seine Frau Charlotte Wilhelmi, geb. Sartorius, übertragen; zusätzlich zum Weinkontor sollte die Galerie der Sicherung ihrer Einkünfte dienen; Verkauf der Exponate möglich – keine Verpflichtung, die Galerie unter seinem Namen zu erhalten.

Die Italienreise des Mathias Wilhelmi dauerte nicht lange: in der Po-Ebene, vor Piacenza, das Sumpffieber, das er nicht überlebte. In den Monaten nach seinem Tod war Charlotte erst einmal mit Abwicklungen beschäftigt. Sie verpachtete das Weinkontor und machte aus der privaten eine öffentliche Galerie. Dabei lernte sie die Sammlung ihres verstorbenen Mannes genauer kennen als zu dessen Lebzeiten.

Optisch beherrschend: die Gipsabgüsse. Ein Zeus oder Jupiter in Gips, ein Poseidon oder Neptun in Gips, ein Odysseus oder Ulysses in Gips. Sie haßte zuweilen diese Figuren, haßte das porige, graustumpfe Material. Manchmal, so gestand sie, hätte sie einer der Figuren, die auch als Replikat meist nur einen Arm hatten, am liebsten auch den anderen Arm abgebrochen oder: aus der Verzapfung gerissen. Lädiert waren fast alle diese Figuren, vor allem die männlichen.

Eher als die Statuen konnte sie Wachsabgüsse akzeptieren: Münzen, Gemmen, vor allem Statuetten. Die nahm sie gern in die Hand: das braungetönte Material, mit einer Beimischung von leuchtendem Honiggelb. Wachsabgüsse kaufte sie nach, um sie zu verkaufen, hier blieb die Zahl ungefähr konstant, während das Gedrängel der Gipsfiguren und Gipsbüsten sich lichtete. Aber das ging ihr längst nicht schnell genug, sie war dankbar für jeden Besucher, der sich diese Figuren anschaute, und sei es unverbindlich.

Einer der prominentesten Besucher: der Schweizer Pädagoge P. Etwa ein dreiviertel Jahr nach dem Tod Wilhelmis kam er nach Wiesbaden, um auch dort für sein Knaben-Internat von Yverdon zu werben – Unterhandlungen mit einem Grafen, der bereit zu sein schien, einen »namhaften« Betrag zu stiften, die Stiftung jedoch an Bedingungen koppeln wollte. Es ergaben sich Gesprächs- und Verhandlungspausen. So kam P. in die Galerie, ins Kabinett der »schönen Witwe Wilhelmi«. Die betonte ihre Schönheit nicht – Johanna und Freunde stellten sogar fest, sie kleide sich nachlässiger. Man sah ihr an, daß sie mit ihren zweiundzwanzig Jahren überfordert war als Mutter und Verwalterin, aber: ihre Müdigkeit, ihre Nachlässigkeit schienen die Schönheit transparenter zu machen. So waren es nicht nur die Abgüsse der antiken Statuen, die P. beredt machten: Feuer in den Augen, temperamentvolle Gestik, Enthusiasmus! Die Harmonie dieser Menschenfiguren; aus der Harmonie dieser Körper ergibt sich Harmonie der Bewegungen, damit wiederum Harmonie von Gedanken und Gefühlen, in feinster Abstimmung.

P. kam wieder, blieb jeweils länger. Eines Tages brachte er den potentiellen Geldgeber aus Eltville mit, der kaufte den Gipsabguß einer Poseidon-Statue: Poseidon für einen Salon mit Rheinblick. Bei jedem der Besuche schien P. stärker illuminiert, von innen her, Charlotte sah ihn nicht mehr mit distanzierender Deutlichkeit. Zuerst hatte sie ihn so wahrgenommen: kleiner, untersetzter Mann von Mitte Fünfzig; Gesicht pockennarbig, meist etwas gerötet; Haar widerborstig, wild abstehend; Kleidung einfach; Sprechweise undeutlich, starke Einfärbung durch Schwyzertütsch. Aber mit seiner Begeisterung – leuchtende Augen, feurige Rhetorik – entstand eine Aura, die seine Pockennarben-Oberfläche überstrahlte. Zusätzlich die innere Illumination durch Ideen, Ideale. Zugleich: Charme von Naivität. Er erreichte es, daß Charlotte ihm in einem Kreis weiterer Besucher einige Klavierwerke vorspielte, unter anderem Beethovens As-Dur-Sonate. Nun war es um den Mann aus Yverdon geschehen! Lange intensive Gespräche mit Grundschwingungen, die sich übertrugen. Geständnisse: Von ihrer Liebenswürdigkeit be-

zaubert … schon als er sie zum erstenmal sah, wie zernichtet …
Aufruhr in seiner Seele … nach Jahren vollkommener innerer Ruhe
der Illusion hingegeben, er sei unverwundbar … nun als Beute tau-
sendfältiger glühender Gefühle … Lebensformen, in die er sich hineingefunden hatte, wie zertrümmert … als müsse er erst wieder das
Gehen und das Sprechen lernen …

Seinen Umarmungen entzog sie sich mit Freundlichkeit. Sobald er
wieder in Eltville war, schickte er kurze Briefe in rascher Folge, man
hätte fast eine Botenstafette bilden können. Sie versuchte in den Gesprächen sein Interesse auch für Raimund und Sigbert zu wecken,
aber zu Erörterungen über Pädagogik sah er sich nicht in der Lage,
schon gar nicht zu pädagogischen Ratschlägen – dazu sei besondere
Gestimmtheit, sei eine der Sache förderliche Umgebung notwendig.

Sein Abschied, nach mehreren Aufschüben. Verabredung: Charlotte wird ihn mit den Söhnen besuchen, in Yverdon, dort sprechen
sie über die künftige pädagogische Arbeit, vor allem wird er prüfen,
ob bei den Jungen die Voraussetzungen gegeben sind für eine Auf-
nahme in sein Internat.

Umarmung und Losreißen. Die Stationen seiner Rückreise markiert durch Briefe. Und Briefe aus Yverdon. Charlotte antwortete
mit Briefen, zu denen sie jeweils Entwürfe anfertigte – zuweilen
mehrere. Er beklagte die Kühle der Briefe, pries zugleich die liebevolle Genauigkeit. Und sie bestätigte den Entschluß, mit den Buben
nach Yverdon zu kommen.

Beethoven, im Segelschatten auf einem Poller hockend, addiert
Zahlen auf einem Zettel, unter den er ein Buch gelegt hat. Das
begleitende Brummen, Knurren, Stöhnen lockt den Schiffsjungen
an, er bleibt hinter Beethoven stehen, der registriert das mit kurzem
Blick über die Schulter, rechnet weiter, der Junge rechnet mit, nennt
das Resultat, Beethoven notiert es, rechnet noch einmal nach, kommt
zum selben Ergebnis, freut sich, will gleich wissen, wieso der Junge
derart fix rechnen kann.

Der will einmal Erster Offizier werden, und der muß täglich die
Position bestimmen, den Kurs berechnen …

»Und du kannst jetzt schon malnehmen?« Der Junge nickt. Beethoven staunt ihn an: dreizehn oder vierzehn Jahre alt, kann fließend multiplizieren! Er hat sich, vertraut ihm Beethoven an, schon mal Bücher gekauft, die ihm das Rechnen beibringen sollten, hat freilich zu früh aufgegeben. Er muß jedoch rechnen können, weil die Haushälterinnen ihn sonst der Reihe nach mit dem Wirtschaftsgeld betuppen. Aber: wenn eine Haushälterin oder Köchin zwanzig Eier à soundsoviel Kreuzer gekauft hat, muß er zwanzigmal den Einzelpreis untereinander schreiben, heimlich – »ich kann nicht malnehmen, das ist wie ein Fluch!« So viel Zeit, die er eigentlich mit Komponieren verbringen sollte, vertut er mit Rechnen ...! Wenn man pro Tag beispielsweise zwölf Takte als Ausfall verbucht, und das geschieht einen Monat lang, abzüglich der Sonntage, Feiertage, also beispielsweise an fünfundzwanzig Tagen – das wäre schon ein verdammt schwieriges Rechenexempel!

Der Junge lacht, rechnet kurz, nennt die Summe der Takte. Beethoven, frappiert durch das rasche Ergebnis: »Du bringst mir das Rechnen bei, topp!«

Und Johanna kommt wieder zu Besuch – weder Charlotte noch Beethoven sind zu sprechen in dieser Zeit, also muß man sich zusammentun ...!

Diesmal muß Johanna von sich selbst erzählen, unbedingt! Ihre Reise nach Afrika: fast eine Flucht! Sie hatte in Wiesbaden den Haushalt ihres Vaters geführt, des Witwers. Was eine Übergangslösung sein sollte, bis eine gute Haushälterin gefunden war, das zog sich hin. Als die gesuchte Frau gefunden war, half sie, Johanna, vorwiegend aus in der Buchführung der Weinhandlung Sartorius. Eigentlich hätte ihr Vater allen Grund gehabt, mit ihr zufrieden zu sein, statt dessen suchte er Anlässe zu Klagen, Beschwerden. Die Haushälterin, die sie unter etlichen Bewerberinnen ausgesucht hatte, erwies sich als nicht eben exzellente Köchin – fast jeden Tag sein Nörgeln, Meckern. Und beim Rechnungsschreiben, bei der Buchführung der Weinhandlung: einem Kunden hatte sie zuviel Abschlag gewährt, oder sie hatte Zinsen nicht richtig eingetragen, oder sie hatte keine Kopie angefertigt von einem Schreiben, bei dem das nötig war, hatte dagegen eine Kopie gemacht, wo die überflüssig war. Fehler, Patzer, die so eindeutig nicht waren, darüber ließ sich jeweils diskutieren, das geschah auch, die Diskussionen wurden lauter, dabei wurden die Vorwürfe allgemeiner, zuweilen auch Rückgriffe auf ihre Kindheit: Schon als kleines Mädchen hast du …

Ihr Vater war, ist immer noch ein recht eindrucksvolles Mannsbild: leutselig, weinselig, redselig. Freunde, bei denen sie über ihren Vater geklagt hatte, begingen sofort Verrat an ihr, wenn sie ihn erlebten: sein Witz, seine weltläufigen Plaudereien … Wie viele Reisen hat er gemacht, wie viele Bücher gelesen, und wieviel Wein ist durch ihn geflossen …! Das alles wirkte auf magische Weise nach, das erhellte, illuminierte ihn – und warf Schatten auf sie. Wenn sie aus sich herausging, bei einer Abendgesellschaft, schickte er sie mit einem Auftrag hinaus. Er setzte ihr Dämpfer auf. Und sie verlor an Glanz, an Ausstrahlung, sie löste kein Aufleuchten mehr aus in den Augen von Männern. Sie war in Dienst genommen. Verbrachte einen großen Teil des Tages gebeugt: über Abrechnungen der Haushälterin, über Genähtem, Gebügeltem, über dem Hauptbuch.

Da fuhr es wie ein Blitz ins Haus Sartorius, mit allem Schwefelgestank, als sie ihrem Vater, ihrer Schwester Edith ankündigte, sie werde Charlotte nach Westafrika begleiten zu Martin, ihrem Bruder. Wie konnte das nur möglich sein: Johanna, seit so vielen Jahren im Kontor ihres Vaters, Johanna, so geschickt in Handarbeiten, Johanna, die eine so schöne Stimme hat, Johanna in ihrer so hellen, luftigen Wohnung, Johanna will nach A-fri-ka! Vierzig Jahre alt und solche Kaprizen! Äußerst besorgt und äußerst empört ihr Vater. Daß sie Charlotte nach Afrika begleiten wollte, das wurde kaum zur Kenntnis genommen. Immer wieder nur: worauf läßt sie sich ein, was ist mit ihr los?!

Das kann sie sagen: schon jetzt, auf dem Atlantik, fühlt sie sich von einer Bürde befreit, und in Afrika wird sie sich vollends aufrichten. Dort wird sie sich bewegen können, ohne daß jeder Schritt nachgezählt oder womöglich abgemessen wird. Sie wird aufleben, auf-le-ben …!

Ein Schrei. Dieser Schrei teilt nichts mit, aber die Intonation verrät: Alarm! Zumindest: höchst überraschende Entdeckung! Und das südöstlich von Madeira – weitab von allen Küsten! Der Schrei nicht vom Auslug herab, der ist nicht besetzt in dieser Zeit, ein Schrei auf Deck. Seeleute laufen zur Reling. Also gehen Johanna und George und Beethoven an das Schanzwerk über dem Plattheck, und er sieht vor Beethoven, der erst die Brille aufsetzen muß: hellbrauner Fleck am Horizont – in der Richtung, aus der sie kommen. Schon trampeln Flamsteed und McConglinney herauf, stellen sich grußlos, kommentarlos neben sie, schauen abwechselnd durch das Teleskop. Zwei Seeleute klettern in den Auslug.

Charlotte, die bereits auf dem Oberdeck saß, sie liest weiter oder stellt sich dar als Lesende, die sich von äußeren Sensationen nicht ablenken läßt. Überhaupt, wo sollte hier ein Grund zur Aufregung sein? Sie segeln in einer Passatzone, in die sind sie südöstlich von Madeira eingeschwenkt, in dieser Zone sicherlich auch andere Schiffe, von Zeit zu Zeit. So ungefähr sagt sie in hessischer Intonation zu Johanna, die sie zur Heckreling locken will mit wiederholten Hinweisen auf die »Segäl«. Anton Reiser, halbfiktive Figur auf dem Kontinent, der bereits Hunderte von Seemeilen zurückliegt, er ist Charlotte näher.

Kapitän und Erster Offizier bleiben stumm. Wiederholtes Hin und Her des Teleskops. Erst dann kommentieren sie, halblaut und knapp, was sie beobachtet haben. Das wird von Flamsteed in einem Schrei zusammengefaßt, den der Erste Offizier an der Stiege weitergibt zum Obersteuermann, der nun an der Treppe zum Zwischendeck steht: hohe, dünne Signale der Bootsmannspfeife! Und Seeleute klettern in die Wanten, balancieren seitwärts hinaus auf Tretseilen (»Fußpferden«) unter den Rahen, halten sich fest an Holz und Segeltuch, schon werden Segel losgemacht, die bisher nicht gesetzt waren, hellbraunes Tuch rauscht herab am Fockmast, am Großmast, am Besanmast, wird vom Passat ausgebaucht. Und ein Ächzen im Schiffsleib, die Maste beginnen dumpf zu vibrieren, zu schwingen, das Schiff beginnt zu krängen.

Kapitän und Offizier wenden dem hellbraunen Punkt die Rücken zu, schauen hinauf zu den Segelflächen. Spürbar macht die Southern

Cross mehr Fahrt, Gischt sprüht vom Bug herauf, kühlend. Charlotte klappt das Buch zu, in dem sie fast trotzig gelesen hat, ein Buch mit dunkelgrauem Schutzumschlag – gegen Salzwasserspritzer? George und Beethoven gehen zur Reling, die nun höher liegt, steuerbord. Johanna folgt ihnen. Charlotte schrägt ihren Stuhl, lacht auf, nimmt den hellen Hut ab, Wind fährt in ihr schwarzes, glänzendes Haar, durchstrudelt es, strähnt es. Seeleute steigen die Wanten herunter, auch sie stellen sich an die höherliegende Reling, können von dort aus leichter den hellbraunen Fleck sehen. Den nehmen Flamsteed und McConglinney nur in gelegentlichen Rückblicken wahr, sie schauen weiter hinauf zu den ausgebauchten Besansegeln, Großsegeln, Focksegeln, dieser Anblick scheint sie zufrieden zu stimmen.

Und so tritt McConglinney zu Johanna, spricht aber zu den Herren: Was auf hoher See fast nie zu sehen ist, was auch er so gut wie nie zuvor gesehen hat, das zeigt sich hier – ein Schiff unter vollen Segeln. Laienhafte Vorstellungen von Landbewohnern besagen, ein Schiff segle mit vollem Zeug; diese Vorstellung wiederholt sich in Büchern mit Seeabenteuern; auf den Meeren aber ist so etwas kaum je zu sehen. Nun die Ausnahme: sämtliche Segel gesetzt, bis auf das höchste und kleinste, das Mondsegel, den Mondfeger. Die Southern Cross wird als »runner« dieser Bezeichnung nun alle Ehre machen; man wird bald sehen, wie das fremde Schiff hinter dem Horizont verschwindet, auf Nimmerwiedersehn.

Und er schlägt den beiden Herren vor, mit den Damen auf Deck zu promenieren, sich diesen seltenen Anblick einzuprägen; nach der Ankunft in Afrika, nach der Heimreise können sie erzählen, was nur wenige Menschen gesehen haben. »The ladies will be enthusiastic«, verspricht er. Und er winkt den Schiffsjungen heran, er soll »the masked man« aus seiner Kajüte holen, auch der soll das Schauspiel genießen. »Alle Mann und die Damen dazu an Deck!« scherzt er, mit dem Rücken zum hellbraunen Fleck am Horizont nordwestlich.

Charlotte legt die Hand in Beethovens Ellbogenbeuge, Johanna folgt ihrem Beispiel, hakt sich bei George ein. Sie gehen die leicht geschrägte Stiege hinunter, die Damen halten sich fest. Die Paare schreiten etwas tapsig über Deck, das geschrägt bleibt, blicken an jedem Mast hinauf zu den vollen Segelbäuchen. Wassersprühen im Aufwind vom Bug. Charlotte wird nun doch gesprächig, scheint sich von Anton Reiser zu lösen: sie wünscht sich einen Standpunkt, Standort außerhalb dieses Schiffs, einen Walfischrücken oder den Panzer einer Riesenschildkröte, und sie steht auf dieser Wölbung, sieht das Schiff unter vollen Segeln. Da fällt ihr ein, daß die meisten Seebilder, die sie bisher gesehen hat, dramatisch hochgehende Wogen zeigten und einen Schiffbruch. Ist Schiffbruch so häufig? Oder animiert ein Schiffbruch die Maler und Betrachter mehr als eine Fahrt auf glatter See? Warum wird überhaupt das Dramatische, das man sich im Leben nicht wünscht, sehr viel öfter gemalt und beschrieben als das Gelingende? Eine Meerfahrt ohne Sturm müßte eigentlich das Erwünschte sein, auch auf Gemälden. Warum so viel dramatischer Schaum?

Der Maskierte, der inzwischen an Deck gekommen ist, der das Paar begleitet wie zum Schutz, er weist ergänzend hin auf die Musik: Wie oft wurden Gewitter vertont, wie selten dagegen Wetterlagen, die man sich wünscht – windstiller Hochdruck, zum Beispiel.

Dies, sagt nun George, könnte damit zusammenhängen, daß Unglück stärkere Konturen hat, während Glück etwas verteufelt Flüchtiges ist, das sich wiederholen muß, um sich einzuprägen.

Diese gebildeten Aussagen lassen sie nachwirken mit Blick hinauf in die gebauchten Segel des Hauptmasts. Die Seeleute ziehen keine Aufmerksamkeit auf sich durch rasche Bewegungen: aufgereiht stehen sie an der Reling steuerbord.

Obersteuermann Stanhope neben dem Rudergänger; beide schauen grimmig drein, scheinen die Passagiere nicht wahrzunehmen, so dicht sie auch an ihnen vorbeipromenieren. Die Schräglage scheint noch ein wenig zugenommen zu haben; kleine Unregelmäßigkeiten des Windes oder der Wellenfolgen machen ihre Schritte unsicher. Sie gehen zurück zum Oberdeck.

Der Erste Offizier befragt die Damen nicht nach ihren Eindrücken, er steht mit dem Rücken zu ihnen. Flamsteed reicht ihm wieder das Teleskop. George sieht sofort: der hellbraune Fleck am Horizont ist nicht kleiner geworden oder gar verschwunden, er scheint eher gewachsen.

Beethovens Frage beantwortet McConglinney nur mit einem Knurrlaut. Und der Kapitän schweigt. Erst als Johanna fragt, reagiert der Erste Offizier, ohne den Blick vom fernen Punkt zu lösen: »Der holt auf.«

Er starrt weiter auf den hellbraunen Fleck, der in ihren Köpfen schon größer geworden ist als auf dem Wasser. Das Teleskop vom Kapitän zum Offizier und zurück zum Kapitän. Bald ist auch ohne Fernrohr zu sehen: der hellbraune Fleck wird größer. Könnte das nicht Augentäuschung sein, weil sie so gebannt dorthin blicken? Ruf hinauf zum Auslug, Ruf herunter. Die Seeleute noch immer an der höher gelegenen Reling aufgereiht mit Blick zurück. Die wechselweisen Kommentare von Kapitän und Offizier einsilbig. Beethoven: »Ich mein, der würd wat größer.« Johanna antwortet mit hessischem Echo. Charlotte schweigt.

Zeitraffender Sprung, und das Schiff hat unübersehbar aufgeholt. Ebenfalls Dreimaster, in deutlicher Krängung, auf gleichem Kurs, muß von Madeira kommen, macht eindeutig mehr Fahrt.

Der Kapitän schickt wieder einen Schrei hinunter an Deck, der Obersteuermann antwortet mit einem Ruf, einem Pfiff, zwei Seeleute klettern Wanten hoch, setzen noch das höchste Segel, den Mondfeger. Das fremde Schiff holt auf. Der Obersteuermann darf aufs Achterdeck – zum erstenmal in Anwesenheit der Offiziere, der Passagiere. Der kleine, sehnige Mann schaut konzentriert durch das Fernrohr, scheint zu bestätigen, was die beiden Vorgesetzten beobachtet haben.

Johanna erkundigt sich; darauf der Kapitän: »Meine Herren, bringen Sie bitte die Damen in die Kajüten.« Rauh-heiser seine Stimme.

Beethoven mag nicht reagieren. Will er demonstrieren, daß er keiner Befehlsgewalt untersteht auf diesem Schiff? George führt Johanna zur Stiege, der Maskierte übernimmt die Rolle des zweiten Kavaliers, Beethoven bleibt breitbeinig stehen, Arme vor der Brust verschränkt. Kapitän und Offizier haben keinen Blick für diese Körperhaltung des Trotzes.

George und Signore maschera gleich wieder an Oberdeck. Stanhope folgt ihnen mit einem bunten Tuchpacken. »Sir«, sagt er zum

Kapitän, der sich umdreht, zeigt das gefaltete Tuch, lockert es ein wenig: die Trikolore? Als Antwort einige Sätze, die so grob wie knapp klingen. Stanhope klemmt das Fahnentuch unter den linken Arm, stapft die Stiege hinunter. Die Fahne des Feindes an Bord dieses betont britischen Schiffs?

»Sir«, Beethoven wiederholt die Anrede, »darf ich etwas fragen?« Keine Antwort. »Handelt es sich um ein amerikanisches Schiff?« Der Offizier reicht ihm das Teleskop, Ludwig schaut durch, nickt. McConglinney übersetzt, was Beethoven sieht: Fregatte neuster Bauart, sehr wahrscheinlich aus Boston, kein Heckaufbau, das ist typisch, schlanker Rumpf. Leider auch hervorragend bewaffnet – etwa ein halbes Hundert weitreichender Kanonen. Aber die Southern Cross wird den Kurs halten!

Beethoven, regelmäßiger Zeitungsleser, rekapituliert, daß Großbritannien sich seit dem Vorjahr mit den Vereinigten Staaten im Kriegszustand befindet – oder sollte der mittlerweile beendet sein?

»Leider nein, Sir.« Er nimmt Beethoven das Fernrohr aus der Hand, schaut durch, bestätigt Punkt für Punkt, was er gesagt hat. Dies aber kann er hinzufügen: man zeigt nun die Stars and Stripes. Sofort ein Befehlsruf des Kapitäns, aufgenommen und weitergegeben vom Obersteuermann, schon klettern zwei Seeleute die Wanten zum Hauptmast hoch, hängen den Union Jack zur Fahne der East Indian Company.

Kaum hat sich die britische Fahne flatternd entfaltet, setzen weitere Befehle die Mannschaft in Bewegung: ein großer Teil poltert die Treppe hinunter ins Zwischendeck. Gleich darauf das Rumpeln der kleinen Kanonenräder. Von den Befehlslauten, den Kampfvorbereitungen angelockt, erscheint der Schotte an Deck, mit zwei Schwertern, zwei Pistolen, Dudelsack. Der Kapitän reicht dem Maskierten das Fernrohr mit einer Geste, die resigniert wirkt. Der Teleskopansatz verdeckt die rechte Augenöffnung der Stoffmaske. Ja, sagt der Maskierte, ja und ein drittes Mal ja. Das Gesicht des Kapitäns scheint kleiner zu sein, wie zusammengefaltet. Und McConglinney setzt die Schneidezähne auf die Unterlippe.

Die Fregatte holt weiterhin auf, mit vollen Segeln, in dramatischer Krängung.

Dort kämen die ersten Amerikaner seines Lebens, sagt Beethoven. Ob auf diesem Schiff auch ein Indianer sei unter den Matrosen? Er hätte nie damit gerechnet, Amerikaner zum erstenmal auf dem Atlantik zu sehen! Genaugenommen sieht er allerdings noch keinen einzigen Amerikaner, nicht mal als Figürchen, doch bei dem Tempo, mit dem dieses Schiff aufholt –

»Shut up!« knurrt Flamsteed. »Shut up, please!« Und ein jäher Tritt gegen das Schanzwerk. »These bastards kill my balls.«

Unaufhaltsam kommt die Fregatte näher mit gischtsprühendem Bug, gebauchten hellbraunen Segeln, flatternden Stars and Stripes. Die sind noch nicht mit bloßen Augen zu sehen, aber deutlich, überdeutlich im Teleskop. Kanonenpforten werden gezählt, es bestätigt sich: ein halbes Hundert. »These bastards really kill my balls!« wiederholt Flamsteed, als zermalme er jedes Wort. Die Amerikaner kriegen mit dieser Bewaffnung mehr als nur seine Eier kaputt, kommentiert der Maskierte. Und formuliert die Frage, die sich wohl jeder an Bord stellt: Wie geht's jetzt weiter?

Nur dies geschieht vorläufig, und zwar unübersehbar: das amerikanische Schiff holt auf. Kapitän und Offizier müssen nicht mehr auf Achterdeck bleiben, um es beobachten zu können, sie steigen hinunter. Schweigen an Deck. Die Southern Cross weiterhin mit vollen Segeln, doch die amerikanische Fregatte ist bald auf gleicher Höhe, ungefähr eine Seemeile entfernt – damit im Schußbereich. Die Kanonen steuerbord sind längst geladen, aber es folgt kein Feuerbefehl. Inzwischen beobachten sich wohl wechselseitig die beiden Kapitäne durch die Fernrohre – verräterische Bewegungen?

Eigentlich, merkt der Maskierte an, ein verflucht schönes Schiff – viel zu schade, es kaputtzuschießen.

»Hoffentlich sagen die drüben sich das auch.«

Beinah eine halbe Stunde segeln die beiden Schiffe in Schräglage nebeneinander her, ohne daß etwas geschieht. Dann ein Befehlsruf des Kapitäns, weitergeleitet vom Offizier, beantwortet vom Obersteuermann, übersetzt in Pfeifsignale. Wieder klettern Seeleute die Wanten hoch, bergen die Segel, die vorher gesetzt worden waren. Spürbar läßt die Fahrt nach, das Schiff richtet sich auf. Kleines Aufatmen an Oberdeck. Auch drüben werden Segel geborgen, fest-

gemacht. Die Distanz der beiden langsamer fahrenden Schiffe verkürzt sich um etwa eine halbe Seemeile. Nun kann durch das
Teleskop am Heck auch der Name der Fregatte abgelesen werden:
Boston Snow. Die Dreimaster segeln weiterhin südostwärts, parallel. George sieht voraus: das wird sich so fortsetzen bis in die Dunkelheit.

Die Boston Snow hat sich, laut Beethoven, in der Nacht »verab-
sentiert«. Begegnung glücklicherweise ohne Kanonade, ohne
massive Einwirkung auf sein Gehör. Es hat sich nach den Salven bei
Gibraltar erstaunlich rasch erholt – das wird ihm jetzt wieder bewußt. Der kurze Rückfall: er will versuchen, diesen Zustand zu beschreiben – George muß hier informiert sein, auch für sein geplantes
Buch.

Schon auf der Fahrt nach Genua und erst recht auf dem Mittelmeer die Erfahrung oder eher Vorstellung, seine Gehörgänge würden vom trockenen Landwind, vom warmen Meerwind durchpustet und damit: mulmige Ablagerungen würden ausgetrocknet.
Nach den übermäßig lauten Salven aber verdichtete sich in den
Gehörgängen wieder der alte Modder, der Mulm, und Wörter wie
Geräusche verloren Konturen. Besonders schlimm war es am Tag
danach: Wörter und Geräusche umschlossen von einer dumpfma-
chenden Klangsülze. Ja, so ließe sich das in ein Bild übertragen: alles
wie eingefaßt von Sülze – Mulmsülze oder Moddersülze – Mulm-
sülzmodder, Moddersülzmulm. Und obendrauf, wie eine Gewürz-
garnierung des Moddersülzmulms: Zischeln. Das ist auch jetzt per-
manent in seinen Ohren, aber es war entschieden stärker nach der
Kanonade, es wäre auch jetzt wieder von durchdringender Intensität, wäre es zu einer Schießerei gekommen mit der Boston Snow.
Dieses Zischeln wie eine Stricknadel, die von rechts nach links durch
den Kopf gebohrt wird, von Ohr zu Ohr – die zischelnde Stricknad-
del von des Teufels Großmutter – schob sie ihm, Raffzähne blek-
kend, in den Kopf und durch den Kopf. Ja, nach der Kanonade bei
Gibraltar war sein Hörvermögen wieder entschieden einge-
schränkt!

Kleines Aufatmen: die Wiederholung solch eines Rückfalls blieb ihm diesmal erspart.

Charlotte mit einem Buch in dunkelgrauem, festem Papierumschlag, den sie wohl selbst zurechtgeschnitten, gefaltet hat. Auf Deck spazierend, hört George, wie sie Beethoven von der Lektüre, ja vom Studium dieses Buches berichtet, es geht offenbar um Spinoza, und geschrieben wurde es von einem Mann, der im Rheinland lebt oder lebte, und das Thema des Kapitels, das ihr Lesezeichen markiert: Freundschaft. Ein nicht bloß abstraktes Interesse; diese Frage beschäftigt sie mit Blick auf eine Person, die ihr einmal nah gewesen ist, und nun grundsätzliche Überlegungen, wie sich solch ein Verhältnis umwandeln läßt in Freundschaft. Mit raschen, entschiedenen Handbewegungen akzentuierend, spricht sie vom Verstand, von Affekten und von der Vernunft, die in einem freundschaftlichen Verhältnis dominiere. Beethoven, vorgebeugt, schaut auf ihre Lippen, scheint mehr dem Klang ihrer Stimme zu lauschen: warmes Timbre.

Bisher habe er meist als Zuhörer an den Gesprächen teilgenommen, sagt der Maskierte, nun wolle auch er einen kleinen Beitrag leisten; nach dem Maestro, nach Frau von Trebnitz wolle er gleichfalls berichten, welche Szene des Anton-Reiser-Romans ihn am stärksten beeindruckt habe, ihn am nachhaltigsten beschäftige. Es sei zwar schon etliche Jahre her, seit er den Roman gelesen habe, doch ein Detail habe sich, ja, in sein Gedächtnis eingebohrt, und diese Verletzung des inneren Gewebes sei nie völlig verheilt.

Nun sei er aber sehr gespannt ...! Und Beethoven weiter: Am liebsten würde er raten, vielleicht finde er die Stelle! Kleines Gedankenspiel ... Also, zum Beispiel – gegen Schluß des Buches kommt Anton Reiser zum Theatertrüppchen. Gibt es in diesem Zusammenhang eine geheimnisvolle Person, die sich zum Schein an der Theaterarbeit beteiligt? Und dieser Mann deutet mit Nachdruck an, eine gewisse Szene sei nicht erwünscht? Oder: ein Satz müsse gestrichen werden, weil der politisch verdächtig sei? Und er müsse leider, leider der Gruppe die Erlaubnis zum Auftritt entziehen, falls besagte Szene oder Äußerung nicht gestrichen werde?

»Worauf soll das jetzt hinaus?!« Signore scheint bleicher zu werden oberhalb, unterhalb der Maske.

Beethoven: Er will versuchen, sich in den geheimnisvollen Mitreisenden hineinzudenken. Denn völlig freiwillig, aus schierer Begeisterung für Literatur, wird Signore dieses Buch kaum gelesen haben, das geschah bestimmt im amtlichen Auftrag. Wahrscheinlich ging es um die Genehmigung für einen Nachdruck des Romans, und so erhielt er von der Polizei- und Zensurhofstelle die Anweisung, dieses Buch durchzusehen auf eventuell anrüchige, in moralischem oder politischem Sinne anrüchige Stellen. Es wäre besonders pikant, wenn Signore maschera ihnen von einer Stelle erzählen könnte, die keiner an Bord kennt, weil sie nämlich von der Zensur gestrichen worden ist, womöglich aufgrund einer Empfehlung des Mitreisenden – eine schriftliche Empfehlung versteht sich, die Herrschaften schreiben ja ungeheuer gern, die verfassen wahre Lebensbilder, ob die nun zutreffen oder nicht. Bestimmt wurde zum Roman eine Charakterisierung vorgelegt, die der Entscheidung der Behörde Vorschub leistete oder sie begründete. »Nun, bin ich dem Vorgang auf der Spur?«

Der Maskierte schaut ihn an mit schlitzengen Augen. Jäh wendet er sich an George. »Sagen Sie ihm, er soll diese Ungeheuerlichkeit zurücknehmen, augenblicklich!«

Ihm bleibt nur diese Antwort: Daß er für Beethoven nicht verantwortlich sei.

»Aber Sie haben ihn doch zu dieser Reise überredet! Also sagen Sie ihm, daß ich so etwas nicht hinnehme, daß ich mich nicht beleidigen lasse!« Bisher hat er gewisse Anspielungen als Marotte gewertet, aber das hier geht entschieden zu weit! So etwas kann er nicht mehr hinnehmen! »Machen Sie ihm das klar! Und daß er sich sehr genau überlegen soll, welchen Schritt er als nächstes tut.« Falls sich solch eine grundlose – er schwöre: grundlose – Unterstellung und Beleidigung wiederholen sollte, wird er mit dem Schotten zurückkreisen, und zwar auf dem allerersten Schiff. Dann wird Beethoven die Folgen sehr empfindlich zu spüren bekommen! »Also, machen Sie ihm klar, was für ihn auf dem Spiele steht!«

Die Boston Snow hinter dem Horizont verschwunden, der Spitzel enttarnt – so hat er den Kopf wieder frei: kann sich hier auf Deck der Lektüre widmen, kann nachdenken, kann Notizen machen über die Liebe und über Musik – das wird oft erschwert in diesen zu Lande wie zu Wasser höchst unruhigen Zeiten.

Zum Zeichen dafür, daß er hoffnungsvoll neu ansetzt, läßt er derzeit, vermittelt vom Schiffsjungen, seine Zimmermannsbleistifte vom Schiffszimmermann spitzen – eine logische Verbindung von geradezu kantischer Strenge und Klarheit …! Nicht einmal in dieser Phase allgemeinen Aufatmens an Bord bringt er die Lust auf, solch einen Bleistift persönlich zu spitzen. Denn Bleistiftspitzen ist eine Tätigkeit, die ihn rasend machen kann – dieses Geschnitzel und Gefitzel mit kleinem, feinem Messer! Vor allem, wenn er einen Bleistift üblichen Durchmessers spitzen muß, ist er bereits nach dem zweiten Bleistift so entnervt, daß er ihn am liebsten zerbrechen würde. Dagegen ein Zimmermannsbleistift: hat aufgrund seines Kalibers den Vorteil, daß man ihn nicht alle drei Minuten spitzen muß, mit so einem Kabänes kann man viele Notizen, viele Noten schreiben, selbst Pfundnoten – aber danach muß auch solch ein Premmel wieder gespitzt werden – das alte Elend mit doppeltem Durchmesser! Er würde sich die Bleistifte am liebsten auf Vorrat spitzen lassen, jeder Bleistift etwa ein halbes dutzendmal im voraus gespitzt – wenn so was denkbar ist, müßte das auch irgendwie machbar sein. Ja, ein robuster, mehrfach vorgespitzter Zimmermannsbleistift, das wäre die Lösung!

Gleichmäßig der Passat, gleichförmig das Blau – George sitzt mit beiden Frauen auf dem Oberdeck. Charlotte hektisch belebt. Nach all den inneren Ereignissen, ruft sie aus, nach all diesen äußeren Geschehnissen hat sie fast die beiden Kisten vergessen, unten im Laderaum. Für die Mannschaft enthalten diese Kisten Geheimnisse, dunkle Geheimnisse, es sei denn, aus Kiste Nummer eins hätte man ein paar Resonanzklänge gehört beim Schleppen, Verstauen, aber das dürfte auch bei heftigsten, abruptesten Bewegungen kaum möglich gewesen sein, die Spannung ist aus den Saiten genommen. Also auch kein Mitschwingen, Vibrieren von Saiten auf der Fahrt von Genf nach Genua, kein Vibrieren von Saiten in der kühlen Paß-Region und im aufgebackenen Genua. Gewaltige Schwingungen jedoch, als sie beim Besuch in Wiesbaden erzählte, sie wolle ein Hammerklavier mitnehmen zum Kap Verde. Selbst Dorothee, ihre Schwester, die sonst für alles Verständnis zeigt, selbst sie war erst einmal baff: Ein Flügel in Afrika?! Doch bald schon: Ein Flügel in Afrika, wieso eigentlich nicht …? Eben: der paßt zu den Repräsentationsaufgaben, die sie für Vater übernehmen soll. Er hat sich in Briefen schon ein paarmal beklagt über Salon-Katzenmusiken, der Kutscher mit dem Fagott, der Koch mit – was war noch das andere Instrument? Na, sie werden es wahrscheinlich hören. Jedenfalls: ein Fagott, a bassoon, am Kap Verde ist genauso unwahrscheinlich wie ein Hammerklavier am Kap Verde, nur läßt sich ein Fagott erheblich leichter transportieren, das könnte man in der Kajüte in die Ecke lehnen. Aber das Klavier – was haben die diplomierten Realisten an unüberwindlichen Schwierigkeiten vorausgesagt – Johanna hat das alles ja mitgekriegt. Es steht nicht dafür, meinte der Herr Bruder, es steht doch wirklich nicht dafür …! Der Franz redete daher, als hätte er schon mehrere Klaviertransporte von Genf nach Genua begleitet, über den Paß, als wüßte er genau, was auf solch ein Instrument einwirkt, vor allem an Klimaschwankungen, das würde auch sein Cello nicht aushalten mit den nur fünf Saiten, und wie viele Saiten hat ein Hammerklavier, vor allem, wenn es doppelchörig bespannt ist?

Aber die Saitenspannung ist raus, also wird das Instrument auch die Seereise gut überstehen. Nur wird man es nach der Ankunft systematisch stimmen müssen – sie bittet George schon jetzt, ihr diesen Freundschaftsdienst zu erweisen; hat er nicht mal angedeutet, er besitze das absolute Gehör?

Ja, ist richtig. Und George sagt zu: er wird es stimmen.

»Thank you.« So löst sich ein Problem nach dem andren von selbst – wenigstens solche technischen! Und was hatte man sich gerade in dieser Hinsicht aufgeregt! Charlotte will ein Klavier mitnehmen nach Afrika …! Mal wieder eine ihrer Kaprizen …! Ein Klavier nach Afrika mitnehmen …! Ja, gerade nach Afrika! Soll sie für dieses eine Jahr, diese anderthalb Jahre ernsthaft verzichten auf ihre Exkursionen in das Reich der Musik? In Afrika hat sie Zeit. Sie braucht diese Zeit, vor allem, um endlich mit sich ins reine zu kommen, um endlich, endlich die innere Aufhellung zu erreichen, im Licht des Verstandes und der Vernunft. Von da an wird sie wissen, wie sie sich gegenüber ihrem Mann speziell und gegenüber Männern im allgemeinen zu verhalten hat!

Sie lacht auf, ihr dunkles Haar vom Wind gestreichelt. Johanna hebt den Blick nicht vom Klöppelkissen. Schattenfläche, mehrere Meter über dem gleißenden Meer. Charlotte ist auf die Gesichter gespannt, wenn Kiste Nummer eins geöffnet wird, wenn das Meisterstück, für afrikanische Verhältnisse ein Wunderwerk, aufgestellt wird im »Salon«, den Vater in einem der Briefe beschrieben hat: dieser »Salon« wird erst durch den Flügel zum richtigen Salon. Gleich nach dem Auspacken, Aufstellen werden einige im Haus wohl erwarten, daß sie vorspielt, aber man wird sich erst mal einen Tag lang die unerbittlichen Tonwiederholungen des Stimmens anhören müssen. Nach dem Stimmen wird Ludwig sich hoffentlich dazu bewegen lassen, dieses Klavier einzuweihen, und alle Besucher werden vermuten, sie hätte den Flügel mitgenommen, um Ludwigs ersten Auftritt auf dem afrikanischen Kontinent zu ermöglichen. Was zuerst als Marotte, als Kaprize gedeutet wurde, das wirkt dann wie vorgeplant. Und in einem seiner lakonischen Briefe wird Vater die Wiesbadener Zweiflergilde davon überzeugen, daß Charlotte sich richtig entschied, als sie in Genf diesen Flügel kaufte, der aus England kommt, von der Firma Broadwood.

Sie nimmt an, daß sie ihrem Herrn Vater nicht soufflieren muß, die beiden Herren als Gäste im Haus aufzunehmen – dann sind das Instrument und die Musiker so selbstverständlich beisammen, daß keiner mehr an Zufall glauben wird. Und alle Besucher, die Vater später einladen wird, denen braucht sie nur noch zu sagen: Auf diesem Flügel hat Ludwig van Beethoven gespielt. Und allen, denen dieser Name etwas sagt (sonst wird sie zu diesem Namen etwas sagen!), ihnen allen wird nichts selbstverständlicher erscheinen als dieses Instrument am Kap Verde. Und es wird nichts selbstverständlicher sein, als daß sie ausführlich auf dem Flügel spielt, auf dem Beethoven gespielt hat!

Glücklicherweise hat sie reichlich Notendrucke mitgenommen. Sie wird als erstes Beethovens As-Dur-Sonate wieder einüben, wird Ludwig mit dem Vortrag dieses Werks überraschen. Manchmal, vor allem in der Kajüte – hier an Deck fiele das auf, immer ist einer in den Wanten –, manchmal spielt sie aus der Erinnerung Sequenzen dieser Sonate auf einem imaginären Flügel, schaut ihren Händen dabei streng auf die Finger. Und Charlotte setzt sich aufrecht, ›spielt‹ den Beginn der Sonate. Johanna, nach kurzem Seitenblick, klöppelt weiter. Andante con variazioni. Schon nach wenigen Takten setzt Charlotte mit beiden Händen einen Schlußakkord.

Beethovens Kajüte halb düster: vor dem Fenster wieder die Decke. Auf dem Boden, auch unter dem kleinen Klapptisch: Blätter mit Notizen, Notenblätter, Bücher, ein dickwandiges Glas mit Rotweinspuren, ein Becher mit hart gewordenem Kaffeesatz, ein Teller mit verkrusteten Essensresten; auf der Koje die Bratsche, ein Schuh, ein Buch.

Ja, ruft Beethoven, nachdem er die Tür ins Schloß gedrückt hat, er kann sich schon denken, weshalb die braune Stirnhaut sich in Falten legt: unglaubliches Durcheinander hier! Er sieht es genauso! Er hat George auch deshalb hereingelassen: er soll es selbst sehen, damit er später in seinem Buch als Augenzeuge glaubwürdig berichten kann, welch ein Chaos entsteht, wenn ein Spitzel in einen Raum eindringt! Dies ist die Handschrift jener Herren, daran erkennt man ihr Wirken! Ein Paradox, über das sich nachzudenken lohnt: sie werden bezahlt, um die sogenannte Ordnung ihres Staates schützen zu helfen, und der Ausdruck ihrer Tätigkeit ist Unordnung! Wo auch immer sie auftauchen, um Belastungsmaterial zu suchen, sie stiften Unordnung!

George fragte ihn, welchen Grund jemand haben sollte, die Kajüte zu durchwühlen?

Beethoven kann sich über Brischdauers »Blauäugigkeit« nur wundern! Der Maskierte weiß doch hinlänglich, daß er ein Verfechter ist der Staatsform Republik, daß seine Idealgestalt der Tyrannenmörder Brutus ist, also will der für seinen elenden Staat herausfinden, mit welchen anderen kritischen Geistern er in Verbindung steht, was er liest an Büchern, die das Nachdenken lehren können über die Freiheit nicht nur eines Christenmenschen. Vor allem will der wissen, was er in seine Notizbücher und auf seine Zettel schreibt. Deshalb dieses Durcheinander.

Der Auslug besetzt, auch McConglinney blickt durch das Teleskop. »Wollen Sie mal?« fragt er Johanna, die in seiner Nähe an der Reling steht.

»Sie halten Ausschau nach den Yankees?« fragt sie zurück.

Ach was, er sucht die Meeresfläche ab nach sehr viel erfreulicheren Erscheinungen. Und er geht die paar Schritte zu ihr, überreicht das unterarmlange Teleskop. Sie zögert. »Mylady, jeder hier an Bord würde es als Ehre betrachten, durch dieses Fernrohr blicken zu dürfen.«

Sie setzt es an, scheint es nicht richtig zu halten, er korrigiert, greift dabei um Nacken und Hinterkopf, läßt die Hand für einen Atemzug auf ihrer Schulter liegen. McConglinney spricht von Seefrauen, die er sehen will, sehen muß, in möglichst großer Zahl, um Vergleiche anstellen zu können, die ihm wichtig wären: sind Seefrauen vor Afrika braun, vor China gelb? Er wird mal auf einem Schiff anheuern müssen, das nach Indien und in die Fernen Osten fährt, dort werden Meermädchen, Meerfrauen zahlreicher sein, dort hätte man eher die Chance, eine von ihnen zu entdecken. Eine pro Quadratmeile – wäre eigentlich nicht zuviel verlangt …! Er wäre auch schon mit einer auf zehn oder zwölf Quadratmeilen zufrieden. Vielleicht aber hat sie nun Glück. Ihre hellen, wasserhellen Augen scheinen ihm beinah dazu bestimmt, eine Meerfrau zu entdecken.

Wieder sieht er einen Grund, die Haltung ihrer Hände, ihrer Arme zu korrigieren, um Nacken und Hinterkopf greifend, und wieder läßt er die Hand ruhen auf ihrer Schulter, an ihrem Hals.

Ebenso oft, wie er nach Meerfrauen Ausschau hält, ebenso oft lauscht er nach ihnen. Ihre Stimmen, die so sehr weit tragen sollen – vor allem in Flauten. Aber auch bei Sturm, sogar bei Gewitter können diese Stimmen weithin vernommen werden. Heißt es.

Sie stehen Schulter an Schulter, Johanna schaut hinaus aufs Meer oder: scheint aufs Meer hinauszuschauen. Kleine Windwirbel im rotblonden Haar. Zu Beginn der Schiffsreise das Wort »Tante« – dieses Wort löst sich von Johanna, sie steht neben McConglinney als Frau von vierzig, die jünger aussieht. Ihr sommersprossiger Teint, ihr nun keck betontes Gesäß.

»Wird Ihnen das Fernrohr nicht zu schwer?«

»Ein bißchen schon.«

Er stellt sich schräg hinter sie, faßt mit beiden Armen um sie herum, packt das Teleskop. Zuerst hält er dabei Abstand von ihrem Körper, dann aber macht er einen kleinen Schritt nach vorn. Oder sie macht, bei einer Bewegung des Schiffs, einen kleinen Schritt zurück. So stehen sie als Doppelfigur. Er plaudert – seine Stimme lauter als notwendig, als müßte er demonstrieren, wie unverfänglich, allein zweckbestimmt diese Körper-Konstellation ist. Schwarzen in Afrika werde nachgesagt, daß sie Meermädchen, Meerfrauen, die ins Netz gehen, verzehren. Somit stellt sich die Frage, und die ist bereits mehrfach erörtert worden: Ist dies Kannibalismus? Schwarze, die eine Meerfrau von den Schultern bis zum Nabel verzehren, sind Kannibalen, und essen sie weiter, so verzehren sie ganz einfach Fisch? Aber es ist doch jeweils *ein* Körper, in dem zirkuliert dasselbe Blut! Eine Frau kann nicht zugleich fischblütig kühl sein und menschenwarm. Weiter wäre zu fragen, wie unter dem Einfluß von Missionaren die westafrikanischen Fischer selbst ihren Appetit einschätzen. Von den Schultern bis zum Nabel: essen mit schlechtem Gewissen? Vom Nabel abwärts: guter Appetit und gutes Gewissen, oder: mäßiger Appetit und gutes Gewissen …? Kleines Lachen von Johanna. Probleme …! Und die Damen des Meeres halten sich mit Wasser bedeckt. Aber er wird ihr Geheimnis noch freilegen! Er hat eine Sammlung von Nachrichten über Seefrauen angelegt, meist Auszüge aus Büchern, in denen sie auftauchen, er geht systematisch vor. Er hat, sagt er, das Teleskop senkend, diese Sammlung mit an

Bord, in seiner Kajüte – ob sie mal einen Blick auf die Nereiden-Notate werfen will?

Ja, sagt sie, zeigen Sie es mir.

Sie gehen zur Stiege am Hauptmast. Der Erste Offizier plaudert weiter, mit forcierter Leichtigkeit: Eine Seefrau wird eingefangen, der Fischer nimmt sie mit in sein Haus, naheliegende Gründe, aber schließlich darf sie doch wieder in ihr Element zurückkehren, wird von anderen Seefrauen, Meerfrauen befragt: Wie war es?! Nichts Besondres ist ihr aufgefallen unter den Menschen, höchstens: sie sind so dumm und schütten das Wasser weg, in dem sie Eier gekocht haben …!

Johanna, mit leichtem Schritt, lacht laut auf, der Wind fährt ihr beidhändig ins rotblonde Haar. Beim Einschwenken zur Stiege legt ihr McConglinney die Hand auf die Schulter. George sieht voraus, daß es lange dauern wird, ehe Johanna wieder an Deck kommt. Dann wird Meeresleuchten in ihren wasserhellen Augen sein.

Charlotte und Beethoven auf Achterdeck. Ihre Stühle so aufgestellt, daß sie sich, nebeneinander sitzend, anschauen können – Rücken zur Reling backbord, Rücken zur Reling steuerbord.

Ohne Absprache haben Johanna und George das Oberdeck den beiden überlassen. Johanna klöppelt am Bug – dort vorn, beteuert sie, sei die Luft noch einen Hauch frischer. Er steht zuweilen neben ihr, kehrt zurück zum Großmast, schlendert erneut zum Bug. Er hört kein Wort, auch kein zufälliges, aus dem Gespräch auf Achterdeck, hat nur das auslösende Stichwort aufgeschnappt: Kinder, Charlottes Kinder …

Bestimmt gab es vorher schon Andeutungen, ja Hinweise durch Johanna, vielleicht auch durch Charlotte selbst, aber Ludwig wird sich hier taub gestellt haben. Oder: dafür hatte er kein Ohr. Weitere vorgeprägte Formulierung zur Auswahl für später: auf diesem Ohr hörte er nicht. George wird zugeben müssen im geplanten Reisebuch, daß Ludwig mit Recht befangen war; auch er selbst, George, mußte sich anstrengen, ihre mädchenhafte Erscheinung zu ergänzen durch die Vorstellung: drei Kinder.

Wie also wird Beethoven reagieren? Beunruhigt, weil sich die Kinder zwischen Charlotte und ihn schieben könnten, erst symbolisch, dann leibhaftig? Erfreut – sie sind ihm sofort willkommen? Bedenken nach erster Freude – sie könnten zur Belastung werden? Oder denkt Ludwig auf dem Oberdeck noch nicht hinaus in eine Zukunft, in der Charlotte und er beisammenbleiben könnten? Sobald er aber vorausdenken wird zu solch einem Schnittpunkt der Perspektiven: die Kinder könnten nur mit aufgenommen werden, wenn die Wohnung geräumig ist. Aber selbst in einer großen Etage – er, George, würde sich durch die Kinder eines anderen Mannes und erst recht: durch Kinder zweier anderer Männer gestört fühlen. Dagegen Beethoven – wird er diese Kinder akzeptieren, weil es Kinder der Frau sind, die er zu lieben beginnt? Fleisch von ihrem Fleisch?

Möglicherweise zeigt ihm Charlotte nun Scherenschnitte, aus einem Täschchen geholt: dann prägen sich ihm die schwarzen Konturflächen ein. Oder sie führt in kleiner Mappe Zeichnungen mit, Portraitskizzen, und zu jedem Bild ein Name, eine Altersangabe: Raimund, fünf; Sigbert, vier; Josephine, zwei. Aber auch solche Kinderbilder machen sie nicht älter.

George sitzt mit Signore sine nomine auf dem Oberdeck, sie spielen Schach, endlich einmal, Signore dabei mit dem Rücken zur Stiege, und so hat er die Maske abgenommen.

Spielzüge … Doch George wird den Spielverlauf nicht beschreiben im geplanten Reisebuch. Er spielt nur gelegentlich Schach – die zahlreichen Wartestunden von Musikern; meist unkonzentriertes Spielen, oft Räuberschach. Auf Achterdeck aber wird streng nach Reglement gespielt, nach den Eröffnungszügen der Sizilianischen Partie.

Spielzüge … Gleichmäßig der Passat … Am Hauptmast wird Werg gezupft … Wo die Maske aufgelegt hat, ist die Haut hell geblieben: als trüge dieser Mann auf dem rotbraunen Gesicht eine fast milchhelle Hautmaske, unablösbar. »Bitte nicht anstarren!« George senkt den Blick auf das Schachbrett, das der Kapitän ihnen geliehen hat, mit Figuren aus Afrika.

Spielzüge … Knarren von Holz und Takelage … Der Schotte sitzt am Hauptmast, die gespreizten Beine wie abgelegt, Kinn auf der Brust.

Spielzüge … Geräusche unter ihnen, Schritte, eine Tür öffnet sich. Mit kleinem Seufzen bindet sich Signore die Maske vor. Unten ein Knurrlaut, Schritte, die Tür wird zugeschlagen mit Wucht.

Ich hab mit dir zu reden!« keucht Beethoven, schiebt ihn in seine dämmrige Kajüte – die Decke wieder vor der Fensterfläche – schlägt die Tür zu mit Schwung, schiebt mit dem Fuß einen halbleeren Teller, ein Buch weg, mit einem Tritt werden leere Notenblätter zur Seite gewirbelt; nun hat er genug Standfläche für eine Auseinandersetzung. Ludwig ist, um Luft zu schöpfen, vor die Tür getreten und hat gesehen: auf dem Oberdeck spielte Brischdauer Schach mit dem Agenten, und der band sich, als er ihn hörte, seelenruhig die Maske wieder vor. Das Bild hat sich ihm eingeprägt, ja eingebrannt: der Spitzel maskenlos vor dem Mulatten! Als hätte er sich schon darauf gefreut, dies zu rufen, wiederholt er: Der Spitzel maskenlos vor dem Mulatten! Und Beethoven steht dicht vor ihm, das Weiß der Augen rötlich.

George weicht einen Schritt zurück, schon packt Beethoven ihn am Hemd: »Hiergeblieben, Freunderl! Hab ich das richtig gesehen, ja oder nein?!«

Er bestätigt: der Fremde hat beim Schachspiel die Maske abgenommen, und dafür hat er Verständnis.

»Aber als der mich gehört hat – gleich wieder die Maske angelegt! Stimmt das?«

Offenbar.

»Du sagst es also selbst – das ist doch –« Er stampft auf, Fäuste geballt, tritt gegen den Teller, die verkrusteten Reste verteilen sich auf dem Boden, der Teller prallt auf im Winkel zwischen Tür und Wand, zerscherbt aber nicht; das scheint Beethovens Wut noch zu steigern, er packt George wieder am Hemd, drängt ihn zur Tür, Oberkörper und Hinterkopf schlagen dumpf auf.

Laß mich los, laß mich augenblicklich los! Und weil er das mit der

Überzeugungskraft eines Wutanfalls herausschreit, weicht Beethoven zwei, drei Schritte zurück.

Aber damit scheint er innerlich Anlauf zu nehmen zur Gegenattacke: Er findet es ungeheuerlich, daß Brischdauer mit diesem Subjekt gemeinsame Sache macht! Wenn der vor Brischdauer die Maske ablegt, so beweist das, Brischdauer besitzt das Vertrauen dieser Kreatur. Und wenn Brischdauer das Vertrauen einer Kreatur besitzt, die einen Beethoven bespitzelt, auf dem Mittelmeer wie auf dem Atlantik und womöglich auch noch in Afrika, dann ist es aus zwischen ihnen, aus, aus und vorbei!

Als müßte er das unsichtbare Ausrufezeichen bestätigen, stampft Beethoven auf. Er hätte nach dem Krach damals in Wien wissen sollen: es geht nicht gut mit dem Mulatten. Jetzt bestätigt sich das. George, der sich als Freund ausgegeben hat, macht gemeinsame Sache mit einem Spitzel, einem Spion! Läßt sich unter Garantie dafür auch »honorieren«. Was hat der fette Schotte ihm schon gezahlt aus der Kriegskasse?

Da sieht George die dämmrige Kajüte in rotem Licht, da spürt er, wie seine braune Gesichtshaut beinah zentralafrikanisch schwarz wird, da fährt Wut in ihm hoch und schlägt mit scharfkantigen Flügeln in Bauch, Brust, Kopf. Er will sich von Beethoven nicht anschreien lassen! Er läßt sich von ihm nicht derartige Schäbigkeiten unterstellen! Das ist doch schändlich!

Beethoven schreit an gegen dieses Adjektiv, doch George brüllt weiter. Diesmal wird er keinen Zoll nachgeben! Beethoven spürt diese Entschlossenheit beinah körperlich, geht einen Schritt zurück. Dieses ganze Gerede vom Spitzel, das ist doch Phantasterei! Keiner, schon gar nicht in Wien, wird ernsthaft bestreiten, daß Beethoven als Komponist derzeit ohne Konkurrenz ist. Aber wieso bildet er sich ein, er wäre als Bürger derartig wichtig, daß die Polizeibehörde einen Beamten speziell auf ihn ansetzt, ja diesen Beamten nach Afrika schickt? Nur damit der zu hören bekommt, was man auch am Wiener Stammtisch von Beethoven zu hören gewohnt ist? Vor allem wenn er angetrunken ist? Aber: selbst auf gelegentliche Beleidigungen von Amtsträgern ist bisher nichts, rein gar nichts geschehen! Dafür gibt es zwei Gründe. Man weiß, daß er sich höchster

Protektion erfreut, auch der des Erzherzogs. Und man hat ihm einen Sonderstatus verliehen, auch seitens der Polizei: den des grantelnden Genies. Wenn er es wirklich nicht aushielte im Lande Metternichs, wäre er längst nach Paris übergesiedelt. Aber er ist bis zu dieser Reise in Wien geblieben! Dort saß er in Cafés und Gasthäusern, aß und trank und maulte. Das war alles! Darüber ging man in der Polizei- und Zensurhofstelle mit Achzelzucken hinweg. Der Beethoven, der schwadroniert halt … Und so wird er nicht hart angepackt, wird nicht arretiert … Ob ihm das noch nie verdächtig vorgekommen ist?! Man läßt ihn ganz einfach gewähren! Und jetzt bildet er sich ein, man würde tief in die Schatulle greifen, um einen Beamten samt Leibwächter monatelang ins Ausland zu schicken, angesetzt auf eine einzige Person?! Der ganze Aufwand, um ein paar Stammtisch-Nörgeleien zu registrieren, auf einem Schiff mit etwa zwei Dutzend potentiellen Zuhörern, von denen die meisten nur Englisch verstehen? Die These von der Observation und von der geheimen Kooperation ist ein Hirngespinst!

Nun will auch Beethoven etwas Grundsätzliches zu dieser mißlichen Affaire sagen! Man kann ihn nicht aufspalten in den Komponisten und in den Bürger. Er besitzt als Komponist, das kann er ohne Überheblichkeit sagen, europäische Reputation. Insofern hat es Gewicht, wenn er sich kritisch äußert über den Polizeistaat des Fürsten Metternich und seiner Kumpane. Er schreit zur Tür: »Bitte notieren, ich habe Kumpane gesagt! Dazu stehe ich!« Und mit solchen Kumpanen: keine Kumpanei! Brischdauer soll, schon im eigensten Interesse, seine Kontakte mit dem Maskierten aufgeben. »Ich will nicht, daß du mit dem noch irgend etwas zu tun hast!« Und weil George auflacht: »Der oder ich! Wenn ich dich noch einmal mit diesem Spion in vertraulichem Umgang erwische, sind wir geschiedene Leute! Ist das klar?!«

Da sagt er noch einmal, sich zur Ruhe zwingend: Dieser Mann ist nicht an Bord, um Beethoven zu »bespitzeln«, dieser Mann ist einer der ältesten Bewunderer des Meisters, und darin läßt er sich durch nichts beirren. Die geheime Mission, die Signore auf sich genommen hat, ist also nicht gegen ihn gerichtet. Dafür kann er sich verbürgen. Darauf kann er einen Eid leisten, einen heiligen Eid!

»Demnach hätte ich also – da wäre das alles – ob ich mich wirklich so –« Beethoven steht reglos, starrt ihn an, geht auf ihn zu, reißt ihn an sich heran. Und er spürt heftigen Herzschlag, feuchtheiße Gesichtshaut. »Es tut mir leid, aber ich laß mich immer so leicht – ich weiß dann selbst nicht mehr, was ich – das alles – also das platzt einfach aus mir heraus. Du mußt das deinem Mehlschöberl verzeihen.« Und sie lachen auf in der Umarmung, lachen gemeinsam. Aber bei George ist es ein Lachen, in das Schluchzen fährt. Beethoven scheint das nicht zu merken, er hält ihn so fest an sich gepreßt, daß das Atmen schwer wird.

E in Alarmruf! Alle an Deck schauen sofort Richtung Nordwesten: hellbrauner Fleck am Horizont.

Wieder steigen Kapitän und Erster Offizier aufs Oberdeck. »Beg your pardon«, sagt Flamsteed zur klöppelnden und zur lesenden Frau, stellt sich neben McConglinney ans Schanzwerk des Platthecks. Regelmäßig wird das Fernrohr ausgetauscht. »These bastards really kill my balls«, merkt Flamsteed an – damit ist das Schiff identifiziert, auch für die Mitreisenden. Der Maskierte kommt aufs Oberdeck: er stellt sich neben George, teilt halblaut mit, diesmal werde es sicherlich krachen.

Die Southern Cross hat noch nicht alle Segel gesetzt, der Kapitän aber ruft keinen Befehl hinunter, obwohl Stanhope bereits am Hauptmast wartet. Flamsteed, schon lauter: »They really kill my balls!« Als müßte dies paraphrasiert werden für die Reisenden, wendet sich der Offizier an Johanna: Der Yankee muß ein sehr fähiger Kapitän sein, ein hervorragender Navigator; selbstverständlich geht der davon aus, daß sie zum Kap Verde segeln, das erleichtert die Berechnung des Kurses, auch ist der Spielraum innerhalb der Passatzone nicht unbegrenzt, aber: drei Tage ohne Sichtkontakt, und trotzdem hat er sie wiedergefunden!

Die Boston Snow hat sämtliche Segel gesetzt. »Die Bastarde geben mächtig an!« Und der Kapitän läßt eine Serie seemännischer Beschimpfungen und Verfluchungen folgen. Die beiden Damen legen dies so aus: das Oberdeck soll geräumt werden. Beethoven begleitet sie zu den Kajütentüren, steigt wieder herauf, stellt sich an die Heckreling.

Der Kapitän sagt halblaut einen knappen Satz zum Offizier, der geht zur Stiege, ruft Stanhope die gleiche Lautfolge zu, schon ruft und pfeift der hinunter zum Zwischendeck. Die Kanonen rumpeln nicht, sie sind noch geladen, die Southern Cross ist gefechtsbereit!

Die Boston Snow holt rasch auf mit starker Krängung. Und dies in verkürzter Distanz der Parallelen – die voraussichtliche Entfernung wird, so schätzt Flamsteed, zuletzt eine halbe Meile betragen. Stumm beobachten alle Männer am Schanzwerk, wie sich das Bild des Schnellseglers unablässig vergrößert, wie es wieder Rahen, Takelage, Wanten zeigt und selbstverständlich die amerikanische Flagge. Und Kapitän ortet wieder Kapitän – der Amerikaner diesmal nicht am Bug, sondern am Heck. Hat das etwas zu bedeuten? Kleine Gruppierung von Matrosen dort. Das Teleskop so scharf wie möglich einstellen – nur Rücken.

Am liebsten würde Flamsteed diese Fregatte kapern. Schuß vor den Bug gesetzt, nein, eine Salve ins Wasser gelegt, präzise Reihe von Wasserfontänen, angeluvt, dann Rumpf an Rumpf und über die doppelte Reling gesprungen! Nach erfolgreicher Kaperung würde er den Befehl übernehmen auf diesem Schiff bis zur offiziellen Bestätigung, und für McConglinney die Southern Cross. Er nickt sich selbst zu, ermunternd. Ein Schiff befehligen, das keinen so plumpen Heckaufbau zeigt ... ein Schiff mit einem vom Bug zum Heck glatt durchgezogenen Deck ... keine Passagiere an Bord, also keine Komplikationen ... mit diesem Schiff vor der afrikanischen Nordküste Korsaren jagen ... er würde sich bald gehörigen Respekt verschaffen ...

Die Fregatte ist fast schon auf gleicher Höhe. Wie vorausgesagt, ist die Entfernung sehr viel geringer als bei der ersten Begegnung. McConglinney bittet die Herren Passagiere hinunterzugehen, die Damen aus ihren Kajüten zu holen und ins Zwischendeck zu geleiten, in die Kapitänskajüte. Und dies bitte nicht zu langsam.

Die Frauen abholen; die Treppe hinunter ins Zwischendeck. Alle Kanoniere dort an Steuerbord, Lunten werden bereitgehalten. Der Schiffsjunge öffnet die Tür zur Kajüte mit Kartentisch und Sofa. Ludwig geht zu einem der beiden Fenster, reißt es auf, lehnt sich hinaus; der Maskierte öffnet das andere Fenster. Groß die Boston Snow, sie setzt an zum Überholen der Southern Cross. Weiterhin mehrere Männer am Heck. Schon gleitet das Schiff aus dem Gesichtsfeld. George verläßt die Kapitänskajüte, läuft an stummen Kanonieren vorbei und die Treppe hinauf, sieht die Boston Snow bereits eine Schiffslänge vor der Southern Cross. Demonstrativer Akt der Einschüchterung? Erneute Vorführung von Schnelligkeit? Versuch, das armierte Handelsschiff abzufangen?

Kapitän und Erster Offizier nicht mehr auf dem Oberdeck, sie stehen in Höhe des Hauptmasts an der Reling, tauschen hastig das Teleskop aus. Der Erste Offizier meldet, durch das Fernrohr blikkend: Die Gruppe von Matrosen hebt etwas hoch am Heck – ein Faß – ja, ein Faß – ein großes Faß mit Wimpel. Befehlsrufe des Kapitäns, weitergegeben von Stanhope. Das Faß wird von Bord geworfen. Befehlsschrei, Pfiff, Salve. Fünffache Wasserfontäne mit Brettern und Brettstücken – Triumphgeschrei unter Deck, auf Deck. Wie auf dieses Zeichen hin erscheint der dicke Schotte, beginnt einen Marsch zu blasen, marschiert zum Oberdeck, steigt hinauf, stellt sich mitten auf die Fläche, spielt weiter.

Dort muß er bald Platz machen, es wird ein leeres Faß an Deck gewuchtet, über die Planken gerollt, die Stiege zum Oberdeck hochgestemmt mit Geschrei. Und der Schiffszimmermann nagelt einen Pfahl an, der Segelmacher befestigt ein helles Stück Segeltuch. Sobald die Seeleute wieder auf dem Hauptdeck sind, ein Befehlsruf des Kapitäns, sie klettern die Wanten hinauf, setzen die restlichen Segel, und drüben, das ist auch mit bloßem Auge zu sehen, werden Segel gerefft, die Maste wieder senkrecht, die Southern Cross holt auf, die Seeleute steigen die Wanten herab, Kapitän und Erster Offizier begeben sich aufs Oberdeck, dem Schotten wird befohlen weiterzuspielen, Flamsteed winkt hinüber zur Boston Snow: kurzes Signalement. Drei Mann nun auf Oberdeck, sie heben das Faß hoch, während die Southern Cross die amerikanische Fregatte überholt. Sobald sie ungefähr drei Schiffslängen voraus sind, wird das Faß über Bord geworfen. Es ist kaum eine Schiffslänge zurückgeblieben, da steigen an der Schiffswand der Boston Snow Rauchwölkchen auf, Kanonendonner folgt, Wasserfontänen zahlreich, aber in unregelmäßiger Streuung, der Wimpel über dem Faß hängt noch, erneutes Triumphgeschrei auf der Southern Cross, der Schotte spielt eine Oktave höher. Auch eine Salve der zweiten Batteriegruppe kann das Faß nicht zertrümmern: unregelmäßig verteilte Gischtfontänen. Nun zeigt Kapitän Flamsteed zum erstenmal Überschwang, er nimmt McConglinney in die Arme, stößt heisere Schreie aus. Und mit vollen Segeln zieht die Southern Cross davon. Geschrei und Getrampel unter Deck.

An der Treppe erscheinen die Passagiere mit den beiden Frauen, steigen aufs Oberdeck. Die Boston Snow bleibt zurück. »Abgeschlagen!« ruft der Maskierte.

Charlotte, mit hellroten Flecken im Gesicht, gratuliert Flamsteed: Sie hat vom Kajütenfenster aus gesehen, wie genau die Schüsse lagen, das hat sie begeistert. Während der Kapitän ihren Handrücken küßt, starrt Beethoven auf die Frau, die sich in ihrem Enthusiasmus wiederholt. Sie ist in einem Haus aufgewachsen, ergänzt sie, in dem auf präzises Schießen Wert gelegt wurde: Großvater Sartorius war bekannt als treffsicherer Jäger; ihr Vater, derzeit in Afrika, trifft auf fünfzig Schritt eine Spielkarte. So kann sie nur bewundern, ja bestaunen, daß mit fünf Kanonenschüssen das Faß getroffen wurde. »Wirklich, auf einen Schlag!«

Flamsteed dämpft die Euphorie: Mit diesem kleinen Wettstreit ist das Kapitel Boston Snow noch nicht beendet; er ist sicher, daß die Fregatte sie noch mal einholen wird. Doch er fügt beruhigend hinzu: Hervorragende Navigation, aber geringe Treffsicherheit; in dieser Hinsicht dürfte er ihnen Respekt eingeflößt haben.

Kevin »Cargo« Flamsteed ruft zum Obersteuermann hinab, was Stanhope verkürzt weitergibt. Schon steigen die Kanoniere vom Zwischendeck hoch, stellen sich in einer Reihe auf. Ob sie den Schützen in die Augen schauen wolle, wird die junge Frau aus dem Rheingau gefragt, und sie nickt. Der Kapitän wendet sich an den Schotten: »Sergeant!« Higginbotham nimmt Haltung an. »Follow me and do your best.« So schreitet das Grüppchen über Deck zu den aufgereihten Kanonieren. Flamsteed bleibt vor ihnen stehen, rechts hinter ihm McConglinney, links hinter ihm Higginbotham; einen weiteren Schritt zurück Charlotte, abwartend.

Nach kurzer Ansprache beginnt der Kapitän die Reihe abzu-schreiten, bleibt vor jedem der Männer eine Satzlänge stehen. Der Schotte, auf der Stelle stampfend im Marschtakt, spielt einen High-lander. Gilbert McConglinney und Charlotte von Trebnitz folgen dem Kapitän. Sie nickt jeweils anerkennend dem gelobten Kanonier zu, sobald Flamsteed seinen Satz beendet hat.

»Schau sie dir an – wie souverän sie das macht!« Jetzt versteht Ludwig auch, weshalb ihr Vater sie zwecks Repräsentation nach Afrika eingeladen hat. »Diese Frau ist einfach –« Und er wendet sich ab, als wolle er zur Boston Snow schauen, die wiederum erheblich kleiner geworden ist.

Begleitet von Stanhope, trägt der Schiffsjunge ein kleines Faß an Deck, öffnet es: Rotwein. Die aufgereihten Kanoniere schwenken ein, bilden nun eine Warteschlange. Charlotte erscheint wieder auf Oberdeck. Dougall »Tootie« Higginbotham spielt zum Umtrunk auf.

Good morning! Und George geht in der düsteren Kajüte zum Fenster, öffnet es. Hier ist der braune Wasserdoktor aus Brighton!

»Bitte nicht schon wieder!«

O doch – Reise und Leben gehen weiter nach dem indirekten Sieg, und es soll eine gute Reise, soll ein gutes Leben werden – also bitte trinken! Einen Schluck für den flämischen Großvater, ja, und einen Schluck für die Mutter aus Ehrenbreitstein, und einen Schluck für Vater Schluckspecht – diese scherzhafte Bemerkung wird wohl er-laubt sein – ja, und einen Schluck für den Bruder Karl, weil der so klein und arm geblieben ist, ja, und einen Schluck für den Bruder Johann, weil der gar so sehr nach Geld und Frauen schielt – so, und damit ist das Glas leer, genau die richtige Familiengröße, nun mag ein neuer Tag auf dem Atlantik beginnen, Magen und Darm werden ruhig bleiben, die Ohren werden weder zischen noch brausen, der liebe Gott über dem Äquator hat genau gewußt, welcher Anteil Salz im Meerwasser am gesündesten ist auch für einen Ludwig, alles ist vor Zeiten gerecht verrührt worden …

Innerlich blicke er dem amerikanischen Schiff nach, sagt Beethoven beim Frühstück zu George und zum Maskierten, er folge ihm in Gedanken über den Horizont hinaus – eigentlich sollte man einmal nach Nordamerika reisen …! Es muß eine animierende, enthusiasmierende Erfahrung sein, in ein Land zu kommen, in dem keine Fürsten herrschen, in dem es keine Adligen gibt mit Privilegien, und vor allem: in dem keine Polizei- und Zensurhofstelle ihre Agenten und Spione ausschickt! Und schon gar nicht redet einem der Zensor drein! Also, in Amerika könnte man in jeder Hinsicht aufatmen. Und tief durchatmen – die Erfahrung auch der Weite, dieser unvergleichlichen Weite …! Dort könnte er wahrscheinlich auch den alten Traum verwirklichen, auf einem Bauernhof zu wohnen, weit weg von allen Menschen, und ihn umgibt Natur, nichts als Natur …

Er habe zufällig mitbekommen, daß sie in Wiesbaden einen Haushalt geführt hat, und das ermutige ihn, sich mit einer speziellen Frage an sie zu wenden: kann sie, obwohl aus dem Rheingau, sagen, was ein Mehlschöberl ist?

Johanna lacht: ein Mulatte, der nach Mehlschöberln fragt … Nun, es gibt viele gute Mehlspeisen im Rheingau, aber Mehlschöberl sind dort unbekannt – warum fragt er danach?

Es geht um eine assoziative Verbindung zu einer Person, zu einer Persönlichkeit, die sich selbst als Mehlschöberl bezeichnete. Um das später richtig wiedergeben zu können in seinem geplanten Buch, möchte er wissen, wie ein Mehlschöberl aussieht. Er hat aber nur die vage Vorstellung, es handle sich um eine Mehlspeise, aber: ist ein Mehlschöberl etwas Kleines oder etwas Größeres, ist es gekocht oder gebacken? Nudel oder Strudel?

Sie vermutet, schon vom Klang her, daß ein Schöberl eher mit einem Nockerl verwandt sein dürfte.

Und was, bitte schön, ist ein Nockerl?

Die Southern Cross weiterhin südwärts segelnd, mit kleiner Gruppe auf dem Achterdeck: Beethoven hat die Füße auf der Reling; Johanna setzt ihr Klöppelwerk fort wie Penelope den Endlos-Teppich; Charlotte läßt den Wind im Roman des Karl Philipp Moritz blättern; McConglinney hat die Uniformjacke geöffnet, sitzt schräg vor Johanna, behält sie im Blick.

Würde ich einen Roman schreiben, setzt George an, einen Roman, in dem eine schöne junge Frau in Begleitung ihrer schönen und erstaunlich jungen Tante nach Afrika reist, so würde ich eine ganze Liste von Motivationen entwickeln, denn unkommentiert würde kaum ein Leser die Reise der beiden Frauen als wahrscheinlich hinnehmen.

»Schlitzohr!« sagt Beethoven halblaut. Und der Ansatz kollernden Lachens.

Charlotte lächelt: auch sie findet das geschickt eingefädelt ... Sie nimmt diesen Faden auf, der soll zum überzeugenden roten Faden werden.

Auslösend für diese Reise war primär: die dringliche Einladung ihres Vaters. Solange »Massah« Martin mit ihrer Mutter in Afrika lebte, und das waren insgesamt zweieinhalb Jahre, kamen Briefe in weiträumigen Abständen nach Wiesbaden; berichtet wurde erst von Schwierigkeiten, danach von Erfolgen, zuletzt von Zukunftsplänen. Mit dem Tod seiner Frau änderte sich der Ton der oft lakonischen Briefe. Nicht nur eine temporäre Änderung, etwa für ein Trauerjahr, die Tonart blieb verändert – hängt das mit der geheimnisvollen Frau zusammen, die nun mit ihm lebt? Dazu höchstens Andeutungen in seinen Briefen. Um so eindringlicher seine Appelle: Noch keiner aus der Familie hat den Weg zu ihm nach Afrika gefunden ...! Nicht sein Sohn Franz, nicht seine Tochter Dorothee, nicht seine Tochter Charlotte, nicht seine Schwester Johanna, nicht sein Bruder Karl! Und sie alle in reisefähigem Alter, bei guter Gesundheit! Gründe für die ›Seßhaftigkeit‹ der Familienmitglieder wurden von ihm mit Nörgeln und Höhnen zur Kenntnis genommen. Aber: Sohn Franz kann seinen Aufstieg in der Offiziers-Hierarchie nicht unterbrechen; Tochter Dorothee bereitet den Aufbau eines Kindergartens vor; Tochter Charlotte hat drei Kinder und viele Probleme;

Johanna hilft Großvater beim Führen des Hauptbuchs, leitet seinen Haushalt; Bruder Karl reist als Agent des Hauses Sartorius, hebt den Weinkonsum pro Kopf und roter Nase.

Die Absagen der Familie machten ihren Vater, mit Verlaub, knatschig, und zugleich: noch entschiedener. Die Familie darf ihn nicht im Stich lassen! Nach insgesamt fünf Jahren ist ein Besuch überfällig! Wozu strengt er sich sonst so an?! Das Florieren des Weinhauses Sartorius auch gefördert durch seine finanziellen Zuwendungen!

Nächstes Stichwort schließlich: der erfolgreiche Fernhändler will auch politisch repräsentieren in seiner Region, von England unterstützt gegen Frankreich. Zur politischen Rolle des Vize-Gouverneurs gehört auch, zumindest in der ersten Phase der Konsolidierung, eine repräsentierende Frau. Die notwendige Unterstützung für das lockende Amt! Und unabhängig davon: es kann sich ruhig mal einer aus der Familie sein »Herrenhaus« anschauen! Er möchte offenbar auch, daß seine braunhäutige Frau zur Kenntnis genommen und akzeptiert wird. Also, aus der Perspektive ihres Vaters: hinreichend Gründe!

Das Echo auf seine Appelle wuchs bei ihr – wenn auch aus Gründen, auf die der Vater keinen Einfluß hatte. Über diese Gründe wird sie allenfalls mit Ludwig sprechen oder mit George. Und Johanna ist hinreichend informiert. Sie kann hier also abstrakt bleiben: es erscheint ihr notwendig, äußere Distanz zu schaffen, um inneren Abstand zu gewinnen … Und: das Leben ordnen, im Licht von Verstand und Vernunft … Zukunftsperspektiven entwerfen …

Zu diesen Motivationen kommt ganz einfach auch dies: Neugier; Reiselust, lang unterdrückte. Afrika so fern, Afrika so nah …

Endlich einmal, wie das zu einer Schiffsreise gehört: in einer Hängematte liegen …! George schaut hinauf in das Hellbraun der Segel, bei sanftem Schwingen. Und er spürt sich genauer in seinen Körperkonturen, nimmt seine Augen wahr beim Sehen von Mastholz und Segeltuch, nimmt seine Ohren wahr beim Hören von Holzknarren und Wellenschlagen, nimmt seine Lippen wahr beim Abschmecken von Salzbrisen – feuchter Lufthauch, wenn eine größere Welle zerschäumt am Bug.

Das Pendeln der Hängematte. Und er weiß: er wird hinausblikken in das Licht des späten Nachmittags und des frühen Abends, wird die Ausbreitung von Pastellfarben beobachten, das sanfte Violett vor allem, das aus rosa behauchtem Grau entsteht, und er wird, sich in der Hängematte aufrichtend, sehen, wie die Sonne rotgebläht zum Horizont hinabsinkt, ihn berührt, wie sie unten weich zu werden scheint, breiter wird. Und er wird sehen, wie sich erste Sterne auskristallisieren.

Charlotte auf Achterdeck, Buch auf einem Oberschenkel, doch es bleibt verschlossen. Wieder der dunkelgraue Schutzumschlag, wohl von ihr zurechtgeschnitten, gefaltet. Sie scheint, während sie spricht, auf eine der Teerfugen zwischen den hellgescheuerten Bohlen zu schauen. Beethoven hört zu.

Charlotte macht sich Vorwürfe, weil sie ihre Kinder zurückgelassen hat, vor allem die kleine Josephine. Zwar sind die drei gut untergebracht, Dorothee wird dafür sorgen, daß ihnen nichts fehlt, aber was sie nun einholt, bedrückend: Erinnerungen daran, wie Raimund, damals anderthalb, geheult hat, wenn Christian und sie mit den Kindern einen Besuch machten – die fremde Wohnung als etwas Bedrohliches. Da nützte alles Ködern nichts mit süßem Gebäck, da half keine Mandelmilch, keine Limonade – der Junge klammerte sich an sie, greinte. Bei allen Besuchen, die sie vorher mit ihm gemacht hatte bei anderen Bekannten, bei allen Besuchen auch im eigenen Haus: man begrüßte ihn mit Glockenklang in der Stimme, es gab Leckereien, er hatte noch keine bösen Erfahrungen gemacht, auch nicht außerhalb der gewohnten Wände – woher diese Angst? Warum ist fast jedes Kind zeitweise »einkännig«? Wehe, wenn Raimund eine neue Tasse vorgesetzt wurde: in der war alles »heiß«, war alles »bäh«. Sobald sie aber die Milch in die gewohnte Tasse umgoß, trank er beruhigt, es schmeckte ihm. Gewohnheiten als Schutz gegen eine fremde Außenwelt, aus der nichts Gutes kommen kann?

Ja, sie macht sich Vorwürfe. Sie hätte die Verantwortung für die Kinder höher ansetzen sollen als die Mitverantwortung für ihren Vater. Der wird auch ohne sie zurechtkommen. Aber eigentlich, genau betrachtet, ist sie eher wegen Christian gereist – sie mußte sich losreißen von den desolaten Verhältnissen in Genf. Erst wenn sie wieder mit sich selbst in Übereinstimmung ist, wird harmonischer Umgang mit den Kindern möglich sein. Sie war in Krisenzeiten reizbar, ungerecht. Und sie machte sich bewußt: Distanz, möglichst große Distanz wird nötig. Das sagt sie sich auch jetzt wieder, das redet sie sich ein, schon seit diesem Morgen, aber es bleibt die Sorge, daß die Kinder unter der Trennung leiden könnten.

Blick aufs Meer. Daß die Entfernung so ungeheuer, so unermeßlich ist, hatte sie sich nicht vorstellen können. Und diese Entfernung wächst Tag um Tag. Wie viele Tage werden sie noch auf diesem Schiff sein? Immer ihre Angst vor Fehlern; sie hat diese Reise begonnen, um nicht noch mehr Fehler zu machen gegenüber Christian und den Kindern; nun plötzlich das Gefühl, einen ganz großen Fehler zu machen.

Schiffsjunge Gerry an einem Sonntag auf Freiwache – er singt vor sich hin, hell und klar. Beethoven ist begeistert: angeborene Musikalität – der Junge muß ein Instrument lernen, ab sofort. Die große Bratsche ist für den Jungen ungeeignet – George soll ihm die Geige leihen.

Das will er aber nicht; das einzige Instrument, das er mitgenommen hat, darauf soll nicht herumgekratzt werden!

Beethoven setzt dagegen: Die gute italienische Geige hat George in England gelassen, wegen der Wechsel zwischen Trocken und Feucht, wegen der hohen Temperaturunterschiede von Tag und Nacht, wegen der Feuergefahr in Busch und Steppe und so weiter und so fort, alles verständlich, aber die Schülergeige ist, wie schon diese Bezeichnung sagt, zum Unterricht prädestiniert. Hoho! ruft Beethoven diesem Wort nach und lacht, bleibt aber dabei: Unterricht für den Jungen ab sofort, und zwar auf der Schülergeige!

Gut, er wird dem Jungen die Geige zur Verfügung stellen, aber das setzt voraus: er selbst, George, übernimmt den Unterricht. Beethoven könne das nur recht sein, so werde sein Kopf freigehalten für Wesentliches.

Was er mit seinem Kopf anfängt, was er in den hereinläßt und von ihm fernhält, das ist wohl seine Sache! Das Unterrichten gehört nun mal zu seinem Leben! Er ist ja nicht bloß auf die Welt gekommen, um jeden Morgen ab Sonnenaufgang Geniales zu komponieren, er hat oft schon früh um sechs die erste Stunde gegeben, auch in den vergangenen Jahren! Also, Brischdauer soll die Geige rausrücken! Wenn schon mal eine Geige zur Verfügung steht auf einem Ostindienfahrer, muß sie auch gespielt werden! Bisher aber war kaum ein Ton auf ihr zu hören! Also ist es an der Zeit, daß wenigstens der Junge sie übernimmt, für die Unterrichtsstunden.

Er hat diese Geige nicht mitgenommen, damit auf ihr unterrichtet wird, sondern zum Einstudieren einiger Werke. Und er war ja wohl nicht verpflichtet, damit gleich nach Verlassen des Hafens von Genua zu beginnen! Ganz langsam kommt er dahin, daß er sich auch wieder musikalischen Problemen zuwenden kann; die Noten liegen bereit.

»Du hast Noten mitgebracht?!« Ludwig kommt näher heran. Flimmernde Pupillenränder. Jäher Wechsel der Tonart: »Von welchen Werken?«

Es handelt sich vor allem um die selbstgefertigte Kopie eines ganz außerordentlichen, für ihn in verschiedener Hinsicht zentralen Werkes, dessen Bezeichnung er freilich noch nicht verrät. Und es sind einige Stücke von Viotti, mit dem er oft musiziert hat. Und Noten von Kompositionen des großen Bach, vor allem der drei Sonaten für Violine solo. Sind vor ungefähr zehn Jahren bereits im Druck erschienen, so lange schiebt er das Einstudieren schon auf, aber der Tag rückt näher …

Beethoven kennt diese Sonaten noch nicht, hat von ihnen nur gehört. »Sind da nicht auch Fugen drin?«

Ja, stets als zweiter Satz. Und eine länger als die andre! Die Fuge der dritten Sonate ist ein Monstrum von bestimmt zehn Minuten Länge, dieses Monstrum will er auf der Reise bezwingen. Dafür ist die Geige vorgesehen, damit wird sie sozusagen eingeweiht, und nicht mit dem Kratzen von Tonleitern.

»Warum hast du sie dann Schülergeige genannt?«

Weil ich beim großen Bach wieder in die Lehre gehen will.

»Ah, mein Herzens-Mulatte, das hast du schön gesagt!« Kuß auf die Stirn! Einige Fugen aus dem Wohltemperierten Klavier kann er noch auswendig, aber die Fugen für Sologeige kennt er noch nicht, die muß er unbedingt sehen, sofort!

George geht in die Kajüte. Die Seekiste geöffnet, das Notenheft herausgesucht: 3 Sonate per il Violino solo.

Als er die Stufen hinaufsteigt, hat Beethoven zwei Stühle nebeneinandergerückt, sitzt bereits, schlägt mit der flachen Hand auf die leere Stuhlfläche.

Schon sitzen sie Schulter an Schulter. Beethoven hat die Brille aufgesetzt. Mit der ersten Sonate will er sich nicht weiter aufhalten, auch nicht mit der zweiten, gleich die dritte, ja, in C und das einleitende Adagio später, obwohl – »Moment! Schau dir das an!« Enharmonische Modulationen – das war und ist ja etwas ganz Neues! Und dann vierstimmig – ein vierstimmigen Adagio auf der Violine …! Und der Schluß – der Satz endet nicht mit einem Punkt, der endet quasi mit einem Komma – Dominante – das wird demnach mehr als nur eine Suite von Sätzen, hier wird verknüpft!

Und gleich die Fuge! Wechselweise Ausrufe der Bewunderung, des Staunens: fünf Durchführungen! Fünf – five – cinque Durchführungen mit nur *einem* Thema!

Ludwig kann nach dem ersten Durchblättern nicht mehr sitzen bleiben, er läuft hin und her zwischen Reling und Reling, gestikulierend. Er schätzt sehr den Carl Philipp Emanuel Bach – wichtiger Komponist – Feuerkopf – aber der Vater, der Alte, vor dem könnte er in die Knie gehen! Allein schon diese Fuge …!

Du kannst also verstehn, weshalb ich bisher gezögert habe? Diese Fuge ist für mich als Geiger ein Riesenbrocken!

»Ja, das müssen auch Brocken sein!« Die Haut über Ludwigs Wangenknochen ist gerötet, trotz des Brauns; hastige Armbewegungen. So etwas muß einen als Musiker fertigmachen, dann ist es auch gut. »Aber du packst es, Brischdauer!«

Er wird freilich nicht sofort anfangen, schon gar nicht mit diesem Fugenmonstrum, er wird das Ganze – wie Bach – adagio angehen. Und zwar zunächst in der Kajüte.

»Und wohin dort mit den Noten? Hast doch keinen Notenständer!«

Ach, er wird die Blätter an die Wand hängen ...

Gemeinsamer Lunch in der Kapitänskajüte. Flamsteed wie immer am Kopfende mit Blick auf die beiden geöffneten Heckfenster. Charlotte als seine Tischdame, das wurde rasch zur Gewohnheit. Und Johanna als Tischdame des Ersten Offiziers – auch dies hat sich etabliert. Zur Rechten Charlottes sitzt Beethoven, George zur Rechten von Johanna; der Maskierte am unteren Ende der kleinen Tafel.

Das Essen wird aufgetragen vom Koch. Ein anderes Handelsschiff hatte ihn von einer der malaysischen Inseln mitgebracht: kleiner, brauner, selten lächelnder Mann. Er serviert gebratenes Huhn (aus den Käfigen des Zwischendecks) und Salzbohnen (aus dem Faß). Beinah ein Festmahl – weil die Boston Snow entschwebt ist.

Ohne anzuklopfen, kommt Beethoven ins das »Naturalienkabinett«, in heller Hose, barfuß, mit halboffenem Hemd. Er hockt sich auf den Kojenrand, stützt die Ellbogen auf die Oberschenkel. Und spricht erst nach längerer Pause: Charlotte sitzt oben, möchte aber nicht gestört werden – Joan hat dies signalisiert, als er aus der Kajüte trat, um Luft zu schnappen – sie sitzt mit dem Rücken zur Stiege, scheint nachzudenken. Und er hat Angst, ihre Gedanken führen sie von ihm weg.

Dabei waren sie sich im Gespräch wieder nähergekommen! Was sie an Deck erzählt hatte, in kleiner Runde (Stichworte: Wünsche und Pläne des Vaters; ihr zweiter Mann), das führte sie weiter aus in einem Zwiegespräch am Abend: Ergänzungen nur für ihn. Es stimmte ihn glücklich, daß sie so offen sprach, zugleich löste das eine Verstimmung aus, gegen die er nicht ankam: Warum redete sie so ausführlich über den Mann, der sie verlassen hat, wohl schon mehrfach – für Wochen, und einmal sogar für zwei Monate, auf mysteriösen Reisen? Und sie entschloß sich, den Mann zu verlassen, der sich innerlich längst von ihr gelöst hatte? Und auf der Reise will sie alles noch einmal durchdenken, grundsätzlich, und damit soll dieses Lebenskapitel endgültig abgeschlossen sein?

Er fragt Ludwig, wie sich die Verstimmung ausgewirkt habe.

Nun, er wurde immer stiller. Freilich – wenn Charlotte spricht, sich im Sprechen entfaltet, braucht man sowieso kaum was zu sagen – höchstens eine Anmerkung zwischendurch, eine Bestätigung zum Schluß.

Und du hast diese Bestätigung erbracht? Oder war es mehr eine Anmerkung, eine verstimmte?

Beethoven schweigt. Die Brauen kontrahiert an der Nasenwurzel. Nun, es ging um den vermaledeiten Vorschlag, der offensichtlich von ihr stammte: ihrem Mann nach der Rückkehr über Beobachtungen zum Verhalten afrikanischer Kinder bei Spiel und Arbeit zu berichten, dies mit ihm zu erörtern. Wenn sie wirklich von ihrem Mann loskommen will, definitiv, warum dann solch eine Verabredung oder Abmachung?

Und, wie war ihre Antwort?

Charlotte hat erst geschwiegen, mit einem kleinen Fächerbündel von Stirnfalten. Dann kam es: sie müsse sich vor ihm wohl nicht in jeder Hinsicht rechtfertigen! Kurz darauf lag ihre Hand auf seinem Handrücken – damit war für ihn alles erledigt. Nur versteht er jetzt überhaupt nicht, weshalb sie sich gestern wieder einmal zurückgezogen hat, demonstrativ, auch von ihm. Der ganze Tag schon ohne Fortsetzung des Gesprächs, sie blieb meist in der Kajüte – bestimmt nicht, um weiterzulesen im Roman. Er sah ihr an, vorhin, bis in die hochgezogenen Schultern, daß sie etwas bedrückt. Warum teilt sie ihm nicht mit, was sie belastet? Wenn einmal Vertrauen entstanden ist, warum entwickelt es sich nicht weiter, breitet sich aus, bezieht mehr und mehr ein? Da ist ein Gedanke in ihm aufgezuckt – er muß darüber sprechen. George hat ja nun, das wurde damals in Wien schon klar, Erfahrungen, sehr unterschiedliche Erfahrungen gemacht mit Frauen – nicht nur Liebschaften, auch intensive Liebesbeziehungen – vielleicht also kann George ihm weiterhelfen. Der aufstörende Gedanke also: Charlotte könnte es bereut haben, daß sie ihm gestern abend und an jenem Abend zuvor so viel von ihrem Mann erzählt hat – vielleicht die Befürchtung, sie könnte ihn damit belasten. Oder könnte sein, daß sie ganz einfach wieder Ruhe haben will, innere und äußere Ruhe? Und sie will sich vor ihm schützen?

Er hat an diesem Vormittag musikalische Notizen gemacht zur Oper. Und heute mittag, als er vor die Kajütentür trat: dieses Rückenbild ihrer Erstarrung, diese hochgezogenen Schultern! Es kam ihm so vor, als würde sein Kopf von ihr weggedreht! Weil Joan erahnte, was in ihm vorging, führte sie ihn zur Reling: Es geht Charlotte nicht gut, sie muß für sich sein. Und nun ist er hier, Kopf und Bauch voller Fragen. Belastet Charlotte die Sorge, sie hätte sich zu weit vorgewagt? Sie hat beim letzten Gespräch kurz noch mal von ihrem ersten Mann erzählt, aber er hat den Eindruck, hier war nichts mehr, was sie bedrängte, hier war ganz einfach Vergangenheit, die Bewußtsein und Gemüt nicht mehr beschäftigt. Danach hat sie vom zweiten Mann erzählt – und diese Geschichte ist offenbar nicht abgeschlossen, die wirkt nach über mehrere hundert Seemeilen, reicht in dieses Schiff herein. Dabei hat sie sich in den Augen der Gesellschaft von diesem Mann getrennt: läßt ihn zurück, reist nach Afrika, für ein Jahr. Nicht nur nach seinen Maßstäben hat sich Charlotte damit aus der Ehebindung gelöst. Sonst hätte er auch gestern wieder Bedenken gehabt, so lange mit ihr beisammenzusitzen, Kopf nah an Kopf, damit auf diesem plötzlich sehr kleinen Schiff keiner mithören konnte, was sie nur ihm zu sagen hatte. In bestehende Ehen möchte er sich nicht einmischen, schon gar nicht bei Menschen, die ihm nah sind – einer seiner Grundsätze, eins seiner Prinzipien. Aber: diese Frau hatte sich befreit! Diese Befreiung scheint ihr freilich schwerer gefallen zu sein oder zu fallen, als sie sich das vorgestellt hatte – sonst hätte sie nicht ernsthaft überlegt, von Genua bis Gibraltar, ob sie diese Reise nicht abbrechen, ob sie nicht zurückkehren sollte.

Damit George versteht, wenigstens ansatzweise, warum sie offenbar nur schwer von diesem Mann loskommt, von dem sie sich losgerissen hat, will er skizzieren, wie sie ihn kennengelernt hat.

Mit ihren Söhnen Raimund und Sigbert war sie, begleitet von ihrer

Schwester, in die Schweiz gereist, nach Yverdon: die mehrfach aufgeschobene Reise zu P. Hochgespannte Erwartungen bei Dorothee, gespaltene Gefühle bei Charlotte. Die Wiederbegegnung wurde eine Enttäuschung. Sie sah den Meister nun ohne Aura, ohne innere Illumination, sah ihn schonungslos deutlich.

Zum Beispiel seine Kleidung: Die war nicht nur einfach, betont einfach wie in Eltville und Wiesbaden, die war ungepflegt – Knöpfe standen offen oder fehlten. Dann: sie verstand ihn kaum noch, akustisch. Zwar hatte er bei seinen Besuchen mit schwyzertütscher Eintönung gesprochen, aber man konnte ihn verstehen. Zurück im gewohnten Ambiente, sprach er guttural, krächzend – zumindest klang es so für sie.

Weiter: die Gespräche über Pädagogik wurden zu Monologen – auch Dorothee konnte keine Zwischenfragen loswerden. Sie nahmen als Gäste an einigen Unterrichtsstunden teil, und beide konstatierten sie: der große Erzieher arbeitet zwischen pianissimo und fortissimo – dies in oft jähen Übergängen. Sie erlebten mit, wie er alle Geräusche in einer Klasse unterdrückte, wie er Stille herrschen, ja: herrschen ließ, wie er dann soufflierte, aus dieser Erfahrung der Stille sollten die Schüler den Schluß ziehen, daß sie sich besser still verhielten, statt zu lärmen. Zuweilen aber, wenn er sich vor einer Klasse in Feuer redete, wurde er lauter und lauter, er schrie, ohne das zu wollen, ohne das zu merken, trieb seine Stimme höher im pädagogischen Furor, die Stimme kippte ab, im Diskant.

Dann der Auftritt des Christian von Trebnitz … Adlatus, Mitarbeiter, Assistent des Meisters. Hochgewachsener Schlesier, baritonale Stimme, vermittelnd, verbindlich, sein betonter Charme. Gespräche über Fragen nicht nur der Pädagogik! Leitfiguren der Philosophie: Spinoza, Kant! Literatur und Musik! Sie glaubte nach dem überlauten Schwyzertütsch die sanfte Vox humana zu hören. Er führte die Schwestern überhaupt erst richtig ein in die Welt von Yverdon, machte ihnen Erziehungskonzepte klar, auch Probleme, sogar ökonomische. Die finanzielle Zwangslage machte demnach hohe Gebühren erforderlich – weitaus höher, als Charlotte sie erwirtschaften konnten mit Wein, Gips, Wachs. War sie also umsonst von Wiesbaden nach Yverdon gereist?!

Die Rückreise zumindest sollte rascher sein, rheinabwärts, aber es zogen große Heere ostwärts, es standen neue Schlachten bevor zwischen Frankreich und der Koalition, die Reise konnte schwierig werden für zwei Frauen und zwei Kinder. Da bot Christian an: er werde sie begleiten, werde sie in Wiesbaden beraten bei der Erziehung der Kinder. Wirkte er, nach diesen scheinbar selbstlosen Vorschlägen, nicht noch gewinnender? Damit noch stärker betont: seine Höflichkeit, sein Charme – vieles kam zusammen, das sie für ihn einnahm. Dies muß er so sehen, dies kann er nicht aus der Welt schaffen. Noch einmal: es gab – ganz zu Anfang – eine Zeit, in der sie diesen Mann liebte – aus der Situation heraus. Enthusiastische Gespräche – Verführung aber nicht nur durch Wörter und Sätze – offensichtlich hatte er eine Phase oder Situation der Schwäche bei ihr ausgenutzt, schon bei einem Zwischenaufenthalt in Genf, hatte sie gefügig gemacht – drohte dann offenbar mit einer »Enthüllung«, erzwang auf diese Weise, daß sie heirateten – lockte dabei mit der Ankündigung: nur so könne er sich für die bestmögliche Erziehung der beiden Söhne verbürgen.

Hochzeit in Wiesbaden. Bald danach wechselte der Hauptdarsteller seine Rolle: der Enthusiast wurde zum Eiferer, der Liebende zum Egoisten, der Pädagoge erteilte Befehle. Wenige Monate nach der halb unfreiwilligen Heirat war sie schwanger, aber: das Vertrauen war verbraucht, die Zuneigung verschleudert, die Liebe zerstört. Offenbar hat er Charlotte auch finanziell reingelegt. Was im einzelnen vorgefallen war, hat sie nicht erzählt, ihre Andeutungen aber setzt er so zusammen: in der ersten Zeit hat er sich mit um die Galerie gekümmert, hat sich eingesetzt für den Verkauf einiger Gipsstatuen und Wachsabgüsse, hat aber gelegentlich den Verkaufserlös einbehalten. Charlotte, wie gesagt, hat hier nur dezente Andeutungen gemacht – übertrieben dezent, wie er findet – warum diesen Burschen schonen?! Warum nur von »gewissen Unregelmäßigkeiten« sprechen, wo er sie finanziell betrogen hat? Aber noch gravierender war: er hat die Erziehung der Söhne nicht bloß vernachlässigt, er hat hier Grundsätze entwickelt, die Charlotte schokkierten, erst recht Dorothee, die sich ja noch intensiver mit Fragen der Erziehung beschäftigte. Einige der rigiden Leitsätze des Herrn von Trebnitz hat sie ihm genannt, er kann sie nur mit Empörung wiedergeben: Fassen Kinder etwas an, das ihnen nicht gehört, sollen ihnen für einige Zeit die Hände gebunden werden; wälzen sie sich im Spiel auf dem Boden, werden sie ans Bett gefesselt. Eine wahrhaft »fesselnde Erscheinung«, dieser Herr …

Im Hause Sartorius hatte dieser Bursche bald allen Kredit verloren, auch unter Bekannten, Freunden von Charlotte. Man konnte ihre Entscheidung nicht mehr verstehen. Er aber sah alle Probleme nur bei den Rheingauern und wollte wieder nach Genf. Das sei auch für seine Arbeit notwendig, für sein Buch! Mit diesem Buch will er sich offenbar vom großen Meister losschreiben, aber: in allzu großer Entfernung von Yverdon darf das wohl nicht geschehen … So zog Charlotte, hochschwanger, mit den beiden Kindern nach Genf, in ein Haus, das er mietete – und das sie bezahlte. In diesem Haus wurde Josephine geboren.

Schon bald nach der Entbindung mußte sie mitarbeiten an seiner pädagogischen Schrift. Er wollte sich mit diesem Werk befreien vom »niederdrückenden«, ihn fast »erniedrigenden« Gefühl, mit seinen 36 Jahren nur als Schüler, als Mitarbeiter des Meisters in Yverdon gesehen zu werden. Er wiederholte Appelle: Charlotte habe selbst erlebt, im Gespräch, wie dominierend diese Erscheinung sei, auch wenn sie sich bescheiden gebe, und so müsse sie verstehen, weshalb er mit aller Anstrengung aus dem Bannkreis P.s herauskommen wolle – dieser Versuch als gemeinsame Anstrengung! Was bedeutete: sie mußte ihm alle Tätigkeiten abnehmen, die ihn bei der Arbeit am Buch störten oder nur stören konnten. Sie hat eine Abschrift im Gepäck, will sie ihm gelegentlich zeigen; er arbeitet weiter an dieser Schrift, und es wird, bei allen inneren und äußeren Schwierigkeiten ihres Mannes, noch eine ganze Weile dauern, ehe die definitive Fassung des Buchs in Satz gehen kann. Er will sich, sagt Ludwig, die Abschrift mal zeigen lassen; er muß sehen, wofür Charlotte sich versklaven ließ.

Zu den »Tätigkeiten«, die ihn bei dieser Arbeit behinderten, gehörte auch die Erziehung der Jungen – obwohl dies eigentlich der Hauptpunkt war im Ehekontrakt. Doch die Schrift hatte Vorrang! Auch vor anderen Tätigkeiten, die sie für ihn übernehmen mußte.

Also: eine Reinschrift herstellen, in die er so viele Veränderungen hineinschrieb, daß schließlich eine erneute Abschrift notwendig wurde und wieder seine Erweiterungen, Kürzungen, sie mußte noch einmal eine Reinschrift herstellen, und er fiel wieder über diesen Text her – sie sah kaum noch ein, welchen Sinn die Änderungen haben sollten, zuweilen hatte sie den Eindruck, er ändere ab, um nicht fertig werden zu müssen. Aber wenn sie einmal erwähnte, wieviel sie für ihn tat und wie wenig er sich, entgegen allen Verabredungen, um die Erziehung der Söhne kümmerte, wurde er vehement: Damit die Befreiung vom übermächtigen Meister in der Schweiz, damit seine eigene Entfaltung möglich wird, muß er Zeit haben zum Denken, zum Lesen, zum Reisen, also kann er sich nicht extensiv um die Söhne kümmern, in seinem gegenwärtigen Zustand würde er auch nur verformend auf sie einwirken. Das mußte sie verstehen, mußte sie akzeptieren. Also schrieb sie die fünfte, die sechste Fassung ab, ließ sich wie ein Schulkind schelten, wenn sie sich mal verschrieb. Daß er sie am Ohrläppchen riß, so weit kam es nicht, aber darauf hielt er sich fast schon was zugute. Er machte sie klein mit riesigem Geschrei, setzte sich in Szene mit Wutausbrüchen, denen sie nichts entgegenzusetzen hatte als Tränen. Die sollte sie gefälligst wegwischen, damit sie wieder klar die Notwendigkeiten sah!

»Dieser Pimock!« ruft Beethoven, »der verdammte Pimock!« Das will ihm nicht in den Kopf: diese Frau, von der manch einer träumen wird, er könnte mit ihr leben, solch eine Frau wird von diesem Christian dauernd heruntergemacht! Da gelingt der Natur mit Charlotte etwas Vollendetes, und dieser Mann läßt nicht zu, daß sie sich entfaltet, der will sie nur kleinmachen, nur kleinhalten. Und sie ist durch die Institution der Ehe gezwungen, diesen Zustand länger zu ertragen, als es der menschlichen Natur zugemutet werden kann. Wenn es endlich gelingen würde, Eheverträge auf Zeit einzuführen, ganz allgemein, so wäre völlig selbstverständlich, sich aus solch einem Zustand zu befreien, da würde man den contrat social einfach nicht verlängern. Das Unglück, all das Unglück kommt daher, daß die Entfaltung dieser Freiheit von diversen Institutionen verhindert wird, vor allem von der Kirche – er sieht in Charlotte also nicht nur ein Opfer dieses Herrn Christian! Aber darüber müßte er bei andrer Gelegenheit mal ausführlicher sprechen, jetzt ist er zu erregt!

Notizen zu Obersteuermann Stanhope, genannt »Dirty Harry«: große Stimme aus kleiner Lunge, im Zorn heiser. Bringt unter Deck die Männer »auf Trab«, hält »Ordnung«: häufig Schlägereien in den sehr engen Räumen, Stanhope »schlichtet« dann, Schimpfworten folgen Schläge mit der Handspake. Weil die Räume niedrig sind, trifft das Schlagholz eher Schultern und Oberarme als Köpfe – so werden Spuren nicht allzu deutlich. Dennoch: zuweilen kommt ein Seemann an Deck mit blauer Schwellung unterm Auge oder mit blaugrünen Flecken auf dem Oberkörper; sogar Platzwunden. Stanhope als Rudelführer einer Wolfshorde: beißt sich durch. Keiner wagt es, sich an den Kapitän zu wenden – ist ja doch nicht unter Deck, wenn was passiert, bekommt George zu hören. Und ihm fällt auf: der Schiffsjunge zuweilen bleich, verstummt, und er geht oder hockt eingekrümmt. Beobachtung, die er nicht weitergibt an Beethoven, dem nichts aufzufallen scheint, die er nicht meldet an Kapitän oder Ersten Offizier, sie wollen sich nicht einmischen. Deshalb sein Entschluß, gemeinsam mit dem Maskierten, Gerry für den Afrikaritt freizukaufen.

Beethoven setzt sich neben George, der an der Seite des Segelmachers hockt. Rechte Faust im Handschuh, sieben Stiche auf die Länge einer Nadel, jede Naht doppelt.

Könnte er während dieser Arbeit nicht ein bißchen erzählen?

Der Segelmacher blickt auf vom hellbraunen Segeltuch, die Hände setzen das Sticheln fort. »Warum wollen Sie was erzählt kriegen?«

Weil Geschichten zu einer Reise gehören! Und Beethoven greift in die Tasche seiner Nankinghose, zieht ein Röllchen Tabak heraus, legt es aufs Deck, nimmt das Messer, das neben dem Segelmacher liegt, schneidet ein Stück vom Rolltabak ab, reicht das Messer zurück. Der Segelmacher mustert das Stück Rolltabak, berührt es nicht, reiht Nadelstiche.

Maori, sagt er dann, halblaut beschwörend, O-Ta-hi-ti, Maori. An einem frühen Vormittag fuhren sie zwischen zwei mächtigen Riffs in einen Naturhafen – vor ihnen das Beiboot, das die Einfahrt sondierte. Sie warfen Anker und hatten Glück: er packte gleich an einer der Korallenfelsschrunden. Am Strand immer mehr rufende, umherspringende, winkende Menschen, ein Kanu wurde ins Wasser geschoben, mehrere Mann schwangen sich rein, es kam rasch näher, Stechpaddel, einer steuerte am Bug, sie winkten, als sie beilegten, einer schwenkte einen grünen Zweig, es könnte auch ein besonders großes Blatt gewesen sein, und sie riefen: Tayo, Tayo! Weitere Kanus wurden ins Wasser geschoben, ein halbes Dutzend etwa kam auf sie zu, dem folgte ein weiteres Dutzend, dem folgten ungefähr zwei Dutzend, denen folgten, über den Daumen gepeilt, vier Dutzend, bald umgaben das Schiff etwa hundert Kanus, von denen Frauen und Männer hochriefen, sie boten Kokosnüsse an, Brotfrucht, Pisang, auch Matten und Körbe, Gefäße, bunte Vögel, nur nicht Fleisch. Es begannen erste Tauschaktionen: Früchte gegen Nägel. Für Äxte mußte besonders viel in die Körbe gelegt werden, die an Seilen heruntergelassen wurden, auch aus Kajütenfenstern des Platthecks. Er stand auf dem Oberdeck, hatte dort die beste Übersicht, ihn interessierten weder Kokos noch Pisang, er hatte, wie die meisten an Bord, nur Augen für die Frauen, die unten leibhaftig in Kanus saßen. Viele von ihnen hatten die Oberkörper nicht bedeckt, und sie waren monatelang auf See gewesen, nun plötzlich dieses Paradies von Frauen! Es war ein solches Durcheinander von Kanus, daß zuweilen eins kenterte, das gab Geschrei und Gelächter, die Insulaner konnten gut schwimmen, sie schwangen sich, zogen sich wieder in die aufgerichteten Kanus, sammelten treibende Körbe ein. Unter den paarhundert Menschen eine junge Frau, die ihm besonders gut gefiel, sie war schlank und hatte ausnehmend schöne Brüste. Er winkte ihr zu, bis sie aufblickte, warf einen Nagel, den sollte sie schnappen, aber in seiner Aufregung – es flimmerte ihm vor Augen! – warf er zu kurz, der Nagel fiel ins Wasser, sie sprang hinterher, tauchte ihm nach, griff ihn im durchsichtigen Wasser, tauchte auf, hielt den Nagel lachend hoch, kletterte ins Boot, er sah die Schultern, den Rücken. Im Kanu warf sie die nasse Hüftschärpe ab, stand nackt, lachend, winkte mit dem Nagel, schien einen weiteren Nagel herbeizuwinken. Es drückte ihm fast die Augen aus dem Kopf! Inzwischen schwammen etliche Frauen und Mädchen um das Schiff herum, schwammen auf dem Bauch, da sah man die Hintern, schwammen auf dem Rücken, da sah man die Brüste – die Männer schrien sich heiser. Er warf dem Mädchen einen zweiten Nagel zu, diesmal gezielt zu kurz, er wollte sehen, wie sie sich im durchsichtigen Wasser bewegte, mit Beinschlag. Mit blitzschneller Bewegung steckte sie den ersten Nagel zwischen die Lippen, sprang elastisch, tauchte unter, griff den zweiten Nagel, hielt ihn auftauchend hoch, steckte ihn auch gleich zwischen die Lippen, Nagelkopf nach außen, zog sich hoch ins Kanu, stand wieder da, naß und nackt. Er warf den dritten Nagel, sie sprang wieder. Inzwischen sprangen sie von mehreren Kanus ins Wasser, das Tauchspiel wiederholte sich. Noch war keine Frau an Bord gekommen, aber er hoffte, er würde der erste sein in der Mannschaft, und gleich ab mit ihr in die Segelkammer! Vier Nägel schon zwischen den Lippen, Köpfe nach außen. Mit dem fünften Nagel winkte er ihr zu: Den bekommst du hier oben. Aber sie zeigte lachend ins Wasser. So warf er auch diesen Nagel. Und sie fing den im Sinken auf, steckte ihn gleichfalls zwischen die Lippen. Sie waren in fast gleichmäßigem Abstand gereiht, es hätte nur noch ein Nagel in diese Reihe gepaßt. Wieder verhandeln. Sein Blut siedete, wallte, kochte. »Sie können sich schon denken, Sir …« Sie zeigte auf die Nagellücke, und er verstand sie so, mit ihren Rufen, ihren Gesten: sie werde nach dem sechsten Nagel raufkommen, am Seil, das er schon herabgelassen hatte. Wieder schaute er beim Sprung auf ihren Hintern, wartete auf ihr Hochtauchen, die Brüste, aber sie tauchte tiefer als bisher, und er sah trotz des Gequirls, daß sie nicht senkrecht auftauchte wie zuvor, sondern wegschwamm unter Wasser; mehrere Yards vom Schiff entfernt tauchte sie auf zwischen zwei Kanus, sechs Nägel zwischen den Lippen, die blinkten im Morgenlicht wie silberne Zähne; mit kleinem Winken schwamm sie weg, an Land. Und er rammte den Unterleib gegen das Schanzwerk.

»Das war die ganze Geschichte?«

Indeed, war sie nicht schlimm genug?

Beethoven schaut dem Segelmacher ins Gesicht, ins wetterbraune, schaut auf den Handschuh, die Dreikantnadel. Der Segelmacher nimmt das Messer, schneidet vom Rolltabak ein Drittel ab, schiebt es mit der Klinge zu Beethoven.

W as du nur immer für Geschichten erzählst!« hielt die Mutter schon mal dem braunen Jungen vor, der in polnisches Schwarz gekleidet war. Oder, halb anklagend, halb bewundernd: »Der Junge denkt sich immer Geschichten aus …!«

Ja, von einem jungen Farbigen wurden besonders bunte Geschichten erwartet, also erzählte er solche Geschichten. Sie entwickelten sich jeweils wie die Kadenz in einem Solistenkonzert: ans Thema gebunden, rhapsodisch frei. Das Wunderkind mit der Violine auch als Wunderkind des Fabulierens. Sogar nach Konzerten mußte er im Kreis von Bewunderern als Zugabe Geschichten vortragen.

Auslöser des Fabulierens: als Kind mußte er sich mit Geschichten rechtfertigen, vor anderen Kindern in Dresden, wenn er von einer wochenlangen, ja monatelangen Reise zurückkehrte. Dies hätte er gleichaltrigen Kindern von zehn und elf nicht erzählen können: daß er mit seinem Vater umherreiste, um Konzerte zu geben – so etwas konnten sich sächsische Kinder nicht vorstellen, das wäre ihnen als erfundene Geschichte erschienen, noch schlimmer: als langweilige Geschichte. Mit langweiligen, erfundenen Geschichten hätte er anderen Kindern nicht kommen können nach der Rückkehr, er mußte jeweils eine Geschichte erzählen, die zu seinem exotischen Aussehen paßte und zur Dauer der Reise – die mußte weit hinausführen, also holte er weit aus.

Beispielsweise Hamburg: in die Hafenstadt reisen, weil es dort Menschen gab, die ihn auf der Geige hören wollten?! Das konnte einfach nicht stimmen! Also erzählte er: Sein Vater schlug als Reiseziel Schottland vor. Auch dort sollte man seinen Sohn als Wunderkind preisen – englisch, schottisch, gälisch!

Das erste der Konzerte in einer Burg, die an der Meeresöffnung lag eines fjordähnlichen Sees, »Loch« geschrieben, anders ausgesprochen. Diese Burg hatte mehrere Fenster (hochgelegen, versteht sich), die sich zum Meer öffneten, aber: im Raum, in dem der Burgherr sich aufhielt, mußten alle Fenster versperrt sein durch Schlagläden – das Meer hatte einen Bruder oder einen Sohn verschlungen, er wollte das Meer nie wieder sehen.

In dieser Burg spielte George ein Violinkonzert von Viotti, mit einem schottischen Ensemble. Ein Teil der Musiker war – in genauem Wortsinn – anmarschiert: Mitglieder einer Militärkapelle, Oboisten und Klarinettisten. Hinzu kamen Geiger: Lehrer und Verwandte. Gespielt wurde in einem nur vom Kaminfeuer, von Kerzen auf Notenpulten flackernd erhellten Saal. Und während er musizierte, als einziger der Musiker stehend, schnellte eine außerordentlich große Fledermaus durch den Raum, dicht über Perückenlocken, Kerzenflammen hinweg, zeigte dabei spitze, weiße Zähne, gezackte schwarze Flügel, und sie stieß sehr kurze Pfiffe aus in höchsten Tonlagen, die nur er vernahm, mit dem auf Obertöne eingestellten Gehör. Und Brandung toste unterhalb der Burg, und Sturm winselte, und in der Burg Rumpeln, schleifende Schritte, schlagende Türen und Rufe, die von Menschen wie von Tieren stammen konnten. Nach dem Konzert lebten diese Geräusche erst so richtig auf, Geräusche, von denen ein einziges genügt hätte, großflächig Gänsehaut zu erzeugen. Und eine Fledermaus wollte sich im Haar einkrallen, und es huschten schottische Skorpione heran, ringelten sich Hochlandvipern, selbst Tote machten sich auf: zielstrebig kamen sie zur Burg, schon faßte hinter einem Mauervorsprung die erste kalte Hand nach ihm. Da führte sein Vater lautlos einen Kampftanz vor, den er auf der Rückreise von Barbados gelernt hatte, er stützte sich auf Hand und Arm, wirbelte die Beine waagrecht im Halbkreis, schlug Rad, grätschte, auf die Hände gestützt, blitzschnell die Beine: mächtige Schlagwaffen. Auf diese Weise trieb er die grusligen Phantome in die Ecken, jagte sie schließlich in die Flucht. Und sie hatten eine ruhige Nacht. Erst spät am Morgen wachte er auf vom Heulen eines Wolfs: Klagelaut, der zugleich Wutgeheul war, langgezogen. Und über eine der Hügelkuppen, die er durch ein kleines Fenster sah, marschierte ein dicker Schotte mit Dudelsack: die Melodie, die er spielte, war noch länger gezogen als das Wolfsheulen, ein viele Takte langer Hochlandseufzer. Und der Schotte verschwand samt Dudelsack, als hätte ein Moorloch ihn verschluckt. Nebelschwaden zogen auf ohne Absprache mit der Jahreszeit. Sein Vater und er ritten zur nächsten Burg, zum zweiten Konzert. In einer armen Hütte unterwegs Brot, das zu einem Drittel aus Mehl, zu zwei Dritteln aus Moos bestand. Und ein Menschenkopf auf einem Holzteller, ein Menschenkopf auf einer Silberplatte: die unter Zuhörern in Aberdeen wie in Dresden besonders beliebten Köpfe auf Tellern wurden aufgetischt.

Pochen an der Kajütentür: »Herr mulatticus! Wollen Herr musicus mulatticus hervorzutreten belieben?«

Er tritt hinaus im Burnus. Beethoven mit kleinem Funkeln in den Augen; neben ihm Johanna, erwartungsvoll lächelnd; der Erste Offizier, der Schiffszimmermann.

»Gestatten, Herr musicus mulatticus, daß ihm von zarter Hand die Augen verbunden werden? Zwecks größerer Überraschung?«

Also gut, wenn ihr meint … Johanna tritt hinter ihn, legt einen Schal vor die Augen, bindet ihn fest; ganz kurz spürt er ihre Brüste. »Kommen Sie, ich führe Sie. Auf der Treppe müssen Sie ein bißchen aufpassen.«

Aufstieg zum Oberdeck. Vor ihm – stampfend, brummelnd – Beethoven, und ein Kichern zwischendurch. Äquatortaufe lange vor dem Äquator? Auf dem Oberdeck müssen sich nach Ludwigs Anweisung alle »schön« aufstellen, der musicus mulatticus in der Mitte.

Johanna löst den Schal: er steht vor einem Notenpult. Rührung trübt ihm den Blick.

»Da fallen dem Mohren fast die Augen aus dem Kopf – ein Notenpult auf dem ›Kreuz des Südens‹!« Festliche Illumination in Ludwigs Augen. Er geht zu ihm, nimmt ihn fest in die Arme. Frau Joan hat vermittelt, der Erste Offizier hat weitergeleitet, der Schiffszimmermann hat ausgeführt. »Da kannst du heute noch mit der C-Dur-Sonate anfangen!«

Er nickt, umarmt auch Johanna, riecht ihr Haar – herber Kräuterduft? Er reicht dem Offizier die Hand, drückt dem Zimmermann die Pranke, macht ihm Komplimente: Das Pult ist so schön, er möchte es am liebsten mit an Land nehmen!

»Aye, aye, Master.«

Bleibt hier, ich komm sofort wieder! Die Treppe hinunter, er steigt gleich wieder mit Notenheft und Violine hinauf. Das einleitende Adagio wird er prima vista wohl einigermaßen hinkriegen, doch vorher muß er sich einspielen, dafür bittet er um Verständnis.

Läufe, Triller, Doppelgriffakkorde. Sein kleines Publikum setzt sich zurecht. Und er beginnt mit dem einleitenden Adagio, denkt, während er das durchspielt: Sublimierter Hochlandseufzer... Ja, wie von heimatlichen Klängen angelockt, zeigt sich der dicke Schotte am Stiegenaufgang. Er spielt das Adagio der Violinsonate zu Ende, setzt gleich wieder mit dem ersten Takt ein, spielt diesmal etwas zügiger, nimmt den Beifall des Grüppchens entgegen mit einer Verbeugung.

Jetzt will er wenigstens noch das Thema des Fugen-Molochs spielen, der einen armen Geiger mit brauner Haut und krausen Haaren verschlingen kann – aber er wird dem Moloch in den Rachen greifen...!

Beethoven lacht – ein fast unmäßiges Lachen. So schlitzohrig eine legendäre Äußerung zu parodieren...! »Wenn es so etwas gäbe, meine Dame, meine Herren, ich würde sagen: er ist ein typisch rheinischer Mulatte!«

Beethoven geht auf Deck hin und her, die Hände auf dem Rükken: verkörperter Ingrimm. Die Blatternarben: als wären sie deutlicher herausgetrieben, schorfige Stoppelhaut. Die über den Nasenflügeln etwas breitgedrückte Nase: auch sie scheint betont. Und zerklüftet die Kinnregion. Wieviel müßte ein Bildhauer verspachteln, wenn er solche Einkerbungen nicht dulden wollte in einer Porträtbüste? Die Stirn wie verbreitert. Auch seine Figur, seine Statur deutlicher herausgearbeitet: kompakt. Laute bilden sich in ihm, Grummellaute; er bleibt stehen, aus den Lauten formen sich Wörter und Sätze. Stanhope hat den Schiffsjungen geohrfeigt! Und er mußte sich das mit ansehen! Als der Steuermann nach unten ging, ist er ihm nach, hat ihn im Kanonendeck gestellt, hat ihn gemaßregelt. Dieser Hurenfettlümmel! Hat es gewagt, dem Jungen ins Gesicht zu schlagen – in dieses schöne und verletzliche Gesicht – gerade im Gesicht prägt sich am reinsten, am deutlichsten aus, was in einem Menschen angelegt ist – da lassen sich beim Stöpsel nur die allerschönsten Rückschlüsse ziehen und Voraussagen machen! Dagegen die Visage dieses Stanhope – nichts als Gemeinheit und Härte – solche Leute kann er nur mit Verachtung strafen, mit dem vollen Ausmaß seiner Verachtung – aber weil das bei solchen Gesellen nichts fruchtet, weil die nur spüren, was ihnen weh tut, müßte bei so einem Plackfisel, so einem Plackfooz mit entschiedeneren Mitteln nachgeholfen werden, so jemand müßte eine harte Hand zu spüren kriegen! Ja, er müßte den Kapitän auf das brutale Verhalten dieses Mannes hinweisen, der einem heranwachsenden Menschen ins Gesicht schlägt – dabei hätte er den Stöpsel aufs Ohr treffen können, womöglich mit der Faust – was dann?!

Und zum drittenmal: die Boston Snow! Wieder mit vollen Segeln, wieder in starker Krängung. Kapitän und Erster Offizier am Schanzwerk des Hecks, sie tauschen das Teleskop aus in rascher Folge. Die Damen bereits in der Kapitänskajüte, die Kanoniere im Zwischendeck, Handfeuerwaffen verteilt an Deck. Auch Higginbotham ist kampfbereit: der Dudelsack für die Siegeshymne auf einem Poller deponiert, seine beiden Pistolen geladen, die Schwerter sowieso scharf.

Was der Kapitän der amerikanischen Fregatte vorhat, darüber sind sich Flamsteed und McConglinney einig: die Niederlage beim Wettschießen gutmachen. Und das bedeutet: er will die Southern Cross entern, kapern. Weil Flamsteed und McConglinney schon beim fernen Auftauchen der Boston Snow diesen Schluß gezogen haben, sind bereits alle Segel gesetzt, sogar das Mondsegel. So stehen die Offiziere und die mitreisenden Herren auf geschrägtem Oberdeck. Stanhope neben dem Rudergänger: die prekäre Balance des Schiffs. Doch bei so rascher Fahrt kann die Southern Cross nicht geentert werden. Oder sollten die Yankees ein Manöver eingeübt haben, das Flamsteed und McConglinney noch nicht kennen? Wellenkämme durchgischtet, kühlfeuchte Brisen ziehen herauf zum Oberdeck.

So genau auch Flamsteed und McConglinney das Deck des amerikanischen super-runners mustern, der nur noch eine halbe Meile zurückliegt: sie sehen keine Vorbereitungen zu einem Enterangriff.

Gerade das ist verdächtig, befindet Flamsteed: ein Täuschungsmanöver, die Trupps stehen unter Deck bereit, bis an die Reißzähne bewaffnet – wer nicht genau schießen kann, muß metzeln. »These bastards definitely kill my balls.« Diesmal wird der Abstand etwa eine Viertelmeile betragen, fürs erste. Er spreche das so klar aus, weil die Herren in dieser brisanten Lage einen Anspruch darauf hätten, informiert zu werden, und zwar rechtzeitig.

McConglinney überlegt: Wenn die Yankees ihren Schießkünsten mit Recht mißtrauen – wollen sie aus einer Viertelmeile Abstand die Southern Cross mit Breitseiten zusammenballern? Das wäre möglich, aber letztlich nicht wahrscheinlich, ergänzt McConglinney nach kurzer Pause, die Yankees wissen, daß die Southern Cross zwar nur zehn Kanonen hat, daß die aber mit höchster Präzision schießen. Und würde zum Beispiel ein Zwischen-Pulverlager getroffen, so hätte die Boston Snow ein derart weites Loch im Rumpf, daß ihre Rückkehr zum Heimathafen entfiele. Nein, wenn man sich in den Kapitän hineindenkt, der dort drüben in seiner weißen Uniform steht, dann will der sein schönes, vor wenigen Jahren erst gebautes Schiff nicht durch Artilleriebeschuß in Gefahr bringen. Also bleibt nur diese Schlußfolgerung: der will entern und kapern. Wie aber sollte das möglich sein während so rascher Fahrt?

Bei einem Franzosen könnte man eher verläßliche Schlüsse ziehen, meint Flamsteed, deren Mentalität kennt man ein wenig, mit Yankees auf See aber hat man nur wenig Erfahrung, also muß man auf alles gefaßt sein. Und er bittet die Herren Passagiere, ebenfalls unter Deck zu gehen, die große Kajüte steht ihnen erneut zur Verfügung.

»Ja, kommen Sie«, fordert der Maskierte den Komponisten auf, faßt ihn am linken Ellbogen, führt ihn zur Stiege; Beethoven läßt das zu, das fremde Schiff wohl übergroß in seinem Bewußtsein.

»And what about you?« George bittet, an Deck bleiben zu dürfen – die Chronistenpflicht …! Beiläufiges Nicken, Griff zum Teleskop.

Auf Deck das angespannte Schweigen, wie es vor allen Kämpfen herrschen soll. Der Fellsack der bagpipes schlaff auf dem Poller – dafür scheint Dougall aufgepumpt mit Kampfbereitschaft. Die Mannschaft legt Gewehre an der Reling auf – das muß, von der Boston Snow aus beobachtet, unmißverständlich wirken. Tiefes Brummen in den Masten, der Schiffsrumpf scheint mitzuschwingen.

Noch bevor die Boston Snow auf gleicher Höhe mit der Southern Cross segelt, löst sich drüben ein Besansegel, flattert, schlägt, knallt. Damit kann die Fregatte nicht an Fahrt verlieren, aber es wird den amerikanischen Kapitän ärgern: ein Schönheitsfehler! So läßt sich mit bloßen Augen beobachten, wie vier Mann die Wanten hochklettern. Weil die vier wissen, daß viele Augen sie fachmännisch beobachten, klettern sie beinah affenartig schnell. Und die Boston Snow wird noch näher an die Southern Cross heranmanövriert. Beide Schiffe krängen backbord. Der Auslug drüben selbstverständlich nicht besetzt, unübersehbar dafür die Stars and Stripes. Die amerikanischen Matrosen balancieren mit kleinen, raschen Seitenschritten auf dem Fußseil unterhalb der Rahe, versuchen, das schlagende Segel zu bergen. Eine Hand fürs Schiff, eine Hand für sich selbst – diese Regel kennen alle an Bord, doch es zeigt sich: die vier drüben und droben arbeiten, weil es rasch und eindrucksvoll sein muß, riskant. Schon passiert es: bei einer der kleinen, unvermeidlichen Stoßbewegungen der Fregatte wird ein Matrose vom »Fußpferd« abgeworfen, mit einem Schrei stürzt er ins Meer.

Kevin »Cargo« Flamsteed reagiert schneller, als Überlegung das zuließe: rennt zur Stiege, schreit einen Befehl, stimmbandfetzend, lungenflügelsprengend. Stanhope, jäh mit Energie aufgeladen, schreit ebenfalls, alle Mann an die Seile, die Taue, er greift zugleich mit ins Steuerruder, das Schiff luvt an, die Southern Cross wendet schwerfällig, kreuzt auf. Drei Mann zum Bug, an den Violinblock. Die Boston Snow macht keine Fahrt mehr, die Maste aufgerichtet, die Segel schlackernd, ein Boot wird am Heck herabgelassen. Auf der Southern Cross wird ein Beiboot aus der Verzurrung gelöst, zur

Reling geschleift. Flamsteed persönlich mit dem Teleskop am Bug; er ist es auch, der den Mann-über-Bord entdeckt, der ist bis zur Nasenspitze, bis zu den Ohrläppchen im Wasser, schlägt um sich. Ein Befehlsschrei, das Boot wird hinabgelassen. Seeleute rutschen an den Seilen nach. Pullt, pullt! Rasch ist der Matrose erreicht, wird aus dem Wasser gezogen – nasses, schlaffes Bündel. Das Beiboot der Boston Snow ist mindestens noch eine halbe Meile entfernt. Das Fallreep wird hinabgelassen. Fröhliche Aufregung an Bord, das überträgt sich in die Kapitänskajüte, sie eilen nach oben. Der Komponist und der Maskierte, die junge Frau und ihre Begleiterin gruppieren sich auf Deck wie ein Gesangsquartett. Kapitän und Offizier an der Fallreeps-Pforte, und Stanhope eilt zu ihnen: der erste amerikanische Gefangene!

An Deck tapst ein rotblonder, sommersprossiger junger Mann. Er bleibt mit naß anliegendem Haar, naß anliegendem Hemd, naß anliegender Hose an der Pforte stehen, salutiert hustend. Lässig wird zurückgegrüßt. Der Amerikaner sagt etwas wie »bad luck«. Schiffsjunge Gerry bringt eine Decke, bietet sie nach knappem Wink des Obersteuermanns dem Geretteten an, doch der scheint nicht zu frieren. Der Junge hält die Decke fest, starrt zum Yankee.

Der bleibt erst einmal stehen. Flamsteed schaut durch das Teleskop zum Boot – präziser Ruderschlag. Ludwig stellt sich neben den Ersten Offizier: ob dieser Matrose hier an Bord bleibt, als Gefangener?

»Hielten Sie das für angebracht?«

Nun, es wäre zumindest interessant, einen Amerikaner für einige Zeit zu beobachten, ihn damit näher kennenzulernen, als Repräsentanten eines fremden Kontinents.

Gut, meint McConglinney, man könnte ihn auf diese Weise kennenlernen, und er würde seinerseits einige hier an Bord näher kennenlernen – was, wenn er sich dabei in die junge Frau verliebt? Der Bursche hätte genau das richtige Alter …

Ludwigs Gesicht wird maskenhaft; Unterlippe und Kinn betonen sich.

McConglinney bezeichnet seine Äußerung als Scherz, der ja wohl erlaubt sei. Und nachsichtig erklärt er: Einer, der über Bord geht, muß gerettet werden, dies ist geschehn; einen Geretteten behält man aber in solch einer Lage nicht als Gefangenen, das geht nicht, selbst wenn er zu den Feinden gehört, den derzeitigen; man wird den Amerikanern zeigen, was Briten unter Fairneß verstehen; immerhin haben die Yankees die dümmste und gröbste Lösung vermieden – natürlich auch, weil ihr schönes Schiff nichts abkriegen soll.

Flamsteed hat den nassen Matrosen zu sich an die Reling gewinkt, kurze Absprache, dann gibt der Gerettete Zeichen zum Boot. Die werden kurz darauf durch Zurufe bestätigt: der Offizier darf an Bord, die Männer bleiben unten, sie werden nach kurzer Zeit die beiden Besatzungsmitglieder zurückrudern.

Kapitän und Erster Offizier nehmen Aufstellung an der Fallreeps-Pforte, Stanhope setzt die Pfeife an: hohe, dünne Töne. Der Offizier tritt an Deck. Blaue Jacke auf weißer Hose; drei Orden angesteckt. Ohne Anweisung beginnt Dougall zu spielen, selbstverständlich einen Marsch, er trampelt im Takt auf der Stelle. Zwischen dem amerikanischen Offizier und dem britischen Kapitän im Offiziersrang werden Höflichkeiten ausgetauscht, wohl auch sachliche Anmerkungen zum Ablauf des Zwischenfalls. Dann geht der Offizier zum Bug, signalisiert mit den Armen zur Boston Snow. McConglinney reicht ihm das Teleskop, so läßt sich die gewinkte Antwort leichter ablesen. Die scheint befreiende Wirkung zu haben.

Der Matrose zieht das Hemd aus, es zeigt sich ein muskulöser Oberkörper ohne Tätowierungen. Seekadett Mulligan, twenty-one. Auch der Offizier nennt seinen Namen: Hank Roberts. Es bildet sich eine lockere Gruppierung. Werden technische Daten ausgetauscht? Länge, Breite, Tonnage, Bauart?

Beethoven schaut sich die beiden Amerikaner genau an, blickt wieder hinüber zum Schiff. Das würde er gern mal inspizieren, sagt er, vor allem das Kanonendeck: auch wenn die Yankees längst nicht so gut schießen wie die Kanoniere hier – es wird sich an Bord dieser Fregatte bestimmt die schönste militärische Ordnung zeigen, dafür hat er einen Blick. Er würde sich für die Besichtigung dann auf seine Weise erkenntlich zeigen, würde denen einen

Marsch komponieren – das würde ihm flott von der Hand gehn. Auch dieser Marsch müßte nicht unbedingt ins Werkverzeichnis aufgenommen werden ...

McConglinney kommt zum Grüppchen der Passagiere, bittet die Damen, ihm zu folgen, er möchte sie vorstellen, selbstverständlich auch die Herren. Namen werden genannt, mit Kopfnicken zur Kenntnis genommen. Der Schiffsjunge bringt wieder ein Fäßchen Rotwein an Deck, dickwandige Gläser werden verteilt und gefüllt, Roberts, Flamsteed, McConglinney prosten sich als erste zu, es schließen sich die Reisenden an und der Seekadett. Der hat sich inzwischen leergehustet, kann Fragen ausführlicher beantworten – schließlich will man wissen, wen man gerettet hat. Mulligan kennt etliche in den Staaten, die aus Deutschland eingewandert sind – eine Familie der Nachbarschaft stammt aus »Sieschburch«. Er selber kommt aus Bryn Mawr bei Philadelphia. Auch deshalb: kein guter Schwimmer, das seien die wenigsten Seeleute, fast hätte es ihn hinabgezogen, Hilfe zwar nicht in letzter, doch in vorletzter Minute.

Das hört der britische Kapitän gern, er stellt eine weitere Frage. Ja, Mulligan stammt aus einer Familie, die vor zwei Generationen aus Irland einwanderte. Er sollte auf Wunsch seines Vaters Jurisprudenz studieren, will aber Offizier werden – die nun glücklicherweise nicht abgebrochene Laufbahn, »thank you so much«.

Signore maschera kommt während dieses Geplauders mit dem amerikanischen Offizier ins Gespräch; weil alle Aufmerksamkeit auf Mulligan gerichtet bleibt, schlendern Signore und Hank Roberts zur Reling, bleiben dort stehen, Signore redet auf den Amerikaner ein, der schaut gelegentlich herüber zu den Reisenden.

In diesem Grüppchen möchte McConglinney wissen, wo die Boston Snow in den beiden Zwischenphasen war – hat man mit ihnen Katz und Maus gespielt, oder hat man die Sichtverbindung verloren?

Nein, es war keine geplante Irritation, war auch keine Panne, vielmehr haben sie versucht, beidemal, eine zweite Fregatte zu treffen, die im Bahama-Passat herüberkommt, ihnen einen neuen Auftrag überbringen soll, der gemeinsam ausgeführt wird – mehr deutet Mulligan nicht an, militärisches Geheimnis. Dies aber lasse sich berichten: die Koordinaten der Begegnung waren festgelegt, nur der

Zeitpunkt wurde nicht eingehalten – es muß etwas dazwischengekommen sein, wahrscheinlich ein karibischer Wirbelsturm, aber den wird die Fregatte überstanden haben, sie ist ebenfalls neuester Bauart, und ihr Kapitän hat es noch nie an Zielstrebigkeit, Entschlossenheit fehlen lassen, ein wahrer Seebär, ein bärbeißiger Seebär, der läßt am liebsten die Waffen sprechen. »Take care of this man und his man-of-war ...«

D er Maskierte bittet die Herren Beethoven und Bridgetower zu einer kurzen Unterredung an die Reling. »Meine Herren« – und fast möchte er die Stoffmaske hochschieben, die Hand zuckt bereits – »meine Herren, es eröffnet sich eine phantastische Möglichkeit – Sie können überwechseln auf die Boston Snow und nach Amerika segeln!«

Beethoven reagiert nicht. Stellt er sich schwerhörig?

Signore wiederholt das Angebot, nun etwas lauter.

»Sie müssen nicht schreien, ich versteh das auch so.«

Gar keine Freude?!

Erst mal Überraschung.

Gut, aber es ist ein ernstzunehmender Vorschlag. Beethoven wollte doch immer schon auf diesen Kontinent der nicht nur proklamierten, sondern verwirklichten bürgerlichen Freiheiten, auf diesen Kontinent der weiten Prärien und breiten Flüsse und einsamen Farmen. Dieser Kontinent stehe ihm und seinem farbigen Freund offen zur Erkundung – das könnte für ihn wichtiger werden als der Ritt in den afrikanischen Kontinent. »Ist das nicht ein verlockendes Angebot?!« Die Boston Snow habe noch, gemeinsam mit einem anderen Schiff, eine militärische Mission zu erfüllen, die sie nicht in Gefahr bringe; gleich anschließend werde der super-runner zum Heimathafen zurücksegeln. So hätten sie eine ebenso sichere wie schnelle Überfahrt, für deren Bezahlung gesorgt werden könnte. »Warum sagen Sie nichts? Jetzt lassen sich Ihre Wünsche doch endlich erfüllen!« Und zur Beruhigung Beethovens: er selbst komme nur mit, wenn der Maestro das expressis verbis genehmige, respektive als Wunsch äußere.

Ludwig bedankt sich. »Aus diversen gravierenden Gründen vermag ich diesem Vorschlag nicht Folge zu leisten.«

Warum so förmlich?

»Es geht leider nicht!«

Aber er hat doch eben noch den Wunsch geäußert, auf dieses Schiff zu kommen!

Schon, aber nur zu einer Besichtigung.

Das würde sich nicht ausschließen: er könnte sich erst einmal die Boston Snow ansehen, auch mit Blick auf die Unterbringung, könnte daraufhin entscheiden, ob er sich dieser Fregatte anzuvertrauen gedenke für die relativ kurze Zeit – in etwa zwei, höchstens drei Wochen könnte das Schiff Boston erreicht haben. »Meine Herren, solch ein Angebot gibt es im Leben voraussichtlich nur ein einziges Mal. Da heißt es zugreifen!«

Beethoven bedankt sich für die Vermittlung des Angebots, er darf es aber, wie gesagt, nicht annehmen, aus verschiedenen Gründen.

Der Maskierte kann das nicht verstehen: Amerika hat sich mit dem Unabhängigkeitskrieg befreit, auf diesem Kontinent muß es keinen Brutus mehr geben, weil dort kein Caesar mehr aufsteigen kann, auf diesem Kontinent wurden alle vom Maestro gepriesenen Prinzipien verwirklicht – wie könnte er aufatmen bei einer Landung in Boston! »Ich bin sicher, Maestro, Ihre Musik wird in Amerika noch mehr an innerer Weite gewinnen, an befreiender Weite.«

Beethoven bittet, nicht weiter in ihn zu dringen; der plötzliche Wechsel des Reiseziels sei aus verschiedenen Gründen nicht praktizierbar.

»Gehören dazu auch private Gründe?«

Beethoven bedankt sich erneut für die Übermittlung des Vorschlags, aber noch einmal: es geht nicht. Er grüßt mit knappem Kopfnicken, wechselt hinüber zu den beiden Frauen, die mit den Amerikanern plaudern.

Auch Charlotte beteiligt sich hier am Gespräch – Thema sind mittlerweile Wildpferde. Kurzes Ausschweifen von Erinnerungen und Vorstellungen, dann wird es wieder offiziell an Deck. Als Stichwort dazu offenbar die kurze Mitteilung, die Signore maschera dem amerikanischen Offizier zumurmelt. Der stellt sich in Positur, löst den größten Orden von der blauen Jacke. Higginbotham, die Situation sofort erfassend, beginnt einen Marsch zu spielen; diesmal stampft er nicht im Wechselschritt auf der Stelle, er marschiert sechs Schritte Richtung Bug, sechs Schritte Richtung Heck und wieder zum Bug. Der amerikanische Offizier deutet Komplimente an, bittet Flamsteed, als Zeichen des Dankes und der – trotz politischer Lage – seemännischen Verbundenheit, den Orden des Golden Beaver entgegenzunehmen. Er tritt vor den Kapitän, heftet ihm die Auszeichnung an. Der Schotte spielt mit mächtigem Bordun. Flamsteed grüßt militärisch zurück, auch der Erste Offizier. Mulligan salutiert vor dem Kapitän des raschen Entschlusses.

Roberts nickt den Umstehenden zu, grüßt den Schotten mit halbmilitärischer Geste, geht zum Fallreep. Pfiffe. Er steigt hinunter, Mulligan folgt ihm.

Higginbotham hat Tränen in den Augen: der amerikanische Offizier hat ihn gegrüßt! Er stampft dankbar zur Reling, beginnt erneut zu spielen.

Das Boot wird gleichmäßig gepullt, der Leutnant steht in der Mitte, grüßt zurück. Der Schotte spielt an der noch offenen Fallreeps-Pforte das Abschiedslied.

Der Maskierte ist mit Charlotte zur Reling geschlendert, steht dort vor ihr, redet eindringlich; sie läßt ihn nicht aus den Augen, hört intensiv zu. Beethoven steht reglos.

Dieser Malaie oder Malaysier ist ein Sudelkoch! flüstert Beethoven, starrt auf die halbfeste Graupensuppe mit Salzfisch-Fetzen. Sobald der wieder reinkommt, würde er ihm am liebsten diesen Pamp ins Gesicht – doch George unterbricht ihn: Die Szene, die in ein Wiener Gasthaus passen mag, sie wird nicht auf die Southern Cross transponiert! Dazu legitimiert ihn nicht einmal die Abwesenheit der beiden Damen. Auf diesem britischen Segler soll er entweder essen, was auf den Tisch kommt, oder soll es kommentarlos stehenlassen. Fullstop.

Dringt ein in seine vorafrikanisch schwarze Nacht! Ludwig entschuldigt sich, daß er ihn weckt, aber er hat noch nicht eine Minute geschlafen, hat in der Kajüte nachgedacht, ist aufs Oberdeck gestiegen, ist barfuß, um niemanden wach zu machen, umhergetigert, hat nachgedacht, nachgedacht, ist zu einem erschreckenden Ergebnis gekommen, hat Angst, er könnte ersticken, wenn er sich nicht sofort ausspricht.

Er packt Ludwigs Handgelenk: Setz dich. Und rückt an die Holzwand, Ludwig hockt sich auf die Kojenkante.

Eine schwierige, eine heikle Angelegenheit ...! Er hat sich gefragt, immer aufs neue, weshalb Charlotte sich wieder zurückhält – ist den ganzen Tag noch nicht aus der Kajüte hervorgekommen! Das hat nichts zu tun mit dem wiederholten Aufkreuzen, oder wie das heißt, der Boston Snow – so was scheint ihr eher zu imponieren. Der Grund liegt auch nicht in plötzlicher Erkrankung – weder Fieber noch Kopfschmerzen, das weiß er über Joan. Ergo ist etwas zwischen sie gekommen, von außen her, und er hat erkannt, was oder: wer das ist. Es ist der Mann mit der Maske! sagt Beethoven mit plötzlicher Heiserkeit. Er hat es gestern gesehen, George hat es ebenfalls registriert: der Maskierte im langen Gespräch mit Charlotte. Dabei hat der sich mit klarer Absicht, ja, vor ihr in Szene gesetzt.

Beethoven schweigt. George muß sich anstrengen, um eine Frage zu formulieren, sein Schädel wie ausgefüllt mit nachtdunklem afrikanischem Lehm – erst langsam bilden sich Risse. Wie meinst du das: in Szene gesetzt?

Nun, in Szene gesetzt als Mann, der sich in Charlotte verliebt hat, ebenfalls.

For heaven's sake! hört George sich rufen.

»Ja, das schreit gen Himmel!« Dieser Mann setzt es sich in den Kopf, sich ebenfalls in die Frau zu verlieben – wie in einem Reflex! Als der merkte, daß sich in ihm, Beethoven, eine starke Zuneigung zu Charlotte entwickelte, da konnte, wollte er nicht zurückstehen. Mit all seiner Beredsamkeit und Überzeugungskraft hat der versucht, Charlotte mitzureißen in die unselige Vorstellung, er habe sich in sie verliebt. Er kann sich denken, ziemlich genau, was er gesagt hat: sie habe schon beim ersten Anblick den stärksten und nachhaltigsten Eindruck auf ihn gemacht, seither Aufruhr in seiner Seele – er sei von ihrer Schönheit, ihrer Eleganz, ihrem Witz, ihrer Intelligenz, ihrem Charme überwältigt – sie habe ungewollt eine Verwüstung in ihm angerichtet, eine Verwüstung früherer Lebensbilder, Lebensvorstellungen, nein: Lebensformen – nur sie könne die Trümmer wieder zusammenfügen mit ihrer schönen Hand.

Beethoven schweigt. George, nun hellwach, lauscht an ihm vorbei: Wellenschlag, Schritte, ein Ruf, Knarren von Tauwerk und Holz. Weint Beethoven, lautlos? Nach stockenden Atemzügen wischt er mit dem Handrücken über die Wangen, einmal, zweimal. Mehr als eine halbe Stunde lang hat der Maskierte auf sie eingeredet, sanft, beharrlich, eindringlich. Und Charlotte hat nicht versucht, sich ihm zu entziehen, hat sich nicht zur Seite gedreht, ist keinen Schritt zurückgewichen – wie gebannt hat sie ihn angeschaut. Das kann er bezeugen, kann er beschwören! Und er ist sicher, ist jetzt ganz sicher: da fand nicht nur Überredung statt, Überredung zur Liebe, es war noch subtiler, damit gefährlicher, denn: dieser Mann hat auf Charlotte einen starken, einen nachhaltigen Eindruck gemacht. »Verstehst du, wie ich das meine? Verstehst du mich wenigstens ein bißchen?« fragt er, beinah bettelnd.

Ja, er kann sich hier in Ludwig hineindenken, einfühlen: etwas frißt sich fest, läßt sich nicht mehr herauslösen, nicht einmal herausreißen, etwas beginnt zu wuchern, da wird Verstand erodiert, Vernunft lädiert, Gefühl korrumpiert: sie, ausgerechnet sie geht an einem vorbei auf einen anderen Mann zu! Im Magen spürt man die Einwirkung als erstes: Eifersucht als Magenfresser. Erst schleimhautätzend, dann schleimhautfetzend. Im Kopf dann: der beherrschende Gedanke! Alle anderen Gedanken werden von der Eifersucht verformt, gekrümmt, geknebelt. Eifersucht schreit die immer gleichen Geschichten hinaus. Wenn er sich, eigene Erfahrungen reaktivierend, in Ludwig hineinversetzt, kann er sich durchaus vorstellen, aus welchen Elementen sich für ihn diese Geschichte zusammensetzt. Du willst das hören? fragt er Ludwig. Heftiges Nicken, Blick zur Seite.

Also, dies könnte es sein: den Maskierten umgibt auch die Aura von Macht. Denn er kann es sich seit zwei Wochen leisten, maskiert zu bleiben, keiner wagt es, ihm die Maske herunterzureißen wie einem Spitzbuben. Damit bestätigt die Maske: besondere Mission. Und wer erteilt entsprechende Aufträge? Eine geheimnisvolle Institution: Freimaurer oder Jesuiten. Oder eine staatliche Organisation: ein Ministerium oder die Polizei. Wie auch immer: in solch einem Geheimnisträger verkörpert sich Macht, damit entsteht Anziehungskraft – der könnte auch eine Charlotte verfallen, nicht wahr? Diese Zusammenhänge könnte sie durchschauen, ohne daß etwas von der Anziehungskraft verlorenginge. Aber, so wird Ludwig sich fragen, wirkt dieser Mann nicht ›kalt‹ auf sie? Ja, aber auch solche Kälte erzeugt Attraktion. Oder verstärkt sie. Und Charlotte weiß, so denkt Ludwig sich das wohl zurecht: wenn sie sich auf diesen Mann einließe, für einen Abend, eine Nacht, er würde sich am nächsten Morgen schnöde von ihr verabschieden – nichts von nachklingender Zärtlichkeit, nur die vage Formel, man werde sich irgendwann wiedersehen. Oder: Irgendwo werden unsere Wege sich wieder kreuzen … Und das weiß ein Mann dieses Schlags: er kann sich schnödes Verhalten leisten, er sieht berechnend voraus, daß die Frau womöglich um ein neues Treffen betteln wird, nicht wahr? Eine Charlotte könnte solch einem Impuls nachgeben und sich zugleich kritisch fragen, was sie zu diesem Mann hinzieht. Vielleicht dies: der Maskierte, der an Macht teilhat, der kalt wirkt, der sich schnöde verhält, verhalten muß, dieser Mann wirkt auf sie autonom und souverän. Der hängt nicht von Gefühlen ab, der baut nicht auf Gefühle, der wird also auch nicht von Gefühlen gebeutelt. Dieser Mann ist in ihren Augen Herr seiner selbst, ist königlich souverän. Was ihr fehlt, was sie sich erkämpfen muß – mit diesem Mann fiele es ihr in den Schoß. Nicht wahr?

D er Tisch aus der Kapitänskajüte auf dem Oberdeck, weißes Tischtuch, zwei Windlichter, Teller, Besteck: Captain's Dinner. Die Herren stehen in kleiner Runde. Flamsteed in Uniform, mit dem amerikanischen Orden; der Erste Offizier noch ordenlos. Der Maskierte mit Satinmaske, seine Kleidung in Blautönen dezent abgestimmt. Beethoven in weißer Hose; zur weinroten Weste eine weinrote Jacke; um den Hals ein helles Seidentuch; das störrische Haar gestriegelt.

Festlich auch der Abendhimmel: Palette von Pastellfarben. Und glutrot die Sonne im Westen: als hätte sie sich den ganzen Tag über vollgesogen, bläht sie sich auf zum Doppelten ihres Volumens. Schwimmen auch zu dieser Stunde Delphine am Bug, in rötlich gefärbtem Wasser? Und Fliegende Fische mit geröteten Flugflossen? Der Rotwein in den Gläsern glüht auf im Abendsonnenrot. Der Kapitän hat sein Glas erhoben, stumm – die beiden Damen sind noch nicht erschienen.

Der Maskierte bittet darum, die günstige Gelegenheit nutzen zu dürfen für einen Voraus-Toast. Den Haupt-Trinkspruch werde nachher selbstverständlich Mister Flamsteed ausbringen, sehr wahrscheinlich auf das Wohl der beiden allseits verehrten Damen.

Auf sein Lächeln antwortet Beethoven mit kurzem Knurrlaut. Der Maskierte nickt ihm zu: Ja, diesen Voraus-Toast möchte er ausbringen auf den Maestro. Schon beim Begrüßungstrunk hätte er gern ein paar Sätze zum berühmten Mitreisenden gesagt, es hätte sich jedoch kein Stichwort ergeben während wie nach der enthusiasmierten Rede des Herrn van Beethoven. Was er zwischen Genua und Gibraltar hatte sagen wollen, das hat auch zwischen Madeira und Kap Verde an Gültigkeit nichts verloren, im Gegenteil, es gewinne an innerer Motivation durch einige Erfahrungen, die man mittlerweile auf dem Schiff miteinander gemacht habe, und zwar im wahrsten Sinne des Wortes: unausweichlich. Es sei dabei zu Mißverständnissen gekommen bezüglich seiner Person, zu einigen, so dürfe er sagen, krassen Fehleinschätzungen. Hier sei nun die Gelegenheit, einige dieser Fehldeutungen über Bord zu werfen. Er stehe freilich nicht hier, um endlich ein Geheimnis, so sage man doch: zu lüften, er sei auch jetzt zum Schweigen verpflichtet über seine Mission, die ihm diese Camouflage aufzwinge. Die Maske habe jedoch keinen Einfluß auf seine Wahrnehmungsweise. Also sehe er den Maestro, trotz einiger belastender Umgangsformen, noch immer, wie schon in Wien, mit den Augen des aufrichtigen Bewunderers. Und weil der Maestro bei seinem großen Toast anläßlich der offiziellen Begrüßung seine besondere Wertschätzung von Nelson und Newton im einzelnen begründet habe, dürfe er dies als Anregung oder als Vorlage nehmen, um seinerseits zu begründen, weshalb er den Maestro so besonders bewundere.

Ein zweiter Knurrlaut Beethovens, nun schon etwas lauter, und eine hingebrummelte, nicht verständliche Äußerung.

Der Maskierte scheint das nicht zu registrieren, spricht weiter. Selbstverständlich hat er als Zuhörer an einigen der öffentlichen Auftritte Beethovens teilgenommen, so am bereits erwähnten Orchesterkonzert des 5. April 1803 und am Konzert des 22. Dezember 1808. Bei ersterem wurde, wie schon erwähnt, die von ihm besonders geschätzte Sinfonie in D aufgeführt und das bewundernswerte Klavierkonzert in c, sowie das Oratorium »Christus auf dem Ölberge« – ein Werk, das Beethoven, wie aus zuverlässiger Quelle zu erfahren war, in wenigen Wochen komponiert beziehungsweise niedergeschrieben hat, eine für Beethovens Verhältnisse ausnehmend kurze Arbeitsdauer, die eventuell doch Rückwirkungen hatte auf die Qualität des Werkes, über das er hier freilich nicht weiter sprechen wolle.

Wieder eine geknurrte Anmerkung Beethovens: Wie lange er an etwas arbeitet, das geht keinen was an.

Er wechsle nun sowieso die Tonart, so der Maskierte, er wolle andeuten, daß er nicht nur als Hörer teilgenommen habe am Schaffen des Meisters, daß er auch versucht habe, musizierend in den Geist seiner Werke, wenigstens einiger seiner Werke, einzudringen. In früheren Jahren habe er dies auf dem Klavier versucht, aber seit er zum erstenmal den Maestro am Flügel hörte, wagte er es nicht mehr, vor Zuhörern Sonaten des Meisters zu spielen; für sich selbst setzte er die Bemühungen allerdings fort, wenn auch gleichsam geduckt unter dem Eindruck des schlechthin überwältigenden und genialen Spiels des Meisters.

»Nu mach nit su ne Buhei!«

Nein, ruft der Maskierte, für die Genialität auch des Klaviervirtuosen Beethoven sei kein Satz des Rühmens angemessen genug. Worum es ihm jedoch vor allem gehe: unter dem Eindruck, ja, er müsse darauf beharren, unter dem Eindruck der genialen, schlechthin überwältigenden Virtuosität des Meisters hat er sich damals zunehmend seinem zweiten Instrument gewidmet, der Violine. So hat er mit Musikfreunden, mit musikalischen Freunden einige der früheren Werke des Meisters in kleinen Kreisen aufgeführt, und als eins der ersten das große, nicht nur im Umfang große Septett in Es-Dur, mit seinem halben Dutzend Sätzen, die einander in ihrer Schönheit, ihrer Vollkommenheit ebenbürtig sind.

Beethoven, dessen Brauen über der Nasenwurzel zusammenzuwachsen scheinen: »Su e Spektakel öm en Dreß zu maache!«

Er verstehe das entscheidende Wort zwar nicht genau, aber er wage hier zu widersprechen, ruft der Maskierte: dies sei eine der bedeutendsten Kompositionen des Meisters aus den ersten Wiener Jahren, und er stehe nicht allein mit dieser Wertschätzung, es sei ihm noch gegenwärtig, wie auch die anderen Musiker, Musikfreunde begeistert waren über die Kantabilität dieser Sätze. Außerdem hätte der Maestro dieses Werk bestimmt nicht Kaiserin Theresia gewidmet, wenn er von der außerordentlichen Qualität der Komposition nicht selbst überzeugt gewesen wäre und wohl immer noch sei. Das werde auch von außen bestätigt durch die anhaltende Begeisterung des Publikums, die sich in den Auflagen der Notendrucke und der Zahl der Aufführungen dokumentiere.

Und Beethoven mit heiser aufgerauhter Stimme, aber das scheint den Maskierten nicht zu warnen: »Ich sage Ihnen noch einmal, das Ding taugt nichts! Ich hätte es längst verbrennen sollen!«

Glücklicherweise, ruft der Maskierte und lächelt die Herren in der kleinen Runde an, zum Glück hat der Maestro diese Komposition nicht verbrannt – dies hätte sowieso in einem Stadium geschehen müssen, in dem das Werk nur handschriftlich vorlag, inzwischen sind Notendrucke in mehreren Ländern verbreitet, also kann der Maestro es niemandem verwehren, sich an der Aufführung dieses Werkes zu beteiligen, und zwar mit berechtigtem Enthusiasmus. Wenn er dieses Septett nur schon erwähne, fielen ihm gleich wieder die wunderschönen, äußerst melodiösen Themen ein, vor allem das beschwingte, beflügelnde Thema des Allegro con brio oder das bezaubernde Thema der Variationen und, für ihn als Höchstes, die Kantilene des –

»Ich sage Ihnen zum letztenmal: es ist ein Dreck! Es lohnt sich nicht, darüber auch nur ein Wort zu verlieren. Also hören Sie endlich auf damit!«

Beethoven habe vielleicht nicht mehr in Erinnerung, wie gut er hier, auch hier, komponiert habe, er könne nicht alle seine Meisterwerke im Kopf behalten! Allein schon, wenn er, nach der einleitenden Kantilene der Klarinette, das Thema des Adagio cantabile übernahm, ging ihm das so sehr ans Herz, daß er zuweilen mit den Tränen kämpfen mußte.

»Auch das noch!« ruft Beethoven. Das kann er überhaupt nicht vertragen: Tränen beim Musizieren – wer Tränen in den Augen hat, sieht die Noten nicht klar!

Was er hier sagte, ging eher ins Metaphorische. Aber es ist ein letztlich wiederum treffender Ausdruck dafür, daß es ihn innerlich tief berührt hat, wenn er –

»Hür op!« Er will kein Wort, kein einziges Wort mehr hören über diesen »Dreß in Es«!

Gut, gut, er habe sowieso nicht weiter über diese Komposition sprechen wollen, die auch nicht allen hier an Deck bekannt sein dürfte. Er habe nur begründen wollen, allgemein, weshalb er einen Toast ausbringen werde auf den Maestro. Diese Begründung lag für ihn vor allem darin, daß er sich in mehrere seiner Werke eingearbeitet hat. So hat er sich beispielsweise beteiligt an Aufführungen der Klaviertrios opus 1, an einigen der Streichquartette mit der Opusnummer 18, er hat auf seinem Instrument weiterhin versucht, die Sonaten für –

»Soll ich mal was sagen? Bevor die Damen kommen? Ihr Instrument, das ist nicht die Geige, Ihr Instrument, dat is die Arschgeige!« Und er schickt ein Geräusch hinterher, das Auflachen, Herausbrüllen zugleich ist. Ja, er hat richtig gehört: sein Instrument ist die Arschgeige! Aber wer die Arschgeige spielt, kann logischerweise nicht seine Kompositionen aufführen; er hat zwar für verschiedene Instrumente geschrieben, nicht aber für die Arschgeige. Und überhaupt, wenn er das nur schon hört: opus 1, opus 18 – Windbeutelei, Hochstapelei! Ich habe o-pus eins ge-spielt ... da kommt einem doch die Galle hoch!

Auch wenn er den, höflich gesagt, spezifischen, sehr spezifischen Humor des Maestro hinlänglich kenne, schon von Wien her, so falle es ihm doch äußerst schwer, hier auch nur zu lächeln. Er habe nie behauptet, daß er ein Meister sei auf seinem Instrument, deswegen habe er bisher auch nie darüber gesprochen. Aber dies glaube er sagen zu dürfen: daß er sich ernsthaft bemüht habe, sich wenigstens in einige der Werke des Meisters einzuarbeiten, respektive in den Geist dieser Werke einzudringen –

»Jaja, eindringen und durcheinanderbringen!« Wenn er geahnt hätte, daß ein Spitzel auf seiner Fiedel versuchen würde, diese Kompositionen zu verunstalten, hätte er sie allesamt aus dem Handel zurückgezogen! Diese Werke sind für Musiker geschrieben, für Musikfreunde, nicht für Herrschaften, denen sämtliche Voraussetzungen fehlen, solche Werke zu spielen. Die Krone der Anmaßung ist es, dann auch noch vom »Geist der Musik« zu reden! Wenn Signore auch nur im geringsten angehaucht wäre vom »Geist der Musik«, so hätte er nicht einen Leibwächter eingestellt, der solch ein Teufels-Instrument spielt. Diese Dudelsackquängelei ist die dumme, die borniere Musik par excellence – allein schon diese grauenerregenden Wiederholungen! So etwas dürfte man höchstens, allerhöchstens im schottischen Hochland spielen, meilenweit von allen menschlichen Wesen entfernt; hier aber auf dem Schiff, ohne dämpfendes Moos, hier dringt diese Unmusik mit aller Vehemenz ein in seine glücklicherweise wieder erlösten Ohren! Das muß Signore Arschgeiger sich gefälligst mal bewußtmachen: er hört so gut wie seit Jahren nicht mehr, und was kommt ihm in dieser Zeit zu Ohren? Kein Hammerklavier, in Wien oder London gebaut, kein italienisches Cello, und George hat bloß eine Schülergeige mitgenommen, auf der er selten spielt, also ist musikalischer Leerraum entstanden, und in den stampft der dicke Schotte hinein, bläst den Sack auf, befingert das Rohr und dann diese schändlichen musikalischen Ergüsse! Ein Lachschrei. Wer es duldet, daß so was auf die Menschheit losgelassen wird, der hat alles Recht verwirkt, vom »Geist der Musik« zu reden! Er soll sich schämen, so daherzureden, er soll sich in den Grund und Boden des Meeres schämen!

»Hör endlich auf!« schreit der Maskierte. »Noch eine einzige solcher Unverschämtheiten und du wirst mich –«

»Hoho, jetzt fängt er auch noch an, mich zu duzen! Wenn nicht die Damen hier drunter wären, ich würd Ihnen – aber ich zieh es vor – sonst kann ich für nichts mehr bürgen – ich halt das nicht länger aus!« Sein Gesicht dunkel vom Blutandrang des Zorns, die Pockennarben scheinen geschwollen. Er dröhnt die Stiege hinunter, eilt zur Reling, eilt zurück zur Gegenreling, das ist wie das Aufprallen einer Billardkugel an den Banden, nur ist hier kein Bodenloch, in dem Beethoven – kugelrund vor Zorn, verfärbt von Zorn – verschwinden könnte. Er bleibt abrupt stehen, schreit herauf: Eine Ungeheuerlichkeit, daß ein Spitzel, ein Spion sich anmaßt, über Musik zu reden! Er will aus dieser verdammten Schlabberschnüß kein Wort mehr hören über Musik! Und er stürmt die paar Schritte zur Kajüte, reißt die Tür auf: »Dieser Spitzel verstinkt und verpestet das ganze Schiff! Ich komm erst wieder raus, wenn die Luft hier rein ist!«

Beethoven schlägt die Tür zu, verriegelt sie. Was er weiter schreit, ist nicht mehr zu verstehen.

Aus dem Maskierten bricht lautes Krächzen, schon eilt er, mehrere Stufen auf einmal nehmend, die Treppe hinunter, stößt einen heiseren Schrei aus, wirft sich mit der Schulter gegen die Tür, brüllt, so was lasse er sich nicht bieten, das werde er ihm heimzahlen, reißt an der Tür, tritt mit Anlaufschwung gegen sie. Beethoven schreit von drinnen, der Maskierte wirft sich wieder gegen die Tür, schon ist der Kapitän am Stiegenfuß, der Maskierte nimmt, ihn blindwütig rempelnd, erneut Anlauf, aber da hat sich bereits Dougall »Tootie« Higginbotham vor die Tür gestellt, breitet die Arme aus: »Stop it!«

»Weg da, weg, weg!«

»No, Sir. I'm hired to protect both of you! Both of you!« Er verschränkt die Arme, steht breitbeinig.

»Mon dieu«, keucht der Maskierte, krümmt sich ein, als hätte ihn eine Faust ins Sonnengeflecht getroffen, »wozu hab ich mich nur wieder hinreißen lassen?!«

Johanna öffnet spaltweit ihre Kajütentür, tritt dann heraus in festlichem Kleid. Der Maskierte steht da, als hätte ihn ein Muskelkrampf vom Nacken bis zu den Kniekehlen krummgezogen. So kann es nicht bleiben, befindet Johanna, die Herren müssen sich versöhnen, sie wird mit Beethoven sprechen.

»Ha!« macht der Maskierte, und damit scheint sich die Muskelkontraktion zu lösen, »Sie kennen den Mann nicht!« Der sei ein Hitzkopf, er selbst werde manchmal ebenfalls zum Hitzkopf, und wenn zwei Hitzköpfe aneinandergeraten, wird aus der Hitze offnes Feuer, das läßt sich so rasch nicht löschen.

Johanna winkt ab. Der Maskierte soll ihr sagen, was sie Beethoven durch die Tür zurufen soll, sobald der ruhiger geworden ist; wenn sie noch ein paar eigene Sätze hinzufügt, wird der Bär aus der Höhle sicherlich wieder herauskommen.

Nun mischt sich auch George ins halbblaue Gespräch: Beethoven wird sich taub stellen.

»Gut«, sagt sie, »aber lesen wird er noch können.« Sie schlägt vor, daß Signore maschera ein Brieflein schreibt, es unter der Tür in die Kajüte schiebt.

»Geht nicht«, sagt der Kapitän, »dafür ist die Schwelle zu hoch.«

»Und seitlich oder oben geht es auch nicht?«

»No, Ma'am.«

»Gut, dann eben das Fenster, das wird er wohl öffnen. Also lassen wir vom Oberdeck den Brief hinunter, in einem Korb.«

Der Maskierte bezweifelt, ob Beethoven das Fenster öffnen wird. Auch der Erste Offizier beteiligt sich an der kleinen Lagebesprechung, neben Johanna stehend: Und wenn Miß Charlotte den Korb hinunterläßt?

Dies erscheint Johanna unwahrscheinlich, auch Charlotte ist zum Starrsinn fähig. Also, es muß als erstes das Brieflein geschrieben werden. Und der Stöpsel, der wieder neugierig zuschaut, der soll einen Korb beschaffen und ein Stück Seil.

Der Schiffsjunge läuft los, nachdem McConglinney genickt hat.

»Wir werden das schon wieder hinkriegen«, meint Johanna, und weil das so überzeugend klingt, macht der Maskierte einen befreienden Schritt nach vorn, als löse er sich aus einer Gußform. Er hat nichts zu schreiben mitgenommen auf die Reise, er bittet darum, ihm das Notwendige zu leihen.

Sogleich führt George den Maskierten an seinen Klapptisch, legt ihm Papier und Feder vor, öffnet den Tintenbehälter, zieht sich zurück, läßt die Tür offenstehen. Und zögernd beginnt der Maskierte zu schreiben, stockt, setzt neu an, schaut hinaus, sieht die Zuschauer, hebt die Schultern, schreibt weiter, liest das Geschriebene, setzt wieder an, schreibt langsam, mühsam, signiert offenbar nur mit einem Schnörkel, schwenkt den kleinen Papierbogen, bläst die Schrift trocken, kommt heraus. Ein Brief, in dem man droht oder angreift, der läßt sich in einem Zug niederschreiben, aber in einem Brief, in dem man um Verständnis, womöglich um Verzeihung bittet, winden sich die Sätze. Aber glücklicherweise gibt es Formeln. Er schaut noch mal auf das Blatt, faltet es zusammen. »Adressieren muß ich es ja wohl nicht.«

Johanna nimmt dem Schiffsjungen den teerverschmierten Korb ab, das Seil ist bereits drangeknotet. Sie legt den Brief in den Korb, geht zur Kajütentür, klopft erst sanft, dann entschiedener, bittet den Meister, das Fenster zu öffnen, Charlotte werde einen Korb hinunterlassen mit einem dringlichen Schreiben zur Klärung der verworrenen Situation, er möge es zur Kenntnis nehmen, es beantworten, und sei es noch so kurz.

Beinah feierlich steigt sie die Stufen hoch. Charlotte noch immer in ihrer Kajüte. Johanna Sartorius senkt den Korb, ruft hinunter, er möge bitte das Fenster öffnen, für eine Mitteilung, die Charlotte persönlich übermittle. Sanftes Pendeln des Korbes. Dann ein Quietschen des Fensters, mit einem Ruck wird der Korb in die Kajüte gezogen, Johanna gibt Seil nach.

Warten ... Leises Knarren von Holz und Tauwerk, der Abendpassat in den Segelbäuchen ... Warten ... Kleine Wellenzüge vom Bug hörbar durchschnitten ... Johanna zupft ein wenig am Seil – noch kein Widerstand. George fühlt sich wie ein Zuschauer beim Angeln. Der Kapitän geht hinunter, wohl zur Kombüse, um den Koch zu beruhigen. Ein Räuspern in der Kajüte, es wird rasch verdoppelt, also ist es kein Zufallsgeräusch, Johanna zupft am Seil, zieht hoch, stellt den Korb ab, nimmt den Antwortbrief heraus, schwenkt ihn triumphierend, kommt die Stufen herab, überreicht ihn dem Maskierten.

Alle nehmen höflich Distanz, als er das Blatt entfaltet, aber der Abstand ist nicht so groß, daß man dies nicht sähe: schiefe Zeilen, Wörter in großer und Wörter in kleiner Schrift, unterstrichene und heftig durchgestrichene Wörter, mal ein einfacher Strich, mal drei, vier parallel, Anmerkungen am Rand, Tintenkleckse, die Unterschrift furios. Dieser Brief ist bestimmt zwanzig Zeilen lang: werden die Bedingungen eines Entschuldigungs-Rituals mit genauen Regieanweisungen festgeschrieben? Der Maskierte scheint Mühe zu haben, alles zu entziffern – oder ist es die Mühe, Bedingungen anzunehmen? Langsam faltet er den Brief zusammen, steckt ihn ein. »Ich bin mit allem einverstanden«, ruft er zur Kajütentür, geht zwei Schritte zurück, kniet nieder, aber nur auf einem Knie, wie auf einer Bühne. Johanna wiederholt: »Er ist einverstanden!« Und ruft: »Er ist bereit.«

Dennoch dauert es drei, vier Minuten, ehe die Kajütentür sich öffnet, und das so zögerlich, als könnte ein Gewehr auf ihn gerichtet sein. Beethoven in sichtlicher Verstörung. Der Kniende bittet um Entschuldigung für seine Hartnäckigkeit.

Ludwig geht die paar Schritte auf ihn zu, streckt den rechten Arm aus, senkt ihn langsam, berührt die Schulter des Maskierten wie mit feierlichem Schwertschlag: er nehme die Entschuldigung an. Beide verharren kurz in ihren Posen, als sollte sich dieses Bild den Zuschauern einprägen.

Beethoven, noch am späten Vormittag in der Koje: er habe eine schlimme Nacht hinter sich. Dabei hatte er in den letzten Tagen gedacht, nein: gewähnt, vermessenerweise gewähnt, er hätte alle Molesten und Malaisen spätestens mit Gibraltar hinter sich gelassen – doch heute nacht war es wieder soweit: Schmerzen im Unterleib, wenn auch nicht so stark und vor allem: nicht so lang wie sonst in Wien, aber immerhin, er wurde tüchtig sekkiert.

Sein Auflachen klingt angestrengt. Er versucht, die Beschreibung ins Komische zu wenden, spricht von »Brassel« und »Jedöns«, die Schmerzen kulminierend in einer »Därmkullik«. Koliken scheinen zu seinem Leben zu gehören. Überhaupt Schmerzen – er kommt sich auch in dieser Hinsicht zuweilen vor wie der »göttliche Dulder« Odysseus. Immer wieder Krankheiten, Schmerzen. Als Kind, als junger Mann: Anfälle von Asthma, und die Angst vor der Schwindsucht, an der seine Mutter starb, an der sein Bruder leidet. Und Kopfschmerzen. Und als basso ostinato seiner Lebensmelodie: Schmerzen im Unterleib. Hätte er eine Strichliste geführt über Tage mit Kopfschmerzen, Bauchschmerzen, Koliken, es würde eine Endlos-Litanei, und in seiner Ungeduld wäre er der erste, der hier nicht mehr hinhören würde – zu geringfügig die Varianten der Wiederholungen – die Schmerzsprache sehr simpel – was ihr an Einfallsreichtum fehlt, wird ersetzt durch Penetranz. Die Koliken waren oft so stark, daß er sich krümmte, Erdenwurm von einsvierundsechzig.

B eethoven wieder auf dem Oberdeck, erschöpft zurückgelehnt auf dem Stuhl, die Beine auf einen zweiten Stuhl gelegt: Seit er sich wieder mit Fugen beschäftige, denke er noch öfter an den alten Bach. Ein wenig hat er ja über ihn gelesen beim Forkel, und einiges ist ihm in Gesprächen zugetragen worden, das setzt sich zusammen. Ergebnis: mit diesem Mann hätte er gern mal eine Flasche Wein getrunken oder auch zwei – der Bach würde ihm bestimmt nicht vorwerfen, er würde ein bißchen zuviel Wein verposematuckeln. Der hätte auch Verständnis dafür, der bestimmt, wenn sich einer nicht herablassend behandeln läßt. Auch in geschäftlicher Beziehung mußte man ihn respektieren, er soll in dieser Hinsicht sehr geschickt gewesen sein und hartnäckig dazu. Wo sich der Bach schon gar nicht dreinreden ließ, das war beim Komponieren – er schrieb seine Werke so, wie ihm das richtig schien, der kümmerte sich keinen Deut um das, was Zeitgenossen verwarfen und verlangten. Dreiste Einmischungen! Er kennt das zur Genüge! Schreiben Sie uns auch mal eine schöne Sinfonie, aber bitte in der Länge und in der Art Ihrer ersten – der große Bach ist in solchen Fällen bestimmt auch rabiat geworden! Obwohl er in seiner Arbeit kompromißlos war – er hat ungeheuer viel komponiert, und fast alles in höchster Vollendung! Wenn man bedenkt, wie dabei oft die äußeren Umstände waren – in Leipzig lag sein Komponierzimmer direkt neben einem Klassenraum, nur eine dünne Zwischenwand, und in dieser Klasse Unterricht von morgens bis abends, und rein und raus, und in den Pausen Getobe – hoo, da wäre er aber mit Löwengebrüll in die Klasse gerannt!

Noch einmal zur schwarzen Mitreisenden! Diesen erneuten Besuch (nach einigen nicht erwähnten Zwischenvisiten) wird er genauer beschreiben müssen im geplanten Reisebuch: die Frau ist vom Kielraum in die Segelkammer umgezogen.

Kaum ein Mitglied der Schiffsbesatzung blickt noch auf oder stellt womöglich eine Frage, wenn George die Treppe hinuntergeht, die Parade der fünf Kanonen steuerbord, der fünf Kanonen backbord abnimmt, kurz zum Schweinekoben, zum Hühnergehäuse blickt im Zwischendeck, dann hinuntersteigt in das Unterdeck, in dem auch der kleine Lazarettraum ist mit den Pendelbetten an Ketten.

Die Segelkammer: zu dieser Zeit kein Bedarf an Ersatzsegeln, also bleibt die Kammer der schwarzen Frau vorbehalten.

In einem Moment, in dem keiner ihn sehen kann, öffnet er die Tür, schlüpft in den dumpfen Raum, sagt halblaut: Iputhi … impuuku … inguhla … umsihla … Das klingt wie ein Zauberspruch, ist zugleich beruhigender Klang.

Sie antwortet mit Echolauten: Umkuula … unduuku … inguula … unkuva … Und setzt Markierungen mit weiteren Echowörtern. Umsihla, sagt er, usiba, antwortet sie, und er: mloomu, und sie: umloomu, poomlu, umpoomlu, schon preßt er sein Gesicht an ihr Gesicht, schwarzer Kuß, er zieht sie an sich heran, rasch der Atem beschleunigt.

Wieder kommt Beethoven zu ihm in die Kajüte – diesmal schläft er noch nicht, er hat mit dem Besuch gerechnet, denn er weiß: Beethoven hat Charlotte einen Brief überbringen lassen (schließlich müsse er Klarheit gewinnen über das Gespräch mit dem Maskierten …), und vor einigen Stunden hat Johanna ihm ein Brieflein von

Charlotte zugesteckt. Das hat Ludwig nicht mitgebracht, er kann es mittlerweile fast auswendig: Sie sei ihm keine Rechenschaft schuldig über ihre Gespräche; sein Verdacht sei niedrig, seine Unterstellung habe sie gekränkt; sie habe ihm von Anfang an so viel Vertrauen entgegengebracht, daß auch er Vertrauen zeigen müsse; es sei nichts geschehen, was dieses Vertrauen in Frage stellen könnte.

Dies hat sie geschrieben, sagt er, und dann: er hat sie verletzt, ausgerechnet diese Frau! Und sie hat ruhig, besonnen geantwortet. Er hat ihre Sätze wieder und wieder gelesen, diese Sätze lasten zwischen seinen Schläfen, in der Herzregion, liegen ihm, zusammengeklumpt, im Magen. Sie hat recht, mit jedem Wort – er kommt sich niedrig vor mit seinen Unterstellungen. Sie hat ihm so vieles anvertraut, hat ihm ihr Vertrauen geschenkt – und nun dieser Verdacht, dieser dreimal verfluchte Verdacht. Ihre Zeilen, offenbar nicht al fresco niedergeschrieben, sondern erst einmal entworfen, diese Zeilen sind völlig souverän. Sie hat deutlich gemacht, daß sie über jeden Verdacht erhaben ist. Er glaubt ihr aufs Wort. Er hätte sich, nachdem er diese Sätze ein dutzendmal gelesen hat, beruhigt in die Koje legen können, statt dessen wieder ein Wirbel von Empfindungen. Ja, er glaubt ihr jedes Wort, und doch: ihre Sätze haben nicht das Bild auslöschen können, wie die beiden an der Reling standen, wie der Mann auf sie einsprach, und mit keiner Geste, auch nicht mit dem Ansatz einer Geste gab sie zu erkennen, daß sie dies nicht hören wollte. Stand da, als wäre nichts selbstverständlicher als dieses Gespräch, nein: dieses Geständnis. Der Mann ist Ende Fünfzig, und wenn ein Mann dieses Alters um eine Frau wirbt, die halb so alt ist wie er, dann wird er wissen: er muß mit völliger Ernsthaftigkeit sprechen. Der Maskierte stand mit dem Rücken zu ihm, dennoch glaubte er zu spüren, beinah körperlich, wie ernst es ihm war. Und er sah Reflexe in Charlottes Gesicht – sie schaute ihn an ohne den Ansatz eines Lächelns – ihre großen dunklen Augen lösten sich nicht von diesem anderen Mann.

Ja, dieses Bild hat sich ihm derart eingeprägt, daß es nicht einmal durch die Sätze ihres Briefes ausgelöscht werden kann. Es muß wohl sehr eindrucksvoll sein, wenn ein Mann in diesem Alter einer jungen Frau sagt, er habe sich vor Leidenschaften sicher gefühlt, habe eine neue Lebensform gefunden, nun aber sei es über ihn hereingebrochen, er sei von ihrer Schönheit bezaubert, verzaubert – und so weiter, stöhnt er, et cetera!

Und er preßt die Hand auf den Mund, spricht dann leise weiter. Er will sie nicht wecken, sie braucht ihren Schlaf – auf dieser Seereise schon mehrfach das Nachwirken ihrer Erschöpfung – sie scheint fast all ihre Kraft verbraucht zu haben. Bei innerer Erschöpfung reagiert man aber auch dünnhäutiger, wird anfälliger. So hat sie mit großen Augen diesem Mann ins Gesicht geschaut, als der von seiner Liebe sprach. Und er weiß, er weiß, er darf das eigentlich nicht sagen – nicht nach ihrem Brief – aber er ist so verworfen, er glaubt ihr nicht. Doch, er glaubt ihr schon, er glaubt ihr aufs Wort, sie ist bestimmt selbst davon überzeugt, aber sie hätte sich mal sehen sollen, mit seinen Augen, wie sie vor diesem Mann stand, und sie konnte ihren Blick nicht von ihm lösen, hörte mit einer Ernsthaftigkeit zu, die sie noch schöner machte – da müssen dem anderen Mann die Wörter und Sätze ganz von selbst zu Hilfe gekommen sein – es muß aus ihm herausgeströmt sein. Dieses Bild des Gesprächs – er könnte sich die Stirn einrennen am Türrahmen, um dieses Bild zu zertrümmern!

Er legt die Hand auf Ludwigs Schulter. Ja, auch er hat gesehen, wie der Maskierte auf Charlotte einsprach und wie konzentriert sie ihm zuhörte, aber er ist mittlerweile doch völlig sicher, daß Signore maschera nicht in Charlotte verliebt ist. Er mag sie achten, bewundern, doch verliebt ist er nicht in sie. Es ist nämlich gar nicht möglich, daß er sich in eine Frau verliebt und daß diese Liebe Erfüllung findet, der Maskierte interessiert sich nur für Männer. Das weiß er nicht bloß von einem der Seeleute, das hat er direkt zu spüren gekriegt: auf der Treppe unterhalb des Zwischendecks kamen sie sich entgegen, und dabei hat der ihm, in einer Geste scheinbarer Gemeinsamkeit, voll in die Glocken gefaßt! Diesen Mann, um das gleich zu ergänzen, treibt eher eine Passion als eine Mission nach Afrika: das ist für ihn der Kontinent nackter Männer. Auch wenn Charlotte von diesem eigentlichen Reiseziel nichts weiß – eine so sensible Frau spürt sofort, daß sie mit solch einem Mann sprechen, auch lange sprechen kann, ohne in einen Sog zu geraten. Was dazukam: solche Männer erweisen sich Frauen gegenüber oft als besonders höflich, freundlich – kein Anlaß zu einer Geste der Ungeduld, der Abwehr. Schlußfolgerung: dieser Mann sprach nicht von Liebe, es ging um etwas völlig anderes.

Beethoven starrt ihn an, schüttelt den Kopf. Hat ihn wirklich auf der Stiege bedrängt? Hat ihm wahrhaftig in die Glocken gegriffen? Hat wirklich und wahrhaftig von nackten Afrikanern geschwärmt?

Letzteres geschah bei anderer Gelegenheit – eine nachgetragene Entschuldigung dafür, daß er sich an ihm vergriffen hat. Im Düsteren dort unten hat Signore wohl schon den Afrikaner in ihm gesehen. – Dies alles muß selbstverständlich geheim bleiben!

Kann er sich drauf verlassen! Und das Ausrufezeichen wird mit entschiedenem Nicken sichtbar gemacht. Ludwig lehnt sich zurück, als wäre er von übergroßer Spannung befreit. Plötzlich fühlt er sich bleischwer in allen Gliedern – ob er sich einen Moment hier ausstrecken darf? Kommt alles so überraschend ...! Dieser neue, dieser völlig neue Gesichtspunkt – er muß sich das erst mal so richtig bewußtmachen. Vor allem mit Blick auf Charlotte. Soll er sie gleich am nächsten Morgen um Verzeihung bitten?

George schweigt, als müsse er sich eine Antwort überlegen. Dann: Er halte nicht viel davon, wenn Ludwig mit ihr über diese Mißverständnisse, Unterstellungen, Verdächtigungen spreche, und sei es abbittend, das könne nur wieder zu neuen Mißverständnissen führen – der ganze Ansatz müsse sich ändern! Er schlägt deshalb vor, sie treffen sich das nächste Mal zu viert. Für dieses Treffen muß es einen plausiblen Vorwand geben. In Wien wäre das einfach: Ludwig würde ankündigen, er phantasiere auf dem Flügel. Der befindet sich hier aber in einer Kiste. Vielleicht aber könnte er über ein allgemeines Thema aus dem Bereich der Musik sprechen, oder er berichtet von seinem Opernprojekt. Und alles weitere überlassen sie der Entwicklung des Abends.

»Wie meinst du das?«

George lächelt, und er versucht, dem Lächeln einen rätselhaften Zug zu geben.

Und wieder der Meerestrunk mit dem Salz des Lebens ...! Doch Ludwig will diesmal nicht, definitiv nicht! Unnachsichtig stelle George ihm nach mit diesem Atlantik-Elixier, er aber behalte sich die Freiheit der Meere und der Entscheidung vor, und die laute: er wird als erstes Kaffee trinken!

Doch er bleibt mit dem Glas in der Hand vor der Koje stehen. Ein paar Schluck Meerwasser am Tag – das sei doch der einfachste Teil der Übung! Eigentlich müßte sich das Wassertrinken verbinden mit Wassergüssen, das hat er Ludwig schon mal gesagt, er hat jedoch abgelehnt. Die Heilkraft des Meerwassers, von der man in Brighton mit vollem Recht überzeugt ist, sie kann sich aber erst richtig entwickeln, wenn man in das Wasser auch eintaucht. Weil das während der Fahrt kaum möglich ist, hätte Ludwig wenigstens zulassen sollen, daß der Schiffsjunge ihn morgens, bevor die Frauen aufstehen, mit Wasser übergießt, eimerweise, frisch aus dem Meer. Dies aber findet nicht statt. Also wird wenigstens dieses Glas Meerwasser getrunken, presto!

Vorsichtiges Klopfen an der Kajütentür. »Herr musicus mulatticus, ist es einem Kollegen verstattet, einzutreten?« Er will nicht stören, sagt Ludwig mit einem Räuspern, er hat bewußt auf diese kleine Pause gewartet, aber er würde zu gern mit in die Noten schauen, während George die Fuge einstudiert, am neuen Pult. »Wie läuft es?«

Diese Fuge ist wie ein Gebirge zwischen der sanften Ebene des Adagio und der weitgeschwungenen Ebene des Largo, und er kommt und kommt über dieses Gebirge nicht hinweg: Steilwände ...! Verglichen mit dieser Herausforderung dürfte ein Ritt zu den Dogons eine Lappalie sein ...

»Also gut, brechen wir auf zur Expedition in die Dogon-Fuge! Dein Mehlschöberl begleitet dich.« Beethoven steht schräg hinter ihm, hat die Brille aufgesetzt, blickt in die Noten. »Un, deux, trois!«

George lacht; er fühlt sich nun entspannt genug für die Anspannung, die ihm bevorsteht.

Besuch, der sich scheinbar zufällig ergibt, beim malaysischen Koch. Der sitzt vor dem gemauerten Herd der kleinen Kombüse, blickt beinah meditativ auf einen Topf mit bruddelnder Suppe. Nach gemeinsamem Schweigen die Frage, die ihn hergeführt hat: ob er es als weitgereister Koch irgendwann irgendwo einmal mit Mehlschöberln zu tun hatte.

Keine sichtbare Reaktion im Gesicht des Schiffskochs. Silbengenau spricht George das Wort noch einmal aus, erläutert den ersten Wortteil: Mehl, flour, Weizenmehl wahrscheinlich, wheat flour. Der Koch scheint hinter glatter, wie eingeölter Gesichtshaut ein wenig verärgert – fühlt er sich gefoppt? Es gibt jemanden an Bord, sagt George vermittelnd, der könnte hier Auskunft geben, aber genau diese Person darf er nicht fragen, sie könnte unwirsch reagieren.

Der Koch scheint nun beinah motiviert, auf das Problem einzugehen, er schmeckt das Wort ab mit schmalen Lippen: mailscoberl ... mailscoberl ... aber dann schüttelt er den Kopf, definitiv.

Aus dem Passat in die Windstille. Das ergab sich so: den Tag zuvor wurde am Horizont – diesmal im Westen! – ein hellbrauner Fleck ausgemacht durch die Teleskope im Auslug und auf Deck: die amerikanische Fregatte mit dem bärbeißig gefährlichen Kapitän? Um ›Mißverständnisse‹ zu vermeiden, befahl Flamsteed, auszuweichen an den Rand der Passatzone, dorthin würden die Yankees kaum folgen. So gerieten sie in den Bereich der Windstille.

Flamsteed begründete die ›Kurskorrektur‹ nachträglich mit der Anwesenheit der beiden Damen; ohne weibliche Passagiere an Bord wäre er »knochenhart« auf Südostkurs geblieben. Kommentar Beethovens: »Der Flämmtitsch will der Bär nit zänke.«

Nun wartet, hofft man auf Wind, der die Southern Cross in die Passatzone zurückbringt. Die Fregatte des schweigsam-harten Seebären dürfte mittlerweile nach Norden fahren, zu einem Ausweich-Treffpunkt mit der Boston Snow. Oder: die beiden Fregatten segeln bereits gemeinsam zu ihrem Ziel, und das könnte die Insel St. Helena sein, mittlerweile in englischem Besitz, wichtiger Anlauf-Hafen für Handelssegler – und der soll überfallen, besetzt werden?

Trotz dieser These des Kapitäns: auf der Southern Cross wird in der nächsten Zeit der Auslug doppelt besetzt sein.

Schlaff hängende Segel, Taue ohne Spannung; das Meer als gleißende quecksilberglatte Fläche. Delphine scheinen abgetaucht in kühlere Wasserschichten; Fliegende Fische in Regionen geschnellt, in denen Luft sich noch bewegt. Einige Seeleute liegen, hocken reglos; regelmäßige Atemzüge eines Schlafenden; ein Trio mit Karten, die werden auf das hellgescheuerte Deck geklatscht, von halblauten Rufen begleitet. Jemand scheint mitzusprechen, was er liest. Der Rumpf der Southern Cross wie von Lichtschmelze umgeben.

Der Maskierte in einer Hängematte – man sieht von ihm nur Ausbeulungen im Segeltuch und die nackten Füße über den Rändern. Ludwig in einer Hängematte zwischen Besanmast und Wanten backbord. So kann George, auf einer der Stufen zum Oberdeck hockend, hinabblicken auf das Gesicht. Ein Beethoven mit Seemannsbart. Meist ist er unrasiert: seine plausible Begründung, er würde sich sonst die rauhe Haut aufschneiden, vor allem an Pockennarben. Was in der Tat geschieht – dann pappt er Papierstückchen auf die lädierten Stellen, bis sie abgetrocknet sind. Um diese Prozeduren zu vermeiden, hat er sich schon mehrfach einen Bart wachsen lassen, aber Maler und Kupferstecher haben Stoppelbart oder Vollbart mit kalter Nadel ignoriert, mit aufschönendem Pinsel überdeckt. Der Bart, der mittlerweile wieder gewachsen ist, reicht erstaunlich dicht an die Augen heran. Einzelne graue Haare in der Region des kräftigen Kinns. Er schaut sich diesen Kopf genau an, weil er ihn später beschreiben will: Kopf des Afrikareisenden Beethoven.

Weiterhin das Lesegemurmel. Zwei Seeleute kauern hin am Bug, ein Viereck Segeltuch wird ausgebreitet. Die Meeresfläche weiterhin quecksilberglatt. Warten auf »Katzenpfoten«: kleinflächige Aufriffelungen des Wassers durch Brisen – Katze, die ihre Pfoten aufsetzt ... Diese Katze muß größer, viel, viel größer sein als das Schiff, dennoch leicht wie ein Hauch ...

Ludwig öffnet halb die Augen: die scheinen heller geworden in ihrem Graublau. Seine erste große Schiffsreise, damit erlebt er zum erstenmal eine Flaute, eine wirkliche, nicht bloß symbolische Flaute. Er hat sich darauf konzentriert, bis eben, mit zeitweise geschlossenen Augen: wie hört sich eine Flaute an? Weithin Verstummen. Kein Wellenschlag am Bug, höchstens Schlippen. Kein Brummen im Mast, kein Knarren im Holz. Kein Segelschlagen. Keine Befehlsrufe, kein »Aye, aye, Sir«, wie es in Büchern steht. Alles von der allgemeinen Stille gedämpft – piano, pianissimo. Zwischengeräusche betonen nur noch die Stille.

Und was sieht er? Die völlig glatte Meeresfläche: wie Quecksilber. Das hat er bisher nur in Tropfen gesehen, aber er kann sich nun vorstellen, mit einiger Anstrengung, wie eine Riesenfläche Quecksilber aussehen könnte, horizontweit: silberglatt, wie plangeschliffen. Noch ein Wort, das er von George übernimmt, der es offenbar vom Ersten Offizier gehört hat im Gespräch vorhin: Katzenpfoten. Die bleiben noch aus, die sieht er freilich voraus: glatte Fläche, eigentlich leere Fläche, darauf Riffelmuster, hingehuscht. Die Katzenpfoten ziemlich genau umgrenzt, er stellt die sich oval vor oder rund. Pfote setzt auf, Pfote hebt ab, dort ist es dann wieder quecksilberglatt … Die allererste Katzenpfote vielleicht so behutsam aufgesetzt, daß man sich fragen könnte: sehe ich wirklich, was ich da sehe? Könnte das nicht auch Augentäuschung sein?

Beethoven schweigt. Dann: Es wäre schwierig, herausfordernd schwierig, diese Situation oder diese Stimmung umzusetzen in Musik. Zumindest in den Satz einer Orchesterkomposition. Eine ganz neue Situation für ihn hier, und wenn er die in Musik übersetzt, müßten nie gehörte Klänge und Klangfolgen entstehen. Er müßte bisherige Kompositionsweisen über Bord werfen, sprichwörtlich und konkret.

Erster Übersetzungsversuch: musikalische Fläche, die der Meeresstille entspricht. Meeresstille als Stille im Orchester? Geht nicht – zu viele Geräusche der vorwiegend undisziplinierten Musiker: Blättern … Ruckeln … Scharren … Flüstern … Rumpeln … Stuhlrücken … Umkippen eines Notenpults bei den Blechbläsern. Logische Schlußfolgerung: was er hier sieht über den Hängemattenrand hinweg, das müßte in Klang übersetzt werden, der Stille bedeutet.

Zum Beispiel Streicherklang – müßte so glatt sein wie das Meer – unbewegt wie die Stille. Das hieße: sehr leise – so leise wie möglich, pianissimo. Und ohne Vibrato gespielt. Hoher, sozusagen schwebender Klang – könnte ein-tönig sein, wirklich ein-tönig – sozusagen eine klingende Fläche, auf der sich erst mal nichts rührt – diese Hunderte, Tausende von Quadratmeilen Stille …!

Dann die erste Katzenpfote, auf die Meeresfläche gehaucht … Als Hörer dieses Satzes müßte man sich fragen, bei angemessener Aufführung: höre ich wirklich, was ich höre? Könnte das nicht auch Klangtäuschung sein? Als wäre ein schwebendes, unsichtbares Wesen über dem Meer, und das haucht kurz mal auf die Quecksilberfläche, hhhhhh – kleines Riffelmuster – und weg. Hauchen – verhauchen … Hingehauchte Klänge – verhauchende Klänge – also: woodwind. Holzbläser, das klingt dagegen grob, fast wie: Holzfäller. Die Klänge dürften nur hingetupft, hingehuscht sein … Kleine Bläsergruppe. Querflöte, selbstverständlich, vielleicht sogar doppelt besetzt – Oboe, unvermeidlich – Klarinette, eventuell. Kein Fagott, zu schollerig. Kein Blech! Vier Holzbläser, woodwinds, ja, und sie spielen nur ganz kurz: die Windkatze setzt eine Pfote auf, hebt sie wieder ab … So müßte das sein auf dem Streicherklang, der sich nicht verändert. Wäre wichtig: dürfte sich nicht verändern! Hörbare Fläche, unbewegt … Die musikalische Katzenpfote nur wie ein Flautenseufzer, Atlantikseufzer … Nicht wahr, ein Seufzer wird gehaucht, kann verhauchen, das ist von der Sprache so vorgesehen, also könnte er das übernehmen. Sonst müßte auch das erfunden werden.

Also, da capo: vier Bläser, woodwind – auf die Flautenfläche gehauchte oder: auf die Fläche der Stille gehauchte Riffelmuster – wieder ausgelöscht. Und weiterhin – wird ja nicht unterbrochen – der Streicherklang, stehend, quasi stehend – diese Phasen, in denen musikalisch nichts passiert, sie wären wichtig, müßten sich ausdehnen – Andeutung all der Quadratmeilen Quecksilberfläche … Und die nächste Katzenpfote … Müßte ähnlich sein wie die erste Katzenpfote, aber nicht identisch. Jeder Anhauch der Wasserfläche wird etwas anders aussehen in Umfang, Umgrenzung, Muster. Das hieße, weitergedacht, weitergeplant: kleine Varianten. Weil die

Klangmittel reduziert wären, bliebe für die Variationen nur geringer Spielraum. Auch diese Katzenpfote verflüchtigt sich ... Das hieße: die woodwinds, die windwoods kaum noch hörbar oder: sie müßten an der Grenze des Hörbaren gespielt werden – gäbe bestimmt Intonationsprobleme für die Musiker! Verhauchen oder verhuschen – Katzenpfote verflüchtigt sich – wieder die vibrierende Silberfläche ... Wichtig: das Vibrieren. Müßte so übersetzt werden: vibrierendes Licht, vibrierender Klang, Streicherklang. Und weil die Windkatze vier Pfoten hat, nun hingehaucht die Pfote drei – verhauchend – hingehaucht die Pfote vier – löst sich wieder ab und löst sich auf ... Die vibrierende, sanft vibrierende Fläche ... Die Windkatze kehrt zurück ... Dies könnte auch eine musikalische Entsprechung finden: Umkehrung der musikalischen Riffelfigur. Also: Krebsumkehrung des Katzenpfoten-Motivs, und zwar viermal. Und weiterhin der eintönige, vibrierende Streicherklang, die Streicherfläche. Auf ihr Katzenpfoten-Klanginselchen, nebeneinandergesetzt – kein dynamischer Aufbau. Das Grundprinzip: quasi stehende Klänge für die Meeresstille und auf ihr die immer dichter plazierten Katzenpfoten. Organisiert vielleicht als Katzenpfoten-Toccata. Nein, klingt schon zu sehr nach Aufbau, nach Dynamik. Die Katzenpfoten-Klangfolgen nur hierhin gehaucht, dorthin gehaucht – eigentlich ist keine Voraussage möglich, wann und wo gehaucht wird. Müßte fast dem Zufall überlassen bleiben oder der Stimmung der Musiker. Ginge aber wohl zu weit, oder?

Dies aber ist jetzt schon klar: es müßten mindestens zwei Bläsergrüppchen sein im Orchester, identisch besetzt – die Katze setzt schon mal zwei Pfoten kurz nacheinander auf, so überlagert sich ein Riffelmuster teilweise mit einer Variante des Riffelmusters – vielleicht sogar mal zwei Katzenpfoten-Sequenzen gleichzeitig. Immer dichter schließlich die Katzenpfoten – belebender Atem, auffrischender Wind ...!

Er muß sich ein wenig Bewegung verschaffen, vielleicht kommt das Schiff dann auch wieder flott! Beethoven schüttelt sich zurecht, spaziert zu den Kartenspielern, kiebitzt ein wenig. Und weiter zum Bug. George folgt ihm gemächlich.

Auf dem Segeltuch-Quadrat sind Markierungen gezogen; zwischen diesen Streifen zwei Kakerlaken, die werden von beiden Seeleuten angefeuert: ein Kakerlaken-Rennen. Einer der Seeleute schaut auf, als Beethoven an die Fläche Segeltuch tritt, nickt einen Gruß, Ludwig lächelt ihm zu. In dieses Lächeln fährt Zorn: eine so schnelle Veränderung, als hätte ein Schauspieler eine Lächelmaske mit einem Griff ausgetauscht gegen eine Wutmaske. Und Ludwig schreit dem anderen Seemann zu: »Du Oos, du häs den betuppt!«

Das rheinische Verb versteht der Seemann nicht, aber die Bedeutung des Schimpfworts wird er sich denken können. Dennoch fragt er nur, was los sei. »Du hast den betuppt! Du hast die Kakerlake geschnipst!« Und er führt das Vorschnellen der Zeigefingerkuppe vor.

Der Seemann will wissen, was und wie er zum Teufel geschnipst haben soll.

Ja, als der andere hochschaute, um ihn zu grüßen, da hat er die Kakerlake am Hintern geschnipst, und jetzt ist sie weiter vorn!

Der Seemann fordert ihn auf, grob und klar, zu verschwinden. Aber der Mitspieler hakt nach: Stimmt, im Moment, in dem er nach oben schaute, bei der Begrüßung, da muß der andere die Kakerlake ein Stück nach vorn geschubst haben, oder soll er vielleicht annehmen, die wäre wie ein Floh gehüpft?

Beethoven bekräftigt noch einmal, was er genau, ganz genau gesehen hat: mit dem Zeigefinger hat der andere die Kakerlake von hinten geschnipst, sie ist ein paar Kakerlaken-Längen nach vorn geschnellt, das ist Fuckelei, so was kann er nicht ausstehn! Überall in dieser Welt wird betrogen, überall, er kann nicht begreifen, weshalb man das auch noch beim Spielen tut, wenigstens die Spiele sollten frei bleiben von Fuckelei, er findet es besonders schlimm, wenn man versucht, den andren dabei zu bescheißen.

»Mann, halt deine Predigt woanders!«

Nein, er weicht jetzt nicht von der Stelle! Solche Täuschungsmanöver bringen ihn in Rage! Überall, überall versucht man, dem anderen, dem Nächsten soviel wie möglich abzuluchsen, an Geld, an Besitz, überall Lug und Betrug und Gewalt, es sollte wenigstens den einen Bereich geben, in dem man nicht versucht, den Nächsten zu übervorteilen, zu übertölpeln, und dieses Revier ist das Spiel, er sieht den Menschen ausgezeichnet durch die Fähigkeit zu spielen, aber wenn diese weltweit übliche Betrügerei, dieses Übervorteilen, dieses Berauben auch in das Spiel eindringt, dann empört ihn das, eigentlich wäre dies ein Fall für die neunschwänzige Meerkatze.

Der Seemann ist aufgesprungen, schiebt Beethoven von der Segeltuchfläche weg: »Los, Mann, verdrück dich. Sonst passiert was!«

Beethoven, mit nun geschwollenen Schläfenadern, brüllt dem Seemann ins Gesicht: »Pack mich nit aan, du Plackfooz!« Und er reißt sich los von der Pranke, rennt zur Segeltuchfläche, zerstampft die Kakerlake, die er für die Kakerlake dieses Seemanns hält, tritt noch einmal. Jetzt, schreit er, sei der Anlaß für den Betrug aus der Welt geschafft!

Der Seemann packt ihn nun an den Armen, schiebt ihn vor sich her zum Fockmast, stößt ihn mit einem Ruck ans Holz, der Hinterkopf schlägt hörbar auf. Und er wirft Beethoven mit seemännischen Flüchen vor, er hätte die schnellste Kakerlake des Schiffes totgemacht! Er hat ihr Sprünge beigebracht, hat ihr Beine gemacht, hat sie eingeübt, hat sie trainiert, und er, dieser Landarsch, tritt sie ganz einfach platt. So einen wie ihn müßte man unter dem Kiel durchziehn!

Bevor der Seemann den Passagier noch einmal gegen das Mastholz rumsen kann, fährt der Erste Offizier dazwischen, stößt den Seemann zur Seite: Wenn er nicht sofort Ruhe gibt, muß er das Deck scheuern, alleine! Da ist der Seemann sofort still, geht zum Segeltuch, entfernt mit dem Daumennagel die Reste der Kakerlake; die andere ist weggelaufen.

Beethoven steht noch am Mast, schaut zu den beiden Seeleuten: »Der wird mich jetzt hassen!« Aber das will er nicht, er kann Haß nicht ertragen, Haß dürfte es nicht geben auf dieser Welt, Haß gibt es schon zuviel, viel zuviel, und nun hat er selbst noch Haß geweckt! Aber er weiß, was er zu tun hat.

Er geht zum Ersten Offizier, der ihn im Auge behielt, spricht auf ihn ein, gemeinsam gehen sie die Treppe hinunter, das ist den Seeleuten am Segeltuch keinen Blick wert, den anderen auch nicht: das Kartenspiel wird fortgesetzt, es wird gedöst, geschlafen – Flaute, die als Flaute wieder bewußt wird. Also: Segel schlaff, Seile hängen durch, Holz gibt keinen Laut von sich, Delphine schnellen nicht hoch, Fliegende Fische jenseits des Horizonts. Das Meer weiterhin aus erhitztem, aus vibrierendem Quecksilber, darauf setzt keine Katze ihre Pfoten.

Beethoven kommt die Treppe herauf mit zwei Bechern, stapst zum Segeltuch, stellt die Becher ab: Rotwein. »Das spendier ich euch.«

Das nehmen sie an, cheerio! Beethoven geht in die Hocke, schaut den beiden zu, wie sie langsam die Becher leertrinken, von anderen Seeleuten neidisch beobachtet. Damit, sagt der Seemann, ist die Kakerlake begraben und vergessen.

Doch Beethoven entschuldigt sich noch einmal: Er fühlt sich niedergeschlagen, wenn er an diesen Auftritt denkt – es tut ihm leid, was er gesagt hat, man möge es ihm nicht krummnehmen.

»Ist ja gut, Mann. Du hast ein paar abgekriegt, und jetzt der Wein, wir sind quitt.« Der Seemann hebt den Becher, da nickt Ludwig. Aber betrübt schaut er noch immer drein.

Beethoven wieder mit der Bratsche auf dem Oberdeck? Oder sollte er nicht ein Instrument spielen, das sich leichter transportieren läßt, das weniger anfällig ist? Hat er in Bonn nicht auch Waldhorn gespielt?

Also: Beethoven auf Deck sitzend oder stehend, bei aufgefrischtem Wind, und er bläst das Waldhorn, the French Horn, le cor, il corno? Und es wird wieder einmal hörbar, wie anfällig dieses Instrument ist für falsche Töne? Aber gerade das fordert ihn heraus, könnte Beethoven sagen, während aus dem Mundstück Speichel tropft, er will herausfinden, warum Hornisten so oft danebenblasen. Will ausprobieren, was man diesem Instrument zumuten kann, was es leisten kann. Den Hornisten hat er schon besonders betonte

Passagen seiner Ouvertüren und Sinfonien zudiktiert, hier müßten Steigerungen aber noch möglich sein. Und er lacht, bläst wieder einen Hornruf, den er variiert. Schwingende Lippen.

Der dicke Schotte, der sich für eine Bratsche kaum interessiert, ist am Stiegenaufgang erschienen, schaut und hört zu. Wird er seinen Dudelsack holen, und sie improvisieren ein Duo? Langgezogene Signalrufe des Horns, langgezogene Klagetöne des Dudelsacks? Beethoven setzt das konsequente Üben fort. Seine breite Hand deckt den Schallbecher leicht ab beim intonierenden Stopfen. Und wieder die herausplatzenden Klänge! Das sei schließlich ein Ruf-Instrument, könnte er sagen, ein Signal-Instrument, und Rufe wie Signale muß man weit hören – man müßte für dieses Instrument ein Werk komponieren, das vorwiegend aus Signalen besteht, aus rauh oder frech klingenden Rufen, und zwischendurch ein klagendes Adagio, aber bitte nicht schleppend! Was wohl der Nikolaus Simrock sagen würde als Hornist und Verleger, wenn er ihm eine Horn-Serenade anböte in einem Jahr? Wie vom Horn geweckt würde er auffahren! Und tausend Gulden Vorauszahlung wären zu erwarten, wenn nicht tausendsechshundert!

Er setzt das Waldhorn an, bläst einen frech pointierten Ruf, übt dann gestopfte Klänge. Wieder Töne, die aus dem Instrument herausplatzen. Und die Southern Cross scheint noch rascher zu segeln.

George behält im Auge, wie Beethoven sich dem flämischen Seemann gegenüber verhält, der ihn auf Deck nachgeäfft hatte: er nimmt ihn weiterhin nicht wahr. Das geschieht ohne jede Betonung, etwa in jähem Abwenden, wenn sie sich an Deck begegnen – Beethoven geht nicht rascher oder langsamer, weicht keinen Schritt aus, blickt durch den Flamen hindurch auf einen perspektivischen Fluchtpunkt jenseits des Hinterkopfs. Dieses fortgesetzte Auslöschen seiner Existenz scheint für den Seemann eine harte Strafe zu sein, er versucht, sich in Erinnerung zu bringen durch Räuspern – lächerlich unangemessener Versuch, wieder Realität zu gewinnen!

Arrangement der Szene wie folgt: Charlottes Kajüte – hier müßte am wenigsten weggeräumt werden. Zwei Stühle vor dem weit geöffneten Heckfenster – und mehr als zwei Stühle passen hier nicht nebeneinander. Johanna und Charlotte haben Platz genommen, in festlichen Kleidern (Beschreibung im Reisebuch nachholen?).

Die beiden Herren in frischen Hemden, geglätteten Hosen, polierten Schuhen. Genau über der Kajüte, an der Heckreling des Oberdecks, Signore sine nomine als Zaungast, Relinggast. Beethoven hat ihn dazu ermuntern, ja einladen lassen – in der Loge des Meeres-Opernhauses sei es für eine fünfte Person allerdings zu eng. Auch Signore elegant gekleidet; die Stoffmaske abgelegt; ein Bein über das andere geschlagen. Stehend Gilbert McConglinney, mit geschlossener uniformähnlicher Jacke. Das Teleskop als Operngukker?

Wieder die Kajütenloge: George steht hinter Johanna, schaut zuweilen auf die Haut des Kleidausschnitts – frische, parallele Kratzspuren. Beethoven schräg hinter Charlotte – er braucht Platz zur gestischen Entfaltung, an Charlotte vorbei ins Freie hinaus.

Ouvertüre der Odysseus-Oper. Diese Ouvertüre vorerst nur als Wort »Ouvertüre« – noch keine Themen und deren Entfaltung.

Erster Akt, erste Szene, ruft Beethoven aus: Marittima, Der Ozean, The sea, L'océan – die Spielfläche der gran opera marittima. Die Figuren der Oper werden herangerudert, auf Galeeren griechisch-antiker Bauart. Als Ruderer selbstverständlich Phäaken – die Motivation dazu durch Homers Schiff der Phäaken. Die werden allerdings nicht sichtbar, auf keinem der Boote – man sieht nur die aus den Schiffsflanken herausragenden Ruder, bewegt in der Perfektion phäakischer Rudertechnik – denn rudern können die! Sonst aber läßt sich ihnen nichts Positives nachsagen. Also ist es logisch, daß sie im Unterdeck bleiben, um zu rudern, und nicht an Deck auftreten, um zu singen. Beschlossen und verkündet: kein Chor der Phäaken!

Auf dem ersten der von unsichtbaren, unhörbaren Phäaken herangeruderten kleinen Schiffe steht am Bug, am bekränzten, der Darsteller des Zeus, des Jupiter, des Giove, mächtig und bärtig, wie sich das von selbst versteht, und diese Rolle besetzt mit einem Baß. Im Gleichtakt der Ruder gleitet ein zweites Boot heran, auf dem mit subtropischem Seegras dekorierten Deck steht Poseidon oder Neptun in festlichem Grün mit funkelndem, weil frisch poliertem Dreizack. Hinter ihm, als Gruß an Mister Mac Colliney, ein paar Meermädchen, malerisch gruppiert, kaum drapiert. Die Partie des Poseidon als Bariton. Und weil drei Personen notwendig sind für ein beratendes Gremium höchster Entscheidungsstufe, könnte ein drittes Boot vor ihnen auf der Meeresfläche erscheinen, und hier steht, in beispielsweise nachtblauem Umhang, Merkur.

Selbstverständlich beginnt Zeus als erster zu singen, beruft Poseidon und Merkur zum beratenden Konzil ein, Tagesordnungspunkt: Heimkehr des Odysseus. Jupiter beginnt mit einer zwar nicht weltumfassenden, doch meerumfassenden Arie, über deren Instrumentation er sich noch nicht viele Gedanken gemacht hat, vielleicht dominiert ein Blechbläser-Ensemble in tiefen Lagen. Dies aber weiß er schon jetzt: er würde diese Partie am liebsten mit dem Bassisten Lodewyk van Beethoven besetzen, einer ersten Kraft aus Mecheln, Leuven, Lüttich, und obwohl er diese Stimme nie mit Bewußtsein gehört hat – er war schließlich erst drei, als Großvater starb – hat er eine idealisierende Vorstellung von dieser Stimme, und die wird ihm helfen beim Komponieren der Arie. Sonorer Baß, der Souveränität und Autorität hörbar macht.

Die Rolle des Merkur könnte, zumindest für diese Aufführung, mit Johann van Beethoven besetzt werden, Tenorist zu Bonn. Die Stimme seines Vaters hört er selbstverständlich sehr deutlich im Resonanzraum seiner Erinnerung. Für die Besetzung des Neptun-Baritons müßte er über den Familienkreis allerdings hinausgehen. Was gesungen wird und was vom Librettisten N. N. geschrieben, in Reime gebracht werden müßte: Jupiter/Zeus stellt die einleitende Frage, ob es Odysseus gestattet werden soll oder nicht, nach Hause zurückzukehren nach etwa zwei Jahrzehnten Irrfahrt. Es werden Einsprüche erhoben von Poseidon: er fühlt sich von Odysseus beleidigt, verhöhnt, er begründet das. Ergebnis: er plädiert dafür, daß Odysseus die Heimkehr versagt wird. Merkur indes, seinem Wesen gemäß, mildert, vermittelt. Zeus neigt dazu, die Rückkehr zu fördern, kann sich aber nicht zu klarer Unterstützung durchringen, seiner Rolle entspricht es, über den Wassern zu schweben. Die drei Herren singen auf den drei nebeneinander liegenden Galeeren, die Ruder der Phäaken wie gesenkte Standarten ins Wasser getaucht. Ah, und das hätte er gleich beim Stichwort Ouvertüre sagen sollen: das Orchester auf einem langgestreckten Dreidecker, ungefähr so groß wie Nelsons Flaggschiff: weil so weite Räume bespielt werden, müßten zehn oder zwölf Celli und Kontrabässe eingesetzt werden und so weiter, die Holzbläser verdoppelt.

Weil das Götterkonzil sich nicht einigen kann, obwohl es schließlich fugiert singt, kommt die erste Frauenstimme hinzu, Sopran, eventuell Koloratursopran: Athene. Am Bug des Schiffs stehend, beschwört Athene die Götter, ihre Familienmitglieder, Odysseus die Heimkehr nicht nur zu erlauben, sondern sie unter olympischen Schutz zu stellen. Denn seit etwa zwanzig Jahren wartet Penelope auf seine Rückkehr, bedrängt von Freiern, die sich am Hof breitgemacht haben, ebenso eitle wie gefräßige Herrschaften, die nicht nur in die Flucht gejagt, sondern Mann für Mann getötet werden müßten, so sehr haben sie den Hof der Penelope und des Odysseus mit ihrer Anwesenheit, mit ihrem Verhalten besudelt. Athene kann Zeus überzeugen, er antwortet auf ihren Racheruf mit einer Rachearie, »Giove nel suo tonar grida vendetta«, mit seiner Donnerstimme ruft, nein, schreit er nach Rache. Merkur erteilt seine Zustimmung, Poseidon gibt sich geschlagen. Großes Gesangs-Quartett.

Nach diesem Vorspiel auf dem Meer wird Odysseus ins Blickfeld gerudert: er steht am Bug, über der Galionsfigur oder dem Violinkopf – Brischdauer zuliebe. Dieses kleine Schiff des Ulysses könnte mit Palmwedeln und Eiszapfen dekoriert sein – Zeichen für die Weiten, die er durchfahren hat. Odysseus wird um die vier Götterboote und das Orchester-Flaggschiff herumgerudert – die Ruderschläge leicht wie Schwingenschläge. Und der Bariton dieser Partie singt eine Arie, die etwas von der Länge der Irrfahrten hörbar macht. Mit an Bord, mit an Deck: Telemach, Telemaco, Telemachus, Télémaque. Der junge Mann könnte zur Arie des Vaters echohaft Refrains singen, das würde einen guten Effekt machen. Während dieses Gesangs setzt sich erneut das kleine Schiff der Athene in Bewegung, gleitet neben dem Boot des Odysseus her: damit würde auch sichtbar, daß diese Göttin für die schließlich glückliche Heimkehr sorgen wird.

Beethoven will und kann nicht das gesamte Libretto vorwegnehmen, mit allen dramaturgischen Verwicklungen – nur der Grundriß, der Entwurf eines Grundrisses! Also gleitet schon das nächste Schiff in den Sichtkreis der Meeresopernloge: in der Mitte des Decks die Darstellerin der Penelope. Requisiten, Kulissenelemente machen sichtbar: Palast, Reggia, The Palace, Palais. Und Penelope knüpft am Teppich, dem schon legendären Teppich: seine Ausdehnung macht sichtbar, wie lange das Ehepaar mittlerweile getrennt ist. Webend oder knüpfend würde Penelope eine längere Arie singen, Mezzosopran. In der Orchesterbegleitung ein Instrument hervorgehoben – wahrscheinlich das Horn – das auch bei der Begleitung des Odysseus wichtig war – so könnte Gemeinsamkeit bereits hörbar werden, bevor das Paar wieder zusammenfindet. Das musikalische Motiv der Gemeinsamkeit könnte im weiteren Verlauf der Oper in immer kürzerer Folge wiederholt werden, selbstverständlich variiert und in verschiedensten Kombinationen der Instrumente.

Zwischen das Boot des Odysseus und das Boot der Penelope schiebt sich nun das Schiff der Freier: Männerchor. Er könnte hier beim Komponieren in extreme Stimmlagen gehen – sehr hoch, fast ins Falsett, und sehr tief. Und: die Unruhe dieser Bande könnte in eine ganz neue, äußerst gewagte musikalische Form übersetzt werden: starke Akzentuierungen, rasche Wechsel von Tonhöhen, crescendierende Lautstärken. Agitato, aggressivo! Er könnte sogar noch weitergehen, und die Männerstimmen singen nicht nur auf neue Weise – sie sprechen, rufen, schreien! Würde das der Entwicklung musikalischer Ausdrucksmittel zu sehr vorgreifen? Aber wie oft schon hat er das Riskante gewagt – warum nicht auch hier?!

Noch einmal überspringt er Zwischenszenen. Beispielsweise mit dem Schweinehirten. Oder mit einem erneuten Auftritt der Götter – wird der Entschluß bekräftigt, daß die Freier getötet werden sollen? Jedenfalls: Odysseus tötet die Freier. Vorher die Szene der

Bogenprobe, im Palast: ein Freier nach dem anderen versucht vergeblich, den Bogen des Odysseus zu spannen, »si prova di caricar l'arco e non può«. Hier ließe sich musikalisch auch so einiges »temptieren« – wenn Odysseus schließlich, als alter Bettler verkleidet, den Bogen spannt, müßte auch musikalisch der Bogen bis zum Äußersten gespannt werden, da dürfte der Bogen sogar, für wenige Takte, überspannt werden – der Moment, in dem er die tödliche Spannkraft erhält. Auch das rasche Abschießen der Pfeile, das Umfallen einer Freierfigur nach der anderen – dem könnte ein sich wiederholender Klang entsprechen, wie er noch nie in einem Orchester erzeugt wurde – beispielsweise, indem die Streicher unisono mit dem Bogenholz auf Saiten schlagen – prellendes, peitschendes Geräusch! Simultan mit jedem dieser in die Köpfe der Zuhörer schnellenden Geräusche könnte ein Freier erschossen werden – der turbulente Chor dünnt hörbar aus. Pfeilschuß um Peitschklang um Pfeilschuß wird das Gelichter der Freier gelichtet (ein unfreiwilliges Wortspiel!), zum Schluß liegen alle Mann an Deck, sprich: im Palast – »morirono i proci«, es starben die Freier. Und ein Moment tödlicher Stille – Generalpause!

Wie abschiednehmend macht Beethoven eine weitschwingende Armbewegung. Und leergeräumt die Meerfläche …! Bilder nur noch als nachwirkende Bilder …

Charlotte beginnt zu sprechen, leise. Dank für diese Premiere … Vorstellungen wurden geweckt … aber wohl jeder hier wird sich ein anderes Bild machen von dieser Oper, in ihrer Szenenfolge … dagegen wird sich keiner auch nur die ungefährste Vorstellung machen können von der Musik.

Auch er, sagt Beethoven, hat noch keine musikalische Konzeption oder nur eine äußerst vage – viel hat er ihnen hier also nicht voraus.

Das sei höflich, aber nicht ganz ehrlich, meint sie – er hört durchaus schon erste Klänge und Klangfolgen. Zum Beispiel: Blech in tiefen Lagen bei der Jupiter-Arie zu Beginn. Oder: der Schreigesang der Freier. Oder: die gleichsam peitschenden Streicherklänge, wenn die Freier ermordet werden.

»Du meinst getötet.«

Nein, sie bleibt dabei: ermordet. Und fragt, womit sie eigentlich den Tod verdient haben, einer wie der andere.

Dies ergibt sich aus der Geschichte, antwortet er. Die Freier nisteten sich ein im Palast des Odysseus, ihre Zahl wuchs ständig an, sie ließen sich unablässig Speisen und Weine servieren, fraßen und soffen. Aber das war nur lästig. Schlimm jedoch war, und für ihn entscheidend: die Haltung, die Lebenseinstellung dieser Freier. Die wird wohl am treffendsten charakterisiert als Zweieinigkeit von Begehrlichkeit und Faulheit. Die Faulheit und die Begehrlichkeit der Freier werden sich die Waage gehalten haben; Begehrlichkeit entstand aus Faulheit und führte zurück in Faulheit. Mit dieser Faulheit entwickelten sich faulige Miasmen; die Freier versuchten, bei Penelope die Gefühle für Odysseus zu vergiften. Dazu gibt es bewährte Techniken der Unterstellung: Nymphen und Sirenen, die einen Mann umlauern, vor allem wenn er fern von Frau und Sohn ist, fern von seinem Haus, seiner Stadt, seinem Land und die Trennung über Jahre hinweg, mehr als ein Jahrzehnt, da brauchen Nymphen nur mit einem ihrer schlanken Finger zu winken, da brauchen Sirenen nur das »a« anzustimmen, schon hat der Mann den Kopf verloren – fällt Hals über Kopf in ein Bett – die Männer, so zeigt sich, lassen sich gern bezirzen, nur allzu gern – die Schwäche der Männer, die bekannte, in der sie selbst ihre Stärke sehen, und so weiter, ad libitum. Penelopes Gefühle sollten vergiftet werden, und damit versuchte man, ihr die Würde zu nehmen. Diese Würde bestand vor allem in ihrer unbeirrbaren Zuneigung, in ihrer Liebe zu Odysseus, l'immutabile constanza – diese constanza versuchten die Freier ihr aus dem Kopf, aus dem Gemüt herauszureden, ja dieses Rudel versuchte, Odysseus in ihr zu töten. Dies ist das Vergehen!

Charlotte starrt auf die leere Meeresfläche. Johannas Finger unruhig, wie auf einem Klöppelkissen. George hat sich auf die Kojenkante gesetzt. Beethoven in die Ecke gelehnt, um Charlottes Gesicht sehen zu können: saugt sich sein Blick wieder fest an der pupillenkleinen Öffnung ihrer sanft aufeinanderliegenden Lippen?

Als wäre dieser Moment der Stille eingeplant: Klopfen. Der Schiffsjunge bringt vier klobige Gläser und eine Flasche Rotwein, with best compliments vom Ersten Offizier, der sich für die »opera of imagination« bedankt. Gerry verteilt die Gläser.

»Stöpsel, dann gieß auch gleich ein!« Und mit trockenem Räuspern macht Beethoven bewußt, daß er schon lange gesprochen hat. Sanfter Zwirbelgriff ans Jungenohr; Gerry stellt die Flasche mit dem Weinrest auf den Boden, geht hinaus.

George trinkt auf das Gelingen der Oper – bei ihrer Premiere wäre er gern Konzertmeister, first violin. Vier Rotweingläser erhoben. Vor dem weit geöffneten Fenster hat bereits Dämmerung eingesetzt, Pastellfarben breiten sich aus.

Was Ludwig eben vorgetragen hat, sagt Charlotte schließlich, das klang suggestiv. Nicht nur, weil er mit Feuer, auch weil er – wieder – mit Tempo gesprochen hat. Nach seinem presto, seinem agitato nun ein paar Äußerungen andante.

Sie haben sich im Internat auch mit der Odyssee beschäftigt, und trotz der turbulenten Zwischenjahre hat sie vieles noch recht genau im Gedächtnis. Auch die Szenen mit den Freiern im Palast des Odysseus. Aber diese Vorgänge hat sie anders verstanden, sieht sie anders. Die Freier drangen nicht scharenweise in den Palast ein, sobald Odysseus ihn verlassen mußte, durch Götterbeschluß auf die Reise geschickt, die Freier kamen erst nach einiger oder längerer Zeit, und dann auch nur einer nach dem anderen. Es war eine Zeit, in der sich herumsprach, daß Odysseus, wie sagt man: überfällig geworden war. Seit Jahren keine Nachricht von ihm, und genug Ereignisse, die ihm gefährlich werden konnten. Er galt als verschollen. Und viele im Palast glaubten, ja waren sicher, ihr Herr sei längst tot. Warum sollten sich in dieser Situation nicht Freier einstellen? Was wäre daran verwerflich für Zuschauer und Zuhörer dieser Oper? Ein Bauer oder Handwerker, der seine Frau verliert, heiratet nach dem Trauerjahr sofort wieder, falls sich die rechte Frau findet. Und jeder hält solch eine Wiederheirat für selbstverständlich. So findet sie es überhaupt nicht anrüchig, schon gar nicht strafwürdig, wenn sich Jahre nach dem Verschwinden des Odysseus Männer einfinden, die um seine Frau werben. Einige mögen dreist, anmaßend, unverschämt gewesen sein, aber hätte das mehr verdient als Zurechtweisungen? Wahrscheinlich hatten die meisten der Freier so gedacht:

Der Ehemann ist tot, seit Jahren schon, und seine Frau ist lebendig, schön lebendig, warum soll sie ihr Leben dem Toten weihen? Und zehn Jahre, fünfzehn Jahre lang stirbt damit Leben ab im Palast? Diese Freier bringen Leben ins Haus! Selbst wenn der eine und andre dabei gefräßig oder versoffen war – reicht das für ein Todesurteil?! Außerdem: sie kann nicht alle Schuld bei den Gästen sehen. Es gab im Palast genügend Diener, die hätten leicht die Tore und Türen vor den Freiern verschließen können, wenn Penelope das verlangt hätte. Aber sie wünschte wohl Ablenkung, und so kamen auch Männer der Geselligkeit, halfen ihr Zeit vertreiben. Bei einer so schönen und klugen Frau wie Penelope wird es auch Freier gegeben haben, die sich ernsthaft in sie verliebten. Warum sollte das ausgeschlossen werden? Nur weil sie schon Mutter war? Zuletzt, als das Treiben der Freier am dichtesten war, wird sie eine Frau um die Vierzig gewesen sein. Selbst wenn der eine oder andere der ernsthaften Freier jünger war als sie, was wäre dabei anrüchig oder verdächtig? Wenn ein Gefühl für den anderen entsteht, wenn das Gefühl wächst, wenn es stark wird, ja beherrschend – was für eine Rolle spielt hier der Altersunterschied? Es ist doch nicht so, als hätten um eine matronenhafte Penelope lauter Bürschlein herumgetobt. Sie findet, Ludwig hat das alles ungerecht dargestellt. Für sie gibt es überhaupt keinen Grund, daß sie alle, einer wie der andre, ermordet werden. Sie aus dem Palast zu jagen – das hätte genügt. Aber warum sie alle hinmetzeln? Müssen der Oper solche Menschenopfer gebracht werden, wenn auch nur vorgetäuschte? Je mehr Leichen angehäuft oder aufgereiht, desto größer die Wirkung solch einer Szene? Und dazu auch noch eine effektvolle Musik, damit dieses Gemetzel den rechten Kunstgenuß bereitet? Sie bittet ihn um Entschuldigung für diese anmaßenden Äußerungen, aber sie muß ehrlich sagen: es hat ihr kein Vergnügen gemacht, seiner unüberhörbar begeisterten Beschreibung des Gemetzels zu folgen.

Beethoven schaut sie von der Seite an, das Gesicht stärker gerötet als sonst. Daß eine Frau in Charlottes Alter so offen mit ihm redet, mit einer solchen Selbstverständlichkeit, solch einem Nachdruck, das stimmt ihn dankbar. Ja, sie hat recht, dreimal recht: solch ein Gemetzel entspricht nicht seinen moralischen Kategorien oder ethischen Vorstellungen. Es erscheint ihm jetzt anmaßend, daß in der Oper ein Todesurteil gefällt werden soll über Menschen, die nur leben wollen – auf ihre Weise. Dagegen – zeigt sich bei Penelope womöglich eine Lust am Leiden? Und sie will gar nicht mehr lieben? Dennoch singen einige der Freier Arien, die Penelope zur Liebe verlocken sollen, ama d'unque, ama d'unque – er fragt sich jetzt auch: Ist das ein Grund, die Gäste zu ermorden? Gut, in der Odyssee fordern Götter den Tod der Freier, aber was zu Homers Zeiten angemessen schien, das müßte nun anders motiviert werden. Denn getötet werden die Freier nicht von Zeus mit dem Blitz, von Poseidon mit dem Dreizack, von Athene mit dem Speer, sondern von einem Menschen mit Pfeil und Bogen. Und der müßte, bevor er diesen Bogen spannt, gewichtige Gründe haben – die sieht er plötzlich nicht mehr, Charlotte hat die bisherigen Motivationen in Scheinmotivationen verwandelt oder: in chimärische Motivationen. Er ist ihr dankbar für die kritischen Einwände, er sieht plötzlich klar. Alle Motivationen müßten neu durchdacht werden. Dabei könnte sich dies ergeben: daß die Figuren interessanter werden für Zuschauer dieses Jahrhunderts, dieses Jahrzehnts. Was geht vor in Penelope – das müßte die Leitfrage sein bei der Konzeption des Librettos. Er wird den leider noch unbekannten Librettisten auf diesen Punkt mit Nachdruck hinweisen – vielleicht kann er sich über dieses Projekt doch wieder mit Theodor Körner verständigen. Er zumindest sieht hier schon eine ganz klare Konsequenz: das Götter-Spektakel des Vorspiels entfällt. Statt dessen könnte die Oper mit einer großen Szene der Penelope beginnen. Webend oder knüpfend könnte sie eine Arie singen, die ihrerseits ein Gewebe oder Knüpfwerk ist, mit sich wiederholenden musikalischen Figuren – hier könnte etwas entstehen, was in dieser Art noch nie gesungen und gespielt wurde, die später vielleicht einmal berühmte Knüpfmuster-Arie der Penelope.

Ja, das steht für ihn fest: diese Frau im Mittelpunkt der ersten Szene; sie wartet auf ihren Gemahl, viele Jahre sind vergangen, ihre Gefühle aber haben sich nicht geändert, l'immutabile constanza – es würde eine Arie über die erstaunliche Beharrlichkeit von Gefühlen. Der Verstand kann umdenken, rasch, aber Gefühle stellen sich dumm – es betrifft sie nicht, was der Verstand sich zurechtlegt; sie beharren. In solch einem Fall hat das sein Gutes, ist das etwas Großes – Gefühle können Jahre überdauern – scheinen sich selbst solange zu vergessen – und dann: eine unerwartete Wiederbegegnung, ein Seufzer, der sich mit dem Namen verbindet, und alles ist wieder so intensiv wie zu der Zeit, in der diese Gefühle herrschten, vorherrschten. Lange Zeiträume können sich bilden zwischen dem Dominieren von Gefühlen und ihrer Wiederbelebung – diese Zeiträume, Zeitspannen aufgehoben wie mit einem Fingerschnalzen – Gespräche werden fortgesetzt, als wäre nur ein Tag vergangen. Und Jahre, ganze Jahre werden belanglos, gewichtslos, bedeutungslos. Diese Erfahrung hat er gemacht: Gefühle sind oft wie eingekapselt, und es genügt eine kleine Geste, eine kurze Erregung – schon entfaltet sich das Eingeschlossene wieder, blüht auf, blüht auf …

Und er schweigt. Er will die Gedanken über diese Oper jetzt nicht fortspinnen, er läßt es in sich weiterarbeiten – etliches ist in Bewegung geraten, dabei macht es sich in gewisser Weise selbständig. Das Ende dieser Erörterung aber soll bitte nicht das Ende dieses Gespräches sein! Er hat eben noch gesagt, daß er sich immer schon wünschte, eine Frau würde so offen mit ihm reden – dieser Wunsch möchte seine fortgesetzte Erfüllung. Kurz, er würde gern noch mit ihr plaudern.

Ihr fast unmerkliches Nicken. Da beugt sich Beethoven zum Fenster hinaus: »Signore maschera, Mister Mac Connerley, Vorspiel und Nachspiel sind beendet!« Und er schließt das Fenster.

Verständigungsblick zwischen George und Johanna, sie stehen auf: nach dieser imaginären Oper möchte sie auf dem realen Deck spazieren, zum Bug, zum Violinkopf. Und Johanna: Es sei in der Kajüte auf Dauer etwas eng für vier Personen – ihr Zwiegespräch könne sich nun wohl besser, noch besser entfalten. Und das wünscht sie ihnen sehr.

George verläßt mit Johanna die Kajüte, legt dabei kurz den Arm um sie, zieht die Tür ins Schloß – ohne Betonung. Doch mit Schritten, die sich deutlich hörbar machen, gehen sie zum Bug.

Er wacht auf von einem Geräusch, das durch Wiederholungen einwirkt: rasche, dumpfe Tritte auf Holz. Jemand geht auf dem Oberdeck hin und her, bleibt stehen, setzt die Bewegung fort im Eilschritt, bleibt stehen, wieder rasche Bewegung. Wie ein Gefangener in der Zelle, aber: Beethoven wird sich frei fühlen, völlig frei in dieser Nachtstunde mit beinah vollem Mond. Also: mondlichtgesättigtes Segeltuch, Mondsegelbäuche am Besanmast, Mondsegelbäuche am Großmast, Mondsegelbäuche am Fockmast, und selbstverständlich der Wolkenfeger, der Mondgucker, das Mondsegel im Mondlicht. Und Mondlicht auf dem Meer, zuweilen auf dem hellen Hemd. Kein Hut, bestimmt nicht, also das störrische Haar nachtschwarz. So eilt er hin und her zwischen Reling backbord und Reling steuerbord, wahrscheinlich in der Diagonalen, so kann er weiter ausgreifen.

Die Zeit zuvor, mit Charlotte in der Kajüte verbracht, wird nachwirken: Glücksgefühl, das Schlaf aufzehrt. Dieses nachschwingende Glück will sich feiern. Unter ihm, vor ihm nur der Rudergänger und die Wache – die beiden Seeleute blicken bugwärts, da mag der kleine, breite Mann hinter ihnen, über ihnen noch so lange hin- und herlaufen, sie achten nicht auf ihn. Vielleicht fühlt sich Ludwig als Nachtkapitän auf der Southern Cross. Nachtwind, Nachtstille, Nachtlicht. Und starke innere Schwingung, er befindet sich in stärkster Lebensaufregung. Vielleicht denkt er, was in solch einer Situation naheliegt, das hat George an sich selbst erfahren: Hat bisher nicht gewußt, was Leben ist, was Leben sein kann – man muß sich exponieren – die Gefahr dabei, sich lächerlich zu machen, zu scheitern – erniedrigende wie erhebende Erfahrungen sind möglich – sich vor der Liebe, der Erfahrung von Liebe schützen durch feste Gewohnheiten, feste Ansichten, feste Meinungen? Hat sich nicht verschanzt, ist aus sich herausgegangen – und wurde aufgefangen. Reflexionen – und denen folgen Maximen? Etwa: Wenn man sich vor inneren Überraschungen sicher fühlt, weiß man nicht, was Leben sein kann? Oder: Aus dem Takt geraten, um in neuen Takt hineinzufinden?

Gedanken-Gänge ... Das wird sich fortsetzen über zwei, drei Stunden hinweg. Diese Stunden nicht erfüllt von der Ungeduld, endlich Schlafschwere zu finden, diese Stunden verlieren ihre Konturen, unterliegen nicht mehr dem Prinzip der Zählung, damit der Reihung, es setzt sich fort das Schwingen, Vibrieren in Hirn und Leib, damit wiederum wird in der nächtlichen Kreisbewegung das Bewußtsein aufgehoben vom Vergehen der Zeit – das Schwingen, das Glücksschwingen wird selbständig, und er ist damit zufrieden, dieses Schwingen wahrzunehmen, von diesem Schwingen erfüllt zu sein?

Weiter zwischen Reling steuerbord und Reling backbord. Die Mondlichtbäuche der Segel. Mondlichtkringel auf dem Wasser verteilt in breiter Bahn. Feier des Nachtkapitäns Beethoven … Wenn er stehenbleibt: atmet er tief durch, breitet die Arme aus?

Zweitausend Sterne sollen es sein, laut Kant, die man mit bloßen Augen sehen kann, also sind es auch hier über ihnen zweitausend – oder noch mehr bei diesem sehr klaren Himmel – zwischen Königsberg und dem Kosmos könnten sich ostpreußische Küstendünste ausgebreitet haben. Ja, er möchte sich beinah dafür verbürgen, daß dies weit mehr als zweitausend Sterne sind – allein schon diese Verdichtung des Sternengewimmels in der Milchstraße – wie von einem unvorstellbar weit entfernten Punkt aus einer Sternen-Milchkanne mit kräftigem Schwung in den Raum geschüttet – dabei scheinen sich Tropfen, Spritzer fixiert zu haben, wo es sich gerade ergab – alles ungeordnet, dem Anschein nach, rein zufällig – hier dichter, dort weniger verdichtet – doch der Augenschein täuscht hier, denn dieses scheinbar beliebige Gewimmel – das hat er bei Kant gelesen und gelernt, in der Theorie des Himmels – dieses scheinbare Durcheinander, ja dieses Chaos von Fixsternen unterliegt einem System, so hat Kant geschrieben, und so hat er das markiert in seinem Exemplar – dieses Buch hat er nicht bloß in der Bibliothek ausgeliehen, es war ihm so wichtig, daß er es sich gekauft hat, also kann er mit Bleistift die wichtigsten Stellen hervorheben. Demnach: was für Planeten gilt, die um den Mittelpunkt Sonne angeordnet sind in regelmäßigen Bahnen, das gilt auch für die weiten Bereiche der Fixsterne – in diesem scheinbaren Durcheinander gibt es unzählig viele Systeme, die dem Planetensystem ähneln – das heißt, dort draußen sind Sonnen, Sonnen, viele Sonnen, und jede dieser Sonnen als Mittelpunkt eines Systems, das unserem Planetensystem ähnelt. Und diese unvorstellbar große Zahl von Weltsystemen legt Zeugnis ab für Gott, der all dies erschaffen hat – ja, an diesen unendlich vielen Weltsystemen läßt sich die Unendlichkeit Gottes ablesen, das hat auch Kant nicht ausgeschlossen.

Heute bin ich aufgeknöpft!« ruft Beethoven, während sie die Stiege hinuntersteigen. Ja, er sieht fast unternehmungslustig aus, wie er über Deck schreitet mit ausgreifenden Schritten. Helle Nankinghose, weißes Hemd – es ist, wie zur Illustration seines Satzes, halb geöffnet, und so fährt Wind hinein. Nicht mehr gerötet, sondern längst gebräunt sein Gesicht. Er will an den Bug, unbedingt an den Bug …!

Dort bleibt Ludwig, Louis, Luigi stehen, zeigt auf den Bugspriet, den schräg ansteigenden, mächtigen Rundbalken, über dem sich das Vorsegel wölbt. Aufleuchten in den Augen. Er will auf diesen Balken, rittlings. Ja, das hat George ganz richtig gehört! Und weil er die gesamte Mannschaft kennt, weiß er bestimmt, wer ihm helfen kann: er muß sicherlich ein Seil um den Bauch kriegen, sonst spricht Käptn Flämmtitsch ein Verbot aus. Er will, muß auf dem Bugspriet sitzen, will die Nase in den Wind halten! Er hat sich zu dieser Reise nur unter der einen – wenn auch nicht ausgesprochenen, so doch selbstverständlichen – Bedingung entschlossen, sich endlich diesen Wunsch zu erfüllen. Wie er überhaupt diese Reise nicht mitmachen würde, gäbe es nicht den alten Traum, einmal wochenlang auf dem Meer zu sein und Tag für Tag zu erleben, welch ungeheure Weite in dieser Welt herrscht. Schon als Junge in Bonn hat er Bücher gelesen, die ihn auf die Weltmeere hinausführten. Vielleicht war es auch der Rhein, der, Kindheit und Jugend breitbrüstig begleitend, seine Gedanken, Vorstellungen, Wünsche wiederholt zum offenen Meer trug, zur Nordsee und damit in den Atlantik und auf dem Atlantik Richtung Südamerika, zum Beispiel. Einmal auf diesem Meer, wollte er, wenigstens für ein paar Stunden, auf dem Sprietmast sitzen als Schiffsjunge, wollte über dem Wasser schweben, über dem gleißend hellen Wasser, wollte nichts mehr vor sich haben als ein Stück dieses runden Balkens, der sich mit der verzierten Spitze in die Ferne bohrt. Und den Kopf mit eingebohrt in diese Ferne …! Eine Ferne, die üppig ausgestattet ist mit undurchdringlichen Wäldern, mit weißen Bergkegeln, mit Wasserfällen, die so hoch sind, daß sich die Wassermassen auf halber Sturzhöhe bereits in Wasserdampf auflösen, in dem sich Regenbogen bilden. Also, es war quasi abgemacht, daß er wenigstens ein einziges Mal auf dem Sprietmast reitet. Dreißig Jahre lang hat er diesen Traum vergessen oder vergessen müssen, nun ist alles wieder so deutlich vor Augen wie damals in Bonn am grünen Rhein. Recht bald schon, laut Kapitän, die Landung an der afrikanischen Küste, also wird es höchste Zeit, auf dem Bugspriet zu reiten, über diesem Wasser zu schweben als männliche Galionsfigur. Und er lacht. »Also, wie isset?«

Selbstverständlich warnt George – schließlich ist er verantwortlich für das Gelingen dieser Reise. Doch Ludwig will von Bedenken nichts hören – was er sich vorgenommen habe, das setze er durch; eine der Haupttugenden eines Komponisten, zumindest eines Komponisten seines Schlages, sei unbeirrbare Zähigkeit.

Da seufzt George. »Bleib einen Moment hier stehn.« Und er sucht den Segelmacher.

Den findet er im Kanonendeck bei den letzten Hühnern. Unterwegs greift sich der Segelmacher ein freies Seilstück. Auf Deck schlingt er das Ende um Beethovens Leib, verknotet es dreifach – der dritte Knoten als »Komponistenknoten«. Nun steigt Beethoven, von brauner und von weißer Hand gesichert, auf das Doppeltau, das unterhalb des Bugspriets gespannt ist, schwingt sich auf den starken Rundbalken, rutscht rittlings nach oben, nach vorn, bis der Segelmacher Halt! ruft. Das zweite Seilende wird gesichert. Ludwigs Füße rechts und links auf den Tauen, die zur Spitze des Balkens führen. Schon bricht ein Schrei aus Beethoven heraus: nun sieht er wohl wieder die südamerikanische Küste vor sich, wie er sie als Kind, als Junge gesehen hat mit sehr grünen Wäldern, in denen Affen springen und Leoparden schnellen, mit Vulkan-Kegelbergen, über denen Adler schweben ohne Flügelschlag. Und er schickt dem

Schrei einen zweiten Schrei hinterher – wie eine kleine, in sich rotierende Heißluftkugel schwebt er dem Schiff voraus.

Schon den ganzen Morgen hat sie an die Kinder gedacht, sagt Charlotte, hat überlegt, ob ihre Sorgen, ihre Selbstvorwürfe berechtigt oder notwendig waren in letzter Zeit. Dorothee wird die Kinder so oft wie möglich mit anderen Kindern zusammenbringen, das hat sie versprochen. Und sie weiß, sobald Raimund und Sigbert mit gleichaltrigen Kindern spielen, wird Nachahmung animierend wirken.

Wie groß dieser Nachahmungstrieb ist, hat sie bei Raimund beobachtet, als sie einen Besuch machte, außerhalb von Genf, bei einem Paar mit Kind. Sobald die beiden Knaben sich aneinander gewöhnt hatten, ahmten sie sich wechselweise nach: kreischte einer, krähte der andre; trommelte einer auf der Kommode, trommelte der andre mit; legte einer den Kopf auf die Stuhlfläche, leistete der andre ihm Gesellschaft. Oder sie standen gemeinsam hinter einem Vorhang, kicherten, mümmelten Gebäck. Indem ihre Kinder andere Kinder nachahmen, die fröhlich sind, werden sie wohl auch Fröhlichkeit in sich finden. Sozusagen einen Reflex von Fröhlichkeit.

Wie zum Beweis, daß dieser Reflex auch später wirksam bleibt, antwortet George auf Charlottes Lächeln mit einem Lächeln.

Darf ich mal in deine Werkstatt schaun? Ludwig hockt am Klapptisch und schreibt Noten, wie zu erwarten. Er will nicht kiebitzen, der Meister könnte empfindlich darauf reagieren, so setzt er sich auf den Kojenrand. Sieht sehr nach Arbeit aus hier – du komponierst?

»Nein, ich übe Notenschreiben.« Er steckt die Federspitze in den Topf, zieht sie heraus, steckt sie zurück.

Mit einem Rumpeln dreht er den Stuhl, sitzt ihm zugewendet. Er will erklären, was er macht: er schreibt nach dem Gedächtnis Fugen nieder aus dem Wohltemperierten Clavier. Etliche Präludien und Fugen hat er schon als Zehnjähriger gespielt, auch öffentlich, hat sie auch danach zuweilen gespielt, kann einige der Stücke auswendig, macht jetzt jeweils die Probe aufs Exempel, schreibt sie nieder, zumindest die Fugen. Damit die lockende Herausforderung, selbst mal wieder eine Fuge zu komponieren, aber nicht so streng wie der große Bach, eher: con alcune licenze. Ja, es müßte dann beispielsweise heißen: Fuga a tre voci, con alcune licenze. Diese Freiheiten aber nicht nur als Divertimenti zwischen Durchführungen, er hat Vorstellungen, die weiterführen – alles noch vage, noch nicht spruchreif, aber unter Musikern, unter Komponistenkollegen will er das zumindest andeuten: es müßte möglich sein, in einem Satz kontrapunktisch zu schreiben und in thematischer Verarbeitung. Das wäre eine Herausforderung ganz nach seinem Geschmack …!

Aber wie gesagt: das schwebt ihm so vor. Damit das schwebende Phantom erste Wurzeln schlägt, zumindest Luftwurzeln, schreibt er die Fugen nieder, und nach jeder Durchführung skizziert er Möglichkeiten anknüpfender thematischer Verarbeitung. Fugue – tantôt recherchée, tantôt libre. Er würde das so übersetzen: in die alte Fugenform neue poetische Elemente einführen. Oder: Fugenform und Sonatenform müssen sich durchdringen. Wäre fast eine Quadratur des Kreises! Müßte aber möglich sein!

Weil er seit Äonen nichts mehr mit Fugen zu tun hatte, muß er wieder in diese Bauform hineinfinden. Deshalb rekonstruiert er Fugen. Dabei lernt er die Form der Fuge wieder genau kennen – Bach hier als sein großer Lehrmeister. Doch ganz zufrieden ist er mit seiner Arbeitsmethode nicht. Kaum beginnt er, eine Fuge aus dem Gedächtnis niederzuschreiben, schon fängt das Verändern an! Also ein Zurechtmodeln, noch bevor er mit dem Erweitern beginnt. In den Violinsonaten des großen Meisters sind ja ebenfalls Fugen – »tu mir den Gefallen, leih mir die Noten. Im Moment brauchst du sie nicht.« Er will diese Fugen genau durchgehen – Ansatzpunkte zu thematischer Verarbeitung auch innerhalb von Durchführungen? Punkte, an denen er die Fugenform in gleitendem Übergang ablöst durch Homophonie? Das thematische Verarbeiten müßte quasi aus der Fugenform herauswachsen und in sie zurückführen …

Er steht auf, eilt hin und her zwischen Tür und Fenster. Das Gefühl, er müßte wieder mal einen Neuanfang wagen beim Komponieren – dazu motiviert ihn auch der alte Bach! Nur wenn er ständig dazulernt von den großen Lehrmeistern Bach und Händel, kann er Werke komponieren, die standhalten vor seinen eigenen, sehr strengen Maßstäben – er kann für sich und von sich nur das Höchste verlangen. Und hier die Herausforderung Johann Sebastian Bach – wenn er sich schon vor dessen großem Sohn Emanuel verbeugt, um wieviel tiefer muß erst einmal die Verbeugung sein vor dem alten Bach. In dessen Vergangenheit: wieviel Zukunft! Er möchte, daß man dies auch einmal von ihm sagt, von seinen Werken.

Das admiralsblaue Sofa in der Kapitänskajüte: nach dem Dinner hat Charlotte hier Platz genommen, sie sitzt entspannt, hat unter dem hellen, weiten Kleid ein Bein über das andere geschlagen. Ludwig auf der Vorderkante des Sofas, er schaut in ihr Gesicht: Charlotte ist beinah hektisch belebt, sie spricht, mit raschen Handbewegungen akzentuierend, vom Geheimnis der Kiste Nummer zwo. ›Joan‹ weiß längst, was in der Kiste steckt, sie hat die Auseinandersetzungen in Wiesbaden miterlebt: Charlotte läßt sich für Afrika einen Zweisitzer anfertigen …! Ihr Bruder, Sir Franz, war der schmeichelhaften Meinung, sie habe den Verstand verloren. Einen Wagen in Genf herstellen, in einer Kiste nach Genua transportieren und nach Afrika verschiffen lassen – hat man so was schon gehört?! Und was das alles kostet …!

Die gleiche Tonart übrigens bei ihrem Mann. Er warf ihr Vergeudung vor. Die Grenze des Zumutbaren war für ihn unwiderruflich überschritten, als er von der zugegebenermaßen nicht gerade billigen Aufhängung der Achse des »Damenwägelchens« erfuhr. Aber wenn in Europa die Straßen von schmerzhaft unregelmäßiger Oberfläche sind, wie werden erst einmal afrikanische Pisten beschaffen sein?! Auf diese Federung ist sie besonders stolz, und sobald Ludwig zum erstenmal mitgefahren ist, wird er ihr recht geben: die Aufhängung der Achse macht das Fahren auf afrikanischem Boden erträglich. »Oder findest du diese Anschaffung übertrieben?«

Das kann er so abstrakt nicht beurteilen, sagt Ludwig. »Was hat der Wagen denn gekostet?«

»Ach, sag ich dir lieber nicht.« Jedenfalls wurde es so viel, daß sie einen Wechsel ausstellen mußte, auf die Galerie. Das hat Christian in Rage gebracht. Dies wiederum hat sie aufgeregt. Denn wieviel Geld hat ihr Mann ausgegeben, ohne je zu fragen, ob er das der Familie gegenüber verantworten kann. Allein schon die Bücher ...! Fast unablässig kauft er Bücher, und bei jedem Buch behauptet er, das brauche er für seine Arbeit. Und wenn nicht direkt für das Buch, in dem er sein Werk der Befreiung, sein Lebenswerk sieht, so doch zumindest indirekt, um innere Disposition zu schaffen für die Arbeit. Er scheint der Meinung zu sein, Zerstreuung sei die beste Voraussetzung für Konzentration. Sein fast unersättliches Bedürfnis nach Zerstreuung ...! Da greift er nach jeder Räuberpistole ... Windet sich rein in jeden Liebesroman ... Läßt sich in fernste Länder versetzen ... Sein Kopf voll bunter Bilder – wachsen aus solchem Bilderhumus die Begriffe, mit denen er arbeiten muß? Freilich – Christian ist nicht einmal in der Zerstreuung konsequent: die meisten Bücher werden nur angelesen oder durchblättert und gleich beiseite gelegt, für irgendwann später. Alles Optionen auf die Zukunft. Die Zukunft im kleinen Genfer Haus als Endmoräne von Papier! Wenn er trotz der vielen Bücher mit der Arbeit an der Schrift aller Schriften nicht weiterkam, mußte er sich »trösten« durch weitere Anschaffungen – nicht nur von Büchern! Achtzehn Taschentücher aus Damast – war das etwa keine Verschwendung? Oder die Aktion Spazierstock: brauchte einen, kaufte drei. Jeweils mit Silberknauf, versteht sich, und einer aus dem teuren, um die halbe Welt herangeschafften Bambus. Christian hatte am allerwenigsten das Recht, ihr Vorwürfe zu machen, Vorhaltungen. Aber das liebte er: Vorhaltungen, Vorwürfe – und Vorlesungen! Er wußte ja über alles Bescheid! Gab sie das Stichwort Wagenfedern, hielt er sofort einen Vortrag über Wagenfedern, ihre Vorzüge und Nachteile. Die Vorteile der neuartigen Wagenfedern, die sie sich hatte »aufschwätzen« lassen: gering. Aber die Nachteile! Ein Federbruch in Afrika, und was dann? Kein Afrikaner ist nachweislich in der Lage, solche Federblätter, schon gar nicht solche neuartigen Federblätter, wieder zurechtzuschmieden, da hätte man selbst in Schlesien Probleme! Sie darauf: Soweit sie wüßte, seien in Afrika geschickte Schmiede recht häufig, die würden mit einem Federblatt schon zurechtkommen – falls ein Schmied überhaupt notwendig ist, denn der Wagenmacher hatte mit größter Sorgfalt gearbeitet; vielleicht, so rechnete er sich aus, ergeben sich damit Aufträge aus Afrika. Was sie dazu auch sagte – ihr Mann hielt es für »Geklitschre«, auf schlesisch. Und setzte die Wagenfedern in Relation zu afrikanischen Steinwüsten – als würde sie ausgerechnet durch Steinwüsten kutschieren! Und überhaupt: ob er so viel von afrikanischen Steinwüsten verstand, daß er darüber einen improvisierten Vortrag halten konnte, das spielte keine Rolle, er dozierte mit lauter Stimme. Manchmal blätterte er sogar in einem der Afrika-Bücher, die sie sich beschafft hatte, aber das tat er nur, um hier oder dort ein Stichwort aufzuschnappen – und sofort loszulegen! Giftpfeile ... Lianengewächse ... Schlafkrankheit ... Dabei redete er streckenweise blanken Unsinn! Zum Beispiel seine hinterschlesischen Vorstellungen über Schlafkrankheit! Aber er muß reden, muß sich mit Reden ausbreiten oder ganz einfach: breitmachen! Sie hatte manchmal den Eindruck, er redete, dozierte nur, um sie nicht zu Wort kommen zu lassen. Genug davon!

Sie ist sehr gespannt, was ihr Vater sagt, wenn Kiste zwo geöffnet wird. Und wie der afrikanische Handwerker reagiert, der die Teile zusammensetzen soll – vielleicht ein Schmied. Ihr Vater wird schon den richtigen Mann besorgen.

Und dann die erste Fahrt! Sie möchte Ludwig schon jetzt dazu einladen. Das Haus soll ein Stück außerhalb der neuen Hafensiedlung stehen, auf einer Erhebung, also könnten sie als erstes vom Hügel zum Hafen fahren und retour. Später eine Fahrt ins offne Land. Und sie werden über Löcher und Mulden hinwegfedern ... Keine Bewegung wie auf einem Fliegenden Teppich, aber eine gewisse Annäherung an dieses Gleiten ...

Sie lacht, zeigt schön gereihte Zähne. Sich endlich diesen Traum erfüllen: ein Pferd zieht in zügigem Trab das Wägelchen durch die Savanne, und auf gleicher Höhe laufen ein paar Gnus und Antilopen und Zebras mit, die wohl typische Neugier afrikanischer Säugetiere, behaupte sie mal, und warum sollten nicht auch ein paar Strauße mittapsen, und zuweilen zeigen sie dem Pferd und ihr, daß sie noch schneller sein können, rasen staubaufwirbelnd davon, warten wieder auf die Nachzügler? Afrikanische Fabeleien ...! Jedenfalls: erst mit dem Wägelchen wird Afrika zum Kontinent, auf dem sich dieser Traum erfüllt. Und sie ist der Meinung, sie hätte das verdient. Nach dem Tod ihres ersten Mannes, nach der Trennung vom zweiten, nach all dieser Arbeit für Familie und Galerie – warum soll sie nicht in einem neuartig gefederten Wägelchen durch die Savanne kutschieren, in Tagesexkursionen? Das wäre ein gerechter Ausgleich.

Das Schiff gleitet auf die afrikanische Küste zu. Der Auslug doppelt besetzt; Seeleute in den Wanten, in der Takelage; Kapitän und Erster Offizier an der Reling, sie schauen abwechselnd durch das Teleskop. Am Bug wird eine Meeresschildkröte gemeldet, also kann das Land nicht mehr weit sein! Auch George und Ludwig schauen hinunter: die Buckelform dümpelt im Wasser, Kopf und Flossenfüße herausgestreckt. Daß sie als erstes eine Schildkröte sehen, erscheint ihnen als gutes Omen: der Panzer der Schildkröte zuweilen als Korpus eines Saiteninstruments ... Der dümpelnden Schildkröte nachblickend, hören sie einen Ruf, einen Schrei: Landvogel in Sicht! Ja, ein kiebitzartiger Vogel, von Afrika herübergeflogen, setzt sich auf die Spitze des Bugspriets, läßt sich ein Stück ostwärts zurückbringen.

Die Seeleute beginnen ein Lied zu singen: dort an Land wird es Weiber geben! Der Rhythmus des Refrains wird von Schreien akzentuiert. Und es kommt wie von selbst dazu, daß George und der Maskierte auf dem Oberdeck zu tanzen beginnen: sie haken ein in angewinkelte Arme, sie machen Pendelschritte, Schleifschritte, kleine Sprungschritte, sie tanzen, solange die Seeleute singen, und als die aufhören, tanzen sie nach dem Rhythmus, den sie aufs Deck stampfen.

Sie brechen den Tanz erst ab, als vom Auslug mit hochgetriebenem Schrei die Küste gemeldet wird. An der Reling werden sie bald den sehr feinen Strich Afrikas sehen, der sich, bei fortgesetzt ruhiger und gleichmäßiger Fahrt, zwischen Meeresfläche und Himmel verlängert.

Ein Salutschuß vor Kap Verde, dieser Schuß findet kein Echo, schon gar nicht ein rollendes Echo, denn die Küste ist flach. Lehmbraune Hauswürfel auf der nach Süden gestreckten Landzunge, herausgehoben nur ein Lehmziegel-Fort und der Hügel mit dem Anwesen von »Massah« Martin. Ludwig hat den Arm um Charlotte gelegt, während sie ihm wiederholt das breit gelagerte Haus zeigt, das sie nach Briefbeschreibungen sofort erkennt. Und Johanna pflichtet bei.

Kleiner, ungeduldiger Zeitsprung: mit den fast fiebrigen Bewegungen an Deck kontrastiert die Ruhe der Männer, die auf der Mole hocken, und sie schauen den Manövern auf Deck zu, gelassen.

Ludwig und George schweigen in fast banger Erwartung: noch ist das Schiff die mittlerweile gewohnte, von der Reling umgrenzte Welt, an deren Abläufe sie sich gewöhnt haben, nun aber werden sie sich ausliefern, und dies freiwillig, an das Fremde.

Auch die beiden Frauen schweigen, doch aus Enttäuschung: Massah Martin ist nicht zu sehen. Auch kein Bote, der ihnen etwas zuruft. Krankheit? Tod?

Dieses Schweigen wird George im Reisebuch nur erwähnen, ausführlicher wird er schreiben über die beiden Reisenden an der Reling des Oberdecks: fortgesetztes Schweigen, das Fremde verkörpert sich als erstes in den zwei Dutzend Schwarzen, die auf der Mole kauern, auf Hintern und Fersen zugleich; diese Männer geben keine Zeichen, weder von Willkommen noch von Ablehnung, das Schiff und die Reisenden werden bloß zur Kenntnis genommen in einem Hafen, in dem schon oft Schiffe angelegt haben, in dem zur Zeit kein anderes Schiff liegt. Dunkle Gesichter mit wulstigen Lippen, mit trüben, wie blutunterlaufenen Augen, mit kurzem Haar, mit Tätowierungen, Ziernarben. Die Reisenden sehen weiter entfernt auch Frauen und Kinder. Dort sind Früchte und Gemüse auf dem Boden ausgelegt – die werden sich von europäischen Früchten und Gemüsen unterscheiden, während europäische und afrikanische Hühner sich wohl ähneln. Und sie sehen Pferde und Mulis und Esel, vielleicht auch ein Kamel.

Die Mole nun schon nah. Die Landemanöver scheinen, bei aller Ungeduld, verlangsamt: breitseitig wird das Schiff an die Mole herangezogen – die letzten drei, zwei Meter zwischen Schiffsrumpf und Mauer dehnen sich fast minutenlang. Was kann außerhalb dieses Städtchens alles geschehen? Skorpione können stechen, Schlangen beißen, Löwen oder Leoparden können zerfleischen, Buschfeuer, Steppenbrände können umzingeln, Trupps von Eingeborenen können berauben, es kann zu einer Schießerei kommen, und sie werden gefangengenommen, und zumindest George wird in ein Schiff getrieben, das nach Westen segelt, wird in grausamer Pointe von Niederländern oder Portugiesen weiterverkauft auf Jamaika, Trinidad oder Barbados, stout mulatto aged 33, und er muß auf einer Zuckerrohrplantage schuften, und das Geigenspielen wird ihm ausgepeitscht.

Sobald das Schiff reglos liegt, vertäut, sobald das Fallreep hinabgelassen ist, fährt ein mächtiger Bewegungsimpuls in die Menschen am Hafen: mit Geschrei und Peitschenknall jagt eine Kalesche heran, Zweispänner, ein livrierter Schwarzer auf dem Bock, im offenen Wagen ein bärtiger Mann in hellem Anzug: Massah Martin! Genau geplanter Zeitpunkt seines Auftritts! Haben, von den Reisenden nicht beachtet, Männer auf flachen Dächern gestanden zwischen Hafen und Hügel ostwärts und mit den Armen signalisiert: Schiff hat angelegt!? Und auf dem Hügel sprang Massah Martin in die Kalesche, und die ungeduldig scharrenden Pferde wurden angetrieben, und im Galopp oder zumindest in scharfem Trab ging es hinunter und durch das Städtchen in den Hafen? So nah wie möglich fährt der Wagen so rasch wie möglich ans Fallreep heran. Wieviel eindrucksvoller, einprägsamer ist dieses Heranbrausen als ein Warten von Pferden, von Kutscher und Hausherr, und die Pferde lassen womöglich schon die Köpfe hängen. Jetzt aber sind die vibrierenden Flanken von leichtem Schweiß bedeckt.

Beinah flugschnell ist Massah Martin auf Deck: überraschend klein der Mann, die untere Gesichtshälfte wie überwuchert vom Bart, da wird nur beim Reden der Mund sichtbar. Oberhalb des Bartes eng beieinanderliegende Augen. Als dürfte nun wirklich keine Sekunde mehr verloren werden, nimmt er mit jedem Schritt drei Stufen zum Achterdeck, umarmt die Tochter, umarmt die Schwester, begrüßt die Herren mit knappem Satz, sie eilen zu dritt die Stiege hinunter, er bleibt mit Charlotte kurz stehen vor dem salutierenden Kapitän, lädt ihn und den Ersten Offizier für diesen Abend zu einem Dinner ein, selbstverständlich auch die Herren Reisenden dort oben, und er eilt mit Charlotte das Fallreep hinunter, es folgt Johanna mit gerafftem Rock, er hilft der Tochter in die Kalesche, dann seiner Schwester, entschiedene Bewegungen, der Kutscher schlägt auf die Pferde ein, als wäre der Schiffsrumpf voller Pulverfässer und Lunten glömmen bereits. Schon ist die Kalesche staubaufwirbelnd zwischen Lehmhäusern verschwunden.

»Fehlten nur noch Pauken und Fanfaren!« ruft Beethoven, und seine Stimme ist lauter als sonst, als müßte er noch ankommen gegen Wagenrollen, Kutschergeschrei, Hufschlag.

Nach dem herrischen Auftritt von Martin Sartorius drängeln sich Seeleute an der Reling, der Fallreeps-Pforte, rufen durcheinander; unten stehen drei Afrikaner, bieten Frauen an, sich im Geschrei übersteigernd.

Und es erscheinen zwei Reiter. Der erste in Paradeuniform; alles Metallene an ihr ist poliert, alles Weiße gewaschen; dunkles Blau und leuchtendes Rot fleckenlos; Stiefelschäfte in vollem Glanz. Hinter dem Offizier ein Soldat mit einer ihn überragenden Flinte, Bajonett aufgepflanzt. Der Soldat sitzt ab, übernimmt vom Offizier den Zügel. Gemächlich, als sollte sich jede Bewegung den Zuschauern einprägen, sitzt auch er ab, steht erst einmal da, rückt die Uniform zurecht, geht auf das Schiff zu: der Hafenkommandant von Ndakaru.

Kapitän und Erster Offizier schreiten zum Fallreep, der Obersteuermann setzt die Pfeife an, Kanoniere und Seeleute reihen sich in militärischer Ordnung. Der Hafenkommandant betritt das Deck wie eine Bühne. Als Herr des Hafens ist er zugleich Herr des Lehmziegelforts, er könnte auch Waffen sprechen lassen, Zwölfpfünder, Vierundzwanzigpfünder.

Ein Tisch wird an Deck getragen – abgeschraubt hat er bereitgestanden. Neben der Fallreeps-Pforte postiert sich der Soldat; die Bajonettklinge ist ebenfalls poliert – Aufblinken, ja Aufblitzen bei geringen Drehbewegungen der Waffe wie des Mannes.

Gefolgt vom Schotten, der zwei Reisekisten schleppt, kommt Signore maschera zu Beethoven und Bridgetower, bittet sie, ihm den Vortritt zu lassen bei den Landeformalitäten – es gehöre zu seiner geheimen Mission, daß er sich so früh wie möglich übersetzen lasse zur Insel Gorée dort drüben.

Ohne ihre Zustimmung abzuwarten, tritt er an den Tisch, legt seinen Paß vor, auch den des Schotten. Der Hafenkommandant steht auf, beugt sich vor, der Maskierte spricht leise auf ihn ein, legt zwei Münzen in seine Handfläche, der Kommandant gibt ein Zeichen des Einverständnisses, der Maskierte nickt dem Segelmacher zu, der an der Treppe wartet. Der geht hinunter, kommt kurz darauf mit einer schwarzen Frau zurück, die zwei kleine Bündel trägt. George spürt, wie seine Haut heller wird, hofft, daß keiner es merkt.

Die Frau wird an den Tisch geführt, kurze Verhandlung mit dem Offizier, dann wird sie vom Maskierten zum Fallreep geleitet. Dort muß der Schotte aus dem Gürtel einige Münzen fischen, die zählt er der Frau in die Hand. Und nun lacht sie, zeigt kräftige, etwas gelbe Zähne, lacht auch George zu, ganz offen.

Der Maskierte kommt die paar Schritte auf sie zu: Vor Beethovens hohen moralischen Kategorien sei gewiß verwerflich, was sich hier andeute, für seinen Körper wäre es jedoch unzumutbar gewesen, zwei Wochen auf See zu verbringen ohne Frau; sie wollte sowieso nach Afrika, hat auf der für sie kostenlosen Reise auch noch etwas verdient – genug der ausgleichenden Gerechtigkeit?

Er wendet sich an George: »Ich habe für Sie mitbezahlt, Sie waren mein Gast.« Signore maschera lacht auf: Noch nie habe er ein derart verdutztes Mohrengesicht gesehen …! Ob Mister Bridgetower tatsächlich geglaubt habe, er hätte eine blinde Passagierin entdeckt? Und es wäre über zwei Wochen hinweg möglich, auf einem Schiff geheimzuhalten, daß eine Frau an Bord ist?

Nein, antwortet George, er hat sich nur gewundert, daß keiner aus der Mannschaft sie entdeckt hat, zu ihr gegangen ist.

»Sehen Sie, und genau das ist der Beweis dafür, daß alle hier Bescheid wußten.« Weil dieses Schiff von einem so exzellenten Kapitän befehligt wird, wurde diese geheim-öffentliche Tatsache respektiert. Er hat übrigens von Anfang an gewußt, daß Bridgetower den

Weg zu ihr gefunden hat; es war ihm eine Ehre, diese Frau mit einem so renommierten Musiker teilen zu dürfen. Und er nimmt George kurz in die Arme, ohne – wie sonst üblich bei Umarmungen unter Männern – die Hüfte ein wenig zurückzunehmen, also gibt auch George locker nach. »Wir handeln sowieso in einem gewissen Einverständnis«, flüstert der Maskierte, das möge sich weiterhin bewähren. Er löst sich, reicht Beethoven die Hand; er betont, damit wolle er nicht Abschied nehmen, dies sei nur eine ausgleichende Geste. Und er lacht wieder auf, schreitet zum Tisch. Der Hafenkommandant steht auf, überreicht die Ausweise.

Beethoven läßt den Maskierten nicht aus den Augen, während er halblaut sagt: »Ich denk, der treibt es nur mit Männern!«

George bittet um Verständnis und Verzeihung für diese Notlüge oder eher: diese Not-Erfindung, anders hätte er ihm so rasch und wirkungsvoll nicht ausreden können, daß sich etwas abspielen könnte zwischen Charlotte und Signore.

Ludwig atmet tief durch: »Du hast mit dieser Frau ein Techtelmechtel gehabt?«

George ist stolz auf diese Replik: Wenig Techtel, viel Gemächtel…

Bevor Beethoven darauf reagieren kann, ist der Kapitän auf den Maskierten zugegangen, bleibt hinter der schwarzen Frau stehen, als wolle er über ihre Schulter hinweg etwas mitteilen, doch Flamsteed preßt sich an Gesäß und Rücken der Frau, und der Maskierte, wie im Reflex, schiebt sich von vorn an sie heran. Afrikanisch gutturales Lachen, kurz ihre Hand an der Hüfte des Kapitäns, die andere an der Hüfte des Maskierten, und sie schiebt einmal kurz den Unterleib vor, stößt mit dem Gesäß zurück, schon löst sich diese Konfiguration auf, der Kapitän flüstert der Frau ein Wort ins Ohr, dreht ab. Und der Maskierte? Er lächelt, nein: grinst Flamsteed nach.

»Wat is dat dann?!« Ein Kopfschütteln, als wolle Ludwig etwas herausschlenkern, das sich im Gehirn festsetzen will. »Die Welt ist ein Fuchsbau«, knurrt er, »und all die schlauen Füchse finden sich in ihr zurecht, auf Anhieb!« Von dieser Frau muß der Kapitän gewußt haben! »Hatte der auch seine Finger im Spiel?«

Die Finger wohl weniger ...

Beethovens Augen schlitzschmal, Brauen zusammengezogen.

Von der Mannschaft wird noch keiner an Land gelassen – Statisterie für die Abfertigungs-Zeremonie? Er zieht Beethoven zum Tisch. Der Hafenkommandant sitzt wieder, der Soldat an der Pforte scheint das Gewehr fester zu packen. »Ihre Papiere, bitte.«

Beethoven stellt sich schwerhörig. Der Offizier wiederholt die Aufforderung – Beethoven hält die rechte Hand hinters Ohr. Ob er richtig gehört habe ...?! Papiere sollen vorgelegt werden ...?! Er sei aus dem von Bajonetten beherrschten Österreich nach Afrika gereist, das für ihn ein – in übertragenem Sinne – jungfräulicher Kontinent sei, und jetzt werde er hier als allererstes aufgefordert, seine Papiere zu zeigen?!

Afrika, sagte der Hafenkommandant nach kurzer, wohl auf Wirkung berechneter Pause, Afrika sei längst nicht mehr jungfräulich, der Kontinent sei jahrhundertelang geschändet worden, vor allem durch Sklavenjäger und Sklavenhändler, und vor einer illegalen Fortsetzung dieser Schändung müsse auch er, als Befehlshaber des Küstenforts, diesen Kontinent bewahren, zumindest im Hafen von Ndakaru. Wohlgesetzte Worte, zusammengestellt in einem offenbar ausgeruhten Hirn.

Diese Motivation, antwortet Beethoven, könne, müsse er respektieren, dennoch sei es für ihn eine unschöne Überraschung, in Afrika als erstes wieder mit Bajonett und Uniform konfrontiert zu werden, mit einer Paßkontrolle. Und er fragt, was geschähe, wenn er sich weigern würde, den Paß vorzulegen?

In diesem Fall müsse der Reisende ihn zum Fort begleiten, dort würde sich das weitere finden. Falls der Herr noch weiter insistiere, fügt der Kommandant hinzu, so fertige er jetzt die Mannschaft ab.

»Dann zögere ich noch ein bißchen!« Und Beethoven will einen Schritt weggehen vom Tisch.

George packt ihn am Ellbogen: Jetzt bitte keine Geschichten, ihm erscheint das Schiff auf einmal unerträglich eng, er muß raus, runter, weg!

»Gut, dann übernimm du jetzt die Verhandlung.«

Zwischenspiel
Sonata mulattica

Wie nah ist Afrika! Wie fern ist Afrika …! Noch fern: ein Stapel unbeschriebener Papierbögen links auf dem Tisch, »Zweiter Teil«; zur rechten Seite ein ungefähr gleich hoher Stapel beschriebener Blätter, »Erster Teil«; in der Mitte der Holzfläche das Blatt, auf dem er schreibt: »Zwischenspiel« des Entwurfs der Reise nach Afrika. Arbeitstitel: »Mulattensonate«.

Schreiben, sich an Afrika heranschreiben: die braune, auf dem Papierweiß betont braune Hand, eingekrümmt um die Feder. Braun auch der Unterarm, der sich aus dem Burnus schiebt: den streift George über, bevor er sich an den Arbeitstisch setzt, am Fenster. Horizontweit das Meer, grüngrau; Möwen, die Schreie wiederholen ohne Variationen; Fischerboot-Segel, weit verteilt; ein Frachtsegler, herüber von Dieppe. Und südlich liegt Afrika – jenseits und noch einmal jenseits und weiterhin jenseits des Horizonts. Die Seewasserprobe beweist es!

Ein Ritual, er hat es schon mehrfach vollzogen während der Arbeit am Ersten Teil: aufstehen, über den kleinen Teppich gehen, vorbei an der Stellage mit Büchern, die Treppe hinunter auf knarrenden Stufen. Das Zimmer im Erdgeschoß: künstliche Dämmerung hinter geschlossenen Schlaglädern – er will nicht, daß Stirnen, Nasen, Kinne ans Glas gepreßt werden. Ein Stuhl aus Gußeisen, imitiertes Bambusrohr; auf einem Stehpult Notenbögen; die Violine und die Viola auf der Konsole.

Er tritt vor die Tür, breitet die Arme aus zur Begrüßung des Meeres, an der Kante der Steilküste, die kaum höher ist als ein dreistöckiges Haus. Der Wind preßt den Burnus an Brust, Bauch, Geschlecht, Oberschenkel, im Rücken wird das Gewebe aufgebläht, flatternd, Wind fährt in die Ärmelöffnungen. So steht er da, konturgenau, zugleich wie vergrößert: George Augustus Polgreen Bridgetower.

Breiter Erosionskeil im Kreidefelsen, East Cliff, es führt ein Pfad hinunter mit Kehrtwenden, den steigt George hinab, dem Wind entgegen. Strandhafer und Gras gesträhnt; im Kraushaar freilich findet der Wind kaum Ansatz zu Verwirbelungen. Auf den weiten Kieselstrand gezogene Fischerboote, schrägliegend; ausgebreitete Netze, auch Segel; ältere Männer flicken. Ein Badewagen wird von einem Kaltblüter ins Wasser gezogen, der Fischer nebenher mit aufgekrempelter Hose und bloßem Oberkörper, durch Zurufe lenkend; die Tür über den vier Stufen an der Rückseite ist noch verschlossen.

George geht zwischen Fischerbooten hindurch und Netzen; einer der Fischer saugt an einer Tonpfeife, doch Rauch steigt nicht auf. George am Wassersaum, er rafft den Burnus, geht zwei, drei Schritte ins Wasser, beugt sich vor, taucht langsam die Hand in die See: ja, dieses Wasser, das seine quirlende Rechte umschließt, es setzt sich fort bis zum Horizont und über den Horizont hinaus an Frankreich vorbei, an Spanien vorbei, an der Meerenge von Gibraltar vorbei, an Marokko vorbei, an Mauretanien vorbei bis zum Kap Verde. Ein Seebeben, das dort entstünde, könnte die Wasserdruckwelle bis vor Brighton schicken, und er würde sie spüren mit seinen Händen, die subtilste Klangschwingungen erzeugen können.

Der Badewagen wird im Wasser rangiert, bis das Pferd wieder zum Ufer schaut, und Wagenheck, Tür, Stufen zeigen südwärts. Zwischen Netzen und Fischerbooten zurück zum hellgrau angeschnittenen, grasbedeckten Steilhang. Die rechte Hand ist kühler im Wind: Wasser bis zum Kap Verde und weiter bis zum Kap der Guten Hoffnung, bis nach Indien, schließlich bis China; Wasser, das zugleich bis zu den Antillen reicht, in die Carlisle Bay von Barbados. Ja, ein Hauch Karibik: feuchtwarme Luft mit Salz und Jod, Seegras und Tang – der Golfstrom …!

Den Pfad hinauf. Das Haus rotbraun, die Fenster weiß ummalt: Holzhaus zwischen Holzhäusern, die klein sind, während die Häuser, die westwärts (jenseits des Promenadenplatzes zwischen Meer und Sommerresidenz) am Ufer entlang gebaut wurden, erbaut werden, durchweg vierstöckig sind wie das Pasqualati-Haus auf der Mölker Bastei zu Wien. Und er sieht vom Rand des Steilhangs die Feldflächen, Weideflächen rund um das Städtchen Brighton; auf dieser Fläche fast überhaupt kein Baum, dafür ein paar Windmühlen. Und eine Fußstunde nordwärts die Hügelkette.

Die Mölker Bastei – je öfter er sich diesen Namen vorsagt, desto stärker schreibt sich die Adresse fest im Bewußtsein. Wien, Mölker Bastei, Pasqualati-Haus, vierter Stock: wird Beethoven dort den Ersten und den Zweiten Teil dieses Konvoluts in Empfang nehmen? Und bei der Lektüre des Entwurfs zieht ein Gluthauch Afrika in sein Arbeitszimmer? Und an einem Tag, der später in Biographien hervorgehoben wird, geht Beethoven die ersten zwölf oder zwanzig Schritte zur Wohnungstür, geht etwa hundert Stufen hinunter in der Wendeltreppendrehung, geht ein Dutzend Schritte zur Hofeinfahrt, und Adlatus Schindler muß, als Zeitzeuge, das dicke Reisebündel schleppen? Und draußen wartet die Kalesche? Und die ersten der vielen Hufschläge der Reise von der Donau an den Niger?

Ja, er muß wissen, wo die Reise beginnt und wohin sie zurückführt! Also muß er in Brighton genau vor sich sehen, wie Beethoven arbeitet im vierten Stock des Pasqualati-Hauses, wie er diese Wohnung verläßt zu einem der Spaziergänge, die ihn im Eilschritt auf Stadtmauern und Basteien einmal rund um die Festungsstadt, die Stadtfestung Wien führen, oder wie er in der Innenstadt Schaukästen, Schaufenster inspiziert mit dem Lorgnon, wie er in einem Café sitzt und Zeitungen liest, die langstielige Pfeife rauchend, wie er ins Theater geht, wie er in einem Salon eines Gasthofs oder Hotels an der Aufführung eines neuen Quartetts teilnimmt, wie er ein Konzert gibt in einem Saal oder Salon, wie er Gespräche führt, wie er durch das fast völlig finstere Wien zu seiner Wohnung zurückkehrt. Nur in seinem Wiener Ambiente kann er Beethoven so genau vor sich sehen, daß er ihn im Ersten Teil aufs Meer, im Zweiten Teil nach Afrika versetzen kann. Sein Entwurf dieser Reise muß einen Saugfuß haben an erfahrener und bezeugter Realität – wie eine Raupe, die sich an einen authentischen Ast klammert, hinten, und mit dem grünen Leib macht sie Suchbewegungen frei hinaus.

Vorbilder, Modelle auch für andere Personen dieses Entwurfs – hier helfen George vor allem Erinnerungen an die Wochen, die er in Wien verbracht hat, helfen ihm Berichte reisender Musiker. In Wien das Modell des Signore maschera. Hauptsächlich in Wien das Vorbild der Charlotte.

Vieles über sie hat er von einer Schweizer Dame der Wiener Gesellschaft erfahren, Marie-Elisabeth Tellenbach, sie erzählte ihm wiederholt und ausführlich von dieser Frau. Aber er ist nicht allein auf ihre Vermittlung angewiesen: ohne den Namen preiszugeben, wird er nach der Reise im geplanten Buch schreiben, daß er – damals vor zehn Jahren – diese kleine, schöne, schwarzhaarige Frau kennenlernte; Beethoven selbst vermittelte ihm die Einladung in das Haus, in dem sie mit ihrem ersten Mann wohnte, dem Grafen, der die Galerie führte. Und er wird erwähnen, daß er mit ihr musizierte: eine sehr gute Pianistin, sie spielten die dritte der Sonaten opus 12. Schon bei den Vorbereitungen zur Aufführung in kleinem Kreis konnte er feststellen, wie feinhörig »Charlotte« reagierte, wie sie aber auch selbstbewußt Akzente setzte. Nach der Aufführung ein längeres Gespräch mit »Charlotte«: bereits drei Kinder …! Das mußte er sich mit einiger Anstrengung vor Augen führen – ihre mädchenhafte Erscheinung … Es ging über Bewunderung hinaus, was er für Josephine Brunswick empfand – das merkte Beethoven, das machte ihn eifersüchtig, wütend, es kam zu einer Auseinandersetzung: Er hätte George nicht in das Haus des Grafen geholt, damit er dessen Frau den Hof mache!

Ja, es hatte sich ein Gefühl übertragen, es war etwas übergesprungen, aber: ohne solche Gefühlsresonanz könnte er die Geschichte mit Charlotte kaum entwerfen. Was würde ihn eine Liebesgeschichte interessieren, die nichts mit eigenen Erfahrungen verbindet? Die nicht auch eigene Erfahrungen wiedergibt oder weiterführt?

Transponieren: Stichwort zum Entwurf der Liebesgeschichte zwischen Ludwig und Charlotte. Was für einen Beethoven, was für einen Bridgetower selbstverständlich ist in der Musik: das Transponieren in eine andere Tonart – dies auch beim Schreiben?

Weiteres Stichwort: interpolieren. Er hat im Wörterbuch nachgeschlagen, in Donaldson's Royal Circulating Library, um sicherzugehen, daß er diesen Begriff richtig einsetzt, und es trifft zu: Fehlendes ergänzen. Das hieße, auf den Entwurf übertragen: ausgehen auch von eigenen Erfahrungen. Oder: Erfahrungen vergegenwärtigen, die sich vielleicht einmal – in der weiteren Selbstentwicklung der Geschichte – auf Beethoven übertragen lassen. Oder: Erfahrungen überschreiben, auf den Leib schreiben … Damit übertrüge er nicht, was Beethoven fern oder fremd ist; nur so käme er an Erfahrungen heran, die Beethoven glücklich machen, die ihn leiden lassen.

Im Schnittpunkt der Perspektiven eine eigene Definition von Liebe, die bisherigen Erfahrungen und Reflexionen standhielt: Liebe als Wunsch, die geliebte Person möge sich entfalten. Jennifer: sie lebte auf in der ersten Zeit ihrer Liebe! Gemeinsam musizieren, über Musik reden, gemeinsam essen, trinken, miteinander schlafen und Gespräche, weitgefächerte Gespräche. Der verwirklichte Wunsch, die geliebte Frau möge sich entfalten. Und er spürte, machte die Erfahrung: das wirkte belebend auf ihn zurück. Ihr Mann aber, David, die »graue Demenz«, verwirklichte den Gegen-Satz: was sich entfalten wollte bei Jennifer, das stauchte, preßte er zusammen. Oder: das machte er klein, hielt er klein. Auch aus dieser Gegen-Erfahrung ergab sich die Definition der Liebe als Wunsch, die geliebte Person möge sich entfalten. Ein Satz, der sich auf Beethoven überschreiben ließe im Reisebuch. Da würde sich unter Lesern bestimmt die Meinung bilden, dieser Satz passe zu Beethoven, der sei eines Beethoven würdig.

Freilich, er muß ihm, bevor das Reisebuch erscheint, solche transformierten (oder interpolierten) Sätze, Details, Sequenzen vorlegen. Aber er ist fast sicher: Beethoven wird sie akzeptieren, wenn auch mit Abstrichen und Ergänzungen, mit Modifikationen, Varianten. Und zum Schluß hoffentlich sein Vermerk: Authorized by Louis van Beethoven.

Jennifer: alle Wünsche sah George in ihr, mit ihr erfüllt. Gespräche auch über Musik und Bücher und Städte und Landschaften, vor allem über Menschen. Zärtlichkeit und Leidenschaft. Glücksphasen, die ihre Fortsetzungen, ihre Wiederholungen wollten: häufig waren sie beisammen, vieles unternahmen sie gemeinsam, auch in der Öffentlichkeit von London, allerdings mit großer Vorsicht.

Dennoch, es fand sich rasch ein Schubiak (so würde er Beethoven sagen lassen), der David, ihrem Mann, davon berichtete: Dein Weib und ein Neger. Schreien, Toben, Saufen: Zuckerrohrschnaps in David hinein, Tränen aus ihm heraus – Gluckern und Schluchzen, großes Zittern.

Jennifer war in dieser Zeit wieder einmal bei ihrer Mutter, mit beiden Kindern. Ihre Schwester bestand darauf, daß sie sich um ihren Mann kümmerte: Sonst geht er vor die Hunde ... Also zurück in die Wohnung. Verschlossene, verdunkelte Fenster. Essensreste, Zeitungen, Erbrochenes. Und Jennifer fühlte sich mitschuldig an Davids Rückfall, sie mußte ihm helfen. Erst mal wieder geregelte Mahlzeiten. Lüften und Putzen. Ablenkungen: eine Kutsche bestellen, in eine malerische Ortschaft der Umgebung fahren. Und schon war es wie früher, David machte ihr Vorwürfe: Warum mußte sie gerade diesen Ort wählen?! Der Gasthof teuer, das Bier dünn, der Kutscher dreist ... Umgehend etablierten sich alte Gewohnheiten: alles, was sie tat, wurde lächerlich gemacht, runtergeputzt. Als sie das nicht mehr aushielt, floh sie erneut zu ihrer Mutter. Und David ging nicht mehr ins Kontor, täuschte Krankheit vor. Durchtränken seiner Existenz mit Alkohol. Wieder glaubte sie ihm helfen zu müssen, schließlich hatte sie ihn einmal geliebt, schließlich hatten sie Jahre miteinander verbracht, schließlich hatten sie zwei Kinder.

Und eines Tages, in die Enge getrieben, kündigte sie George vorsichtig an, es könnte schon bald geschehen, daß sie sich von ihm zurückziehen müsse. Ihr werde alles zuviel; keine innere Kraft mehr für Liebe; was sie belaste, überlaste, das dürfe George nicht mit herunterziehen; ihre Gegengaben für seine Liebe: Schmerz, Elend – das könne sie nicht auch noch ertragen; sie wolle Ruhe haben, innere und äußere Ruhe, wenigstens das.

Wie zur Einübung in die Trennung: sie schlief nicht mehr mit ihm. Und weil sie nicht mehr mit ihm schlafen wollte, ließ sie keine Zärtlichkeiten mehr zu, es würde sonst alles wieder wie zuvor, das dürfe nicht geschehn. Er lechzte nach ihrer Haut, aber die blieb bedeckt. Sie hielt die Haut auch vor ihrem Mann bedeckt, seine Berührungen konnte sie nicht mehr ertragen – die Erfahrungen des Glücks mit George. Immer weniger konnte er sie verstehen. Warum wollte sie sich von ihm zurückziehen? Warum wollte sie sich aufopfern für diese Graue Demenz, für diesen tyrannischen Mitarbeiter eines Anwaltskontors? Er kam nicht frei von der Frage, warum sie sich an diesen Mann klammerte, der ihrer Liebe nicht wert war. Und er, George, sehnte sich nach ihr! Nachtstunden, in denen er inwendig zitterte; zuweilen krümmte er sich ein; von Schmerzen kalfaterte Bauchhöhle.

Schließlich der Abschied. Jennifer, mit weher und wilder Entschlossenheit, sagte in einer Umarmung, was sie schon mehrfach gesagt hatte, bündelte es nun: Sie fühlt sich immer noch hingezogen zu George, aber sie kann die Wünsche, die sich in ihm entfaltet haben, nicht mehr erfüllen; eine Fortsetzung des Liebesverhältnisses würde zwangsläufig zur Fortsetzung seiner Enttäuschungen, seiner schmerzlichen Erfahrungen. Es wird ihr alles zuviel und zu schwer; ihre Angst, sich an George zu verlieren ohne Hoffnung auf Zukunft, sie muß aber wissen, wohin sie gehört; sie hat die Hoffnung, daß die endgültige Rückkehr zu ihrem Mann Verbesserungen schafft, mit ihrer Rückkehr entfallen schließlich die Hauptgründe für seine Versuche, sich zu zerstören durch Alkohol. Und David hat ihr nach einer langen, ruhigen, eindringlichen Unterredung versprochen, sich zu ändern; sie wollen, müssen einen neuen Anfang machen. Und George, der sowieso viel auf Reisen ist, er wird Distanz finden zum notwendigen Ergebnis dieses Gesprächs, er wird eines Tages eine Frau kennenlernen, die ganz für ihn dasein wird, auch er wird mal heiraten, das weiß, das spürt sie. Für sie beide aber sei es am besten, wenn sie sich nicht mehr träfen, nicht einmal, um Tee zu trinken, zu plaudern.

Er nahm das hin wie einen Urteilsspruch, bei dem Revision ausgeschlossen ist. Schmerz und Betäubung. Eine Phase, in der er sich, stellvertretend für ihren Mann, betrank. Doch er rief Jennifer nicht um Hilfe, wollte nicht das Erpressungs-System übernehmen.

Langsame Regeneration. Es bildeten sich wieder Schutzschichten: neualte Gewohnheiten. Und ein altneues inneres Gleichgewicht entstand: beinah Stabilität. Damit wieder eine Lebensform: eine zwar verkleinerte, verkrümmte Lebensform, aber er fand sich drein. Sagte sich: Es ist Verlaß auf diese Situation, damit Verlaß auf mich, nun kann ich wieder mit mir rechnen. Ich unterrichte wie früher den ganzen Vormittag, ich spiele abends die Erste Geige im Ensemble des dicken Prinzen, ich arbeite am Lehrbuch – der Titel wie eine Metallinschrift auf Marmor: DIATONICA ARMONICA for the pianoforte. Arbeit erzeugt den Lebenssinn, den ich suche. Ich bin wieder bei mir angelangt, ich halte mich gut mit mir. Für sie, davon ging er aus, wird es ähnlich sein: sie hat sich dreingefunden, abgefunden, auch für sie wird sich nichts mehr ändern. Sätze, die er sich wiederholte, Sätze, die sich in Wiederholungen fixierten.

Und dann, nach anderthalb Jahren: die Begegnung. Ein Tag im Mai, sie trafen sich in einem Musikaliengeschäft – sie wollte Noten kaufen, wollte im Sommer wieder auf dem Pianoforte spielen. Beinah selbstverständlich die kleine Umarmung – auch um Halt zu finden nach dieser Überraschung. Sein Name verbunden mit einem langen, wie aus den Lungenspitzen gesogenen Seufzer. Mit diesem Seufzer brach zusammen, was er sich nach der Trennung zurechtgelegt, was ihn in den siebzehn Monaten aufrechterhalten hatte. Die Sätze, mit denen er sich Kraft zugesprochen hatte, die Sätze, mit denen er wieder Fassung gefunden hatte, all die Hilfssätze, Leitsätze – zu Sätzen einer Sprache geworden, die er nicht mehr verstand.

B ridgetower kann nicht weiterschreiben, Bridgetower muß Hofdienst leisten: noch einmal, gegen Ende der Saison, in der »bathing-machine«, der Holzbude auf Rädern. Sie wird vom Kaltblüter ins Wasser gezogen.

Gemächliches Wenden, das Treppchen seewärts, südwärts manövriert ... Und er wartet, in die Ecke gelehnt, bis The Prince of Wales vom Diener ausgezogen ist. Er mag gar nicht hinschaun, so viel Fleisch wird freigelegt, das wulstet, baucht sich – schlaffes, wabbliges Fleisch eines Mannes von Ende Vierzig, und der stöhnt, seufzt, ächzt, wäre lieber noch im Bett. Der Diener bugsiert ihn zur Tür, am Treppchen warten zwei Fischer im Wasser, sie packen je eine Hand, locken mit kehligen Lauten den fetten Mann die Stufen herunter, senken ihn ins Wasser. Andeutung von Schwimmbewegungen; die Fischer lassen ihn erst los, als er seinen Rhythmus gefunden hat. Stöße hinaus,

Stöße zurück. Die Hosen der Fischer bis zu den Knien hochgekrem-
pelt, aber sie stehen bis zu den Gürteln im Wasser, Oberkörper ent-
blößt. Zwischen ihnen wieder der prustende Mann – ein Schnurr-
bart würde den Prinzregenten zur fetten Robbe machen. Etwas für
die Gesundheit tun, doch nicht zuviel: die Fischer geleiten ihn wieder zu den Stufen, es strecken sich ihm die Arme des Dieners entgegen, für einen Moment liegen drei Handpaare an diesem Körper –
hat Oberfläche genug! Daß er sich so schlecht bewegen kann, daran
ist nur die Gicht schuld, die verdammte, und die allgemeine Schwäche, die unverständliche. Abrubbeln von Royal Highness. Mit
einem Aufächzen setzt er sich auf den Hocker an der offnen Tür.
Die Fischer ziehen sich zurück, warten am Pferd, der Diener verläßt
die Badekabine.

Der Ausschnitt Meer in der Türöffnung; zwischen den Rädern
schnalzt Wasser. Music please! Er kauert auf dem Bänkchen, weil
der Bogen sonst an die Decke stößt – eigentlich müßte er sein Instrument auf afrikanische Weise spielen, senkrecht gehalten und den
Bogen waagrecht geführt. Nun aber spielt er mit verkürzter Bogen-
führung. Adagio sostenuto. Musik, die besänftigen soll; bei innerer
Ruhe die Heilkraft des Wassers nachwirken lassen. Hundert oder
hundertzwanzig Takte, dann winkt der Thronfolger ab: möchte
allein sein mit seinen Gedanken, in seiner Melancholie.

Er legt die Geige (Zweitgeige, Schülergeige) in den Kasten, befreit
sich vom Tuch, das um die Hüfte geschlungen ist, wickelt es um den
Geigenkasten, verabschiedet sich von Royal Highness, drängt sich
am fetten Körper vorbei, steigt die Stufen hinunter, hebt den Kasten
höher, hält ihn über den Kopf bei den ersten Schritten von der
bathing-machine zum Ufer. Und schreitet an den Kieselstrand als
schaumgeborener Mulatte mit Geigenkasten. Ein Fischerjunge darf
ihn übernehmen: Be careful. Er zieht wieder den Burnus an, geht
zur East Cliff. Der Badewagen des Prince Regent noch reglos im
Wasser.

Wieder im Haus, die Tür schließen und: der Gußeisenstuhl, imitiertes Bambusrohr; das Notenpult, aufgeschlagen: Viotti; auf der
Konsole die Bratsche und die Konzertgeige aus Cremona, »einge-
griffen«, »griffsicher« ...

Die Treppe hinauf: der Arbeitstisch am Fenster. Die von westafrikanisch-karibischem Wasser geweihte rechte Hand schließt sich um die Feder. Notizen zum Zweiten Teil: »Nun sind wir ja in Afrika«.

Damit er dieses Ziel erreicht, muß er bald fertig werden mit dem Reise-Entwurf: ein Sommer in Brighton als Zeitmaß! Bald aber wird es Herbst, bald schon wird der Winter probeweise am Haus rütteln, im Kamin heulen. Und der Prinzregent wird mit Gefolge nach London zurückkehren, wird im Carlton House residieren. Und er wird darum bitten müssen, in Brighton bleiben zu dürfen: kann auch den Zweiten Teil nur in diesem Haus schreiben. Inspiration durch die vielgerühmte Luft von Brighton! Die Meeresbrisen, die im Hochsommer kühlen; die Golfstromwärme, die den Winter mildert, und damit: die als elysisch gepriesene Luft – sie verschafft inneren Auftrieb. Ja, hier entwickeln sich Bilder, hier formulieren und formieren sich Sätze wie von selbst.

In den nächsten Wochen nach Wien reisen und Beethoven das Konvolut des Reiseentwurfs überreichen, auf der Mölker Bastei? Er kann schließlich nicht voraussetzen, daß Beethoven hellhörig wird, sobald er ihm vom Projekt einer gemeinsamen Reise nach Afrika erzählt, ausführlich; es könnte mittlerweile zu erneuter, womöglich rapider Verschlechterung seines Gehörs gekommen sein; in diesem Fall müßte er dem Meister den Entwurf ins Ohr schreien, dabei würde er sicherlich rasch heiser, Afrika könnte wegdriften. Folgerung: er müßte Beethoven dazu motivieren, diesen Entwurf zu lesen, nachmittags, wenn er üblicherweise ins Café geht. Und sollte zu der Zeit, in der ihm dieser Entwurf vorliegt, Beethovens Lust, Drang, Zwang zum Komponieren noch immer so gering sein wie zu Beginn dieses Jahres 1813, so wird sich die Lektüre vielleicht sogar ausdehnen im Tagesablauf, wird eine Reihe von Tagen womöglich beherrschen: Beethoven, der in den Sog des Lesens gerät …! Er scheint es zu lieben, von Zeit zu Zeit, solch einem Sog zu verfallen – würde er sonst Abenteuerromane lesen?! Hier aber ginge es um ein Abenteuer, das ihn einbezöge! Sobald Ludwig die ersten Blätter wendet, muß seine Gesichtshaut sich röten in Lese-Erregung, in rasch steigendem Reisefieber. Inguula, siloosi, umloomu …

Beethoven in Afrika: hier gibt es bereits eine Motiv-Verknüpfung – und dieses Verfahren ist für sein Werk bezeichnend!

Schon als junger Mann hat Beethoven ein Gedicht vertont, in dem er sich nach Afrika versetzte: Schubarts Kaplied, some twenty years ago. Den damaligen Hintergrund (von einem hessischen Fürsten verkaufte, nach Afrika abkommandierte Soldaten) soll ein Monograph oder Biograph erhellen; George will im Entwurf der Reise nur zwei Zitate wiedergeben aus der noch ungedruckten Vertonung, die Beethoven in einem Gespräch erwähnt hatte bei einem der ersten Treffen in Wien – vielleicht als kleine Reverenz an die Herkunft des ›schwarzen‹ Besuchers.

Das erste Zitat: »Wir sollen über Land und Meer / Ins heiße Afrika.« Während Beethoven diese Zeilen vertonte, könnte er einen heißen Hauch Afrika verspürt haben, als hätte sich in der Hügellandschaft südlich von Wien ein Höllenmaul geöffnet, bocca dell' inferno, und rotbrauner Staub senkte sich auf alle Kopfsteine und Steinköpfe, auf alle Kirchenkuppeln und Hausdächer; rotbrauner Staub auf Blumen, Büschen, Bäumen des Augartens, rotbrauner Staub auf dem kanonenkugelfesten Gemäuer der Mölker Bastei …

Das zweite Zitat: »Nun sind wir ja in Afrika« Und diesmal Klänge herübergeweht vom Kontinent, zu dem Beethovens innere Kompaßnadel zeigte?

In Afrika, spätestens in Afrika wird er Ludwig die wahre Geschichte seiner Kindheit und Jugend erzählen, als Vorgeschichte des Besuchs in Wien, ten years ago.

Also: sein Vater, Henry Augustus Bridgetower, nahm sich – nach allzu bekannter Anregung – vor, seinen Sohn George Augustus Polgreen Bridgetower als Wunderkind zu präsentieren, in europäischen Städten. Für die Rolle des Impresarios schien sein Vater die besten Voraussetzungen zu haben. Vor allem: er sah fremdartig aus, das lockte Interesse an, machte ihn zum Gesprächsthema. Und so betonte er seine Fremdartigkeit durch elegante türkische Kostümierung. Trotz der Pluderhosen, der seidenen Weste, des Turbans aber bezeichnete er sich als AFRICAN PRINCE, ließ ohne Widerspruch oder Einschränkung zu, daß man ihn so nannte, auch in Zeitungen. Der »afrikanische Prinz« in der türkischen Kleidung wirkte auch nicht ansatzweise lächerlich: selbstbewußt trat er auf, seine Eleganz schien weltläufig. Er kam mit anderen leicht ins Gespräch, schuf rasch Verbindungen, Beziehungen.

Dies alles brachte er ein, spielte er aus, als er mit ihm auf Reisen ging, um ihn vorzuführen als das exotische Wunderkind mit der Geige. Für seine Auftritte mußte George sich als Türke kostümieren. Schuhe, die fast wie Schnabelschuhe aussahen ... Pluderhose ... silbern bestickte Weste ... kleiner Turban ... So trat er auf: halbjüdischer Mulatte, getürkt ... Ja, und Türken bewegen sich wild, es gibt die bekannten Moriskotänzer, die werfen Arme und Beine – wer türkische Kleidung trägt beim Auftritt, ist beinah verpflichtet zu wilden Bewegungen. Und dabei bitte schön Präzision! Federnde Prägnanz! Deshalb: üben, üben, üben! Schmerzen im Nacken, Schmerzen in den Schultern, Schmerzen zuweilen sogar in den Kiefergelenken, aber das alles zählte nicht, wurde vom Vater gar nicht zur Kenntnis genommen: Spiel, Geiger, spiel! Als müßte er um sein Leben spielen. Oder: als hätte er sein Leben verwirkt, sobald er nicht mehr Geige spielte. Kopfnüsse, Backpfeifen, Fausthiebe. Der Vater, der seinen Sohn knechtete, ja versklavte. Keiner hätte das geglaubt, man sah ihn als charmanten, eleganten Mann, freundlich, verbindlich, polyglott, als unermüdlichen Förderer seines Sohnes: er stellt das eigene Leben zurück, und die Erfolge mit dem Wunderkind geben ihm recht, nicht wahr? Aber, großes Aber: vom Geld, das sein Vater aushandelte, das er als Veranstalter einzog, von diesen Einkünften bekam der Sohn nur ein karges Taschengeld. Den größeren, zuweilen den größten Teil des Geldes verspielte sein Vater. Pointiert: Was der Sohn einspielte, verspielte der Vater. Dramatisiert: Sein Vater hat das Geld durchgebracht, das Geld, das er verdiente! Sein Vater konnte die Hotelzimmer noch bezahlen, das Essen und die Kleidung, sonst aber blieb kein penny übrig, kein centime, kein Pfennig. Und er, George, hatte zuweilen sehr gute Honorare! Sein Vater brachte das Geld so rücksichtslos durch, daß auch nichts übrigblieb für die polnische Mutter in Dresden. Geld verschleudert, Geld verjubelt, Geld versoffen, Geld verspielt! Und weiterhin Backpfeifen, Kopfnüsse, Rippenstöße, Fausthiebe. Sein Vater als Sklaventreiber ...! Verachtung und Willkür ...! Nach einer Runde durch Kneipen und Spielsalons kam sein Vater mit einem Saufkumpanen zurück, die beiden mußten vom Anblick des schläfrigen Sohnes verschont werden, der mußte unters Sofa kriechen. Dabei Tritte, als wäre er ein Hund! Hätte er ein Messer bei sich gehabt, einen Türkendolch, er hätte sich die Pulsadern aufgeschnitten unterm Sofa. Die Leiche des Sohnes, die Reue des Vaters ... zu spät die Einsicht, was er dem Sohn angetan ... bis zur Stunde des Todes muß sich das Schuldbewußtsein in ihm festkrallen ... Es war so eng unterm Sofa, daß er kaum Luft kriegte – Druck auf die Rippen.

Noch in dieser Nacht floh er ins Carlton House. Er war schon mehrfach aufgetreten in der Stadtresidenz, das Personal kannte ihn, man brachte ihn unter. Am nächsten Tag berichtete er dem Thronfolger, und der nahm ihn unter seinen persönlichen Schutz. Ein so entschiedenes, rasches Handeln hätte er Royal Highness nicht zugetraut. Ja, Prince George ließ sogar den Vater aus England ausweisen, gab ihm das Geld für die Rückreise nach Dresden. Als er sich vom Vater verabschiedete, forderte er ihn auf, künftig wieder für die Mutter, für seine Frau zu sorgen: ein Sohn, der seinen Vater mahnen muß ...! Es war vergeblich, das ahnte er schon damals. Dennoch Erleichterung, als Vater abzog.

George war damals vierzehn. Nun brauchte er nicht mehr im Türkenplunder aufzutreten, als mulatticus alla turca, nun mußte er auch nicht mehr das polnische Schwarz tragen, halb Livree, halb Husarenrock. Man schenkte ihm englische Kleidung; er erhielt gute Lehrer; er wurde Mitglied des kleinen Orchesters des Prince of Wales, spielte am ersten Pult.

Und dies war vorerst das Ende seiner Karriere als Geigenvirtuose. Er wurde Orchestermusiker Bridgetower. Gewiß, er war schon mal Primarius bei der Aufführung eines seiner Streichquartette, er trat gelegentlich solistisch auf, aber was war das schon, verglichen mit den Erfolgen in Paris? Mit vierzehn in Salisbury, na schön, ein Benefizkonzert für den Organisten der Kathedrale, und er spielte ein eigenes Violinkonzert. Mit siebzehn sollte er noch einmal ein Benefizkonzert geben, wieder für einen Organisten, diesmal in Winchester, für Mister Chard, aber dieser Konzerttermin platzte, weil die Militärmusiker des West York Regiments und der Royal North Gloucester kurz zuvor abgezogen wurden, da hätte er allein im Dom gestanden mit seiner Geige. Er durfte zu einem späteren Termin dann doch ein Orchester leiten in Winchester, und er spielte die Sologeige, wieder in einem Benefizkonzert, für Mr. Hill, einen Laienvikar der Kathedrale. A concert for the benefit of ... a further concert for the benefit of ... Er kann das Wort Benefiz nicht mehr hören!

Hätte sein Vater ihn nicht so skrupellos ausgenutzt, so hätten sich die Erfolge fortsetzen können, in Italien und in Spanien, in Dänemark und in Rußland – ja, warum nicht auch in Rußland, in Petersburg, Kiew? Er wäre dann nach Wien gekommen mit sehr viel größerem Renommee. Denn eigentlich: als er – mittlerweile 23jährig – nach Wien kam, fand sein Name wenig Resonanz. Er weckte Interesse, weil verschiedene Herrschaften es aufregend fanden, zur Abwechslung, daß »a Schwoazza« Geige spielte, dies auch noch in Kompositionen von Mozart, Beethoven und – last and least – von Bridgetower; diesen »schwarzen Geiger«, diesen dunkelhäutigen Komponisten wollte man »erleben« ...

D ieses Kapitel hat er viel zu lang schon aufgeschoben, vor sich hergeschoben – über den Ersten Teil hinaus. Nun muß er sich das Stichwort zuspielen! Also: Notizen zur geplanten Aussprache mit Ludwig van Beethoven über den Entzug der Widmung der A-Dur-Sonate, damals in Wien.

George hat die Noten dieser Komposition an der Rückwand des Arbeitszimmers aufgehängt – nicht im Druck, mit der fatalen Widmung an Rodolphe Kreutzer in Paris, sondern in eigener, notengetreuer Abschrift. Die Seiten mit kleinen Nägeln befestigt: Blatt neben Blatt, Adagio sostenuto links oben, die Schlußtakte des Presto rechts unten – beinah vierzehnhundert Takte und wie viele Noten insgesamt? Sonata mulattica, die Mulattensonate, op. 47.

Mittlerweile hat sich die Opuszahl ungefähr verdoppelt, und der

Vorfall liegt ein Jahrzehnt zurück, Beethoven wird sich nicht mehr an jede Einzelheit erinnern, also wird George ausholen müssen, sostenuto.

Als er 22 war, reiste er mit großzügiger Genehmigung seines englischen Dienstherrn für ein Jahr auf den Kontinent, besuchte Sommer 1802 seine Mutter in Dresden, dirigierte dort Beethovens Erste Sinfonie, führte sein eigenes Violinkonzert auf, gab ein weiteres Konzert im Polnischen Saal eines Hotels, dirigierte diesmal auch eine eigene Sinfonie, reiste weiter nach Teplitz und Karlsbad, erreichte Anfang des folgenden Jahres Wien; dort fand er rasch Kontakte zu Adelsfamilien, die ihn förderten. So kam er auch in das Haus des Fürsten Lichnowsky, Vorname Karl, was zu betonen ist; der Name seiner Frau: Christiane. Dieser Fürst, der gut Klavier und passabel die Geige spielte, ließ den Mulatten im Musiksalon auftreten, vor zahlreichen Gästen: Begeisterung. Und so stellte der Fürst die Verbindung her zwischen George Augustus Polgreen Bridgetower und Ludwig van Beethoven, im Frühling 1803 – der Komponist war 32 Jahre alt. Begegnung in seiner Wohnung. Der »Spaniole« und der Mulatte, der eingedunkelte Weiße und der aufgehellte Schwarze – paßten sie nicht auch sichtbar zusammen? Nachdem der Virtuose den Komponisten von seinem Können überzeugt hatte, versprach ihm Beethoven, eine neue Sonate zu schreiben für Klavier und Violine, begann sofort mit der Arbeit. Der Schlußsatz, Presto, lag zu diesem Zeitpunkt bereits vor, den hatte er für eine andere Sonate komponiert, jedoch wieder abgekoppelt. Der Komponist schrieb einen ausladenden ersten Satz und danach ein Andante con variazioni. Freilich, wie fast immer: der Komponist hatte sich einen zu engen Zeitrahmen gesetzt, er wurde vor dem Konzerttermin nicht ganz fertig – den ersten Satz mußte Schüler Ries in sehr frühen Morgenstunden kopieren, vom zweiten Satz lag nur die Violinstimme vor, die Klavierstimme wollte Beethoven improvisieren. Erhebliche Erschwernisse also für den braunen Geiger! Die Komposition außerdem von einer bis dahin nicht gekannten technischen Schwierigkeit, dennoch: Aufführung nach bloß einer Probe. Und doch, er bezeichnete die Bedingungen nicht als inakzeptabel, er stellte sich dieser extremen Herausforderung. Was zu betonen wäre!

Die Aufführung fand statt im Augarten. Den wird er Lesern des geplanten Reisebuchs skizzieren müssen als Park im Norden der Stadt und westlich vom Prater; an einer der Alleen das große Gasthaus mit einem Tanzsaal, in dem auch Konzerte stattfinden. Ebenerdiger Bau; Raum mit Billardtischen; die Fenster des Saales – sofern das Wetter es zuläßt – geöffnet, so hören auch plaudernde Gäste an Tischen draußen die Musik, und die Zuhörer drinnen können teilnehmen am bunten Hin und Her der Allee. Weitere Mitteilung für Leser des projektierten Buchs: die Aufführung im Rahmen der wöchentlich, jeweils am Donnerstag, stattfindenden Morgenkonzerte, die der Geiger Ignaz Schuppanzigh organisierte. Dieses musikalische Frühstück um acht Uhr morgens – für Beethoven, den Frühaufsteher, war dieser Zeitpunkt kein Problem, er spielte con fuoco. Er selbst ließ sich mitreißen, demonstrierte, wie feurig ein Mulatte schon am frühen Morgen sein kann. Großer Erfolg! Zwei Wiederholungen des zweiten Satzes! Daran wird er Beethoven sanft, aber eindringlich erinnern müssen: er war mit dem Spiel des Mulatten zufrieden! Zum Beleg eine authentische Notiz; er wird sie Beethoven vorlesen: »When I accompanied him in this Sonata-concertante at Wien ... imitated the flight at the 18th bar of the pianoforte part ... he jumped up, embraced me, saying ›Noch einmal, mein lieber Bursch‹ ... held the open pedal during this flight, the chord of ... Beethoven's expression in the Andante was so chaste ... unanimously hailed to be repeated twice« ...

Gleich anschließend muß er Beethoven den Originaltext der ersten Widmung der Sonate vorlesen – obwohl er diese zwei Zeilen auswendig kann, aber Beethoven muß den Eindruck einer unausweichlich lückenlosen Dokumentation gewinnen, einer zwingend objektiven Darstellung und Wiedergabe. Also, handschriftlich über den ersten Takten des Adagio: »Sonata mulattica composta per il mulatto Brischdauer gran pazzo e compositore mulattico.«

Ja, ein typischer ›Scherz‹ von Beethoven, aber gewidmet ist gewidmet, das ändert auch der Schlenker nicht! Festzuhalten ist demnach: Beethoven selbst hat diese Sonate als Mulattensonate bezeichnet! Wo ist übrigens dieses Blatt geblieben? Noch in den Notenstapeln des Wiener Arbeitszimmers? Irgendwann einmal wird man dieses Blatt wiederfinden, und dann wird es sich beweisen lassen, in Ludwigs eigener Handschrift: opus 47 ist nicht die Kreutzer-Sonate, sondern die Mulattensonate!

Wie zur Strafe für Beethovens fatale Entscheidung wurde die Sonate von Monsieur Kreutzer, Rodolphe, nie aufgeführt, er nahm das Geschenk nicht an oder höchstens achselzuckend, legte es beiseite: diese Musik war Ihro Gnaden, dem Ersten Geiger der Akademie der Künste und des königlichen Orchesters, zu bizarr, sie erschien ihm beleidigend unverständlich, »outrageusement inintelligible«. Daß diese Sonate Monsieur fremd blieb, läßt sich leicht erklären: sie war schließlich ihm, George Augustus Polgreen Bridgetower, in die Finger komponiert, auf den Leib geschrieben worden, das wird Beethoven nie auslöschen können – jeder, der diese Sonate spielt, imitiert Körperbewegungen des berühmten Geigenvirtuosen Bridgetower!

Doch wie schnell, wie beschämend schnell hat Beethoven ihm dieses Werk wieder entrissen! Dokumentation eines Verrats! Er muß Ludwig nachdrücklich und eindringlich bewußtmachen, was dieser Verrat für ihn bedeutete: Von der Tatsache der Umwidmung konnte man nur ablesen, in der musikalischen Welt, daß der Mulatte doch nicht das volle Vertrauen des Komponisten verdient, der hält den Kollegen in Paris für besser. Oder: für angesehener, für renommierter. Und wer bisher schon mit leichter Arroganz auf das geigende Halbblut herabblickte, konnte ihn nun despektierlich betrachten, sogar mit Verachtung: Das ist doch der Mulatte, dem Beethoven die Widmung entzogen hat ... Der Meister wird schon seine Gründe dafür gehabt haben ...

Konfrontiert mit diesen unwiderleglichen, unabweisbaren Fakten, bleiben Beethoven nur zwei Möglichkeiten. Die erste: er nimmt die Widmung an den undankbaren Kreutzer zurück, dediziert die Sonate erneut G. A. P. Bridgetower, und die zugleich scherzhafte und ernsthafte Bezeichnung Sonata mulattica wird sich für alle Zukunft dem Musikpublikum einprägen. Oder: Beethoven schreibt nach der Afrikareise eine neue große Sonate, ebenso umfangreich, mindestens ebenso schwierig, widmet sie ihm, und zwar unwiderruflich.

Die Widmungsformel schreibt George ebenfalls auf ein Blatt, bewußt in Anlehnung an die gedruckte Dedikation der Sonate in A: Sonata per il pianoforte ed un violino obligato, scritta in uno stilo molto concertante, quasi come d'un concerto. Composta e dedicata al suo amico G. A. P. Bridgetower, primo violinisto della camera imperiale inglese.

Bridgetower kann nicht weiterschreiben, Bridgetower muß Hofdienst leisten: Prince Regent wünschen zu musizieren.

Salon der Sommerresidenz, zwei Notenpulte mit Kerzen, weitere Kerzen in Leuchtern, auf Lüstern. Im Flackerlicht scheinen die chinesischen Statuen zu schwingen: Fischer, Schreiber, Händler … Und chinesische Wandmalereien auf Seide, es wabert der Bambus. Und chinesische Vasen, chinesische Statuetten – er schaut gar nicht erst genauer hin. Dabei muß er nicht sehr auf die Noten achten: Beethovens Duett F-Dur »mit zwei obligaten Augengläsern« hat er schon mehrfach gespielt. Aber es müssen Passagen wiederholt werden: der dicke Thronfolger spielt das Cello schnaufend, brummelnd. Bricht ab, setzt seufzend wieder an. Kein Zuhörer im Raum, das wollte Royal Highness nicht, mit Recht.

Stöhnend läßt der dicke Mann den Bogen sinken. George stützt die Bratsche auf den Oberschenkel. Royal Highness spricht: Alle Plagen des Alten Testaments dringen wieder auf ihn ein, brechen in ihm auf. Gicht oder Rheuma: stärker als zuvor. Blasenschmerzen – Gallenkoliken – Darmkrämpfe – dies alles in den vergangenen Tagen, vor allem in den Nächten. Er weiß genau: es sind Folgen seines Seelenzustands. Ja, all das Durcheinander im Körper, weil in der Seele Durcheinander ist: eine der Erfahrungen, die er mit sich gemacht hat. Nun hat ihn das Bewußtsein dieser Situation wieder eingeholt: er spielte unkonzentriert, das hat er selbst gemerkt, er kam aus dem Takt, aber ist das ein Wunder? Er haßt diesen Zustand fast permanenter innerer Erregung. Und doch, er möchte, kann nur in dieser Aufregung leben, dieser Angespanntheit – eine Frau und eine andere Frau – das Gefühl für die erste Frau durch die neue Liebe nicht überlagert – die miteinander kämpfenden Gefühle – je lebendiger das Gefühl für die eine Frau, desto lebendiger das Gefühl für die andere – er ist zum Bersten gefüllt mit widerstreitenden Gefühlen – Aderlaß ist hier nicht möglich: Nehmen Sie ein paar Unzen bedrängender Gefühle weg ... Er als Mann von Mitte Vierzig und noch solch ein Durcheinander! All is topsy all is turvy, all my life is topsyturvy. Wieder zu sich kommen, wieder taktfest werden! Er will es noch einmal probieren! Sie heben die Bögen. »Duett mit zwei obligaten Augengläsern«. Aber es wird kein gutes Zusammenspiel: der dicke Mann horcht mehr in sich selbst hinein; dort schreit alles durcheinander.

Am nächsten Tag ist George wieder in Donaldson's Royal Circulating Library: Buchhandlung, Leihbücherei, Galerie, Musikalienhandlung, Café. Die auch in diesem Spätsommer, diesem Frühherbst für die Library charakteristische Musik, gespielt auf zwei Hörnern und einer Posaune, in der Loggia mit Tischen und Stühlen: Musik, die weithin anlockt. Doch wenn er den Musikern ein Getränk bezahlt, machen sie eine längere Pause. Und er hört, durch das offne Fenster hinter ihm, das Aufprallen der Kugeln an Banden, das harte Klacken.

Von der Loggia der Blick auf den Grasplatz; jenseits die Rotunde der Sommerresidenz; links hinaus das Meer – beinah müßte er, hier östlich des Zentralplatzes, die Rückseite seines Hauses sehen können. Sein dicker Dienstherr reitet mit kleinem Gefolge einmal um den Platz – die von Malern ignorierte, von Karikaturisten betonte Bauchwölbung.

Auch Karikaturen werden angeboten in der Library und Stiche mit Motiven fremder Länder, ferner Kontinente. Noten liegen aus: »Henry«, a Ballad of Bridgetower; Beethovens Sonate opus 47; eine Komposition eines »African«; Werke von Viotti. Und zahlreicher, erheblich zahlreicher: neue Bücher – es wird geblättert, wird angelesen, wird überflogen. Die Regale mit Leihbüchern.

Großer Treffpunkt! Und hier arbeitet seit Beginn der Saison der neue Mann: schwarzhaarig, grünäugig, dichter Bartwuchs, auch die Handrücken behaart. Könnte dieser auffallend große Mann die Anstellung gesucht haben in Donaldson's Library, um auf ihn einzuwirken? Dieser Mann hat in der Library die selbstverständlichsten aller Möglichkeiten, George die Bücher vorzulegen, die er braucht für seinen Entwurf. Spielt ihm beispielsweise das Buch des Schotten zu, der von der Westküste ins Innere Afrikas zog, zum Niger – kann eigentlich kein Zufall sein, daß ihm in Brighton ausgerechnet dieses Buch vorgelegt wurde ...! Kann auch kein Zufall sein, daß in der Library das Buch eines Missionars auf ihn wartete, mit einem Kapitel über Sprachen der Afrikaner. Inguula, isaanga, umakuula ...

B ereits der erste Herbststurm an der südenglischen Küste! Grüngraue Wellen mit grauweißen Schaumkronen, dicht gestaffelt herangeschoben, zerschäumen auf dem rotbraunen Kies. Und der Sturm wirft sich gegen das Haus auf der East Cliff; in orkanstarken Böen erhält das Brausen einen bösartigen Beiklang: Bordun drohender Zerstörung.

Durch kleinste Ritzen zieht es, wirbelt es herein: flattert der Hosenstoff? Einen der beiden Schlagläden hat er bereits zugezogen, festgemacht, er könnte genausogut den zweiten Schlagladen zuziehen, denn hochgewirbelter Wasserstaub bedeckt die Glasfläche, Salz lagert sich ab: draußen nur noch Grün und Grau.

Herbststurm: und er schreibt noch immer an diesem Entwurf! Im Mai hat er begonnen, kurz nach dem Londoner Konzert, in dem er die Erste Geige spielte in Beethovens Streichquintett – und nun ist September! Mit dem Ende der Sommersaison beginnt sein Urlaubsjahr, und schon hat er wieder Wochen um Wochen verbracht mit Fortsetzungen dieses Entwurfs! Dabei ist das Grüppchen gerade erst in Westafrika angekommen, ist noch nicht mal von Bord gegangen! Und sie werden sich einige Wochen im Haus auf dem Odongo-Hügel aufhalten: Zeitraum für weitere Entfaltung der Geschichte einer Liebe. Dann will er mit Beethoven aufbrechen ins Landesinnere, ins Abenteuer. Und der Ritt von den Dogons zurück nach Ndakaru. Anschließend die Rückfahrt auf der Southern Cross – hier wird er im Entwurf am ehesten abkürzen können, abkürzen müssen; eine detailliert entworfene zweite Meeresfahrt könnte so viel Schreibzeit fordern, daß er mit der Niederschrift des Entwurfs gefährdet, was er über den Entwurf realisieren will: eine Reise der beiden Komponisten nach Afrika.

Zweiter Teil
»Nun sind wir ja in Afrika«

Das Haus des Martin Sartorius auf dem Odongo-Hügel: breit hingelagert, weiß gestrichen, Fahne an einem Dachmast, aber sie flattert nicht einmal zur Begrüßung der Gäste – schlaffes, buntes Tuch.

Im Hauptbau die Wohnräume, »Salon«, Gästezimmer. Zwei Seitenflügel im U-förmigen Grundriß: einer mit Kontoren, mit Quartieren der Dienerschaft, der andere als Pferdestall und Lagergebäude vor allem für die großen Baumwollsäcke. In der Mitte des Hofs ein riesiger Kapokbaum: Stamm, den nur zwei Männer umschließen könnten; zahlreiche Verformungen, Wuchswülste – hier läßt sich eine ›Stammesgeschichte‹ ablesen, und die reicht gut zwei Jahrhunderte zurück. Entsprechend stark die weit ausfächernden Äste: Schattenbaum, unter dem einige Stühle herumstehen, zwischen denen Hühner rotbraunen Staub aufscharren. Der Hof öffnet sich nach Osten: kleines Tal, in dem alle hundert, zweihundert Schritt ein mächtiger Baum steht. Fast unmerklich ansteigende Ebene mit Feldern, Einzelbäumen, Baumgruppen. Von den Gästezimmern wiederum der Blick hinunter und hinüber auf graubraune Häuser, meist als Würfel, und die rücken dichter aneinander am Hafen von Ndakaru; das massige Lehmziegelfort; die brandungsgeschützte, befestigte Insel hinter der Landzunge südwärts; die Southern Cross an der Mole, die Segel zu Wülsten verzurrt an den Rahen. Und weit, weit der Atlantik, aber sie werfen nur einen kurzen Blick hinaus auf die lichtgleißende Fläche.

Ausgiebiges Bad; Ludwigs Seemansbart abrasiert; frische Kleidung, vom Haus gestellt. Und am Abend das Dinner zum Empfang der Tochter, der Schwester, der beiden Gäste des Hauses. In der Begrüßungsrunde auch Kapitän Flamsteed, der Erste Offizier, der Maskierte, ein Ingenieur, ein Kaufmann, ein Missionar – Freunde des Hausherrn. Die beiden Frauen sind noch in ihren Zimmern, also kann sich Aufmerksamkeit im Raum verteilen: drei Fenster westwärts, hochformatige Rahmen für Abendlicht in Pastelltönen; zwei Lüster mit bereits brennenden Kerzen; an der Decke aufgemalte

Stuckmuster; afrikanische Teppiche an Wänden; Stühle und Sessel mit Bastgeflecht; europäisch-afrikanisches Ensemble. In der Mitte des Raums ein großer Tisch, bescheiden festlich gedeckt. Diener machen Musik: einer bläst Fagott, ein anderer Klarinette, ein dritter spielt eine Kalebassenharfe. Ländler, Menuette in westafrikanische Tonsprache übersetzt, George hat Assoziationen an das Wort Sklavenmusik. Der Flügel noch in einer der Kisten, deponiert im Baumwoll-Trakt.

Als die beiden Frauen eintreten, werden die Musiker vom Hausherrn mit einer Handbewegung zum Schweigen gebracht. Charlottes helles Kleid scheint tiefer ausgeschnitten als das Kleid, das sie zur opera marittima trug; das frisch gewaschene Haar umrahmt schwarz ihr gebräuntes Gesicht. »Ich darf gar nicht hinschauen –« stöhnt Beethoven, so leise, daß nur George ihn verstehen kann. Ludwig läßt sie nicht aus den Augen. Seine Aufmerksamkeit vielleicht wieder auf die winzige Öffnung der Lippen konzentriert, die Mundpupille. Charlotte vermeidet es, länger als einen Atemzug lang Beethoven anzublicken; ihr Vater stellt ihr die drei Herren vor, sie gibt erste Auskünfte über die Reise. Beethoven versucht nun an ihr vorbeizuschauen – doch wenn sie lächelt, zeigt sich ein rascher Reflex in seinem Gesicht.

Der Hausherr macht seine Mundöffnung sichtbar in der zugewachsenen Hälfte des Gesichts: er spricht rasch und mit hessischer Intonation. Hessische Sprachklänge auch bei Tochter und Schwester, er aber scheint das Hessische zu betonen in Westafrika.

Nicht einmal Stichworte mag George zur kleinen Begrüßungsrede notieren. Und zum Dinner nur: Kerzen … Diener … Rebhuhn und Antilopenkeule … Fische, deren Namen er nicht versteht … Wein, der eine lange Reise hinter sich hat. Beethoven sitzt zwar neben Charlotte, aber sie behandelt ihn als Gast unter anderen; George neben Johanna, die vertraut tut, doch mit McConglinney Blicke tauscht. Weiterhin spielt das Trio infernal. Die braune Geliebte des Hausherrn ist noch immer nicht zu sehen, für sie scheint, wenigstens an diesem ersten Abend, kein Platz vorgesehen an der Tafel. Charlotte plaudert vor allem mit dem Ingenieur zu ihrer Linken: der sieht die Zukunft glorreich unter Dampf, versucht, ihr die

Wirkungskraft, ja Wirkungsmacht des Dampfes zu erläutern, und wie man seinen Expansionsdrang reguliert: Rohre, Kolben, Ventile. Nach dem Dessert macht Beethoven den Vorschlag, kurz mal hinauszugehen.

Im Flur hockt der dicke Schotte; im Halbschlaf der Reflex einer Grußgeste. Sie schlendern um den Kapokbaum herum, den ein halber Mond beleuchtet; mächtiger Stamm und krumme Astformen wie stockig geronnenes Nachtschwarz.

Leises, rhythmisch akzentuiertes Scheppern und Klirren, als trage jemand einen Sack mit geraubten Armreifen. In einem hellen, bequem geschnittenen, knöchellangen Kleid tritt eine stattliche Mulattin auf, volle Arme, breites Gesicht, das Haar aufgetürmt zu einem Zylinderstumpf, den ziselierte Metallreifen umschließen. Und Metallreifen um den Hals, Metallreifen an beiden Handgelenken, jeweils ein halbes Dutzend, Metallreifen an den Fußgelenken. Entschiedene, zugleich graziöse Bewegungen, metallisch betont. Beim Begrüßungslächeln zeigt sie kräftige, perfekt gereihte Zähne. In weichem, gaumigem Französisch heißt sie die Herren willkommen, läßt sich die Namen nennen und die Berufe, prüfender Blick jeweils von der Stirn zu den Zehenspitzen, rasch taxierend. »Je suis enchantée d'avoir deux musiciens chez-nous. En Afrique, nous avons de grandes oreilles pour la musique.« Sie versucht, den flämischen Familiennamen zu wiederholen, das gelingt nicht beim ersten Mal, sie lächelt, versucht es noch einmal: flämischer Klang auf afrikanischer Zunge. Und sie schaut länger in das mondbeleuchtete Gesicht, nickt noch einmal, als hätte sie zur Kenntnis genommen oder als sei es ihr gelungen, ihn einzuordnen. Mondlichtweiß ihre Zähne zwischen den üppigen Lippen; sie verteilt ihr Lächeln gerecht auf die beiden Männer, klatscht in die Hände, heftiges Klirren. Ein Schwarzer bringt eine Karaffe, ein schwarzes Mädchen folgt mit Tablett und Gläsern. Befehlende Geste, drei Gläser werden gefüllt: Rotwein. Also setzen sie sich auf die Bastgeflecht-Stühle, die der Schwarze im Mondlicht zurechtrückt, Blick hinaus nach Osten.

Plauderei über Personen: Le capitaine war schon ein paarmal hier, seine sehr schnellen Reisen – sie lacht guttural. Der Ingenieur arbeitet an einer construction spéciale, hat es sonst aber mit Bewässerung zu tun; der Kaufmann kooperiert mit Martin, vor allem in Erdnüssen; der Missionar taucht zuweilen auf nach längeren Reisen, bei denen er Häuptlinge davon überzeugen will, daß *eine* Frau genügt, und er predigt das Sakrament der Ehe.

Nun möchte sie etwas hören über den Herrn mit der Maske und über seinen starken Begleiter. In der afrikanischen Abendwärme, unter dem afrikanischen Mond streckt Beethoven die Beine aus, läßt sich nachgießen, das übernimmt beim zweiten Mal Aimant persönlich. Und Beethoven berichtet, en français.

Als sie zurückgehen in den Salon, ist die Tafel abgeräumt, abgebaut, man steht in Grüppchen umher. Der Hausherr im Gespräch mit dem Missionar. »Den knöpf ich mir jetzt mal vor!« Zwei Wochen schon keinen Geistlichen mehr gesehen, »wo bleiben da meine Vorurteile?« Auflachen, wie ein Luftstoß durch eine Fuchskehle … Der Geistliche schaut irritiert zum Fremden, spricht weiter mit dem Hausherrn, der flicht nun wohl eine Anmerkung ein über die Hausgäste. »Diesen Hohepriester der lebenslänglichen Ehe werde ich gleich mal in einen kleinen Disput verwickeln«, bekräftigt Beethoven halblaut, und es klingt fast konspirativ. George redet ihm das nicht aus, damit würde er sich um eine Szene bringen, von der er berichten kann im geplanten Reisebuch. Als hätte er den Hintergedanken des schweigenden Einverständnisses erraten, fordert Ludwig ihn auf, mitzukommen, mitzuhören.

Sie schlendern wie ziellos zu den beiden Männern. Sartorius stellt sie einander vor: der berühmte Komponist (»Aber kaum für geistliche Musik!« wirft Beethoven ein) und der in Europa weithin bekannte Geigenvirtuose. Der Missionar lächelt so kurz, daß sich kein Adjektiv an dieses Lächeln heften kann – konturlos ist es verhuscht. Massah Martin, wie zu erwarten, entschuldigt sich, er muß nach dem – hoffentlich – Rechten schauen.

»Sie betreiben also Missionsarbeit?« fragt Ludwig, und der Geistliche berichtet, als hätte er das schon hundertmal getan, von der kleinen Missionsstation nordöstlich, im Gebiet der Wolof; falls sie mal dorthin kommen sollten, werden sie willkommen sein.

Also, von dieser Station aus seine Missionierungszüge? Und was sage er dabei den Eingeborenen über das Verhältnis zwischen Mann und Frau? Predige er das Sakrament der Ehe? Und nur Kinder aus Ehen seien willkommen, alle anderen seien Bankerts? Und nur Beischlaf mit dem Ziel der Zeugung ehelicher Kinder, sonst ist das Sünde? Und lebenslängliche Bindung an einen Partner, es sei denn, er oder sie stirbt? Und dies alles in Afrika, wo es im Umgang der Geschlechter ganz andere Traditionen gibt? Vielleicht sogar geschlechtliche Beziehungen ohne Eifersucht, ohne Schuldgefühle – selbst wenn man sich zu einer anderen Frau legt, zu einem anderen Mann? Würde solche Unbefangenheit exorziert?

Der Missionar lächelt mild: Nicht bloß Fragen, gleich ein ganzes Fragenbündel …! Muß er sie wirklich eine nach der anderen beantworten? Oder, so fragt er nach kühl prüfendem Blick, oder würde es das Gespräch nicht vereinfachen, wenn der Herr aus den Niederlanden andeuten wollte, worum es ihm in Wahrheit geht?

Beethoven verweist auf seinen Freund hier, der zwei Welten in sich trage, die europäische und die afrikanische, und so sei nichts naheliegender als das Fragen nach Herkunft und Zukunft seiner schwarzen Halbschwestern und Halbbrüder.

Der Missionar scheint erleichtert: glaubt zu verstehen … Dennoch, es laure etwas im Hintergrund dieser Fragen – ist der Herr verheiratet?

»Um Himmels willen, nein!«

Der Missionar nimmt das lächelnd zur Kenntnis, es scheint seinen Vermutungen zu entsprechen.

Und Beethoven weiter, con fuoco: Unter den sogenannten Wilden scheint es selbstverständlich zu sein, daß sich zusammenlegt, wer Lust aufeinander hat.

Der Geistliche antwortet mit einem Lächeln.

Ludwig insistiert: Es tut sich zusammen, wer sich mag, und wenn man sich nicht mehr verträgt, sich nicht mehr ertragen kann, wechselt man über zu einer anderen Person. Und wie wirkt sich das aus im täglichen Zusammenleben? Man geht bestimmt gelassener, friedfertiger miteinander um in solch einer Dorfgemeinschaft – die Stammesfehden, so las er vor der Reise, haben andere, meist sehr alte

Traditionen. Er rede also nur vom Leben innerhalb eines Stammes, innerhalb eines Dorfes: keine Gewalt, die aus Eifersucht erwächst; der sind alle Grundlagen entzogen. Ist dagegen Erziehung zum Christentum nicht auch Erziehung zur Eifersucht, damit zur Gewalt innerhalb der Gemeinschaften? Und Beethoven schweigt.

Charlotte scheint, obwohl im Gespräch mit dem Kaufmann, herüberzuhorchen – angetrunken ist Beethoven lauter als sonst. Die Augen des Missionars werden klein hinter den Brillengläsern. Der Herr Komponist beliebe sich in Afrika als Ketzer aufzuführen?

»Hoho, Ketzer! Da kommen Sie mir gerade recht! Hast du gehört, George?! Ich ein Ketzer!« Und er geht einen Schritt auf den Missionar zu, der nicht zurückweicht. Er sei aufgewachsen im kurkölnischen Bonn, sei demnach aufgeklärter Katholik oder Katholik der Aufklärung – damit habe auch er gelernt, tolerant zu denken – das helle Licht des Verstandes – Aufklärung und Sittlichkeit, darum geht es, um die Vervollkommnung des Menschen – dazu trägt aber nicht bei, wer Menschen aneinanderkettet für immer. »Dies entspricht nicht der Natur des Menschen!« ruft er so laut, daß andere im Raum aufblicken.

»Sie wollen die Ehe abschaffen?« fragt der Missionar, »Sie wollen eine, wenn auch ethisch ein wenig veredelte, Promiskuität?«

Keineswegs – er ist in jeder Hinsicht gegen Beliebigkeit, in der Musik wie unter Menschen. Schon im Blick auf Kinder ist Ehe notwendig; es geht allein um die Form der Ehe, des Zusammenlebens. Und er skandiert: al-lein-um-die-Form-der-E-he! Die Illuminaten haben sich in Bonn bereits vor Jahrzehnten Gedanken gemacht über eine Änderung des üblich gewordenen Ehekontrakts, und dabei ist diese Lebensform diskutiert worden: Eheverträge auf Lebenszeit werden abgelöst durch zeitlich befristete Eheverträge. Überall sonst meidet man nach Möglichkeit unbefristete Verträge, und beim heikelsten aller Vertragsabschlüsse, bei dem man sich mit Haut und Haaren ausliefert – ausgerechnet da wird keine Zeitgrenze gesetzt? »Hohoo!« Im Ernst, es geht um diesen entscheidenden Punkt: ein Ehekontrakt wird geschlossen auf eine bestimmte Zahl von Jahren, danach steht er wieder zur Disposition – wenn man will, setzt man die Ehe fort in gemeinsamem Beschluß mit einer Fortschreibung des

Ehekontrakts, und wenn einer der beiden nicht mehr wünscht, daß die Ehe fortgesetzt wird, so löst man sich voneinander, und es gibt dann keine Institution – keine einzige Institution! –, die das Recht hätte, in diesem Fall einzugreifen und womöglich zu bestrafen. Der zeitlich befristete Ehekontrakt entspricht dem Wesen des Menschen, solange dieses Wesen sich frei entfaltet, sich nicht Gewalt antut, Gewalt antun läßt. Das hatten seine Freunde, die Illuminaten, klar herausgestellt, das ist so im Druck dokumentiert. Dieser Gedanke nun scheint in Afrika ganz selbstverständlich zu sein, dieses Selbstverständliche darf man den Menschen nicht ausreden, nicht austreiben! Wenn man sich mit offnen Augen umschaut, mit offnen Ohren umhört, zeigt sich an unablässig wiederholten Beispielen, daß der Mensch in seinem sinnlichen Vergnügen zu Veränderungen, zum Abwechseln neigt. Er spricht hier vom Menschen, der zur Freiheit geboren ist – Freiheit als natürliche Lebensform, nur in ihr kann sich erfüllen, was im Menschen angelegt ist. Was aber geschieht mit einem Menschen, der gegen seine Natur, gegen seinen Wunsch gezwungen wird, lebenslang mit einem Partner beisammenzubleiben? »Jahrzehntelang nur eine Frau, jahrzehntelang nur einen Mann, Hochwürden?! Haben Sie über die Folgen einmal nachgedacht?« Wenn der Sinn, der Hauptsinn des Menschen abstumpft, weil nicht mehr Veränderungen, Erneuerungen erlaubt sind, nur noch Wiederholungen, die zur Last werden – wenn der dynamischste aller Sinne abstumpft, so stumpfen auch die anderen Sinne ab, und mit den Sinnen stumpfen die Empfindungen ab, und mit den Empfindungen stumpft das Denken ab – sollen so die Menschen beschaffen sein, nicht nur in Bonn und Umgebung, auch hier in Westafrika? »Ehe auf Zeit, Hochwürden, da wäre viel Bosheit aus der Welt und böse Verbissenheit, viel Gewalt, viel Unheil – wenn Sie wollen, daß die Menschen friedlicher miteinander umgehen, wie können Sie da Ehe auf Lebenszeit predigen, sogar hier in Afrika? Diese Frage muß doch einmal gestellt werden!«

Der Missionar verharrt einen Moment reglos, verläßt den Raum. »Hoo, er schwenkt ab!« Und Beethoven packt George an den Schultern. »Ein voller Sieg der Vernunft!« Und er küßt ihn auf die rechte, die linke, die rechte Wange. Charlotte huscht hinaus.

Selbstbetrachtung am ersten afrikanischen Morgen: Spiegelbild eines Mulatten im Lendenschurz. Sich in die Augen schauend, sieht er die dunkelbraune Iris mit weiter Pupille. Mit diesen Augen registriert er üppiges Kraushaar, die elegant geschwungene Nase, deren Flügel sich nicht ausstülpen; hier prägt sich die Nasenform seiner galizischen Mutter aus. Die Lippen ohne negroide Komponente; der Übergang vom Kinn zum Hals weich, fast fließend; sanfte Konturen des Oberkörpers. Die Energie, die in ihm steckt, ist vom weichen Fleisch gedämpft, aber nicht erstickt. Und er weiß: Fett wird sich hier in Afrika von ihm ablösen, wird gleichsam verdunsten, Energie-Impulse werden leichter hervorbrechen, die für ihn typischen Bewegungen werden kraftvoll elastisch. Die Metamorphose des George Augustus Polgreen Bridgetower: sein Körper schlank, sehnig wie der eines afrikanischen Vorfahren.

Nein, man wird ihn nie mehr sehen können, wie er bisher gesehen werden mußte, er wird nach der Rückkehr und vor allem nach der Publikation seines Reisebuchs in den (hoffentlich zahlreichen) Augen der Öffentlichkeit ein Afrikaner sein, ein Schwarzer. In dieser Zukunft stammt er nicht bloß aus einer osteuropäischen Randprovinz und nicht bloß von einem Insel-Sprenkel in einem Haifisch-Meer. Kaum einer, mit dem man in Brighton oder London, in Dresden oder Wien über die Kleinen Antillen spricht, hat eine Vorstellung von ihrer geographischen Lage, das ist irgendeine Inselkette, auf der Lieder mit vielen Strophen gesungen werden, auf der afrikanische Trommelrhythmen pulsen, aber pochen die nicht viel entschiedener in Afrika? Hier in Afrika will er seine Vorfahren finden, speziell seinen afrikanischen Großvater, damit würde sein Vater wieder zum Afrikaner. Afrika als Kontinent der Herkunft: welch eine mächtige Markierung, verglichen mit dem Inselchen Barbados bei Trinidad. Ja, schon von der geographischen Zwischen- oder Randlage her gesehen ist das eine Beliebigkeit, eine Bagatelle, Marginalie. Unerschütterlich mächtig dagegen der afrikanische Kontinent, den sie an der Westküste betraten, an der man seinen Vater in ein Sklavenschiff getrieben hatte.

Mit dieser Reise verschafft er sich ein Anrecht auf neue biographische Wirklichkeit. Die Antilleninsel Barbados kann er zwar nicht ins Reich der Fabel verweisen, aber doch in das Reich der Wahrheiten minderen Ranges. Ihm geht es um Wahrheit höheren Grades, auf diese Wahrheit erhebt er Anspruch in seinem ausführlichen Entwurf, dem nun die Reise folgt, später das Reisebuch folgen wird. In diesem Buch wird sein Großvater zur Summe afrikanischer Vorväter. Und von seinem Vater löst sich die türkische Kostümierung. Und er selbst wird zum Afrikaner. Auf den Titelblättern seiner gedruckten Kompositionen wird es dann heißen, ergänzend: Composed by an African. Und auf der Titelseite des Reisebuchs: Written by an African. Und auf Programmzetteln, in den Anzeigen: Performed by an African. Sein bisheriges Bild gleichsam übermalt, mit entschiedeneren, einprägsameren Konturen, mit dunkleren, zugleich leuchtenderen Farben: BRIDGETOWER FROM AFRICA. Ja, er wird aus Afrika zurückkehren als Sohn des schwarzen Kontinents, ihn werden, wie in afrikanischen Liedern, schwarze Vorfahren umgeben. Vielfach, so hat er in Donaldson's Royal Circulating Library gelesen, vielfach sei Singen in Afrika ein Beschwören von Vorfahren: beim großen afrikanischen Tamtam bewegen sich, unsichtbar, doch höchst gegenwärtig, die Vorfahren der Tänzer mit; die Ahnen kommen lautlos hervor aus Wüsten oder Wäldern oder von Berghängen herab oder aus Tälern heraus, sie drängen sich um die Lebenden, sichtbare Haut berührt unsichtbar gewordene Haut, die Lebenden atmen ein, was die Toten ausgeatmet haben, als sie noch lebten, die Lebenden singen die Lieder und trommeln die Rhythmen der Verstorbenen, und vielleicht wird auch er bald mittanzen, wird sein Körper hineinfinden in die Rhythmen, die Bewegungen der Vorfahren. Dann hätte er seine Geschichte gefunden, könnte zurückkehren …!

Good morning! Auch in Westafrika das belebende, heilende Wasser des Weltmeeres, vom Schiffsjungen frisch aus unbesiedelter Bucht geschöpft, in verschlossenem Behälter auf den Odongo-Hügel gebracht, bitte schön!

Beethoven zieht das Bettlaken hoch zum Mund; gar nicht erst wieder mit dem Wassertrinken anfangen, sonst wird auch hier diese

Gewohnheit zur Plage! Unternehmen sie nicht auch deshalb die Reise, um Gewohnheiten zu entfliehen, die sich selbständig gemacht haben?

Daß der Genuß von Meerwasser auf dem Festland zur Gewohnheit wird, diese Gefahr besteht nicht, sie werden ja bald von der Küste wegreiten. An den Tagen, die sie noch hier wohnen: dieses Angebot wahrnehmen! Ein Beethoven, der etwas für seine ramponierte Gesundheit tut: keine atlantische oder afrikanische Premiere, schließlich war er schon in böhmischen Bädern – mit wohl nur geringem Erfolg. Dagegen dieses Atlantikwasser: es hat seine Ohren hellhöriger, die Augen klarsichtiger gemacht, hat Magen und Darm sediert – weitere Besserung, Steigerung wird möglich!

Ja, sein Gesundheitszustand hat sich erheblich verbessert, aber dazu wird das Atlantikwasser wohl am wenigsten beigetragen haben. Für ihn als Mann der Aufklärung hält die Vorstellung, Meerwasser sei eine Art Lebenselixier, logischer Betrachtung nicht stand. Also noch einmal: Dank für den Morgengruß, aber keine Salzlake mehr auf nüchternen Magen ...!

Wenn Ludwig nicht wünscht, daß ihm von nun an täglich Meerwasser gebracht wird, dann sollte er sich morgens wenigstens zur Küste fahren lassen, zu einem Morgenbad.

»Darüber läßt sich reden.« Aber das sollte man langsam, ganz langsam angehen ... Er braucht auch hier seine Zeit, sich zurechtzukramen. Er wird sich im Zimmer einrichten, wird Notizen machen, wird lesen, bei halb geschlossenen Schlagläden. Nach dem Allegro der Annäherung nun erst mal ein Adagio. Dem mag, mit dem Aufbruch, wieder ein Presto folgen, als Schlußsatz.

Die verkürzte Tafel im Salon: Familie und Hausgäste beim Dinner. Diesmal nimmt auch Aimant teil, also sitzen drei Paare am Tisch: Mulattin neben Hausherr, Charlotte neben Ludwig, Johanna neben George. Hauptgang beendet, Teller abgetragen, Nachspeise (african fruits) noch nicht serviert. Beethoven zieht beinah rituell den unterarmlangen Pfeifenstiel aus der in Wien gefertigten Schutzröhre, stopft zerbröselten Rolltabak in den Pfeifenkopf, drückt ihn fest mit der Daumenkuppe; Charlotte schaut beinah kindlich aufmerksam zu. Den Tabak angezündet, die ersten angestrengten Saugbewegungen – kleine Reflexe in Charlottes Wangen? Rasch stellt die Pfeife genug Rauch her, Beethoven wird gelassener. Erste Pfeife in Afrika ...

Martin Sartorius läßt die sechs Gläser auf dem Tisch nachfüllen, er möchte, auch im Namen seiner Schwester, auf einen Menschen trinken, ohne den die Hälfte dieser Runde nicht existieren würde: Sartorius senior, in den Siebzigern, so gut »beisammen«, daß Hanna ihn getrost der Obhut einer Haushälterin überlassen konnte. Auch mit Blick auf Vater hofft er, die von Hanna mitgebrachten Wein-Setzlinge werden im westafrikanischen Boden Wurzeln schlagen und gedeihen. Er war heute nachmittag erneut draußen – was wäre naheliegender beim Anblick eines Weinhangs als Gedanken an den Vater? Auch wenn der Hang, genau betrachtet, kein rechter Hang sei, eher eine sanft ansteigende Schräge, mit nur angedeuteter Terrassierung ... Massah Martin faßt für Aimant auf französisch zusammen. Leises Rasseln am Handgelenk, als auch sie zum Glas greift.

Nun kündigt Beethoven einen Toast an auf das posthume Wohl seines Großvaters, auf das posthume Wohl seiner Mutter, auf das posthume Wohl seines Vaters. Verkürzt gibt er das französisch wieder: Toast auf die Familie. Als könnte sie, was er nicht übersetzt, von seinem Gesicht ablesen, läßt Aimant ihn nicht aus den Augen.

Kleine Bucht, ein paar hundert Meter nördlich des Lehmziegelforts: spätere BEETHOVEN BAY? Die Kalesche mit dem schwarzen Kutscher unter Laubbäumen, die erst im geplanten Reisebuch benannt werden – noch rauschen die Blätter konturlos im Morgenwind. Dazwischen, leicht identifizierbar: Palmen.

Und Ludwig im Atlantikwasser, doch unter Vorkehrungen: er möchte nicht überliefert sehen, wie er sich im Wasser verhält, in das George ihn »getrieben« hat, möchte auch nicht registrierenden Blikken ausgesetzt sein, wenn er aus dem Wasser steigt. Also hat George sich verpflichtet, mit dem Rücken zum Atlantik zu sitzen.

Blubbern, Prusten. Geht er im Wasser auf und ab? Schwimmt er? Taucht er? Die Bäume, der Kutscher, die Kalesche; Platschen und Schnaufen. Ludwig entsteigt dem Wasser, trocknet sich ab.

George dreht sich um, schaut an ihm vorbei auf die Meeresfläche. Sie geht über in das Meer, auf dem Piratenschiffe kreuzen, geht über in das Meer, auf dem Paketboote von Dieppe nach Portsmouth segeln. Oder: dieses Wasser schlippt, mit gleichem Salzgehalt, auf rotbraune Kieselsteine vor Brighton, unterhalb der East Cliff, die das Haus trägt, in dem er, vom Papier aufblickend, das Meer sah, das überging in das Meer, das er nun sieht.

Drei-Frauen-Treffen unter dem Kapokbaum: im lichtdurchfleckten Morgenschatten Johanna, Aimant und Charlotte, ein grau eingebundenes Buch auf dem Oberschenkel, es ist nicht geöffnet. Scharrende Hühner im rotbraunen Staubsand. Gaga und Salat, sagt Charlotte, gagaga und Salalat … Josephinchen riß im Genfer Garten ein Salatblatt ab, hielt es hoch, wedelte damit, rief: gagaga, weil sie ein paarmal beobachtet hatte, daß Hühnern Salatblätter, Salalatblätter vorgeworfen wurden. Und einmal, Charlotte lacht schon vorweg, einmal griff Josephine zum Teller von Christian, hob ein Salatblatt an, rief gagaga, schob es dem Vater in den Mund; der machte übertriebene Schluckbewegungen, imitierte ein Huhn. Großer Erfolg! Seither sorgte Josephine dafür, daß ihr Vater auch nicht ein Salatfitzchen auf dem Teller ließ, unnachsichtig wurde das verfüttert. Das war in einer der noch guten Phasen der Genfer Ära.

Ja, und eine Fahrt aufs Land in der Leihkutsche, mit den dreien, Josephine auf ihrem Schoß, plötzlich große Erregung, sie rief gagaga und gogogog, obwohl kein Huhn, kein Hahn zu sehen waren zwischen den Weinfeldern, und sie zeigte mit gagaga wiederholt in die Luft: auf einem Kirchturm hatte sie einen Wetterhahn entdeckt! Von da an, mit der für Kleinkinder offenbar bezeichnenden Systematik, mit dem für sie typischen Zwang zur Wiederholung, wurde beim fernsten Kirchturm der Punkt an der Spitze als gogog bezeichnet. Gogog hier und gogog dort – ihr wurde erst richtig bewußt, wie viele Kirchtürme es in einem mitteleuropäischen Land gibt. Aimant nickt, obwohl sie nie einen Kirchturm gesehen haben dürfte.

Eins der Lieder, die gar nicht oft genug wiederholt werden konnten, hatte für Josephine den Titel gaga. Wenn sie das aufmunternd sagte, und vor allem: wenn sie das wiederholte, vor ihr stehend, mußte sie das Lied von den Putt-putt-Hühnerchen singen. Ein weiteres Lieblingslied war »mom« – das Lied vom Mond, der aufgegangen ist. Und bei »mäm« wollte sie hören, wer die schönsten Schäfchen hat. Bei diesem Lied geschah es, in der zweiten Strophe: es zuckte ihr Schnütchen, die Äugelchen füllten sich mit Wasser, lautlos fing sie an zu flennen, weil es gar so schön war. Sie lacht, aber das klingt angestrengt. Trotz der Tränchen – Josephine wollte das Lied wieder und wieder hören. Meistens kamen ihr, Charlotte, bei der zweiten Strophe dann auch die Tränen. Dieses Lied und erst recht diese Strophe könnte sie nun auf keinen Fall singen ...

Kurzes, heftiges Kopfschütteln, sie steht auf, setzt sich wieder. Christian hat seiner Tochter, hat den beiden Jungen nie etwas vorgesungen, nie. Obwohl er auch recht entspannt sein konnte im Umgang mit Kindern – lange Zeit hielt er das Gagaga-Salalat-Ritual durch. Dann wieder Perioden, in denen er kurz angebunden, bissig, böse war, und er hätte die Kinder am liebsten an die Betten gefesselt – ernsthaft! Dieser Pädagoge hat alles durcheinandergewirbelt in der Erziehung der Kinder. Wangenstreicheln und Kopfnüsse, Vorlesen und Anschreien – Kinder aber brauchen Kontinuitäten, bei Wechselbädern fühlen sie sich nicht wohl – sie flohen vor ihm, klammerten sich an sie. Die drei fürchteten ihn, liebten ihn kaum. Zu jäh, zu brüsk, zu kalt oft sein Verhalten. Dann wieder schien er zu schmelzen vor Mitleid, zugleich Selbstmitleid. Damit konnten die Kinder auch nichts anfangen. Vieles in seinem Umgang mit den Kindern war vorgeprägt von seinem Charakter, das sieht sie immer deutlicher. Aber ehe sie klare Richtpunkte findet für ihr Verhalten ihm gegenüber, werden noch viele Hühner sehr viel Salalat gefressen haben, wenn auch nicht hier in Afrika.

Der contrat social der Ehe auf Zeit – er hat dies vergangene Nacht wieder einmal reflektiert, muß hier ein wenig nachtragen. Ehe auf Zeit soll nicht bedeuten: das Zusammenleben zweier Menschen verliert an Verbindlichkeit; es hätte vor allem den Vorteil, daß man sich aufrechten Ganges trennen kann, sobald die Situation unerträglich geworden ist.

Das ließe sich ausführlich erörtern, dazu hat George aber wohl keine rechte Neigung, den Begriffen zieht er konkrete Details vor. Also ein Beispiel, das deutlich machen könnte, wie befreiend sich dieser contrat auswirken kann, innerlich und äußerlich.

Ein erdachtes Beispiel aus dem gemeinsamen Milieu der Musiker. Ein Mann läßt seine Frau allein in der Wohnung, zieht von Kneipe zu Kneipe, fast jeden Abend. Das Ansehen dieses Mannes ist schließlich derart gering, daß sogar das Gerücht aufkommen kann, unwidersprochen, er sei – vor allem in Gasthäusern – als Agent, als Spitzel tätig, und es wird ein Adliger genannt, der ihn speziell dafür bezahlen soll. Dieser Mann kehrt meist erst spät, sehr spät in der Nacht zurück, zuweilen begleitet von einem Kollegen und Saufkumpanen, und es wird eine weitere Flasche entkorkt. Sind Kinder im Haus, so werden die wach von Geschrei oder Gesang. Dies wäre noch das mindeste. Die Herren könnten in ihrem Rausch auf die Idee kommen, den Jungen aus dem Bett zu holen und ans Klavier zu treiben, und da heißt es üben, üben, üben, und wenn man schlaftrunken Fehler macht, gibt es Kopfnüsse, und wenn die Frau ihren Sohn schützen will, wird sie mit groben Worten davongejagt. So, und am nächsten Tag muß der Herr der Schöpfung lange schlafen, die Frau muß Unterrichtsstunden absagen unter elendsten Vorwänden. Und mißlaunig hockt der Mann in der Wohnung, moniert alles. Im Nebenzimmer der Sohn, der übt freiwillig, beispielsweise auf der Geige, fängt an zu improvisieren – schon interveniert dieser Vater, schreit den Jungen an: Er soll gefälligst nicht so herumschrappen, soll ordentlich nach Noten spielen! Und zur Strafe in vorbildlicher Körperhaltung die Geige angesetzt und zwölfmal die Tonleiter gespielt! Auf diese Weise wird der Junge malträtiert, kujoniert, das könnte schließlich dazu führen, daß ihm die Liebe zur Musik ausgetrieben wird.

Und wo er schon beim Stichwort Liebe ist: von solch einem Herrn Gemahl kann der Frau die Liebe ausgetrieben werden, restlos! Sie wird kleingehalten, darf sich nicht entfalten, alles wird auf sie abgewälzt, und manchmal wälzt er sich auch noch auf sie drauf, um das kraß und klar zu sagen, wälzt sich auf sie, obwohl sie das nicht mehr ertragen kann, sich wehrt, aber sie muß ihm zu Willen sein.

Also, bei solch einer Familiensituation, solch einem Eheverhältnis wäre es selbstverständlich, daß die Frau einen befristeten Ehevertrag nicht verlängert, und das müßte von den Mitmenschen ihres Kreises sofort akzeptiert werden. Dagegen: durch Gesetze und Gewohnheiten die Frau zwingen, noch Jahre, Jahre, Jahre bei solch einem Mann zu bleiben, das ist eigentlich Mord! Und mal angenommen, sie findet einen anderen Mann, und der tröstet sie, tröstet sie liebevoll, und der Ehemann kriegt das spitz, so hätte der nach den weiterhin herrschenden Vorstellungen das Recht, ihr das Leben vollends zur Hölle zu machen, oder er könnte sie auf grausamste, entwürdigendste Weise verstoßen. Und doch stünde er vor der Gesellschaft da als jemand, der im Recht ist, und sie allein hätte Unrecht getan.

Solch ein Aberwitz könnte sich nicht entwickeln, wo Ehen auf Zeit geschlossen werden – da dürfte diese Frau sich vom Mann trennen, und keiner sähe sie scheel an. Insofern wäre Ehe auf Zeit auch eine Regelung, die es Menschen in innerer Not leichter macht, ihre Würde zu wahren.

D er Flügel ausgepackt aus Kiste eins, die Beine angeschraubt, die Pedale montiert. George hat das Instrument gestimmt, im Salon. Dort spielt Charlotte sich ein in vielen Ansätzen, meist largo und lento. Doch immer öfter wagt sie in ihrer Improvisation den Wechsel von Moll zu Dur, auch raschere Tempi. Und es stellen sich Echos, vorerst nur vage Echos ein auf Beethovens Sonate in As. Nach einiger Zeit erst registriert sie, daß George in den Salon zurückgekehrt ist, auch um die Intonierung zu prüfen. Sie beendet das musikalische Erinnern mit ein paar Akkorden, die sich ostinat wiederholen.

Sie sei schon wieder ihrer Sucht verfallen, sagt sie. So war es in Wiesbaden und in Genf, vor allem in Genf: stundenlang am Klavier, und sie hob zuweilen ab zu Klangflügen auf dem Märchenteppich, setzte sanft oder prallte unsanft auf – dazu genügte schon ein Kinderschrei. Sie hatte sich wiederholt Vorwürfe gemacht, daß sie so viel Zeit am Klavier verbrachte. Zwar übte sie immer mal wieder eine Komposition ein, aber sie spielte auch ziellos vor sich hin, gab Stimmungen nach, verlieh Stimmungen Ausdruck, das trug sie … Jetzt freilich trägt es sie nicht, noch nicht. Ihr ist es am Vormittag, am Vortag nicht gerade gut ergangen … Kaum, daß sie hier wieder festen Boden unter den Füßen hatte, verlor sie ihn … Sie fühlt sich wie eine Rekonvaleszentin … Will wieder zur Musik finden und zu einem illuminierten Selbst …

Vielleicht, sagt er, läßt sich diese Aufhellung beschleunigen, indem sie gemeinsam spielen.

»Ja, wunderbar!« Sie rückt nach rechts auf der Klavierbank, er setzt sich neben sie, sein rechter Arm an ihrem linken Arm.

Unter den Noten, die sie mitgebracht hat, auch eine Polonaise zu vier Händen. Die schlägt er auf im Namen seiner polnischen Mutter, im Namen des polnischen Schwarz, das er als Wunderkind oft getragen hatte.

Sie müssen mehrfach ansetzen, dann aber finden sie in die Musik des nun fernen Kontinents zurück: Polonaise in Es von Wranitzky, gespielt von einem Mulatten und einer jungen Frau aus dem Rheingau. Kraushaar und Lockenhaar. Staunend nimmt er wahr, wie rasch, wie leicht diese Frau sich auf sein Spiel einstellt, zugleich aber: sie setzt eigene Akzente, selbstbewußt. Reagiert flexibel, agiert entschieden. Er spürt in der Symbiose des Spielens etwas von ihrer inneren Kraft und zugleich: von Weichheit, fast Nachgiebigkeit.

Während sie die Polonaise wiederholen: leichter Schweißgeruch aus ihrer Achselhöhle – den saugt er ein, verstohlen. Sein Arm rechts, ihr Arm links berühren sich schon mal. Nach dem Schlußakkord würde er diese Frau am liebsten auf den Hals küssen, zwischen Schulter und Ohr, aber Beethoven würde eifersüchtig reagieren, käme er in diesem Moment herein. So hebt er ihre linke Hand von den Tasten, küßt sie. Congratulations …

Eine Waschkommode auch in Ludwigs Zimmer, eine Schüssel, eine Kanne. Die muß von einer schwarzen Dienerin mehrfach nachgefüllt werden während der Lektüre in den heißen Stunden, vor allem aber während er Notizen macht und erst recht beim Notenschreiben: er springt immer wieder auf, eilt zur Kommode, hält den Kopf über die Schüssel, gießt aus der Kanne einen Schwall über Nacken und Hinterkopf, meist schießt ein kräftiger Jutsch an Kopf und Schüssel vorbei, also bringt die Dienerin schon mal einen Aufnehmer mit, der aussieht, als wäre er auf einem der Schiffe im Hafen gekauft worden, hergestellt aus zerrupftem Tauwerk. Es wiederholt sich: kleines Klopfen, Hereinhuschen, Aufwischen, Nachfüllen der Kanne. Und Beethoven, mit nassem Haar am Tisch, schreibt weiter.

Signore sine nomine ist von der Insel Gorée zu Besuch gekommen; ein Fischer hat ihn übergesetzt. Der Schotte kam nicht mit, er hat Ausgang: dicke Liebschaft ...

Was ihn aufs Festland trieb: er wollte sehen, ob das Klavier schon aufgestellt ist – ja, und da steht es!

Charlotte lädt ihn ein, auf ihrem Instrument zu spielen. Das bricht er freilich bald ab, ist zu sehr aus der Übung. Außerdem kommt Beethoven herunter, angelockt von Klangfolgen der a-Moll-Sonate von Mozart – in Gegenwart des Maestro will er partout nicht spielen. So sitzen sie bald am Tisch, Tee wird aufgetragen: Hibiskus, Fleur du Senegal.

Der Maskierte berichtet, daß er im Haus eines französischen Kaufmanns österreichischer Herkunft wohnt, der sich fürs erste abgesetzt hat. Kleine Villa, deren Front von Bougainvillea fast überwuchert ist; kühler Innenhof; Blick aufs Festland, Blick auf den Atlantik.

Der Nabel dieser Welt ist schwarz: eine junge Frau hat sich zu ihm gesellt. Genauer: er hat sie bei sich aufgenommen. Sie verständigen sich mit Händen und Füßen und allem dazwischen. Den Kopf hat er freilich nicht verloren.

Wieder ein Tag, der mit dumpfem rhythmischen Stampfen beginnt: diesem Geräusch folgen George und Louis in einer Stunde, in der die beiden Frauen noch in ihren Zimmern weilen, in der Massah Martin noch nicht aufgetreten ist.

Sie gehen zum Wirtschaftsflügel des Hauses, betreten einen halbdunklen Raum. Zwei Frauen stehen breitbeinig voreinander, schwingen unterarmdicke, mannsgroße Rundpfähle senkrecht hoch, rammen sie in eine Bodenmulde, schwingen sie hoch in lässigen Bewegungen, rammen sie hinunter, schwingen sie hoch, rauhheiser wird dabei gesungen von mehreren Frauen im Raum, ein Lied, das dem Hirsestampfen den Takt vorgibt, ein Lied, das vom Takt des Hirsestampfens geprägt ist.

Zwischen Strophen nun Gelächter, denn das haben sie noch nicht erlebt, daß ihnen Besucher des Hauses bei der Arbeit zuschauen. Also stampfen bald drei der Frauen. Kaum ist ein Stampfholz aus der Mulde hochgezuckt, wird das nächste hineingerammt, kaum ist es hochgezuckt, wird das dritte Stampfholz hineingerammt. Und es wechselt der Rhythmus: auf der Eins betont, dann auf der Zwei, schließlich auf der Drei, synkopisch der Übergang wieder zur Eins.

Die Stampferinnen legen die Rundhölzer ab, mit hohlen Händen schüppen andere Frauen den Hirseschrot aus der Mulde, füllen Hirsekörner nach. Wieder stehen die drei Stampferinnen in engem Kreis, schwingen in sehr dichter Abfolge die Rundhölzer hoch, rammen sie in die Mulde, schwingen sie hoch. Der Morgenrhythmus des Kontinents! In wie vielen Stampfblöcken vor Hütten, in wie vielen Stampfhäusern dieses Pochen! Grundrhythmus des Stampfens im westlichen wie im östlichen Afrika, im Afrika der Oasen und der Waadis, im Afrika der Kegelberge und der Wasserfälle – in dieser Stunde werden Tausende, Zehntausende von Stampfhölzern hochgerissen, sausen hinunter, werden hochgerissen, sausen hinunter.

Und George: Wenn man eine Sinfonia mulattica oder, noch besser: eine Afrikanische Sinfonie schriebe, so müßte sie zumindest in einem der Sätze diesen Rhythmus haben.

Auf der Kutschfahrt zur Morgenbucht: kaffeebelebte Mitteilung von Nachtgedanken! »Ich weiß, wer sich hinter der Maske verbirgt!« Dieser Signore hat allen Grund, eine Maske zu tragen, denn eigentlich darf er ihm nicht mehr unter die Augen treten. Sie waren vor etwa einem halben Dutzend Jahren mit äußerster Heftigkeit aneinandergeraten – nicht zum erstenmal, wahrhaftig nicht, aber es war dramatischer als je zuvor. Nach dem Krach aller Kräche ist er wutentbrannt in die Wohnung zurückgekehrt, hat eine Büste dieses Mannes zertrümmert, stellvertretend. Seit der Zeit ist es vorbei mit der Freundschaft.

Daß er diesen Mann nicht demaskiert, ihm nicht mal den Namen ins Gesicht schleudert, das liegt daran, daß er gerührt, zutiefst gerührt ist. Dieser Mann bringt fertig, was kein anderer täte. Das war schon so in der ersten Zeit nach dem Riesenkrach – Signore kam heimlich in seine Wohnung, drei Etagen hoch, saß mit dem Diener im Nebenzimmer, während er improvisierte, komponierte, dabei hörte der zwei, drei Stunden zu, der Diener nähte oder bügelte solange, dann zog Signore wieder ab. Als er von den geheimen Besuchen erfuhr, war er zornig und zugleich gerührt. So ergeht es ihm jetzt auch. Dieser Mann ist mittlerweile Ende Fünfzig, dennoch läßt der alle gewohnten Annehmlichkeiten zurück, sein Wiener Freudenhaus, seine Cafés, seine Familie, er folgt ihm hierher nach Afrika, und wenn es sein müßte, käme er mit bis in die Region der Menschenfresser. Er setzt alles auf eine Karte – auch daran erkennt er ihn wieder.

Was er George jetzt gesagt hat, muß der sofort in sich begraben. »Also, heiliger Schwur bei deinen schwarzen Ahnen!« Kein Versuch, den Namen dieses Mannes herauszufinden! Das sei er späteren Lesern seines Reisebuchs keineswegs schuldig; er soll ihm das Geheimnis lassen, das er für seine Mission braucht.

Er muß zugeben, daß er etliche Zeit gebraucht hat, bis er hier Klarheit fand. Während der Schiffsreise hat er in der Tat geglaubt, der sei ein Spitzel, ein Agent. Er war derart auf die Gegenwart, beinah Allgegenwart von Spitzeln eingestellt, daß er sich sofort sagte: Das ist auch einer von denen, die in jedem Gasthaus sitzen, jeweils am Nebentisch, und ins Konzert und in die Oper verfolgen sie einen ebenfalls. Dieses Spitzel-Unwesen hat ihn zuweilen melancholisch gestimmt, und zur Melancholie kam schon mal Bauchgrimmen – von all dem Ärger, den er in sich reinfressen mußte. Also, er hat derart viele Spitzel gesehen, hat zumindest so viel von ihnen gehört, daß er in diesem Mann nur einen Spitzel sehen konnte – das wird er dem Fürsten Metternich und seinen Staatskumpanen, seinen Bütteln und Schergen nie verzeihen!

Aber es dämmerte – lento, lento – die wahre Erscheinung heran unter dem düsteren Bild, das er sich von ihm machte. Zuerst hielt er für unmöglich, was er hörte und sah – schließlich ist die Verbindung zu diesem Mann seit Jahren abgerissen. Nur mit dem jüngeren Bruder von Signore kam er in Wien noch zusammen, recht häufig – übrigens auch er ein guter Geiger.

Was den Moment des Wiedererkennens ebenfalls hinausschob: erst während der Reise kam es zu dieser wundersamen Verbesserung des Gehörs – George muß sich bewußtmachen, auch im Blick auf das Reisebuch, daß er früher in der Tat mit anderen Ohren hörte, beziehungsweise: mit Ohren, die alles veränderten. Er hat in Wien – vor allem in Zeiten, in denen es ihm schlecht erging – bei Stimmen (natürlich auch bei Instrumenten) die oberen Lagen kaum noch gehört; die Stimmen sanken ab in ein Gegrummel, aus dem er nur mit Anstrengung Wörter heraushörte. Nun ist sein Kopf, ist sein Gehör wie durchpustet von der klaren Luft, er vernimmt wieder Höhen. Selbstverständlich hat sich für ihn damit auch die Stimme dieses Mannes verändert, ist die Stimme eines anderen geworden. So paßt kaum noch zusammen, was er früher wahrnahm und was er heute wahrnimmt. Also erscheint ihm dieser Mann vertraut und fremd zugleich. Manchmal so vertraut, daß ihm der Name auf der Zungenspitze liegt, doch er spricht ihn nicht aus. Er fühlt sich wie eine Figur in einem Märchen: sobald die einen Namen nennt, der nicht ausgesprochen werden darf, ist alles vorbei wie ein Spuk.

Auch wenn Charlotte den Flügel für ihn, wie sie sagt, eingespielt hat – Beethoven läßt sich nicht dazu überreden, ihn »einzuweihen« mit einer Phantasie oder Sonate. Gern will er zuhören, wenn

Charlotte und George ein Werk aufführen, und sei es eins seiner eigenen, doch er wird sich nicht an den Flügel setzen. Wenn er nämlich erst einmal zu phantasieren beginnt, ist das meist schon Vorspiel zum Komponieren, und komponieren mag er in dieser Zeit nicht – er skizziert, er probiert aus – kein systematisches Arbeiten ... Also: gar nicht erst die Tasten berühren ...!

So muß er an den Flügel mit einem Trick gelockt werden, den George empfiehlt: während einer Plauderei geht Charlotte ans Klavier, wie beiläufig, schlägt den einen und anderen Ton an, als würde sie das, auf die Unterhaltung konzentriert, gar nicht bewußt wahrnehmen, dann Stocken, Wiederholen, sie behauptet, eine Taste repetiere nicht, oder täuscht sie sich?

Beethoven steht auf, geht an den Flügel, schlägt das G an, wiederholt den Ton, spielt ein paar das G umkreisende Töne, nimmt diese Tonfolge auf im Baß, es scheint sich ein erstes musikalisches Motiv zu bilden, Charlotte schiebt ihm, der vorgebeugt am Instrument steht, einen Stuhl zurecht, im Reflex setzt er sich, wieder die prüfenden Anschläge, er schüttelt den Kopf, die Taste scheint doch nicht zu klemmen, mit dem Zeigefingernagel fährt er über Tasten, eine Oktave, zwei Oktaven weit.

Beethoven reglos, als lausche er einem Echo nach. Oder: als wolle er von der Klaviatur etwas ablesen, schwarz und weiß. Zurechtrücken: Zeichen eines Entschlusses, eines Beginns. Er spielt in raschem Lauf toccatenartige Skalen, chromatisch, setzt an zu einer kurzen Melodie, vier Takte, poco allegro, endet in f-Moll, zögert kurz, wiederholt zwei Skalen-Kaskaden, noch einmal die kurze Melodie, ein Lied ohne Worte, wieder das f-Moll, er ändert die Tonart, setzt neu an mit einem Thema in D-Dur, wiederholt die chromatischen Skalen, noch einmal die zweite Melodie, diesmal nach oben sequenziert, mit neuen Modulationen am Schluß, und wieder toccatenartige Läufe, er setzt an mit einer dritten Melodie, allegro ma non troppo, nach dreieinhalb Takten bricht er ab, wiederholt das Thema noch einmal, rückt es von F nach G, dann Arpeggien, kein Bezug zu den thematischen Materialien zuvor, wiederum eine kurze Episode, allegro con brio, er setzt an in F, kehrt zurück nach D, erneut Toccaten-Skalen, da geht er, George, zum Fenster, schaut hinaus; es folgt eine rasche Passage im Sechsachtel-Takt, er wiederholt sie imitierend, beendet sie mit der verminderten Sept, spielt ein wiederum neues Thema, acht Takte lang, eingängige Melodie, wiederholt sie in einer ersten Variation, und George atmet auf, ein kleines Aufatmen: Beethoven hat sich in die wohl bewährteste Methode der Improvisation gerettet; was immer er jetzt spielt, es wird zusammengehalten durch das Thema. Ludwigs Gesicht reglos in der Konzentration, sein Oberkörper unbewegt, die Hände flach über den Tasten – was er musikalisch ausdrückt, betont er nicht durch Gestik, Mimik, womöglich durch Grimassieren, alle Kräfte scheinen nach innen gesogen.

Wird sich nun eine große Reihe von Variationen entwickeln mit dem verläßlichen, einprägsamen Thema, und Beethoven, von wachsendem Elan getragen, erweitert es, verstärkt Motive? Gibt ihm, George, damit Stichworte zu einer rhapsodischen, spätere Leser des geplanten Reisebuchs mitreißenden Beschreibung des phantasierenden Beethoven?

Als würde er den Absprung nicht wagen, bleibt Beethoven beim Grundschema der acht Takte, umspielt es mit Figurationen geläufiger Art, Überraschendes geschieht erst in der siebten Variation: energisch vorantreibender Rhythmus in der linken Hand, synkopische Einwürfe der Rechten. Vor-Resonanzen afrikanischer Rhythmen? Eine Rhythmik, die sich selbständig macht? Die zumindest einwirken wird auf die folgenden Variationen? Doch die achte Variation bricht ab mit einem Dominant-Septakkord. Darf die Variationsreihe nicht selbständig werden? Wieder toccatenartige Skalen. Das erinnert stark an den schwachen Anfang, aber warum ausgerechnet Tonleiter-Kaskaden als Versuch, das Ende mit dem Anfang zu verbinden? Als hätte er sich verrannt, läßt Beethoven weitere chromatische Skalen folgen, beginnt, immerhin, bei verschiedenen Tönen, in den Tonarten jedoch wenig Veränderungen: zweimal C-Dur, dreimal B-Dur. Aus der fünften Tonleiter entwickelt sich ein Passagenwerk. Das Thema der Variationen taucht wieder auf, nun in D, kleiner Überraschungseffekt, aber mit dem vierten Takt setzt eine Modulation ein, die wieder zu B-Dur führt. Die rhythmischen Baßfiguren der siebten Variation werden noch einmal aufgegriffen, und wieder Skalen. Und noch mal das Thema, nun im Tempo zurückgenommen, in neuer Harmonisierung, aber dann, ruckzuck, wird die Phantasie beendet. Dauerte vielleicht eine Viertelstunde, möglicherweise sogar etwas weniger. Das war nicht die große Entfaltung! Zwar tauchten schöne Themen auf, Beethoven aber ließ sie wieder fallen. Die Themen scheinen auch nicht in ihm nachzuwirken mit verzögertem Echo.

Charlotte klatscht Beifall, aber das klingt ein wenig forciert. Und ihr Dank in hessischer Intonation, deutlicher als sonst. Dann geht sie zu ihm, verhindert, daß er aufsteht. Er legt die Arme um die Hüften der jungen Frau, Gesicht an ihrer Schulter.

George wendet sich ab, geht wieder zum Fenster, schaut in die Krone einer Schirmakazie am Hang, schaut auf rotbraune Erde, schaut auf das gleißende Meer.

N ein, er will keinen Einspruch, keinen Widerspruch hören, er muß wenigstens für eine Stunde raus aus dem Salon, dem Haus und runter vom Hügel! Er kann jetzt nicht Konversation machen mit den Gästen, schon gar nicht über Musik. Er haßt diese Fragerei, vor allem die unausweichlich wiederkehrende Frage: Und woran arbeiten Sie jetzt? Nicht einmal der Dampf-Ingenieur schreckt davor zurück! Immerhin, er ist höflich geblieben, Charlotte zuliebe. Jetzt aber hält er das nicht mehr aus, auch nicht mit Blick auf sie – »weißt du, wovon die eben sprachen? Von Jagdabenteuern!« Er hat dabeigestanden! Zwei der Herren, ach was: zwei Männer, zwei Gestalten, zwei Figuren begannen von einer Antilope und einem Gnu zu reden, und wie das Gewehr im Anschlag und wie die Antilope im Sprung und wie das Gnu im Lauf – also er muß raus hier, sonst schüttelt er den Antilopenjäger oder den Gnuschützen mal kräftig durch – so! Er packt George, als wollte er ihn schütteln, stellvertretend.

Stop it!

Ludwig läßt ihn sofort los. »Also, geschwind weg von hier!«

Aber sie sind Gäste des Hauses, man würde es mit Recht als Unhöflichkeit auslegen, wenn sie sich für einige Zeit absetzen.

Hoho, Ludwig möchte noch mal so richtig unhöflich sein – viel zu lange schon ist er nicht mehr nach Herzenslust unhöflich gewesen. »Keinen Widerspruch, Freunderl, du kommst mit!« Und weil er sich in Bewegung setzen läßt, zieht ihn Ludwig an sich heran, ruft »Bruderherz« ins Ohr, »mein braunes Bruderherz, wir bummeln jetzt zum Hafen, schwärmen durch die afrikanische Nacht!« Ja, er möchte am nächtlichen Atlantik stehen, möchte im Dunkeln die wenigen Palmen und die vielen Wellen rauschen hören – ohne Verpflichtung zu gesundheitsförderndem Schwimmen. Diese Entfaltung des Nachtmeeres könnte auch für George stimulierend sein: bei westlichem Wind womöglich ein Hauch Antillen, »und wir riechen, riechen Zuckerrohr!«

Sie verlassen den Flur, kommen auf den Hof. Kleines Scheppern, Rasseln im verdichteten Schwarz unter dem Kapokbaum, mit rhythmischem Klirren kommt Aimant heran, barfuß, nickt ihnen zu, schreitet zum Haus. Wenn Martin Sartorius mit ihr schläft – legt sie zuvor die Reifen ab, oder klingt es, als würde ein Sack mit erbeutetem Schmuck geschwenkt, geschüttelt?

»Nous allons faire une promenade«, ruft Beethoven ihr nach, und sie hebt winkend die Hand.

»Siehst du, sie hat keinen Einwand erhoben! Also abgemacht, du kommst mit.« George kann es schließlich nicht verantworten, wenn er allein umherzieht, und es beißt ihn womöglich eine Hyäne in den Hintern. Lachgeräusch, rauhheiser wie Fuchsbellen. »Alle Einwände werden gestrichen im Libretto!« ruft er, und: »Nicht nur Gedanken, auch Gäste sind frei!« Ludwig faßt ihn wieder am Ellbogen.

In seinem Lachen, das sich abbaut zu einem Glucksen, merkt er nicht, wie sich eine voluminöse Figur aus dem Mondschatten des Kapokbaumes löst: Dougall »Tootie« Higginbotham. Er folgt ihnen. George atmet auf: Was ihnen auch immer in die Quere kommen mag, der dicke Schotte wird sich dazwischenwerfen!

Sie gehen den Fahrweg hinunter. Afrika duftet: Hibiskus und Bougainvillea, Orangen. Ludwig läßt den Ellbogen nicht los, schwärmt von der Wunderwirkung des Trinkens: Manchmal hat er das Gefühl, die Person Ludwig hinkt ein Stück hinter dem Komponisten Beethoven her – der Abstand wird zuweilen uneinholbar groß, aber wenn er getrunken hat, verkürzt sich diese innere Distanz – aus dem Hinterherhinken wird rasche, leichte Bewegung – immer näher kommt er sich – schließt auf mit dem Tondichter – sie rücken Schulter an Schulter, hautnah, und schwupps haben sie sich vereint! Er muß sich an Brischdauers Ellbogen festhalten: Die vier Beine und vier Arme müssen sich zusammensortieren und die beiden Köpfe zusammendenken, der Querkopf des Komponisten und sein privater Dickschädel – nahtlos wachsen die ineinander, und der Rotwein fördert diese wundersame Personalunion oder besser: Personal-Reunion. In diesem gesegneten Zustand, in diesen alkoholgesegneten Umständen will er sich von Brischdauer spazierenführen lassen.

Und Ludwig zwingt ihm, den Ellbogen weiterhin umklammernd, kleine Mäanderbewegungen auf in der warmen afrikanischen Nacht. Weit ins Land hinaus verteilt heiseres Bellen, dazwischengestreut Signale von Nachtvögeln. Erstaunlich stumm dagegen der Hund, der plötzlich neben ihnen hertrottet, als müßte er sie beschützen, wäre dazu von anderen Hunden der Kapsiedlung delegiert worden; der zweite Hund, der sich ihnen kurz anschließt, scheint nur zu kontrollieren, ob der erste Hund sie wachsam genug begleitet. »Eh, räudiger afrikanischer Köter, noch nie Rotwein gerochen?«

Ludwig singt noch einmal das Lob der Unhöflichkeit – von Zeit zu Zeit braucht er sie, er hat das Gefühl, er verliert sonst die Umrisse; im Akt der Unhöflichkeit dagegen zeichnet er sich mit hartem Stift nach, arbeitet Betontes noch deutlicher heraus. »Schau dir mein Gesicht an – bringt es die Veränderung gebührend zum Ausdruck?« Ludwig bleibt stehen, schließt die Augen, als sollte ein Gipsabguß gefertigt werden, der Stirn, Nase, Wangen, Lippen, Kinn prägnant genug hervorhebt.

Auch hier in Afrika: so überdeutlich ausgestirnt der Himmel, so unvergleichlich dicht das Sternengewimmel der Milchstraße – von einem sehr, sehr fernen Raumpunkt und Zeitpunkt her ins

Schwarze geschüttet aus der Sternen-Milchkanne, in der all dies Sternenweiß beisammen war. Auch das hat er bei Kant gelernt, im Buch über die Theorien zum Himmel: was derart weit in diesen schwarzen Raum hinaus verstreut ist, das war irgendwann einmal dicht beisammen. Es muß eine Region gegeben haben, in der erst nur Chaos war, gänzlich ungeordnete Sternmaterie, aufs äußerste verdichtet in allergrößter Schwerkraft – hier hat Kant von Attraktion geschrieben, soweit er sich erinnert, von allerstärkster Attraktion – diese Kraft der Anziehung sei im gesamten Kosmos wirksam, im Kleinen wie im Großen. Und wenn diese Kraft – ja, jetzt fällt es ihm wieder ein: diese Zentrifugalkraft – nein, umgekehrt: diese Zentripetalkraft – es ist ihm, das muß er zugeben, zuweilen sauer geworden, Kant durch diese Schrift zu folgen, aber Schande einem Künstler, der sich nicht bemüht, auch solche Vorgänge der Natur zu erkennen, mit Hilfe der Wissenschaften!

Also, die Zentri – die Zentripetal – ja, fugal nach außen, petal nach innen – so was kann man lebenslang durcheinanderwerfen wie konkav und konvex, wie Stalagmiten und Stalaktiten, da weiß er auch nie, ob von innen nach außen, ob von oben nach unten ... Also: die Zentripetalkraft – wenn die keine Gegenkraft gefunden hätte, so würde alles, was derart weit ins Schwarze hinausgeschüttet ist, wieder zusammengezogen oder würde in die Kanne quasi zurückfließen. Daß sich Anziehungskräfte und Zurückstoßungskräfte die Waage halten, ist ein Gesetz, so hat er bei Kant gelernt, das nicht nur in der Milchstraße seine Gültigkeit besitzt und nicht nur im Planetensystem – es gibt überallhin systematische Verbindungen, so hat Kant geschrieben, oder: Verbindungen in den Systemen.

Am Brunnen also ...! Ludwig war beunruhigt, als er früh wie immer aufwachte und George war nebenan nicht mehr im Bett. Er stand auf, ging über den Hof, folgte dem Hinweis Aimants, und tatsächlich, er sitzt hier am Brunnen!

Eine ältere Schwarze zieht über die Holzrolle zwischen dem Doppelpfosten einen Ledereimer aus dem Brunnenschacht, leert ihn über einem größeren Holzeimer, läßt den Ledereimer wieder hinab, zieht ihn herauf. Männerstarke Frauenarme. Hohes Quietschen des Rollbalkens, solange der Eimer hinuntergleitet; das Quietschen etwa eine Oktave tiefer, sobald der Eimer hochgezogen wird. Die Brunnenfrau leert ihn über dem Holzeimer, trägt das Wasser ins Haus.

So hat er wahrhaftig das Nachsehen! sagt George. Beim frühen Aufwachen die Vorstellung, gemischt aus Nachttraum und Wachtraum, der Tag beginne am Brunnen mit der Erscheinung eines schwarzen Mädchens mit so spitzen Brüsten, daß ihn schon der Anblick in den Handflächen kitzelt! Aber hier hat sich die Realität ausnahmsweise nicht an seinen Entwurf gehalten – statt eines frischen Äpfelchens ein Bratapfel…!

Dies allerdings hat seinen Gedanken erlaubt, sich frei zu entfalten. Und er dachte vor, was er im Reisebuch ausführen wird: Daß dieser Brunnenschacht in eine Tiefe führt, in der über wasserhaltige Schichten viele afrikanische Brunnenschächte miteinander verbunden sind. »Verbindungen in den Systemen«, nicht wahr? Eigentlich müßten demnach selbst europäische Brunnen durch sehr tiefe wasserführende Schichten mit afrikanischen Brunnen verbunden sein, sogar Brunnen in Sussex und Galizien.

Als Ludwig hört, daß der Schiffsjunge im Pferdestall ist, steht er sofort auf vom Klavier. Er wolle sowieso einmal in den Stall, müsse sich schließlich wieder an Pferde gewöhnen – sie werden lange Zeit reiten…!

Remise für die Kalesche, hölzerne Boxen für die Pferde. In einer von ihnen der Junge, ein Pferd striegelnd – das erste der Pferde für den Ritt ins Landesinnre.

Beethoven will von Gerry hören, wie es ihm geht im Lehmziegelfort.

Ja, er schläft auf der Plattform mit den beiden Kanonen. Wenn er sich aufrichtet vom Feldbett, sieht er durch eine der Schießscharten das Meer. Blickt er nach oben, sieht er bestimmt zehntausend Sterne.

Zweitausend, sagt Ludwig, rund zweitausend kann man mit bloßem Auge sehen.

Zweitausend, allright, aber die sehen aus wie zehntausend, wenn nicht wie zwölftausend.

Ja, und sein Erdenleben?

Der Hafenkommandant läßt ihn ausschlafen; er holt Wasser, hilft beim Putzen; ein Soldat bringt ihm Holländisch bei – Southern Cross heißt Zuiderkruis. Und andere sterrenbeelden: Achtersteven, Telescoop, Slingerklok und Vliegende Vis.

»Ihr fangt also ganz hoch oben an? Bei Pferdehufen seid ihr noch nicht angekommen?«

Nein, aber er weiß schon, daß sie vor einem langen Ritt gefettet werden müssen, sonst werden sie rissig, spleißen.

»Und das Pferd unter dem dicken Schotten könnte zum Spalthufer werden?« Ob Gerry ihn zwischendurch wieder gesehen hat?

Nein, der ist mit seinem Herrn auf der Händlerinsel drüben. Die kann er übrigens von der Plattform aus sehen, auch die Festung dort.

Den ur-afrikanischen Rhythmus des Hirsestampfens nicht nur mit den Ohren aufnehmen, den Augen wahrnehmen, diesen Rhythmus selbst einmal erzeugen …! Er schlägt vor, noch an diesem Abend in den Stampfraum zu gehen, die Rundhölzer zu schwingen, bis der Rhythmus sich in ihren Körpern selbständig gemacht hat. Ludwig, der fast eine Flasche Rotwein »intus« hat, ist sofort bereit, das zu »temptieren« …

So gehen sie nach dem Dinner mit Aimant in den Stampfraum. Sie stellt ein Windlicht auf den Lehmboden, nah an den Steinmörser, schüttet einige Handvoll Hirse hinein, packt eins der unterarmdikken, mannsgroßen Rundhölzer, schwingt es vorführend, und sie spüren in den Fußsohlen die Wucht ihres Stampfens.

»Alors«, sagt sie ohne beschleunigten Atem, reicht Ludwig das Rundholz, er stellt sich neben sie, rasch werden seine Schwingbewegungen gleichmäßig – hat der Rotwein lösend gewirkt?

Nun schwingt auch George ein Stampfholz. Als sich der alternierende Schlag selbständig gemacht hat, stellt sich die Mulattin zu ihnen, schwingt ebenfalls einen Rundbalken. Bald schon wird das

Hirsestampfen akzentuiert: der Hauptschlag betont durch eine ganz kurze Pause. Un, DEUX, trois … Un, DEUX, trois …

Nach Ludwig übernimmt Aimant die Schlag-Akzentuierung: UN, deux, trois … UN, deux, trois … Schwarz-afrikanischer Rhythmus im mitschwingenden Kopf, in den Schultern, den Armen, in Rücken und Bauch, in den Beinen, den Füßen, den Fußsohlen.

Aimant geht drei Schritte zurück, schlüpft aus dem Kleid, stellt sich wieder an die Stampfmulde. Hüftschurz; im stickig warmen Stampfraum scheinen sich Bauch, Brüste, Schultern zu bronzieren. Neue Akzentuierung: Un, deux, TROIS … Un, deux, TROIS … Und sie beginnt zu singen: ein Lied, das den Stampfrhythmus aufnimmt, dem Stampfen zugleich den Rhythmus vorgibt. Sie singt mit aufgerauhter, kehliger Stimme.

Beethoven und Aimant im Morgenschatten des Kapokbaums, an ihrer Lieblingsstelle: sie hat herausgefunden, daß der Wind hier einen Hauch frischer ist. Ein Korb neben ihr, eine Tonschüssel auf ihren Oberschenkeln: sie fitzt afrikanische Bohnen. Und Ludwig schaut ihr zu, kein Buch als Alibi in den Händen. Scharrende Hühner, rotbrauner Staubsand.

Die Fäden, die sie von den Bohnenhülsen zieht, werden weggeschlenkert. Er hebt einen von ihnen auf, einen zweiten, hält sie aneinander, versucht spielerisch, sie zu verknoten. Wie viele Fäden insgesamt wird sie von Bohnen gezupft haben? Hier auf dem Hügel? Und im Dorf, aus dem sie stammt?

Sie hält ein, schaut auf die beiden Fadenstücke, hält ein drittes Fadenstück daneben, sieht diese Aufreihung von Bohnenfadenstükken offenbar verlängert über den Schattenkreis des alten Kapokbaums hinaus, den Hügel hinab. Ja, sie hat als Kind schon Bohnen geschnippelt, hat es gern getan, sie könnte diese Arbeit einer Dienerin übergeben, aber das Bohnenfitzen läßt sie sich nicht nehmen!

Nun also – wie viele Bohnenfäden allein schon auf diesem Hügel? Und wieviel Bohnenfadenlänge insgesamt? Und wieviel, fragt Beethoven, ist am Endlos-Bohnenfaden entlang schon erzählt worden?

Weil sie stumm weiter entfädelt, schnippelt: Verbindet sich das Bohnenfitzen nicht oft mit dem Erzählen von Geschichten? Sie nickt, zupft, fitzt. Geschichten mit rotem Faden erzählen beim Entfädeln westafrikanischer Bohnen?

Mit diesen Stichworten lockt er keine Geschichte aus ihr heraus, vielmehr fragt sie zurück, ob er zu Haus im fernen Europa eine Frau habe, die für ihn auch Bohnen fitze und dabei Geschichten erzähle?

Hoho, diese Haushälterinnen zu Wien erzählen ihm das Blaue vom Himmel herunter, nicht nur beim Bohnenschnippeln! Es sind Geschichten über das Verschwinden von Eiern, über den unerklärlichen Gewichtsverlust von Fleischportionen, über Käsestücke, die einen Teil ihrer Substanz verschwitzen auch bei kühlem und kaltem Wetter, es sind Legenden von der wundersamen Brotverminderung. Der Spielraum der Erfindung ist bei solchen Lügengeschichten allerdings erstaunlich gering!

Und er redet sich warm: wie Haushälterinnen, Köchinnen ihn reinlegen ...! Vehemente Auseinandersetzungen, denn er besteht auch darauf, daß genau abgerechnet wird. Das setzt voraus: er rechnet nach, addiert, addiert, der Fluch des Addierens, womöglich Multiplizierens. Zuweilen verschließt er, um allzu komplizierte Rechenoperationen zu vermeiden, die Speisekammer, behält den Schlüssel, öffnet, wenn etwas gebraucht wird, schließt gleich wieder ab. Das bedeutet: er wird noch öfter gestört, als das ohnehin schon geschieht. Wiederum: wenn er sehr konzentriert ist auf das Komponieren, hat er kein Auge und kein Ohr für seine nähere Umgebung, das finden manche Frauen rasch heraus, sie suchen den Speisekammer-Schlüssel in der Garderobe, bereichern sich, stecken den Schlüssel zurück in Weste, Jacke oder Mantel, und so kann er sagen: manche seiner Kompositionen, die sich auszeichnen durch besondere Dichte, sie hat er nicht nur bezahlen müssen mit Nervenkraft, Lebensenergie, sondern auch mit Eiern und Früchten, mit Fisch und Fleisch – unter diesem Gesichtspunkt hat noch kein Musikliebhaber seine Arbeit wahrgenommen! Manchmal, bei besonders hartnäckig oder geschickt vorgetragenen Lügengeschichten, glaubt er fast schon an die Selbstauflösung von Materie in Speisekammern. Aber er läßt sich nichts vormachen, kommt jeder Eier-Marderin, jeder

Fleisch-Räuberin auf die Schliche, und dann schmeißt er sie raus, sucht gleich eine andre – und deren Geschichten gleichen den Geschichten der Vorgängerin – fast wie ein Bohnenfaden dem andren. Er möchte sich oft Bohnen in die Ohren stecken …! Und er schweigt, schaut ihr zu.

Master Martin, sagt er schließlich, wird sich dessen bewußt sein, mit großer Dankbarkeit, welche Verläßlichkeit er mit ihr gefunden hat.

Sie fitzt weiter – offenbar selbständig gewordene Bewegungen, die sie plötzlich beendet, sie läßt die Hände sinken mit Messer und Bohne. Massah Martin hat sie schon mehrfach aus dem Haus jagen wollen, in seinen Wutanfällen. Einmal hat er ihr sogar gedroht, er werde sie den Hügel hinabpeitschen. Vertrautheit ist kein Schutz dagegen, und kein Schutz sind die mittlerweile bald zwei Jahre, die sie bei ihm lebt. Ist ständig mit einem Fuß jenseits der Schwelle … Einmal hatte sie beide Füße jenseits der Schwelle, sie lief weg, fand Unterschlupf auf der Insel drüben, in einem Kontor – bis er sie zurückholte, Mäßigung gelobend. Aber dieses Gelöbnis wurde schon mehrfach gebrochen.

Master Martin brachte es fertig, sie rauszuwerfen?! Und heute noch wäre das möglich?!

Heute noch eher als früher, es wächst viel schönes Mädchenfleisch nach in Afrika. Nicht einmal fünfzig Meilen Bohnenfäden könnten ihn unwiderruflich an sie fesseln, mit einem Hieb kann er durchtrennen, was sie bindet.

Ob das auch andere im Haus wissen?

Weil Martin sich in großer Lautstärke äußert, wenn der Zorn ihn packt, werden Hausbewohner zu Zeugen. Und die wissen: jeder und jedem kann es genauso ergehen. Deren Positionen sind eher noch unsicherer – immerhin teilt sie mit Massah Martin das Bett; das kann sie von anderen Frauen im Hause hoffentlich nicht sagen!

Und sie beginnt wieder, Fäden zu zupfen, Bohnen zu fitzen: weiteres Verlängern des meilenlangen Bohnenfadens auf dem Odongo-Hügel …

Als der Koch wieder einmal an der Hausecke in der Mittagsbrise steht, um sich kurz auszulüften, gesellt sich George scheinbar beiläufig zu ihm. Obwohl der im Trio infernal das Fagott bläst, kein Gespräch ›unter Musikern‹; nur eine Frage. Die bezeichnet George als aussichtslos, aber zuweilen hilft Zufall weiter: Könnte der Koch auf Wunsch und nach dem Rezept eines weitgereisten Gastes irgendwann einmal Mehlschöberl hergestellt haben? Er übersetzt den ersten Wortteil: Mehl, farine, wiederholt das Wort.

Der Koch schmeckt ab: mélscheubèrle, läßt den Wortklang prüfend auf der Zunge zergehen, mélscheubèrle, aber Geschmackserinnerung will sich nicht einstellen. Nein, leider, er kennt dieses Rezept nicht.

Beethoven muß unbedingt mit ihm sprechen, aber nicht auf diesem Hügel, nicht in diesem Haus – überall Ohren …! George soll ihm den Gefallen tun und mit ihm einen kurzen Spaziergang machen, ins Tälchen. Es ist dringlich!

Ohne die Zustimmung abzuwarten, stürmt Beethoven hinaus. Früher Abend, noch viel Hitze eingebrannt in Stein, Sand, Staub. Sein Eilgang, sein üblicher, wird hügelab noch beschleunigt. Der Oberkörper etwas nach vorn gebeugt, sein Kopf gesenkt, als wolle er anrennen gegen ein Hindernis; Hände auf dem Rücken; Knurrlaute, seine Bewegungslinie akustisch markierend. Zuweilen dreht er sich um, ohne langsamer zu werden, schaut zum Haus auf dem Hügel. Schließlich scheint er sicher zu sein, daß man ihn nicht mehr hören kann, bleibt stehn, berichtet.

Er traf Charlotte im Flur, fragte sie, als wäre es ganz beiläufig, ob er mal ins Buch reinschauen könne, an dem ihr Mann arbeite – das hätte sie ihm auf dem Schiff doch versprochen.

Sie nahm ihn mit in ihr Zimmer. Ein Griff, und sie legte eine Kladde auf den Tisch. Eine nicht nur auf den ersten Blick erstaunlich dünne Kladde! Dies in einer ihrer Abschriften – sie hat eine neue Reinschrift in Genf hinterlassen. Beim ersten Durchblättern registrierte er: Umfang ungefähr einer Flugschrift. Dabei hatte Charlotte stets die Vorstellung geweckt, es handle sich um ein gewichtiges Werk! Das war der erste Schock: offenbar sieht sie dieses opusculum noch immer mit den Augen ihres Mannes – er sagt »Werk«, sie sagt »Werk«. Und es ist nur ein Aufsatz, ein längerer Aufsatz. Dafür hat sie sich derart unter Druck setzen lassen, Monat um Monat?!

Natürlich schaute er in die Kladde auch rein – das war ihr durchaus recht. Hoffte sie auf Begeisterungsrufe? Doch schon der Titel – »weißt du, wie dieser Aufsatz heißt?« Man höre und staune: »Urbewegung und Harmonie«. Hohoo – die ganze Windbeutelei dieses Mannes wird deutlich schon an diesem Titel! Urbewegung – so was Gespreiztes, Anmaßendes, Überhebliches! Bewegung: ja, Ursprung: ja – aber Urbewegung?! Und das Wort Harmonie dürfte dieser Hochstapler schon gar nicht benutzen! Einer, der kein Ohr hat für polyphone Harmonie unter Menschen, einer der so etwas nicht respektiert, der hat alles Recht verwirkt, von Harmonie reden und schreiben zu dürfen.

Ja, und als er in den Text reinschaute, in Stichproben: der zweite Schock! Dieser große Vermittler von Yverdon, dieser Schlesier, der so wohltönend, so wohlgesetzt gesprochen haben soll, der gebraucht Wörter, die müßte man ihm in den Rachen stopfen! »Hörenshalber« – hat man je solch eine Scheußlichkeit vernommen?! »Hörenshalber« soll der Schüler gefördert werden, auf welche Weise auch immer – »hörenshalber«! Als sie vor Gibraltar über den Anton-Reiser-Roman sprachen, fiel ihm auf, wie genau diese Frau liest, wie sensibel sie wahrnimmt. Und hier – stellt sich taub und blind? »Hörenshalber«! Wie kann jemand, der so etwas schreibt, einen Schüler, einen einzigen Schüler hinführen zum Verständnis von Homer oder Shakespeare, mit ihrer Sprachmusik? »Hörenshalber« – er nennt nur dieses eine Beispiel, aber dieses Wortungetüm, Wortungeheuer hat Geschwister, und zwar die Menge!

Und der Inhalt? Er will auf diese Flugschrift im einzelnen nicht eingehen, das ist sie nicht wert, wahrhaftig nicht, aber auf eine Aussage, eine für diesen Mann typische Aussage muß er doch hinweisen – ein Schlag ins Gesicht, ein Fausthieb auf die Ohren! Dieser Schmock wagt zu behaupten, die Einübung musikalischen Hörens mache den Schüler »nicht eigentlich menschlicher«. Da capo: »nicht eigentlich menschlicher«! Menschlicher werde der Schüler nämlich nicht im Umgang mit der Tonsprache – allein durch Schriftsprache sei Bildung des Menschengeschlechts möglich. Und das schreibt einer, ausgerechnet, der Wechselbälge erzeugt wie »hörenshalber«. Dieser Mann, das beweist schon solch eine Formulierung, hat nicht nur kein Ohr für Musik, der muß ein Feind von Musik sein, sonst würde er ihr nicht absprechen, was Tausende von Musikhörern, Musikfreunden, Musikenthusiasten bestätigen können: die erhebende und läuternde Kraft von Musik. Und da kommt dieser Schmock daher und wagt zu behaupten, in der Ausbildung musikalischen Hörens werde der Schüler, werde der Mensch »nicht eigentlich menschlicher«. »Hörenshalber« muß er das gleich noch einmal zitieren, weil es eine Ungeheuerlichkeit ist, eine empörende Aufkündigung jeden Konsenses unter gebildeten Menschen: das differenzierte, differenzierende Hören von Tönen, von Musik macht »nicht eigentlich menschlicher«.

Er hat Charlotte diese Formulierung vorgehalten. Immerhin, sie sah hier einen Ansatzpunkt zur Kritik, aber längst keinen Grund, alles, wie er, »in Bausch und Bogen zu verdammen«. Sie wollte seine kritischen Anmerkungen über ihre unterwürfige Mitarbeit an diesem Machwerk nicht weiter hören: »Ich brauche mich vor dir nicht zu rechtfertigen!« Daß sie ihm solch einen Satz sagen kann, ein bißchen kiebig, das hätte er sich vor ein paar Tagen noch nicht vorstellen können. »Ich brauch mich vor dir ja wohl nicht zu rechtfertigen!« An diesem Satz hat er herumgekaut, aber den hat er noch nicht geschluckt. Dieser Satz zeigt nämlich: sie will ihre Mitarbeit an dieser Lappalie auch nachträglich nicht in Frage gestellt sehen. Als ihm das klar wurde, kam es ihm so vor, als würde ihm mit scharfer Messerklinge ein Scheitel gezogen.

Beethovens Zorn und sein eigener Zorn: Symbiose mit zeitlicher Verschiebung. Was für Beethoven Gegenwart ist, das ist für ihn selbst Vergangenheit, die nachwirkt in die Gegenwart. Ludwigs Wutvibrationen haben sich übertragen: die sinnlosen und notwendigen Auseinandersetzungen mit Jennifer.

London, Eaton Street: wie oft wachte er damals auf in sehr frühen

Morgenstunden, erfüllt von Zorn? Als würde Lebensenergie unaufhörlich verwandelt in Wutenergie. Die fraß ihn leer oder brannte ihn aus. In einer Formulierungs-Protuberanz: Wutenergie lohte zum Schädel hinaus, durchs Kraushaar hindurch, das sich noch mehr einkrullte; danach inneres Veraschen.

Jäh wieder gegenwärtig: er hat sich mit Jennifer für einen Abend verabredet, doch am Nachmittag wurde von einem Jungen ein Brieflein überbracht. David gehe es schlecht, sie müsse zu ihm. Kein Ansatz zur Frage, wie es George ergehen wird, wenn er dies liest, ob er dann ebenfalls Hilfe braucht. Denn alleine konnte er diesen Briefsatz nicht bewältigen: »Ich weiß, es ist nicht gut für mich – aber ich kann nicht anders.«

Einen Teil seiner Wutenergie setzte er um in Formulierungen: schrieb sofort einen Antwortbrief, machte ihr klar, in scharfsichtigen und scharfrandigen Sätzen, daß sie ihrem Mann noch immer hörig war. Das hielt er ihr vor, warf er ihr vor. Auch dies: Unglück mit David ist ihr wichtiger als Glück mit George. Er wußte zwar, daß er mit einem Brief die Situation nicht ändern konnte, aber: er fühlte sich zur Seite geschoben, mußte seine Enttäuschung, seinen Zorn herauslassen – Schlieren zogen durchs Blickfeld, Innendruck machte das Gehör dumpf, vibrierende Erregung: Unglück mit dem anderen ist ihr lieber als Glück mit mir.

Ludwig schlägt vor, zum Brunnen zu gehen, bezeichnet ihn als »Morgenbrunnen«. Sie hocken sich an die Hauswand, schauen der Frau zu, die den Ledereimer aus dem Schacht zieht, ihn auskippt über dem Holzeimer, den Ledereimer wieder hinabläßt mit hellerem Quietschen. Männerstarke Arme.

Nein, sie lenkt nicht viel Aufmerksamkeit auf sich, läßt den Blick frei: rechts die Sonnenscheibe, sich ins immer Hellere läuternd, links der Atlantik, ohne Segel. Morgenklare Stunde. Dies wünscht er sich: morgenklare Gedanken – Licht des Verstandes, Licht der Vernunft ... Er hat sich auch vergangene Nacht wieder gefragt – eine Frage, die er kaum auszusprechen wagt, aber sie muß gestellt werden, es geht um die Wahrheit – nach dem niederdrückenden Gespräch mit Charlotte kam es ihm so vor, in der Nacht, als wäre er auf eine von ihr weiter entfernte Umlaufbahn geraten. Ja, als hätte Anziehungskraft nachgelassen, und es wirkte mehr Abstoßungskraft oder Zurückstoßungskraft auf ihn ein. Das klingt, wenn er das so ausspricht, beinah seelenlos oder mechanistisch, aber er hat schon ein paarmal darüber nachgedacht, ob das kantische oder newtonsche Gesetz von Anziehung und Abstoßung nicht auch im Reich der aufgeregten Seelen – Kant hat ja betont, daß die Naturgesetze im Großen wie im Kleinen gelten, vielleicht also auch hier. Er jedenfalls kann sich all das Hin und Her zwischen Charlotte und ihm nicht anders erklären. Das heißt, eine Erklärung hat er ja gerade nicht – er merkt hier sehr schmerzhaft, daß bei ihm gewisse Voraussetzungen des Denkens fehlen, sonst könnte er vielleicht doch begründen, auf welche Weise sich die Anziehungs- und Abstoßungskräfte im gestirnten Himmel und die Anziehungs- und Abstoßungskräfte in ihm selber – oder wie solche Kräfte bei all dem Hin und Her zwischen Charlotte und ihm – wie die sich hier – selbst in diesem hellen Licht bringt er das nicht zusammen! Soll er die Frau bitten, ihm einen Ledereimer brunnenkaltes Wasser über den Kopf zu schütten? Und plötzlich sieht er klar? Wasser des Verstandes, Licht der Vernunft …?

M on ami«, nennt ihn Aimant im Morgenschatten des Kapokbaums, und damit scheint sie ein lässig freundschaftliches Gespräch einzuleiten, darum ist George auf der Hut. Von ihm selbst und von Jeanne habe sie einige Andeutungen zu seinem Leben gehört, zum Lebenslauf vor allem seines Vaters, von seiner Flucht et cetera, aber sie ist, sie war Geschäftsfrau, ihr kann man keine Geschichten erzählen, sie seien hier »entre nous«, also rasch heraus damit. Wie war es *wirklich* mit seinem Vater auf Barbados?

Wenn sie so hart fragt, läßt sich nicht allzuviel erzählen. Wie sein Vater nach Barbados kam, darüber konnte er auch Johanna kaum etwas mitteilen; er ist schließlich auch deshalb nach Afrika gereist, um sich das alles genauer vorstellen zu können. Sein Vater scheint aus der Region zwischen den Wolof und den Dogons zu stammen, dort wurde er von Sklavenjägern eingefangen, in jungen Jahren wie üblich, und auch er kam, mit Sicherheit, auf die Madame bekannte Insel Gorée, wurde in den Keller eines Sklavenkontors gesperrt bis zum Abtransport nach Barbados.

Aimant nickt, etwas ungeduldig. Was sie vor allem interessiert: Wie Bridgetower senior nach Europa kam.

Warum will sie das wissen? Diese Zwischenfrage schlenkert sie mit Handzucken beiseite, ohne Begleitlaut.

Allright, halten wir uns nicht auf mit lästigen Einzelheiten: Es wurde ein guter Preis entrichtet für seinen Vater auf dem Sklavenmarkt zu Bridgetown, jemand erwarb ihn als Diener, gab ihm einen pompösen Rufnamen, den des römischen Kaisers Augustus, das war üblich, so konnten Plantagenherren alles, was Namen, aber keinen Rang mehr hatte, ins Zuckerrohr jagen, sich dort schwitzend abmühen lassen, einen Paracelsus wie einen Marco Polo, einen Diderot wie einen Voltaire, einen Caesar wie einen Brutus – wenn es schon eine Lust sein soll für manche, einen Sklaven zu treten, welche Lust wird es dann erst einmal sein, den Träger eines klangvollen Namens in den Hintern zu treten, einen König Louis oder einen Kaiser Augustus?

Beim Nachnamen, den man seinem Vater gab, für die Papiere, ließ man sich nicht viel einfallen, da wandelte man den Namen der Hauptstadt, Hafenstadt Bridgetown ein bißchen ab; gerufen wurde er mit dem Namen des Kaisers. Und Augustus mußte das Essen servieren am Tisch, an der Tafel des Plantagenherrn, Augustus mußte Gläser füllen – Augustus hier, Augustus da! Und als man entdeckte, daß er singen konnte, mußte Augustus die Familie und die Freunde auch musikalisch unterhalten.

Viele Besucher im Herrenhaus der Zuckerrohrplantage, unter ihnen ein Kapitän. Dem gefiel Augustus sofort: sah gut aus, war geschickt, sprach Englisch, konnte singen, fiedeln, tanzen. Für einen angemessenen Betrag kaufte ihn der Kapitän dem Plantagenbesitzer ab, als Geschenk an den Reeder in London. Den wollte sich der Kapitän verpflichten oder: er wollte mit diesem Geschenk etwas erreichen – Genaueres weiß er nicht, ist auch unwichtig. Während der Überfahrt nach England lernte sein Vater – neugierig, wißbegierig – etliches über Seefahrt, ließ sich zum Beispiel den Quadranten erklären, schaute zu, wenn auf der Karte die Position eingetragen, die Route bestimmt wurde. Später überraschte sein Vater immer mal wieder mit einem nautischen Fachbegriff. Zum Beispiel: Nockgording. Er weiß heute noch nicht, was das ist, hat auf der Southern Cross nie danach gefragt, aber dieser Begriff spukt im Kopf, in der Erinnerung: Nockgording ... Es kamen weitere solcher Begriffe hinzu, und so entstand das Gerücht, sein Vater sei Kapitän gewesen, in der Karibik und auf dem Atlantik; wenn darauf angespielt wurde, widersprach er nie.

Das Menschen-Geschenk wurde vom Reeder gern angenommen. Sein Vater erhielt bald die Vertrauensposition des Kammerdieners. Dem konnte der Reeder gelegentlich Anweisungen und Befehle mit nautischen Fachwörtern erteilen. Was das Ansehen des neuen Dieners noch steigerte, war die Andeutung des Kapitäns, Augustus sei Sohn eines abessinischen Fürsten, bei einem Jagdausflug von Sklavenhändlern geraubt. Der Reeder fragte oder hakte nicht nach. Aber wenn Besuchern Geschick und Eleganz des Dieners Augustus auffielen, merkte er an: Well, er sei nun mal Sohn eines abessinischen Fürsten ... Dennoch, der Reeder verlor langsam das Interesse an ihm; Augustus neigte zu Eigensinnigkeiten, Eigenmächtigkeiten. Vater konnte sich schließlich freikaufen, mit Ersparnissen von Trinkgeldern und kleinen Honoraren fürs Musizieren.

Warum hat George das nicht gleich so erzählt?! Die Frage gestellt mit einem Vibrato der Ungeduld.

Doch er läßt sich die Gelassenheit nicht nehmen: Er hat das nicht auf diese Weise erzählt, weil das keine Geschichte ergibt, höchstens einen Vorgang für Akten – einer wird verschenkt und kauft sich frei ... Was hat man von derart dürren Mitteilungen? Skrupulosität im Umgang mit der elend festgeschriebenen Realität macht die schönsten Geschichten kaputt! Ein Mann wird verschenkt und kauft sich frei – wirklich, was bringt es an Befriedigung, so etwas zu hören? Das ist eigentlich nur eine Erwähnung wert. Der Sklave, der ein Diener war: von dieser Geschichte kann man sich nichts kaufen! Das ist eine billige Episode, mit einem Nicken schluckt man die runter, wie ein Reiher einen Fisch schluckt: einmal genickt, und der ist weg! Und danach?! Geschichten, die beleben, die müssen einen fortgesetzt beschäftigen, müssen weiterwirken.

Solch eine Geschichte wäre, zum Beispiel, daß sein Vater nicht bloß Diener war, sondern für etliche Zeit in einer Zuckerrohrplantage arbeitete, mit der Machete. Zwischen dem Sklaven Augustus und seiner Freiheit zehntausend oder zwanzigtausend übermannshohe Zuckerrohrstauden. Er hackt sich also, wenn man linear denkt, einen schmalen, sehr viele Meilen langen Pfad frei im Zuckerrohrdschungel, dies oft singend, und am Ende des sehr langen Pfades steht jemand, der sieht, der hört, daß dem kräftigen Sklaven diese Plackerei wenig auszumachen scheint, und er sagt sich, diesen singenden jungen Mann kaufe ich mir, mache ihn zum Diener. Ein Vater zuerst im Zuckerrohr – würde man bei solch einer Lebensgeschichte nicht viel eher hinhören als bei der eines Dieners an einer Tafel? Ein Mann, der in Zuckerrohrfeldern arbeitet, singend, der sich mit ungezählten Buschmesserhieben freiarbeitet, singend – ja, diese Geschichte könnte nachwirken. Auch bei ihm selbst! Diese Nachwirkung mit dem Ergebnis, daß er eine Ballade über einen Mann mit dem Schicksal, dem frühen, seines Vaters schreibt und vertont. Er hat schon eine, mindestens eine, Ballade im Druck veröffentlicht: »Henry«. Nun käme eine Ballade hinzu über einen Vater, der sich freigehackt und freigesungen hat. Sein Vater hat einen Satz mitgebracht von Barbados, den hat er wortwörtlich behalten, dieser Satz könnte Motto, ja Inhalt dieser Ballade werden: Ohne Gesang wird das Buschmesser stumpf.

»Willst du mir nicht schon mal die erste Strophe dieser Ballade singen? Je t'en prie, mon ami.« Und nun hat dieses Wort einen warmen Klang.

Abendessen; in fast regelmäßigem Zeitabstand packt Ludwigs breite Hand das Weinglas, hebt es an, schrägt es. Massah Martin füllt nach. Was Ludwig vom Diener vorgelegt wird an afrikanischem Fleisch und Gemüse, das scheint er nicht zu sehen, auch Duft scheint ihn nicht zu erreichen. Beethoven blickt zum Stuhl, der das zweite Mal leer ist: Charlotte in ihrem Zimmer. Nur einmal an diesem Tag sah George sie vorbeigehen, langsam, das Gesicht wie versteinert.

Beethoven spricht mit keinem am Tisch, nicht mit dem Hausherrn, nicht mehr mit Johanna, nicht mit Aimant, nicht mit dem Gast, der Interessantes zu erzählen weiß von den Wolof; keins der Lockwörter, keiner der ausladenden Sätze erreicht Ludwig, er scheint wieder schwerhörig zu sein. Lastend sein Schweigen: es breitete sich aus, erreichte zuerst Johanna, dann wurde ihr Bruder stumm, mit ihm Aimant, nun redet nur noch der Gast, fühlt sich offenbar dazu verpflichtet. Ludwig greift zum Glas, hebt es an, schrägt es. Die Soße auf seinem Teller mit dünner Haut.

Die Nachspeise wird in gemeinsamem Schweigen gelöffelt – auch die Duftstoffe der Früchte erreichen ihn nicht mehr. Eine hingemurmelte Entschuldigung des Hausherrn, er führt den nun ebenfalls verstummten Gast hinaus; der findet im Flur die Sprache wieder. Johanna schaut Beethoven an, sieht, daß George sie beobachtet, Blick der Verständigung: sie hebt die Brauen, als wolle sie hinaufzeigen zum oberen Stockwerk. Beethoven greift zum Glas. Der Diener räumt ab, Glas und Flasche bleiben vor Ludwig stehen.

Als hätte die Runde seinem Schweigen die starre Form gegeben, läßt er nun Bewegung in seinen Körper zurückkehren: er lehnt sich an, verschränkt die Arme – wie eine Schutzgebärde. Die scheint vergeblich zu sein, er steht auf, George mit ihm. Ludwig nimmt die Weinflasche an sich, bleibt stehen, Kopf ein wenig gesenkt; Schulterzucken, Armschwenken. Problembeladener Odongo-Hügel: müßte eigentlich platt werden von all dem Gewicht … Auflachen und Aufstöhnen zugleich. Er umarmt, nein: umklammert George, Nase und Mund am Hals. »Du riechst noch was nach Zuckerrohr – das hat sich aber lang gehalten …«

Weiteres zur Phänomenologie des schlesischen Molochs kündet Beethoven an im Nachtdunkel des Gästezimmers, Stimme gesenkt. Dieser Moloch war auf den Appetit gekommen in Yverdon, war gefräßig geworden in Genf, dehnte seine Gier aus bis nach Afrika – zu all der Zeit, die er Charlotte bereits weggenommen hat, fordert er weitere Deputate an Zeit, in der sie zurückdenkt an alles, was Christian ihr zugemutet und abverlangt hat; Zeit, in der Charlotte ihm davon erzählte; nun wiederum Zeit, in der er George davon berichtet. Der soll, der muß wissen, wie dieser Schmock mit dem Geschenk umging, das verlockender, hinreißender kaum sein könnte – die Schönheit dieser Frau, die Klarheit ihres Denkens, die Intensität ihrer Gefühle, und zu all dem noch Charme, Witz, gelegentlich sogar Komik. Doch dieser schlesische Stinkstiefel will nur eins: ständig seine Überlegenheit herausstellen, seine Vormacht wahren. Also kann er sie nur einengen, kleinmachen, kleinhalten. Während er sich mächtig aufbläht in Belehrungen und Vorhaltungen, in denen er sie kaum je zu Wort kommen läßt. Manchmal sah sich Charlotte wie eine Karikatur: mit riesigen Ohren und kleinem Mund. Und dieser Christian – wann hatte er schon mal ein Ohr für sie? Großer Mund und kleine Ohren – so könnte sie ihn karikieren. Aber sie hat sofort gesagt: Zum Karikieren verspüre sie keine Neigung. Dennoch hat sie diesen Vergleich gebracht.

Stichworte zu seinen Belehrungen waren fast beliebig, und Stichworte zu Vorhaltungen konnten lachhaft geringfügig sein. Charlotte als seine Schreibsklavin. Sie mußte nicht allein diverse Reinschriften des ›Werkes‹ herstellen, sie mußte für ihn aus Büchern abschreiben, die er über die Universität bezog. Die Exzerpte stapelten sich in einem Regal. Sie mußte so viel schreiben, weil er ungenau las, fürs erste. Der Ablauf: er überflog ein Buch, markierte Seiten, die er für seine Arbeit eventuell brauchen konnte, diese Seiten mußte sie abschreiben. Und er machte ihr vor und sich selbst wohl auch: später, wenn er genau weiß, in welchem Zusammenhang er eine Textstelle verwenden kann, später wird er diesen Abschnitt genauer lesen, wird dabei das Zitat eingrenzen. So kam es, daß sie das meiste umsonst abschrieb – unter zweitausend Sätzen braucht er vielleicht zwei oder drei. Dennoch, sie gab sich alle Mühe, zuverlässige Abschriften herzustellen; trotzdem fand er Gründe, sie anzuherrschen, ja: anzuherr-schen.

Kaum hatte sie ihm das erzählt, tat es ihr leid – das klinge alles so sehr negativ ... Dabei habe sie viel durch Christian gelernt: das eigene Denken gefördert durch Mitdenken. Ja, sie fand gute Worte und Sätze für ihn – noch immer, noch immer! Und zeigte Verständnis: der übermächtige Meister von Yverdon und die Sisyphosmühe, von ihm loszukommen …! Dazu Probleme mit dem Elternhaus: Zahlungen aus Trebnitz verbunden mit Verpflichtungen, die ihn bedrückten … Und so weiter – aber eigentlich ist völlig egal, warum der Schmock zum Moloch wurde. Was ihn beschäftigt, ihn bedrängt, ist die Frage: Warum kehrt Charlotte in Gedanken und Gesprächen andauernd zu ihrem Mann zurück? Weshalb, in drei Teufels Namen, mußte er sich gestern stundenlang anhören, was dieser Mann ihr angetan hatte, warum schweigt sie nicht einfach mal und läßt sich in die Arme nehmen? Oder sie spielen vierhändig Klavier? Oder gehen spazieren? Jede Stunde, die sie sich mit dem anderen beschäftigen, wird Charlotte und Ludwig entzogen. Immer wieder dieses Großmaul, dieser Hochstapler, dieser Schubiak!

Ja gut, er findet, er fand es richtig, daß sie ausführlich von dem erzählte, was sie nicht verwinden kann, er will sie ja auch verstehen – aber plötzlich, von einem Satz zum anderen, hielt er das nicht mehr aus – er verwahrte sich dagegen, daß sie schon wieder von diesem Christian sprach! Da saß er neben Charlotte, und sie redete von diesem Pimock! Das war es, was er monierte. Sie war betroffen – ihre geweiteten Pupillen, ihr plötzlich sehr weiches Gesicht. Und sie sagte, sie hätte selbst gespürt, welche Entwicklung dieses Gespräch nehme, sie hätte dieses Thema aufgeben wollen, er sei ihr knapp zuvorgekommen. Fast eine Simultaneität – und die machte ihnen wieder einmal bewußt, wie sehr sie bereits aufeinander eingestellt, eingespielt waren.

Im Schatten des Kapokbaums, am nächsten Morgen: Aimant lädt George ein zur Fortsetzung des Gesprächs. Dem gibt sie das Stichwort: »Pourquoi n'as-tu rien raconté de ta mère?«

Ja, warum hat er noch nicht von seiner Mutter gesprochen? Es gäbe etliches zu erzählen von ihr. Marias großes Abenteuer: einen Mann aus Barbados zu heiraten … Menschen vielerlei Herkunft in Galizien, aber ein Schwarzer war in Biala und Umgebung noch nie aufgetaucht. Maria, auch Maria verliebte sich in ihn – Attraktivität

eines Farbigen mit europäischem Flair. Maria später mit zwei kraus-
köpfigen, dunkelhäutigen Söhnen in Galizien, dann in Sachsen. Die
weiße Frau mit den Mohrenkindern wurde begafft. Immerhin, es
gab in Dresden einen Hof, an einen Hof gehört ein Mohr, so konnte
man Frederick und ihn als Kinder eines Hofmohren sehen, als Hof-
mohren-Nachwuchs. Nicht nur Begaffen, Bestaunen dieser Frau:
Unterstellungen, Unfreundlichkeiten, Gehässigkeiten. Auch davon
müßte er erzählen. Aber hier? Er ist nun endlich in Afrika, wird
vielleicht Spuren finden von Vorfahren des Vaters, sein Herz wird
zum Herzen eines Afrikaners – ist das möglich, wenn man zugleich
von der weißen Mutter spricht? Der Vater aus Barbados deutlich
an seiner Seite, die Mutter aus Galizien nun ebenso deutlich neben
ihm – wird er damit nicht besonders deutlich zum Mischling?

Wiederum: wo könnte er leichter von seiner Mutter erzählen als
in Afrika? Sie ist oft leidend – vor allem Kopfschmerzen. Und ihre
Beine sind unförmig geworden, fast Elefantenbeine, mit denen
stapft sie durch die kleine Wohnung, sehr langsam. Sitzt oft Stunden
an ihrem Tisch, der ans Fenster gerückt ist, und schreibt: meist lange
Briefe voller Klagen. Oder sie kopiert: Seite um Seite des Buchs, das
gerade »ihr Buch« ist. Sie hat auch »vernünftige« Erklärungen für
dieses Abschreiben, zum Beispiel: Damit lernt sie viele neue deut-
sche Wörter und Formulierungen. Und: Was sie einmal abgeschrieben hat, vergißt sie nicht mehr so rasch. Zuweilen schreibt sie ein
zweites Mal Seiten ab, die er als ihr Ältester unbedingt kennenlernen
sollte!

Das Buch, das sie zuletzt kopierte, das sie wohl weiterhin kopiert,
wurde von einem sehr armen Mann über einen sehr armen Mann
geschrieben, der aufwuchs in Verhältnissen, wie sie in Galizien
weithin üblich sind. Eins der Kapitel, die Maria Bridgetower ihm
zuschickte in ihrer ungelenk deutlichen Schrift, erzählt von einem
Jungen, der Hutfilze einfärben muß: aus kochendheißer Farblösung
muß er die Rohformen herausziehen, muß sie in einem vereisten
Fluß auswaschen, da werden die Hände rissig. Ein anderes Kapitel,
das sie ihm zuschickte (weil er ja so wenig zum Lesen komme …),
beschreibt eine halb unterirdische Trockenkammer. Ein drittes Kapitel erzählt, wie der junge Mann durch beinah unermeßlich weite

Kornfelder läuft. Dies hat sie, kaum noch zur Fortbewegung fähig, besonders gern für ihn abgeschrieben. So läßt sie ihrem Ältesten etwas von dem zukommen, was ihr wichtig ist, schickt sie ihm zu, was er zuweilen sogar verwenden kann für seinen Entwurf des Reisebuchs. Ihr fast telepathisches Gespür – wie aber soll er das umschreiben für Aimant? Bestimmt gibt es Ähnliches in Afrika – wie würde sie es benennen? Zuweilen, wenn er in Brighton am Tisch sitzt, am Tisch saß, beschriebene Seiten rechts neben sich, und er fügt weitere, dicht beschriebene Blätter hinzu mit schmerzendem Handgelenk, und er fragt sich, ob dieser Entwurf nicht erheblich mehr Zeit erfordern wird, als er sich das im Mai noch vorgestellt hat – in solchen Phasen macht es ihm Mut, daran zu denken, daß sie schon Hunderte von Seiten lange Romane abgeschrieben hat, weiterhin abschreibt mit Geduld und Liebe.

Aber: auch vom Sitzen beim Schreiben werden ihre Beine knieabwärts immer dicker; zuweilen müssen sie punktiert werden. Dann stapft sie wieder durch ihre Straße in Dresden und, mit großer Anstrengung, zur Elbe. Dort denkt sie, so hat sie ihm geschrieben, auch an ihren Sohn in England, denn: die Elbe mündet in die Nordsee, und am Ärmelkanal wohnt in den Sommermonaten ihr Sohn George, und wenn man im Winter die Themse aufwärts fährt, gelangt man nach London, wo er in der Winterresidenz seinen musikalischen Hofdienst ausübt. Sie hat ihm den Gedanken in den Kopf gesetzt, daß ein Meer in ein anderes Meer übergeht, daß durch Meere auch Flüsse wie Elbe und Themse miteinander verbunden sind, letztlich auch der ferne Senegal und der Ganges.

Nun muß er noch etwas ergänzen, damit Aimant nicht die Vorstellung gewinnt, seine Mutter sei unbeweglich geworden, weil sie untätig sei. Briefeschreiben und Buchkopieren sind wahrhaftig nicht ihre Hauptbeschäftigungen. Sie ist zwar angewiesen auf die finanzielle Unterstützung ihrer beiden Söhne, aber sie verdient selbst, wenn auch nicht ausreichend. Vor allem sind es Handarbeiten: sie klöppelt und stickt. Vorwiegend polnische Motive, die sie in Kissenbezüge, Tischdecken stickt: Gänse in Weiß, Reiter in Schwarz. Sie arbeitet längst auf Bestellung, aber sie kann nicht den ganzen Tag lang sticken und klöppeln, da tut ihr alles weh.

Und er muß gleich noch etwas ergänzen: in ihrer beweglichen Zeit war Maria flink! Sie hat die Bücher geführt in einem Handelsunternehmen von Biala. Weiterverkauft, vor allem nach Rußland, wurden hier vor allem optische Geräte zur Landvermessung, zur Signalübermittlung sowie Teleskope. Sie war zugleich Verwalterin im Haus des Kaufmanns. Der hatte oft Gäste aus anderen Städten, anderen Ländern, zuweilen von anderen Kontinenten; einer der Gäste kam sogar, mit einem englischen Kaufmann, von den Kleinen Antillen in der Karibischen See ...

Und wieder Maria Bridgetower in Dresden: weil ihre Beine dikker wurden, machte das Gehen mehr Mühe, also ging sie weniger; weil sie weniger ging, wurden die Beine noch dicker; weil ihre Beine dicker wurden, bewegte sie sich wiederum weniger. Objektiver Vorgang. Zuweilen aber, am Arbeitstisch zu Brighton, betastet er prüfend die Fußgelenke: schwellen sie an? Um das zu verhindern, geht er nachmittags zur West Cliff und noch weiter auf dem rotbraunen Kieselstrand. Und seine Körperformen: nicht nur weich, sogar aufgeschwemmt ...?! Da würde er sich hassen! Auch damit er nicht hocken bleibt und dick wird in Brighton und London, hat er sich die große Reise, ja, verschrieben. Die führt ihn weit von Maria Bridgetower weg. Auch deshalb spricht er eigentlich nie von ihr. Diese Reise führt ihn aber auch nicht zu seinem Vater zurück, den er eine Zeitlang hassen mußte, diese Reise führt – vielleicht – zu seinen Vorfahren, die Afrikaner waren. BRIDGETOWER FROM AFRICA ...

Wieder im Eilmarsch ins kleine Tal. Beethoven bleibt stehen, als wäre er gegen eine Lehmmauer gelaufen, die nicht einmal sein Querkopf durchbrechen kann. »Ich halt das nicht mehr aus«, ruft er, mahnt damit indirekt, endlich aufzuschließen – Mann in Not ...! »Verstehst du, ich halt es nicht mehr aus!« wiederholt er halblaut, als George neben ihm steht. Dort, da oben – sie ist immer noch in ihrem Zimmer – zurückgezogen wie in den ersten Tagen auf dem Schiff, zwischen Genua und Gibraltar – hat sich eingeschlossen, ist für keinen zu sprechen – selbst ihm gegenüber hält sie sich zurück. Als hätte es nicht diese Nacht in der Kajüte gegeben! Und nun: als wäre er nur ein Gast des Hauses wie andre auch. Am liebsten würde er heute noch aufbrechen ins Innere Afrikas.

Sie ist wie ausgewechselt – sagt man nicht so? Ausgewechselt gegen eine düstere Zwillingsschwester. In den letzten Tagen auf dem Schiff – wie heiter konnte sie sein! Und wenn sie redete – sie sprühte! Glanzlichter in den Augen und ihre raschen Gesten. Aufgelebt – wie befreit – ihm zugewendet ... Was er an ihr bewundert und geliebt hat, weiterhin bewundert und liebt: die Entfaltung von Intelligenz, Witz, Charme – und nun zieht sich in ihr alles wieder finster zusammen. Dieser Zustand überträgt sich auf ihn. Zuweilen die Vorstellung, er kriegt keine Luft mehr – wie früher, als Kind, als junger Mann – Alp auf der Brust ...!

Was ihm noch immer nicht in den Kopf will: sie kommt nicht von ihrem Mann los! Es war eine Entscheidung gefallen vor Gibraltar, sie hat diese Entscheidung durchgehalten an jenem Tag, an dem das Schiff im Hafen lag; als die Southern Cross die Meerenge durchfuhr, sah sie in der spanischen und der afrikanischen Küste zwei Zangenarme, die sie noch packen konnten, im letzten Moment, doch das Schiff fuhr ins Freie, ins Offne. Das war die Zeit, in der sie auflebte, aufblühte. Zwischendurch allerdings kleine Rückfälle. Nun aber scheint sie definitiv in die Zange genommen. Tausende von Seemeilen Distanz zu ihrem Mann, und doch scheint er präsent hier in Afrika, im Haus auf dem Hügel. Sie ist am Kap Verde, er am Lac Leman, und ein Meer, fast ein Weltmeer zwischen dieser Küste und jenem Ufer; damit scheint erfüllt, was sie sich gewünscht hat: sie ist in sicherer Distanz, hat wieder Spielraum – und was geschieht? Sie hockt auf ihrem schönen Hintern und überlegt, wie es ihrem Mann wohl ergehen mag. Ja, er hat diese Frage von ihr selbst gehört: Wie mag es Christian jetzt gehen? Er glaubte erst, er höre nicht recht: dieser Name am Kap Verde?! Dieser vermaledeite Name wurde noch ein paarmal genannt – aus ihrer einen Frage wurden mehrere Fragen. Wie kommt Christian im Alltag zurecht? Es wird für ihn gesorgt durch eine Haushälterin oder Wirtschafterin, die sie ihm beschafft hat, mit ihrem schlechten Gewissen – aber klappt nun alles?

Schlechtes Gewissen – und das diesem Pimock gegenüber! Ihr

schlechtes Gewissen, ihr Schuldgefühl sucht ständig neue Nahrung. Zum Beispiel: sie hat alles aufgebaut auf einer Lüge! Der Lüge, ihr kranker Vater brauche Hilfe, sie müsse deshalb nach Afrika, so rasch wie möglich. Sie hat ihrem Mann wiederholt vorgeworfen, er belüge sie, vor allem mit den Begründungen seiner oft wochenlangen Reisen, nun hat sie selbst eine Lüge entwickelt, um sich leichter von ihm losreißen zu können, für diese Reise. Sie, die Klarheit wünscht, auf Wahrheit aus ist, sie also hat alles mit einer Lüge begonnen – was soll sich daraus entwickeln?!

Dies hat sie nur angedeutet, mit leiser, monotoner Stimme, aber er konnte sich leicht in sie hineindenken, er weiß, was in ihr vorgeht. Das hat ihn zuerst bedrückt, niedergeschlagen – nun ist er wütend. Er ist es leid, leid, leid, daß sie andauernd – nein, nicht andauernd, aber viel zu oft von diesem Pimock spricht, von diesem Schubiak, auch hier in Afrika! Warum ist er, Ludwig, nicht auch mal Gegenstand eines Gesprächs? Er hat ihr so viel liebevolle Geduld entgegengebracht, damit hätte er es eigentlich verdient – nein, das gilt, das zählt in der Liebe nicht, hier läßt sich nichts durch Verdienste einklagen, aber hätte seine Zuwendung nicht bewirken können, daß sie über Charlotte und Ludwig spricht und nicht mehr über Charlotte und Christan, Christianchristianchristian?! Warum ist dieser Abwesende immer stärker anwesend, und er, der Anwesende, ist für sie oft wie abwesend? Er ist hier, am Kap Verde, sie lehnt den Kopf an seine Brust – und weint um den anderen! Sie hat noch kein Tränchen vergossen für Ludwig und Charlotte, nur immer für Christian und Charlotte. Trotz allem, was zwischen ihnen geschehen ist, auf dem Schiff … Was geht in ihr vor, worauf läuft das hinaus? Einer, der sein Hirn zermartert – daß so was nicht bloß Redensart ist, dies erlebt er an sich selbst: er zermartert sein Hirn, auch jetzt wieder. Er müßte eigentlich ein Hirnmarterl aufstellen, gleich hier.

Beethoven hockt reglos, Arme hängend, Gesicht erhitzt. Im Flur leises Klirren. Mit taktfestem Metallgeräusch kommt Aimant in den Salon, Reifen um die Knöchel, stellt ein Körbchen auf einen der gepolsterten Stühle, nimmt ein feuchtes Tuch heraus: »Fermez vous yeux!«

Er schließt folgsam die Augen, sie legt ihm das offenbar kühlende Tuch aufs Gesicht.

»Ich krieg keine Luft!« stöhnt er, aber sie lacht, hält das Tuch angepreßt, wartet kurz, hebt es ab, wendet es, legt es wieder auf. Dabei steht sie hinter ihm – er lehnt den Hinterkopf an ihren Bauch, mit hellem Rasseln streicht sie das Tuch fest, fährt dann, es an der Stirn festhaltend, mit der freien Hand durch sein Haar, nimmt das Tuch fort: »Cela vous a fait du bien?«

Er nickt, bedankt sich, will aufstehen, aber sie legt ihm beide Hände auf die Schultern, er bleibt sitzen. Sie nimmt einen Kamm aus dem Korb, beginnt, ihn zu kämmen. Auch als die Haare glatt sind, setzt sie das Kämmen fort, und Ludwig hält weiter die Augen geschlossen. Im Salon als einziges Geräusch das kleine Scheppern, gedämpfte Klirren der Metallreifen. Seine Haare betont schwarz, mit stahlblauem Schimmer, und deutlicher nun auch das untermischte Grau: einzelne Haare. Weiterhin das beinah streichelnde Kämmen, metallisch akzentuiert.

Als er die Augen öffnet, hört sie auf zu kämmen, nimmt aus dem Korb einen kleinen Spiegel, hält ihn vor: »Content?« Er grimassiert, fährt mit beiden Händen ins Haar, macht es wieder strubbelig.

»Ça alors!« ruft sie, halb vorwurfsvoll.

Nein, er mag nicht, wenn er gestriegelt aussieht, geschniegelt und gestriegelt, das kann er nicht ausstehn. Das Kämmen war schön, die Frisur ist es nicht! Wieder schüttelt er mit beiden Händen das Haar auf: man hat sich an diese wilde Mähne gewöhnt, das muß so bleiben, auch in Afrika!

Obwohl er sich das ausreden, ja verbieten möchte, versucht er beinah unablässig, sich vorzustellen, was dort oben abläuft in Charlottes Zimmer – nein, das ist ein falsches Wort, es läuft ja gerade nichts mehr ab. Bezeichnend für ihren Zustand ist das Ausbleiben von Bewegung – man gleitet sich selbst unter den Füßen weg – sinkt ab – taucht ins Finstre. Zugleich wird ihr Raum schwarz ausgemalt, und es wird das Haus, wird dieser Hügel, wird das Kap, wird der gesamte afrikanische Kontinent eingeschwärzt – wie eine Landkarte, über der Tinte ausläuft.

Auf dem Mittelmeer hat sie dieses Einschwärzen ebenfalls erlebt, ein paar Tage lang – Scharen von Tintenfischen schienen blauschwarze Wolken aufsteigen zu lassen, auf diesem düsteren Meer fuhr das Schiff mit Seeleuten in Teerjacken, die alle Maste schwarz strichen. So hat sie angedeutet, was sie erlebte, und er ist sicher: dieses Einschwärzen findet wieder statt oder hat sich bereits wieder ereignet.

Beethoven zieht George näher an sich heran. Weingeruch. Da ist Mitleid, sagt er leise, ja, er leidet mit, aber da ist auch ein Reflex des Zornes von gestern. Sagt man nicht schon mal: gesunder Zorn? Nur Zorn kann ihn davor retten, mit hinuntergezogen zu werden – dieses Versinken in sich selbst als Zustand äußerster Kraftlosigkeit – und immer kühler, auch in diesem Afrika, ihre Haut, die Stirnhaut vor allem, die Schläfenhaut – kühler Schleier, läßt sich nicht ablösen, auch nicht mit den Lippen. Ja, das Einschwärzen verbunden mit Auskühlen, als arbeite das Herz langsamer, und mit dem Auskühlen gehen Kräfte verloren, schließlich kann ihr ein Glas oder eine Tasse zu schwer werden. So hat sie ihre Erfahrung in der Kajüte geschildert, die Kajüten-Klausur – allerdings, vom Auskühlen hat sie nicht gesprochen, aber das hat er gespürt, bei einem Rückfall während der Meerfahrt, er weiß, wovon er hier spricht, das ist kein Gleichnis.

Stöhnen bricht aus ihm heraus. Daß sie seit zwei Tagen dort oben ist, in ihrem sicherlich auch noch abgedunkelten »Tochterzimmer«, es beweist ihm erneut: der andere Mann verfolgte sie über die Meere, ist mittlerweile am Kap angekommen, hat den Odongo-Hügel bestiegen, ist in den Herzraum des Hauses vorgedrungen, thront dort oben – ein finsterer oder: verfinsternder Götze. Und sie bringt ihm Opfer, in untertäniger Haltung – opfert ihm vor allem Zeit. Und dieses Zeitopfer als Menschenopfer. Ja, er fühlt sich hier, um es pathetisch zu sagen, als Menschenopfer – die eigene Gegenwart wird dem abwesend anwesenden Mann geopfert. Der hat wieder von ihr Besitz ergriffen – nicht von ihrer Haut, nicht von ihrem schönen Fleisch und Gebein – von ihrer Seele, und dies so ausschließlich, daß ihr Fleisch, ihre Haut für einen anderen jetzt nicht mehr dasein darf. Die Bußübung, die der Schlesier ihr auferlegt: Versink in den Boden, wo er am schwärzesten ist ...!

Schwermut – tiefste, schwärzeste Schwermut. Die Kraft, die sie nicht mehr hat, müßte eigentlich er aufbringen: hinaufgehen, sie aus diesem Zustand herauslösen, aus diesem bodenlosen Zustand. Aber das würde sie nicht zulassen, denn sie weiß: wer sich auf sie einläßt in solch einem Zustand, der verliert selbst seine Kraft, versinkt selbst ins Finstre. Diese Erfahrung will sie von ihm fernhalten – auch das hat sie schon mal gesagt, auf dem Schiff, nach ihrem Versuch, den Zustand der Verfinsterung zu beschreiben. Und nun hält sie sich eingeschlossen, und er kann nichts unternehmen. Ist vielleicht dreißig Schritte von ihr entfernt, in Rufnähe – und ist für sie nicht vorhanden. Er könnte ebensogut im Landesinnern sein, dort wo die Menschenfressergabeln bereitliegen.

Den Gast »aus dem Trübsinn« reißen! So machte der Hausherr den Vorschlag, am frühen Abend mit der Kalesche ein Stück ins Land zu fahren. Hessische Intonation aus kleinem, raschem Mund in der zugewachsenen Gesichtshälfte. Schon führte Sartorius den Gast am Ellbogen zum Hofeingang des Wohngebäudes – die Kalesche stand am Kapokbaum bereit, vierspännig. Kein Kutscher diesmal, Massah Martin wollte Zügel und Peitsche selbst in Händen halten. Schon ging es den Hügel hinab auf dem Fahrweg, Hausherr und Gast dicht nebeneinander auf dem Kutschbock, der Hausherr rechts, weil er Spielraum brauchte für die Peitsche. Für den Nachblickenden wurde die Kalesche schnell kleiner hinter rotbrauner Staubwolke ostwärts.

Was Beethoven dort draußen erlebte, wird herangeholt durch seinen Bericht am Abend: Master Martin wollte ihm erste Eindrücke der Savannenlandschaft vermitteln, aber die Fahrt war so knochenbrecherisch, fast halsbrecherisch forciert, daß er nur Baumschemen sah, kleinere Pflanzen überhaupt nicht, auf Tiere konnte er auch nicht achten.

Nur einmal, bei einer naturnotwendigen Fahrtunterbrechung,

machte Master Martin den »Herrn Musikus« auf interessanten Vogelgesang aufmerksam, den des Flötenwürgers. Beethoven fragt sich, wer solch einen Namen ausgeheckt haben mag. Würgende Flötentöne – Flöter als Würger – oder wie ist das gemeint und zu verstehen?

Worauf es hier jedenfalls ankommt: gemeinsam singen Flötenwürger-Pärchen eine Melodie, wechseln sich dabei ab, doch niemand, und wenn er noch so sehr aufpaßt, wird heraushören können, wann das Weibchen aufhört und das Männchen weitersingt, wann wiederum das Männchen aufhört und das Weibchen einsetzt – es entsteht keine Zäsur, wird nicht pausiert – gleitender Übergang. Was das Männchen singt, könnte genausogut das Weibchen singen, was das Weibchen singt, das singt auch das Männchen, gemeinsam bilden sie die weit ausgeponnene, für Flötenwürger charakteristische Melodie. Völlig aufeinander eingespielt, eingesungen, wechseln sie sich ab, und nur wer sieht, wessen Schnabel sich öffnet, kann feststellen, welcher der beiden Vögel gerade singt …

Und weiter ging es mit Zügelruck und Peitschenknall, fortgesetzt das »Männervergnügen«, das Ludwig gar nicht gefallen wollte, ständig hochgeschnellt vom Bock der fast ungefederten Kalesche – der Wunsch, das leichte, offenbar gut gefederte Wägelchen von Charlotte wäre endlich ausgepackt und zusammenmontiert. Aus solchen Gedanken wurde er sogleich herausgerissen durch die atemberaubend schnelle Fahrt auf dem unebenen, steinigen Boden – ein kurzes, nicht sonderlich witziges Wortspiel mit Kutschbock und Springbock …

Lakonisch geworden, berichtet Beethoven nur noch dies: Master Martin führte ihm vor, wie man vom Kutschbock herab mit der Peitsche Feldhühner tötet, zwischen bewässerten Feldern – meterlang züngelnde, hühnernackenbrechende Peitsche. Drei Feldhühner schließlich hinter ihnen, zwischen den Sitzen, auch die Hühnerbälge hüpfend während der weiterhin viel zu raschen Fahrt. Wieder ein Peitschenhieb, und ein viertes Feldhuhn wurde zwischen die Sitze geschlenkert: stumm hüpfendes Feldhuhn-Quartett.

E rst als der Tisch abgeräumt ist, beginnt Beethoven wieder zu sprechen. Auf Charlottes Stuhl der Maskierte, er hat eine Zigarre angezündet, der Rauch verteilt sich in dünner Schwebeschicht. Flasche und Rotweinglas vor Ludwig; die Pfeife schmeckt ihm nicht an diesem Abend.

Es werden sich bestimmt noch weitere Gespräche ergeben, sagt er, doch er möchte jetzt schon oder: jetzt endlich wissen, ohne Häme, ob eigentlich auch Signore den Anton-Reiser-Roman gelesen hat, und falls ja: was ihn besonders beeindruckt hat.

Der Maskierte hat dieses Buch in der Tat gelesen. Die Gespräche in der Trockenstube haben auch ihn beeindruckt, ebenso der nächtliche Marsch durch die Kornfelder, aber was sich ihm eingebohrt hat, mit ebenso feiner wie starker, also unabweisbarer Spitze, das ist eine Szene, nein, ein Detail, ein wahrlich zugespitztes Detail: die Wahrnehmung einer, so möchte er das definieren, unerbittlichen Zuspitzung, beobachtet an einem Kirchturm.

Ein kleiner, offenbar sehr spitzer Turm, schindelgedeckt, und diese Zuspitzung zieht die gesamte Aufmerksamkeit Anton Reisers in sich hinein. Je genauer der Junge oder junge Mann sich die Kirchturmspitze anschaut, desto unausweichlicher wird die Wahrnehmung, wie hier alles angelegt ist auf Zuspitzung. Keine kühle Beobachtung dies, hier werden im Betrachter Gefühle geweckt, Gefühle eines »Ekels«, so heißt es, eines Ekels davor, wie etwas eng wird – enger – noch enger – noch viel enger – ganz eng – ganz, ganz eng – wie sich dieses Enge auf einen Punkt zuspitzt, in dem es sich aufhebt. An dem nichts mehr ist. Ja, der Punkt des Übergangs in ein Nichtmehr, so möchte er das formulieren. Damit werden die auf einem Friedhof weithin üblichen Todesgedanken auf eine äußerste, noch nie zuvor so wahrgenommene Spitze getrieben – dies ist für ihn nicht bloß eine Pointe! Der Maskierte versucht zu lachen, aber das gelingt ihm nicht, es zieht ihm nur die Lippen auseinander, und dann ein eher keuchender oder hechelnder Laut. Eine erbarmungslose Zuspitzung, in der alles abbricht ...!

Er war, sagt er nach einer Pause, eine Zeitlang fixiert auf Kirchtürme. Was andere preisen: eine schlanke Spitze, dies hat für ihn, seit er den Roman gelesen hat, etwas Bedrohliches. Das bohrt sich in ihn ein – nicht bloß als Gedanke, sondern als Empfindung. Wenn er nach Schlesien reiste, um nach seinen Besitzungen zu schauen: Türme in verschiedensten Formen der Zuspitzung! Tröstlich sind bereits Wetterfahnen, Wetterhähne. Vor allem: ein Knauf, womöglich ein goldener, mildert ab. Dagegen Türme, die in unverzierter Spitze enden – sie haben etwas Durchbohrendes. Alles wird hineingesogen in diese Zuspitzung, und der den Herzschlag beschleunigende, zugleich lähmende Endpunkt, in den die Zuspitzung übergeht in das Nichtmehr.

»Ah!« ruft er, »da hat mir der Dichter etwas in den Kopf gesetzt!« Wiederholt Assoziationen an einen Glasbläser, der glühend weiches Glas von weichem Glas wegzieht, mit der Zange – ein Glasstrang, der sich verdünnt, verdünnt, verdünnt, dann abreißt in nadelfeiner Spitze. Und zuweilen die fast zwanghafte Vorstellung: Dieses sehr spitz ausgezogene Glas dringt ins Hirn – doch von unten nach oben und hinaus durch die Schädeldecke ... »Aber das wäre der Tod, nicht wahr? Das wäre der sichere Tod!« Er versucht zu lachen – wieder der trockene Hechellaut.

Der scheunenhohe, mit großen Säcken fast zur Hälfte gefüllte Lagerraum. Am Ende des Seitengangs sieht er Ludwig auf einem Baumwollsack hocken. Langsam geht er auf ihn zu, macht die Schritte leicht, obwohl fast jedes Geräusch geschluckt wird von den geschichteten Säcken. Er setzt sich neben ihn, sie schweigen gemeinsam.

Schließlich beginnt Ludwig zu sprechen. Auch an diesem Vormittag: Charlotte hat ihr Zimmer noch nicht verlassen – seine Flucht in diesen Lagerraum – die immer feinere, immer schmerzhaftere Spitze in seinem Bewußtsein – dort beginnt es zu schwären ...

Er hätte sich zwischen die Säcke drängen mögen, kriechend, wäre auf diese Weise am liebsten verschwunden, auf Nimmerwiedersehn ... Die Vorstellung auch: all diese Säcke platzen auf nach übermächtigem Windstoß, er wird baumwollweiß zugeschneit – african snow – keiner mehr hört etwas von ihm.

Statt dessen – er sitzt auf diesem Baumwollsack. Und woran er heute früh schon gedacht hat, im Bett, daran denkt er nun weiter. Charlotte – er hat sich nichts mehr gewünscht als dies: mit ihr möglichst häufig und möglichst lang beisammen zu sein im Haus, in dessen näherer Umgebung. Doch vor drei Tagen machte er eine äußerst irritierende Erfahrung: bei einem Abendspaziergang erschien ihm Charlotte verändert – als wäre ihre Gesichtshaut von einem kaum wahrnehmbaren Porzellanschimmer überzogen. An dieser kühlen Porzellanglasur glitt sein Blick ab – ja, an ihrem Gesicht, von dem sich seine Blicke oft nicht lösen, nicht losreißen konnten – von diesem schönen Gesicht glitten seine Blicke ab – er schaute an ihr vorbei – an Charlotte! Und ihre Beredsamkeit, an der er sich sonst nicht satthören konnte, sie erschien ihm plötzlich anstrengend, und im Hinterkopf die Frage: Wieso erzählst du mir das eigentlich alles?! Dabei sprach sie wieder mit Witz und Feuer! Er zwang sich hinzuhören, aber er wollte eigentlich an ihr vorbeihören.

Wieso, fragt Beethoven nach einer Generalpause, wieso konnte es vom einen auf den andren Tag zu solcher Veränderung kommen? Fast hätte er mal eine ungeduldige Antwort gegeben. Ihr, der Charlotte: eine unfreundliche Antwort …! Und seine Wunschvorstellung, sie könnten beisammenbleiben, oder Charlotte folgt ihm so bald wie möglich nach Wien – dieser Gedanke beschleunigte nicht mehr seinen Herzschlag, der drückte ihm aufs Herz. Sich losreißen, ja! Genau sein Wort jetzt, in diesem Zusammenhang: sich losreißen. Er legte bei diesem Abendspaziergang zwar die Hand auf ihre Schulter, doch er wußte: wenn sie jetzt sagen würde, »ich muß ins Haus, unabweisbare Verpflichtungen«, er würde das zwar bedauern, wäre aber erleichtert – schmählich erleichtert – schändlich erleichtert – verräterisch erleichtert. Ja, und schon ein paar Stunden später: die hauchdünne Porzellan-Lasur schmolz ab. Und er fühlte sich erneut zu ihr hingerissen.

Beethoven hält den Kopf über die Schüssel auf der Waschkommode, gießt aus der Kanne einen Schwall über Nacken und Hinterkopf, ein kräftiger Jutsch schießt an Kopf und Schüssel vorbei. Er setzt sich mit nassen Haaren an den Tisch, es tropft aufs

Notenblatt, auf dem er mit spleißender Feder schreibt – will er seine sechs Zimmermannsbleistifte schonen für die Landreise?

Kurzes, entschiedenes Klopfen, es erscheint Johanna in einem burnusähnlichen Kleid, setzt sich an den Tisch, wartet ab, bis Ludwig eine Fugensequenz zu Ende geschrieben hat, beginnt zu sprechen. Wenn man sich – außer bei Tisch – so wenig sehe, so liege es daran, daß sie häufig im Kontor sei, die bisherige Buchführung prüfe: eine spezifisch hessisch-senegalesische Variante … Sie wird etliches ändern müssen, dazu braucht sie Zeit, sie wird sich auch Zeit lassen, sie hatte ihrem Bruder vorsorglich angekündigt, in einem der Briefe, daß sie zwar helfen, nicht aber die Hauptarbeit übernehmen wolle. Es könnte sich für ihre Zukunft ja auch mal etwas ganz anderes ergeben als unablässig fortgeführte Buchführung …! Hinzu kommt: sie wird sich auch ein wenig um das Haus kümmern, will nicht alles der auf ihre Weise tüchtigen Aimant überlassen, die sollte sich mehr dem Baumwollhandel widmen. Im Zusammenhang mit dem Stichwort Haus möchte sie übrigens den verehrten und geschätzten Gast darauf hinweisen, daß seine Güsse nicht ganz ohne Folgen bleiben – Wasser sickert durch Fugen der Bodenbretter in den Verputz, es hat sich bereits eine feuchte Fläche an der Decke des Salons unter ihnen gebildet; wenn noch mehr Wasser dazukommt, wird sich irgendwann Verputz ablösen – sollte das in Anwesenheit von Gästen geschehen, wäre das mehr als nur peinlich. Sie bittet Ludwig, sorgsamer mit der Kanne zu hantieren. Wenn er das Verlangen habe nach viel Wasser, so möge er bitte in den Raum mit der Badewanne gehen, auch wenn das etwas weiter sei.

Beethoven schweigt, starrt auf die Noten, die er zuletzt geschrieben hat. »Wir haben uns also verstanden?« Ein Knurrlaut, wie aus tiefen Bereichen hervorgeholt. Sie sei vorbeigekommen, um nach der Einsiedlerin drei Zimmer weiter zu schauen, und da habe sie gedacht: Trag das bei dieser Gelegenheit gleich vor, du wirst bestimmt Verständnis finden. Mit beinah schüchterner Gebärde legt die rotblonde, sommersprossige Frau ihre Hand auf den behaarten Handrücken, die Hand buckelt sich.

Kaum ist Johanna gegangen, springt er auf, stampft zur Kommode, packt die frisch gefüllte Kanne, gießt das Wasser auf den Boden, noch bevor George aufspringen, eingreifen kann. Formeln des Vorwurfs! Ludwig patscht durch die Wasserlache, stellt die Kanne vor die Tür, geht an den Tisch zurück.

George, wütend, setzt Vorwürfe fort, die sich in solch einer Situation von selbst formulieren, doch Beethoven unterbricht ihn: Daß sie nach Charlotte schauen wollte, war bloß Vorwand, die ist ja gleich wieder runtergegangen! Außerdem, dies ist nicht ihr Haus – er hört sich so was nur von Master Martin an oder von Aimant. Sowieso kann er Frauen nicht leiden, die sich in alles einmischen – wenn man schon Johanna heißt, sollte man ganz besonders zurückhaltend sein! Im übrigen trocknet alles schnell weg in dieser afrikanischen Luft, in dieser Wärme – wenn das jetzt Winter sein soll, wüßte er übrigens mal gerne, wie es hier im Sommer zugeht ...!

Er tunkt die Feder in den Tintentopf, ratscht einen Taktstrich, legt die Feder wieder hin. Es war doch sofort zu spüren, daß Rivalität entstanden ist zwischen Joan und Aimant – das Haus ist die Domäne der Mulattin! Aber diese Joan begnügt sich nicht mit der Arbeit im Kontor, sie will auch hier zu bestimmen haben. War in Wiesbaden offenbar auch so: Buchführung plus Wirtschaftsführung – davon kommt sie wohl nicht los. Die ist doch froh, letztlich, daß er ihr diesen Vorwand geliefert hat, sich einzumischen, sich hervorzutun. Das wird sie bestimmt auch Aimant berichten: Ich habe übrigens dafür gesorgt, daß – und so weiter. Er kennt diese Art Frauen, hier erübrigt sich jeder weitere Kommentar. Im übrigen hat er sich vorhin den Kopf gekühlt, um zu arbeiten, und nicht, um ihn sich heiß zu reden! Und er notiert weiter. Federspleißen auf Papier.

George wartet noch ein wenig, geht hinaus und hinunter, kehrt zurück. Sorry, muß ihn doch stören jetzt ... Also, es wurde nicht mal ansatzweise übertrieben: an der Decke des Salons ein Feuchtigkeitsfleck fast in der Länge eines Menschenkörpers; wenn noch mehr Wasser hinzukommt, könnte sich in der Tat Verputz ablösen. Und selbst wenn das nicht geschieht – es wird ein großer Fleck bleiben.

»Gut, dann bleibt eben ein Fleck!« Und »die Sartoriusse« haben etwas zur Erinnerung. Können sie Gästen zeigen: Spur des berühmten Gastes ... Eigentlich müßte er den Fleck verstärken, indem er eigenes Wasser dazugibt! In seinem Grimm ein versprengter Lach-laut.

Die Erinnerungsmarkierung ist bereits angebracht, also kann er die Bitte des Hauses erfüllen. Oder wartet er vielleicht darauf, daß Charlotte ihm das sagt?

»Ach, die kümmert sich doch um gar nichts! Bleibt in ihrem Zimmer und stellt sich tot! Wüßte mal gern, weshalb die überhaupt nach Afrika gereist ist!« Im übrigen will er von George in dieser leidigen und läppischen Angelegenheit nichts mehr hören. Soll sich in den Schaukelstuhl setzen und den Mund halten. Oder soll wieder mit Aimant quatschen, falls sein Rededrang zu groß wird.

Und er schreibt mit spritzender Feder einige Noten, streicht sie durch. »Ihr habt mich völlig rausgebracht!« Für jede Note, die er schreiben will, muß er sich offenbar einen überflüssigen Satz anhö-ren! Er springt hoch, geht auf dem knarrenden, plitschenden, knar-renden Boden. Diese Frau, die auf dem Schiff bestimmt jede Menge Flecken hinterlassen hat, in der Koje von Mac Connerley, die soll sich gefälligst nicht so aufregen über ein bißchen Wasser auf dem Boden! Trocknet alles von selbst – ein paar Tage nach dem Auf-bruch wird man nichts mehr davon sehen. Aber es gibt Leute, die müssen und müssen einem dreinreden, und wenn der Vorwand noch so dürftig ist. Diese Joan soll es wagen, ihn noch einmal auf diesen Punkt anzusprechen! Wenn er arbeitet, braucht er das, basta. Im übrigen liegt es auch an den sehr speziellen Verhältnissen im Hause, daß er so viel Zeit hier im Zimmer verbringen muß. Das soll man sich gefälligst mal klarmachen, auch und gerade in diesem Stockwerk! Aber jetzt kein Wort mehr darüber. George soll dafür sorgen, daß die Kanne wieder aufgefüllt wird, er kann mit schwit-zendem Kopf nicht arbeiten. »Oder willst du mir diesen Freund-schaftsdienst versagen?«

Sein elendes, sein schmerzgeplagtes Leben! Und er ist nicht nur dazu verurteilt, er ist dazu verdammt, ja verflucht, dieses Leben auch noch allein zu führen. Er weist Gott auf das Elend dieses Le-bens hin mit einem ostinaten »miser sum, pauper sum«. Und manchmal, wenn ihn Zorn übermannt wegen all dieses Elends, Elends, Elends, da wirft er Gott dieses Leben vor die Füße – Er soll es zurücknehmen, wenn Er nicht fähig ist zu einigermaßen gerechter Verteilung von Glück und Leid. So viele Krankheiten für ihn und strotzende Gesundheit für einige seiner Feinde? Warum keine Frau für ihn und für andere gibt es Ehefrau samt Nebenfrau? Alle Träume, die sich nicht erfüllten – mit Charlotte werden sie wieder gegenwärtig! Er merkt jetzt noch schmerzhafter, wie er lebt: als Mann, der eigentlich ständig allein ist in einem Zimmer, nachts, der nur seinen eigenen Atem hört – auch in diesem Bett. Wie gern würde er hier im Haus wenigstens eine Nacht lang, diese Nacht ihren Atem neben sich hören – er würde wach bleiben, um diesem Atem zu lauschen, dem Atem einer Frau, der er auf dem Schiff noch sehr, sehr nah gewesen ist. Ja, nur ein wenig den Arm ausstrecken, um sie wieder zu berühren, zu spüren, und sie antwortet mit Zärtlichkeit. Von einer Hülle der Zärtlichkeit umgeben sein … Warum immer neue Widerstände zwischen ihm und der dauerhaften Erfüllung seiner Wünsche? Diese Frage – wie oft schon hat er sie Gott gestellt, wie oft schon hat er mit Gott darüber gehadert – nur Stunden von Erfüllung, und sonst? Und jetzt? Er freut sich darauf, sie wiederzusehen, und zugleich – er weiß, auch in diesem Fall werden seine Hoffnungen vergeblich sein. Sie werden sich vielleicht mal wiederfinden, aber sie werden nicht zusammenfinden, beisammenbleiben. So hadert er wieder einmal mit Gott, stellt ihm sein elendigliches Leben dar, »miser sum, pauper sum« – und er bittet Gott wenigstens um die Gabe der Resignation, um Geduld im Ertragen des Geschicks, das er nicht ändern kann. Die uralte Bitte um inneren Frieden – darum geht es in seinen Zwiesprachen mit Gott.

Beethoven im Korbstuhl unter dem Kapokbaum, im Vormittagsschatten. Er liest mit Brummeln und Knurren, greift zum Zimmermannsbleistift, macht Unterstreichungen, zieht Linien, schreibt mit ausschwingenden Buchstaben eine Randnotiz.

Von leisem Klirren angekündigt: Aimant. Beethoven klappt das Buch zu, der dicke Bleistift als Lesezeichen eingeschoben, er steht auf. Aimant, wieder in knöchellangem, ärmellosem Kleid, trägt ein Kind, etwa ein Jahr alt. »Je voudrais vous présenter ma fille.«

Beethoven legt das Buch auf die Stuhlfläche, geht auf die Frau zu. Er hat zwar schon ein paarmal ein Kind schreien hören im Haus, aber er hatte keine Vorstellung, wessen Kind das sein könnte. »Et qui est son père?«

»Massah Martin, bien sûr.«

Beethoven steht dicht vor ihr und dem Kind. Das weine ja überhaupt nicht – das schaue ihn einfach so an!

Ja, es sei den Anblick vieler verschiedener Menschen gewöhnt.

Aber sonst, sagt er, weinen viele Kinder bei seinem Anblick – die Pockennarben! Die Frisur! Ihr Kind also und das von Master Martin … »Mon dieu«, sagt er, mit jäher Handbewegung.

Ob er Susette mal halten möchte?

Er nickt, übernimmt das Kind, das sich ein wenig sträubt, aber ein paar Locklaute, Gurrlaute der Mulattin lenken es ab – an Ludwigs Brust blickt es unverwandt zur Mutter.

Plötzlich reicht er das Kind zurück, wendet sich ab, Zucken in den Schultern, im Oberkörper, geht zum Korbsessel, setzt sich, ohne das Buch von der Fläche zu nehmen, preßt die Hände vors Gesicht. Aimant geht zu ihm, legt eine Hand auf seinen Kopf, redet ihm leise zu. Das Zucken läßt nach.

Erst als er reglos sitzt, die Hände noch vor dem Gesicht, stellt sie eine Frage. Die versteht George nicht, oben am Fenster, aus der Antwort aber hört er einzelne Formulierungen heraus, in rheinischem Französisch: Nicht darüber sprechen – er hat sich vorgestellt – sah sich plötzlich in …

Aimant geht vor ihm in die Hocke, das Kleinkind im Arm, ihr linkes Ohr nah an seinem Mund. Er nimmt die Hände vom Gesicht, trocknet es mit den Handrücken, beginnt zu sprechen, nachschluchzend, beichtstuhlleise. Minutenlang strömt es aus ihm heraus, seine Stirn an ihrem hochgetürmten, reifumschlossenen Haar.

Sein Französisch hat nun den Klang einer Litanei.

Dies war Ludwigs Vorschlag: Auf der Fahrt zur Morgenbucht einen Schwenk machen zum Lehmziegelfort, den Stöpsel mitnehmen zum Schwimmen, das würde dem Jungen bestimmt guttun.

Aber Gerry will jeden Morgen ausschlafen, an Bord wurde er immer viel zu früh aus der Hängematte gescheucht. Und überhaupt, so ergänzt George: als künftiger Seeoffizier muß es Gerry grundsätzlich ablehnen, sich ins Wasser zu begeben, so was tun nur Festlandbewohner. Damit muß George auf eine gewiß einprägsame Szene verzichten: Ludwig und der Junge am Strand und im Meer.

So fahren sie erst nach dem Schwimmen ans Lehmziegelfort, zum »Morgengruß«. Nach mehreren Rufen zeigt sich über der gemauerten Brüstung der verstrubbelte Kopf eines verschlafenen Jungen, und der bleibt einsilbig. Zum Ausgleich erwartet Ludwig, daß Gerry am Nachmittag auf dem geliehenen Pony zum Hügel reitet, ihm wieder eine Rechenstunde gibt. Auch dafür haben sie schließlich den jungen Herrn ausgelöst! Wenn er aus Afrika zurückkommt, will Ludwig malnehmen können. Womöglich auch teilen, di-vi-die-ren. Und wie steht es überhaupt mit den Geigenstunden? Was soll dieser afrikanische Schlendrian ...?!

Beethoven, auf der Rückfahrt zum Haus auf dem Odongo-Hügel: In der Person des alten Bach, bei dem er wieder in die Lehre geht, hatte Philipp Emanuel den besten Musiklehrer, der sich denken läßt! Der Junge mußte sich bestimmt nicht stundenlang kujonieren lassen, der wurde gewiß nicht aus dem Bett gescheucht um Mitternacht und ans Klavier gejagt, und er mußte spielen bis zur Erschöpfung, bis zum Überdruß – der Emanuel wurde sicherlich streng zum Lernen angehalten, aber der muß davon überzeugt gewesen sein, daß dies zu seinem Besten war.

Und dann die Schule ...! Carl Philipp Emanuel kam aufs Gymnasium, dort hatte er zusätzlich Musikunterricht, vor allem wohl im Chorgesang. Und all die anderen Fächer! Der hat sich mit dem Rechnen bestimmt nicht so plagen müssen, der konnte höchst souverän mit Zahlen umgehen, sogar beim Multiplizieren, Dividieren. Er selbst, Ludwig, hat nur ein paar Jahre in der Elementarschule

verbracht, noch dazu in einer schlechten, bis zum Alter von elf –
danach fast nur Musikunterricht, aber mit wechselnden Lehrern,
und mit 18 oder 19 belegte er Vorlesungen an der Bonner Universität, eine davon über Kant – aber: diese acht Zwischenjahre fehlen
ihm, obwohl er sich alle Mühe gegeben hat, sich selbst beizubringen,
was er in der Elementarschule hätte lernen können. Jetzt wirkt es
sich eben aus, daß diese große Lücke entstand, sonst käme er beim
Kant besser mit – viel zu oft spürt er, daß ihm Voraussetzungen
fehlen. Der Carl Philipp aber hat das philosophische Denken systematisch erlernt. Und erst mal das Lateinische! Er, Ludovicus, muß
sich mühsam zurechtstoppeln, was er so braucht – der Emanuel aber
hat das Lateinische derart gründlich erlernt, daß er eine Rede in dieser Sprache halten konnte – oder hat er zum Abitur einen lateini-
schen Aufsatz geschrieben? Weiß er nicht mehr genau. Jedenfalls,
der beherrschte die lateinische Sprache! Der konnte lateinische
Autoren im Urtext lesen! Darum beneidet er ihn. Miser et pauper
sum ...

Als wäre dies schon der Aufbruch zur Reise ins Innere Afrikas:
zwei Schwarze mit Traglast, drei Schwarze mit Waffen, vorneweg Massah Martin, gefolgt von George und Ludwig. Ein Aufbruch
freilich zu Fuß: den Odongo-Hügel hinab in das kleine Tal in Sichtnähe des Anwesens. Hinter den Schwarzen mit den Gewehren wird
eine lebensgroße Figur getragen aus Segeltuch, ausgestopft mit
Kräutergezweig.

Es hat einen Disput gegeben vor dem Aufbruch: Massah Martin
bestand darauf, daß die beiden Gäste sich einschießen, bevor sie ins
Landesinnere aufbrechen, sie werden dort in Situationen geraten,
nahezu unausweichlich, in denen sie ihre Gewehre zumindest in
Anschlag bringen müssen, und weil sie fahrlässigerweise, beinah
sträflicherweise keine Gewehre mitgebracht haben, will er ihnen
zwei seiner Waffen leihen, doch er besteht darauf, daß sie sich zuvor
mit ihnen vertraut machen. Ob sie überhaupt schießen können, das
kam gar nicht erst zur Sprache, es wurde als selbstverständlich vorausgesetzt in Afrika.

So ziehen sie durch die Talsohle, an einem ausgetrockneten Bach entlang. Alle paarhundert Schritte ein großer Baum. Beethovens halbhohe Stiefel bald eingestäubt, die Nankinghose rotbraun bis an die Knie.

Um die Gäste ein wenig fröhlicher zu stimmen, sie wenigstens abzulenken, sagt Massah Martin nach etlichen Schweigeschritten: Er führe sie nicht nur in dieses Tal, weil es für die Übung geeignet sei – in diesem Tal, freilich etwas weiter draußen, wird er den ersten Wein Westafrikas anbauen. Nach der Schießübung möchte er mit ihnen weitergehen zum Hanggebiet, in dem bereits Terrassierungs-arbeiten stattfinden; er möchte den Wein so anbauen, wie er das im Moselgebiet schon als Kind gesehen hat – von dort, und aus dem Rheingau, bezog sein Vater die Weine. Acht Männer, von Aimant eingestellt, hacken dort draußen, und bald werden die Rheingauer Weinreben gesetzt. Seine Schwester hat in einer Kiste die ersten Weinsetzlinge mitgebracht, hatte die in ihrer Kajüte feucht gehalten. Zuerst wird er den Wein für sich selbst anbauen, für seine Familie, für Freunde, Gäste; falls der Wein Zuspruch findet, wird er den Anbau ausweiten in diesem Tal. Hessischer Weinbau im Senegal ...! Mehr will er dazu nicht sagen, er darf den Plan nicht zerreden. Sie können übrigens die Arbeiter noch nicht sehen wegen der Krüm-mung des Tals, aber die Arbeiter werden sie gleich hören können, und das ist gut so: mit den Schüssen sollen auch böse Geister des Weinbaus vertrieben werden und alle bösen Gedanken von Um-wohnern, denen die fremden Pflanzen suspekt sein könnten.

Unter einem riesigen Schibutterbaum macht die Gruppe halt, im langen Schatten der bereits schwächeren Sonne. Hier also die Schießübung, damit die Herren sich erfolgreich ihrer braunen und weißen Haut erwehren können auf dem Weg zu den Dogons, auf dem sie gefährliche Mißverständnisse begleiten werden, die selbst der geschickteste Dragoman nicht ausräumen kann – nicht einmal mit Wörtern, die wie aus der Pistole geschossen kommen! Er schaut Beethoven an, aber der hat keine Lust zu lachen. Massah Martin schreit die beiden Träger an, endlich die Zielfigur nach vorn zu brin-gen! Sie gehen weiter; ein Pfahl wird in den Boden geschlagen, die Figur an ihm festgezurrt. Die drei anderen Träger überreichen den

Herren die Waffen. Damit hält Beethoven schon mal ein Gewehr in den Händen, aber: waagrecht vor den Oberschenkeln.

Massah Martin führt vor, wie er sich diese Übung gedacht hat. Er legt an, schießt, ein Zucken in der Segeltuchpuppe, auf der Brust eine Handfläche Füllung freigefetzt. Nun erst, nachdem sie sich wieder einmal von seiner Treffsicherheit überzeugen konnten, werden die fünf Schwarzen zurückgeschickt, so weit, daß sie nicht mehr erkennen können, wie der braune und der weiße Gast schießen. Das Grüppchen setzt sich unter einen Baum.

Sartorius fordert Beethoven auf, nun ebenfalls zu schießen, doch er bleibt störrisch.

Bitte, dann zuerst der Mulatte! Mit raschen Bewegungen, wie zum Ausgleich für Ludwigs Verharren, legt George an, zielt, schießt, trifft, wenn auch nur an der linken Flanke der Figur.

»Gleisch noch emol!« Und George lädt nach, schießt, trifft diesmal überhaupt nicht, lädt nach ohne Aufforderungsruf, der dritte Schuß trifft wieder.

»Für einen Mulatten schießen Sie nicht schlecht!« Ja, immer präziser die Schüsse. Und immer nachdrücklicher hinter ihm die Aufmunterung, Aufforderung: »Ich hoffe doch sehr, daß Sie sich vom Vorbild Ihres Freundes anregen lassen! Der hat nicht nur gute Ohren, der hat ein scharfes Auge! Und eine ruhige Hand. Das setze ich bei Ihnen auch voraus. Also bitte, lösen Sie ihn ab.«

Beethoven sieht noch immer nicht ein, weshalb er das Schießen üben soll. Sie werden, dank der Vermittlung des freundlichen Gastgebers, bestimmt einen guten Dragoman finden, der auch treffsicher sein dürfte. Und sein Freund Brischdauer kommt, wie sich zeigt, ebenfalls mit dem Gewehr zurecht. Sie haben im übrigen nicht vor, sich den Weg ins Innere Afrikas freizuschießen. Ihm läge eher daran, eventuell entstehende Probleme durch Verhandlungen zu lösen.

Dies, ruft Massah Martin, dürfte äußerst schwer werden, wenn ein Elefant oder Löwe sie angreift, da muß er zur Waffe greifen und schießen, ohne geringstes Zögern.

Ludwig hofft, daß der Dragoman weitaus schneller als ein Mann aus dem Rheinland die landestypischen Gefahren wahrnimmt und entsprechend reagiert. Noch immer hält er das Gewehr waagrecht. Den Hut hat er ein wenig zurückgeschoben; im Licht des späten Nachmittags sieht sein Gesicht beinah verwüstet aus – die Blatternarben, die Kerben am Kinn betont.

Martin Sartorius schüttelt heftig den Kopf – Reaktion auf diesen Anblick oder auf die Verweigerung? »Können Sie mit dem Gewehr nicht umgehn?«

Das werde sich im Notfall erweisen, jetzt aber werde er das nicht demonstrieren.

»Und warum nicht?«

»Mein Gehör ist gefährdet.« Gerade weil es sich nach der Meeresreise und hier in Afrika erheblich gebessert hat – das in Ohrnähe abgefeuerte Gewehr könnte alles wieder schlimmer machen.

Massah Martin steht reglos vor Beethoven, wendet sich von ihm ab, geht wieder an George vorbei, legt an, schießt, trifft. »So laut ist das ja gar nicht!«

Er sei Musiker. Er höre anders.

»Und Ihr Freund, ist der vielleicht kein Musiker?«

Der sei zehn Jahre jünger.

»Sie sind ein ziemlicher Querschädel, finden Sie nicht selbst?«

Gewiß, sonst wäre er nicht geworden, was er sei.

»Sie meinen, mit treffenden Äußerungen kämen Sie überall durch?«

Damit helfe er sich schon mal weiter.

»Bitte schön, nun hatten wir unseren kleinen Schlagwechsel, jeder hat seine Position bestätigt – jetzt sind Sie dran.«

Er stehe bequem, er sehe keinen Grund, seine Haltung zu ändern.

»Es geht um Ihre Einstellung!«

Ja, und weil Master Martin selbst das Stichwort »Einstellung« bringe, wolle er, müsse er die Gelegenheit nutzen, um über einen Punkt zu sprechen, der ihm äußerst wichtig sei. Und er hält kurz inne.

Also, er finde es verantwortungslos vor Gott und den Menschen, daß er die Frau, die seit zwei Jahren mit ihm lebe und die für ihn lebe, nicht einmal geheiratet habe, als sie ihm die kleine Susette schenkte. »Lassen Sie mich ausreden! Lassen Sie mich nur ja ausreden! Wenn mich der Zorn packt, kann ich für nichts mehr bürgen!« Und wie im Reflex hebt Beethoven das Gewehr etwas höher – wie ein Stück eines Geländers, an dem er sich festhält. Oder will er sich mit dieser Geste Massah Martin vom Leibe halten? Er finde es unglaublich, daß diese Frau heute noch in der Angst leben müsse, sie könnte jederzeit davongejagt werden. Immerhin habe er Aimant schon mal aus beinah nichtigem Anlaß davongejagt. »Es empört mich, mein Herr, wie Sie mit dieser Frau umgehen!« Er sei verpflichtet, Aimant zu heiraten, als Mutter seines Kindes.

»Sie wissen ja nicht, was Sie reden! Kommen vom Rhein an den Senegal und wollen mich Mores lehren! Ich kann doch nicht eine Schwarze heiraten!«

»Ach, das ist doch bigott!« Alle hier im Umkreis wüßten, welchen Status Aimant für ihn habe! Und wenn es selbst in Galizien möglich sei, daß ein Schwarzer eine Weiße heirate – sein Freund George sei der lebende Beweis dafür –, dann werde so was in Afrika erst recht möglich sein! In jeder Hinsicht wolle man hier als Weißer Vorbild sein – dann dürfe er aber nicht in dieser Art mit Aimant umspringen! Wenn er sich so intensiv auf sie einlasse, sei er auch verpflichtet, vor der Umgebung zu demonstrieren, daß dies keine Beziehung sei, die er leichtherzig aufkündigen könne, daß er sich vielmehr auch für die Zukunft ihr gegenüber verpflichtet fühle. In dieser Welt der Kanonen und Bajonette, der Bespitzelungen und Erschießungen müsse gewährleistet sein, daß wenigstens in privaten Beziehungen unabdingbare Verläßlichkeit herrsche! Vor allem mit Blick auf sein Kind sei das wichtig! Er müsse die Susette offiziell als sein Kind anerkennen, mit der Heirat! Sie müsse seinen Familiennamen erhalten.

Nun predige er hier Ehe – und vor kurzem noch habe er für Eheverträge auf Zeit plädiert, dem Missionar gegenüber. Redet der Gast hier nicht gegen seine eigene Überzeugung? Vielleicht auch gegen die Überzeugung, sich besser nicht in anderer Leute Verhältnisse einzumischen?

Leider hat er durchaus Anlaß, sich hier einzumischen, und zwar den empörendsten! Er hat vernommen, daß Master Martin noch einige Tage vor ihrer Ankunft einen der Diener auspeitschen ließ, weil der es gewagt hat, im Vorbeigehen Aimant am Oberarm zu berühren – der Diener ist drei Tage lang krumm gegangen. Master Martin hat auf diese brutale Weise allen im Haus und in der näheren Umgebung – in der diese Auspeitschung sofort bekannt wurde – er hat damit allen hier klargemacht, daß kein anderer diese Frau berühren oder auch nur einen längeren Blick auf sie werfen darf, weil sie zu ihm gehört. Deshalb wollte, mußte er Master Martin deutlich machen, daß es eine humanere Weise gibt, solch eine Zusammengehörigkeit zu dokumentieren! Selbst wenn das nach dem Bonner Konzept nur eine Ehe auf Zeit würde, es wäre damit viel gewonnen. Denn fürs erste wäre Klarheit geschaffen, vor allem im Blick auf das Kind. »Das war es, was ich Ihnen sagen mußte. Ich hätte vor mir selbst nicht bestehen können, wenn ich mich davor gedrückt hätte. Ich hätte damit alle meine Maßstäbe in Frage gestellt. Das darf nicht einmal im fernen Westafrika geschehen!«

Mit brüsker Drehbewegung wendet sich Sartorius von Beethoven ab, geht an George vorbei, bleibt zwei Schritt vor ihm stehen, legt an, zielt kurz, schießt, das Segeltuch über der Herzregion der Zielfigur wird aufgefetzt. Sofort lädt er nach. Der nächste Schuß – da braucht George gar nicht erst hinzuschaun – wird ein Kopfschuß sein, mitten in die Stirn.

Es ist alles besorgt, alles vorbereitet, meldet George und fühlt sich wie zum Rapport bestellt. Drei Reitpferde und das Pony für den Schiffsjungen; der Dragoman, übersetzt: der Dolmetscher, ist eingestellt; gekauft sind Wasserschläuche, Mehlsäckchen, Flintenpulver und vieles mehr. Der Aufbruch muß nicht länger auf sich warten lassen.

Beethoven nimmt ihn in die Arme: langsames, fast gemessenes Umarmen, als müßte der Dank buchstabiert werden. Und er läßt George in seinen Armen ruhen, als hätte der sich müde gelaufen, müde gestikuliert, müde gesprochen bei den Vorbereitungen, Verhandlungen. Die hat aber in erster Linie Massah Martin geführt, landeskundig, dabei entschieden unterstützt von Aimant.

»Und welche Rolle spielte bei den Vorbereitungen der Maskierte?«

George fragt nach dem Anlaß für diese Frage.

Beethoven: er war keineswegs so ausschließlich auf seine Probleme und seine Lektüre und seine Notizen, Notationen konzentriert, daß er nicht auch das eine und andre mitbekommen hätte. So gab es offenbar einen Vorstellungstermin für den Dragoman – Dragoman, das übersetzt er, in Anlehnung ans Englische, als Drachenmann. Es waren drei oder vier Drachenmänner – Sprachdrachenmänner – Drachensprachmänner ins Haus gekommen – einer hat nach der Ablehnung im Hof gestanden, hat geschimpft, afrikanisch, hat offenbar Verwünschungen, Verfluchungen ausgerufen, ein Diener kam heraus, schimpfte zurück, schubste den Dragoman vor sich her, half zuletzt mit der Peitsche nach – er sah, oben vom Fenster aus, mit Entsetzen, wie die Lederschnur den Burnus auffetzte – aber der Dragoman ging weiter, als wäre nichts geschehn, setzte sein Gezeter fort, bald außerhalb des Hörbereichs. Er, als Zuschauer, war von diesem Peitschenhieb offenbar mehr betroffen als der Afrikaner, er mußte hinuntergehen, sich Bewegung verschaffen, sah im Flur die Tür zum Salon offenstehen, dort stellte sich ein weiterer Anwärter vor, mit einem zum Zopf verarbeiteten, etwa unterarmlangen Kinnbart, dieser Mann stand vor Master Martin, und neben dem saß am Tisch der Maskierte – »was hat der damit zu tun?!«

Der war bloß zu Besuch gekommen, hat zugeschaut, zugehört.

Aber das will Ludwig nicht glauben: er saß dicht neben Herrn Sartorius, Papiere lagen vor ihnen, sie beide machten sich Notizen, und schräg hinter Signore maschera stand der dicke Schotte – auch nur als Zuschauer?! Oder mußte er aus dem breiten Gürtel Handgeld hervorziehen für den Dragoman? Und einen ersten Betrag für die Pferdemiete?

Das Mieten von Pferden, wendet George ein, sei nicht ortsüblich, schon gar nicht für eine längere Exkursion, die fast schon Expedition sei – da weiß der Besitzer nicht, ob die Pferde gesund zurückkehren, falls überhaupt. Nein, die Pferde wurden gekauft, selbstverständlich.

»Und wer hat die bezahlt? Du vielleicht?!«

Nein, er hat nur eine Art symbolischer Zahlung geleistet.

»Und wer hat faktisch gezahlt?«

Diesen Punkt, hört George sich sagen, finde er nicht relevant. Ludwig könne glücklicherweise davon ausgehen, daß die Pferde bezahlt wurden, daß Dragoman und Schiffsjunge eingestellt sind, daß Proviant besorgt ist – das alles sei Grund zur Freude, nicht zu inquisitorischer Fragerei.

»Inquisitorisch?! Ich laß mir nicht Inquisition vorwerfen! Inquisition schon gar nicht!« Alles, was er in Bonn gelernt, in sich aufgenommen hat, wehrt sich gegen diesen Begriff. Nicht einmal in übertragenem Sinne will er etwas mit einer Institution zu tun haben, die all seinen Prinzipien, die seiner Grundhaltung auf das entschiedenste widerspricht! Er wäre unfähig, völlig unfähig, einem Menschen Gewalt anzutun. Die Qual eines anderen Menschen bereite ihm kein noch so finsteres Vergnügen. Alles, was mit Inquisition zusammenhängt, lehnt er auf das vehementeste ab, mit solch einem Wort darf man ihm nicht noch einmal kommen – nicht noch einmal!

Ich nehme das Wort zurück.

»Das ist jetzt zu spät – du hast es gesagt!«

Ich habe es soeben zurückgenommen, damit dürfte das erledigt sein.

»Du kannst mir nicht vorschreiben, was für mich erledigt ist, was nicht. Und selbst wenn dieser Punkt erledigt sein sollte – ich möchte wissen, wie das alles bezahlt wird. Ich bestehe darauf, daß es mir endlich dargelegt wird!«

Darum braucht er sich wirklich nicht zu kümmern, von solchen Dingen will man seinen Kopf freihalten – er soll sich der Lektüre widmen können ohne störende Nebengedanken, soll seinen Gedankengängen folgen, ohne daß ihm Ökonomisches in die Quere kommt, soll seine literarischen, philosophischen und musikalischen Notizen anfertigen können, ohne Lästiges bemerken oder vermerken zu müssen. Und das Finanzielle gehört nun mal zum Lästigen.

Dies hält Ludwig für ein albernes Vorurteil: daß Komponisten sich nicht gern mit Gelddingen befassen. Er fühlt sich, wie der alte Bach, keineswegs zu erhaben, nach Geld zu fragen, wegen Geld zu verhandeln. Zwischen Phasen, in denen man erhebende oder erhabene Gedanken hat, braucht man als durchaus notwendige Ergänzung auch Beschäftigungen wie Zeitungslesen und Pfeiferauchen, wie das Zählen von Münzen und Kaffeebohnen, wie das Addieren und vor allem das Subtrahieren. Durchweg bescheidene, sich bescheidende Tätigkeiten … Also, er muß hier insistieren: Hat Master Martin die Pferde bezahlt?

Die Pferde sind bezahlt, und damit sollte es gut sein.

Wie zu erwarten, setzt Beethoven nach: Er lasse sich nicht mit allgemeinen Erklärungen abspeisen. »Wer hat die Pferde bezahlt? Wer legt den Lohn aus für Dragoman und Stöpsel?«

Es sind gewisse Ausgaben geleistet worden, aber die sind nur vorgestreckt; sie sollen rückerstattet werden aus Einkünften, die er mit dem geplanten Reisebuch erzielen wird.

»Du sollst zurückerstatten? Das heißt: zurückgeben? In bar?«

Ja, so kann man das »rückerstatten« in der Tat übersetzen, auch ohne Dragoman.

Ludwigs Blick nach innen gewendet. Jäh ein Lächeln der Erhellung, und gleich wieder Verfinsterung. »Zurückgeben – willst du damit behaupten, du reist noch mal zum Kap Verde und überbringst die Buchantiemen …?!« Dies lasse sich wohl kaum voraussetzen. Ebensowenig, daß Joan zu ihm nach England reise, um das Geld abzuholen. Also heiße zurückgeben in dem Fall wohl eher: der Maskierte erhalte es? Und das in Wien, wohin der ebenfalls zurückkehren will?

Weil George mit der Antwort zögert, zögern muß, lacht Beethoven auf: George sei hier in die Fußfalle einer eigenen Formulierung geraten, und nun sei die Falle zu-ge-schnappt! Der Maskierte also! Und damit: sein Zahlmeister! »Was ist eigentlich los, was geschieht da hinter meinem Rücken? Du weißt mehr, als du sagst! Du stehst in geheimer Verbindung mit dem! Das war womöglich schon vor der Reise so. Ich habe ihn, trotz unsres damaligen Streits, mehr oder weniger akzeptiert, als Mitreisenden. Aber wieso kommt der jetzt für die Kosten auf? Für die Kosten womöglich nicht nur der Schiffspassagen, auch für die Kosten der Reise ins Landesinnre?«

Er hat keinesfalls gesagt, auch nicht indirekt, daß der Maskierte für irgendwelche Kosten aufkommt.

»Red dich nicht raus! Die Sache ist klar. Es kann nur der Maskierte sein!« Weshalb sollte denn beispielsweise der Sartorius dafür aufkommen? Der sei Geschäftsmann, der könne sein Geld besser anlegen! Und der werde viel Geld brauchen, um von England das Amt zu erkaufen, mit dem er bestimmt noch größere Geschäfte machen wolle! Gewiß, der sei großzügig als Gastgeber, aber der bezahle nicht ein halbes Dutzend Pferde!

Fünf Pferde und ein Pony …

»Ah, triez mich nicht! Bleib beim Thema, du bist schließlich Musiker!« Also indirekt hat George jetzt zugegeben, daß der Maskierte dahintersteckt mit seinem geldgespickten Schotten. Nur dem Maskierten könne er demnach das Geld zurückgeben. Aber welches Geld, wessen Geld bitte schön? Er kenne sich gut genug aus in Gelddingen, um zu wissen: kein Verlag in Wien schießt so viel Geld vor, daß man sechs Pferde kaufen und anderthalb Mann auf Monate hinaus entlohnen kann!

Was die Pferde betrifft, sagt George, so kann man die nach der Rückkehr wieder verkaufen, das ist so geplant.

Hoho! ruft Ludwig, so was kann man ihm nicht erzählen! Eins von den Pferden geht bestimmt drauf, eins kommt lahmend zurück, eins wird vom Satteldruck wund – er kennt sich aus mit Pferden, hat schließlich mal ein Pferd besessen! Also: man werde nur einen Teil der Kaufkosten zurückerhalten, wahrscheinlich nur einen Bruchteil. Und die Löhne werden auch nicht zurückgezahlt. Die Kosten für die Schiffspassagen ebensowenig. Und das weiß der Maskierte, der bestimmt, der kennt sich in Wien hervorragend aus, der ist also auch sicher, daß von einem Wiener Verleger für ein noch ungeschriebenes Reisebuch so gut wie nichts im voraus gezahlt wird – diese Herren drücken ihre Ausgaben, wo es nur geht!

Trotzdem, er hat Vorschüsse erhalten, betont George.

Diese Vorschüsse können so toll nicht gewesen sein! Schließlich ist das öffentliche Ansehen Brischdauers längst nicht mehr auf dem Höhepunkt, das weiß George sehr gut, das weiß ein Verleger noch besser, und gerade hier, in diesem Schwund an öffentlicher Resonanz, liegt bei George ja auch der Hauptgrund für die Reise, da soll man sich bitte nichts vormachen. Also: die Vorschüsse oder Vorauszahlungen werden zumindest bescheiden sein, mit diesen Geldern wären sie höchstens bis Genua gekommen! Ergo zahlt der

Maskierte. »Und warum zahlt er?!« Der ist doch nicht nach Afrika mitgereist, nur um Geld für ihn rauszuwerfen! Die Gegenrechnung wird folgen! Aber das will er gleich sagen: er wird sich zu nichts verpflichten! Zu nichts und wieder nichts! Lieber verzichtet er auf diesen Ritt ins Innere Afrikas! Er wollte noch nie von jemandem abhängig sein! Und auf westafrikanischem Boden schon gar nicht! Er will in keinerlei Form der Abhängigkeit geraten! Ein Ludwig van Beethoven läßt sich nicht mieten! »Schreib es in dein Notizbuch: Ein Beethoven läßt sich nicht mieten! Schon gar nicht nachträglich oder rückwirkend!«

Und gleich die Gegenfrage, sie ergibt sich von selbst: Wieso wird Ludwig abhängig oder fühlt sich abhängig, wenn er zuläßt, daß Geld für ihn ausgegeben wird? Das geschieht doch seit beinah zwanzig Jahren, in Wien, dort geben mehrere Herrschaften ständig Geld für ihn aus, die müssen wahrhaftig nicht aufgezählt werden, die kennt Beethoven am besten – will er vielleicht behaupten, er sei dadurch abhängig geworden, in irgendeiner Hinsicht? Er hat in Wien immer wieder seine Freiheit betont, beinah im basso ostinato. Und er bewies andauernd durch sein Verhalten, daß er unabhängig war. Wenn er schlecht gelaunt war, fühlte er sich durch Zahlungen, auch durch langfristige Zahlungen, nicht mal dazu verpflichtet, auf dem Klavier zu spielen, wenn er darum gebeten wurde, höflichst, zuweilen untertänig. Natürlich, er kann darauf verweisen, daß er von seinen diversen Verlegern Gelder bekommt, aber die reichen nicht aus. Also, er soll hier auf dem längst nicht mehr jungfräulichen Boden Afrikas nicht so tun, als wäre noch nie Geld für ihn ausgelegt worden, höflich direkt, diskret indirekt. Und als würde ihn so etwas urplötzlich in ein Abhängigkeitsverhältnis stürzen! Das wäre hier in Afrika schon gar nicht der Fall! Er, Beethoven, hat also keinerlei Anlaß, Rechenschaft zu fordern für etwaige Ausgaben. Er, George Augustus Polgreen Bridgetower, kann sich dafür verbürgen mit seinem Wort: Es geschieht nichts, dessen Ludwig van Beethoven sich nachträglich schämen müßte. Er, George, hat alles in die Wege geleitet, von einem glücklichen Zufall gefördert, und er hat sich die Hände nicht schmutzig gemacht. Also gibt es keinen Grund, weshalb Ludwig nicht mit bestem Gewissen die Landreise beginnen könnte.

Wohin soll es eigentlich gehn? Diese Frage, schon auf dem Schiff gestellt vom Kapitän, vom Ersten Offizier, danach von den Frauen, sie wird am Kap Verde wiederholt von Massah Martin, vor Besuchern im Salon, aber erst jetzt gibt sie George das Stichwort: Sie werden Richtung Osten reiten, und zwar immer, fast immer geradeaus, wie auf einer von Nelson oder von Newton gezogenen Linie. So werden sie durch die Savanne zum Senegal reiten, zum Wasserfall kurz nach dem Punkt, an dem sich Schwarzwasser und Weißwasser vereinigt haben zum, so sagt er, Mulattenfluß. Unterhalb des Wasserfalls werden sie den wieder beruhigten ›mulatto river‹ auf Flößen überqueren, und sie reiten weiter ostwärts, keine größeren Hindernisse werden sie zu Umwegen zwingen, weiterhin durchqueren sie Savanne, Savanne, gelangen zum Binnendelta des Niger, das bisher nur Mungo Park gesehen und beschrieben hat. Von dort aus, sobald sie einige Wasserläufe und Seen überquert haben, ist es nicht mehr weit bis zur Bergstufe, die noch keinen Namen trägt, und jenseits dieses Steilhangs die Hochebene. Die etwa zweihundert Meter hohe Steilwand, von Norden nach Süden, mit zuweilen noch höheren Bergen: das Reiseziel, auf das sie gleichsam prallen werden, denn am Sockel dieser Steilwand wohnen, eng zusammengerückt in Häusern, die Dogons, etliche von ihnen haben sich auch in Felsnischen eingenistet.

Unter ortskundiger Führung eines Dogon, der womöglich Spielmann ist, wird er mit Beethoven die Felsstufe ersteigen, an einem kühleren Nachmittag, und sie sehen im Westen die Sonne untergehen: Richtpunkt der Rückreise zum Atlantik, auf dem die Southern Cross wieder aufkreuzen wird. Und mit Captain Cargo geht es nordwärts, Richtung London. Diese Rückreise wird er im geplanten Buch raffen, es sei denn, es erwarten sie außerordentliche Ereignisse, die lesenswerte Kapitel abgeben, doch vorgesehen ist das von ihm nicht. Wenn man so etwas mit Entschiedenheit formuliert, wird sich die Realität an den Entwurf halten, mit geringem Spielraum. Ja, diese Erfahrung hat er schon ein paarmal gemacht: Man muß sich etwas nur fest genug vornehmen, dann wird es sich auch verwirklichen. Also: vom Atlantik zur Steilstufe und zurück zum Atlantik!

Manchmal befürchtet er, daß man ihm das afrikanische Abenteuer kaum ansehen wird, wenn er wieder in Europa ist. Kein Hitzeflimmern über dem Kraushaar ... Keine Einschwärzung der Haut ... Höchstens: Fettgewebe aufgezehrt von afrikanischer Sonne, sein Körper wieder sehnig wie der eines afrikanischen Spielmanns. Auftreten in einer Kleidung, die das betont? Doch ohne solch ein Kostüm, vor den Konzerten, nach den Konzerten: er wieder als Mulatte, wie man ihn längst schon kennt? An dessen Anblick man sich gewöhnt hat? Es muß eine nachwirkende Veränderung geben! Müßte er nicht beispielsweise seinen Namen ändern, ihn zumindest ergänzen?

Der Nachname: wer denkt hier schon an Bridgetown auf Barbados in den Kleinen Antillen? So weit hinaus reichen die Assoziationen selten. Und Pol-green: ein grüner Hauch Polen ... Polish green? Polish black? Und Augustus: ohne die lateinische Endsilbe wäre dieser Name nicht zu ertragen. An den römischen Kaiser denkt sowieso keiner, der ihn, George, sieht. Dabei soll es im späten Rom einen Mulatten als Kaiser gegeben haben oder einen Kaiser mit nordafrikanischem Einschlag. Nachschauen in Donaldson's Royal Circulating Library? Zuletzt der erste Name: George. Wie George, Prince of Wales, demnächst King George IV. Aber in Österreich ist er ein Georg, und von Georg ist es nicht weit zu Schorsch.

Von diesen Vornamen taugen höchstens die Anfangsbuchstaben etwas: G. A. P. Bridgetower. Zu dieser verkürzten Form müßte etwas hinzukommen, als afrikanische Komponente: Dokumentation der zeitweiligen Rückkehr zum Kontinent der Vorväter. Soliman? G. A. P. Soliman Bridgetower? Das wäre der übliche Mohrenname – so hätte Nikolaus von Esterházy den Vater rufen können, den Mohren am Hof ... Spielzeug Mohr, lebensgroß ... Mohr in Livree ... Kraushaar, Kulleraugen, negroide Lippen ... Soliman hier, Soliman dort! Ein Mohrenname; es müßte aber ein afrikanischer Name sein. Ein Name, in dem die Weite und die Hitze und das Licht Afrikas sind. Unuuno Bridgetower ... Intuuko ... Inueele ... Odongo ... Ja, G. A. P. Odongo Bridgetower – das hätte Klang, das müßte afrikanische Assoziationen auslösen. Mit diesem Namen könnte er sich auf Plakaten und Programmzetteln sehen lassen! Und auf dem Buchumschlag! Mit diesem Namen könnte er sich wieder einen Namen machen. Odongo – schwingen da nicht Trommelklänge mit? Felltrommel, Wassertrommel ... Ins Land getrommelte Signale ... G. A. P. Odongo Bridgetower: Könnte starke Resonanzen auslösen – ein Mitschwingen, Nachschwingen. Sein bisheriger Name und dieser afrikanische oder zumindest afrikanisch klingende Name, sie müßten zusammenwachsen: G. A. P. Odongo Bridgetower. Federnd wird er die Podien betreten, und man wird staunen, daß seine Geige fünf Saiten hat und nicht nur die eine afrikanische. Kurzes, wie meditatives Verharren oder: als lausche er nach innen, auf afrikanische Echos. Unhörbares Zureden eines Vorfahren, durch die magische Zahnlücke. Und mit einer Geste ungezähmter, unzähmbarer Wildheit setzt er die Geige an. G. A. P. ODONGO BRIDGETOWER, BACK FROM AFRICA ...

Beethoven im Gästezimmer am kleinen Tisch, im Halbdämmer: die Fensterläden geschlossen bis auf einen Lichtspalt; Zirpen afrikanischer Grillen, Schrillen afrikanischer Zikaden. Beethoven im Burnus, er schreibt, schreibt, ohne abzusetzen, nimmt nicht wahr, daß George ins Zimmer tritt, an den Tisch kommt: Wucher-Geflecht von durchgestrichenen Wörtern, durchkreuzten Passagen, von Einfügungen, neuen Überleitungen, ergänzenden Formulierungen, und das in seiner sich überstürzenden Schrift, Buchstaben Hals über Kopf. Aus wieder größerer Distanz: Assoziation an Dornengestrüpp.

Mit einem Seufzer lehnt Beethoven sich zurück, schlenkert den Schreibarm, sieht nun erst George. Ja, der könne es sich schon denken: er entwirft einen Brief, den möchte er Charlotte unter der Tür ins Zimmer schieben, in dem sie sich seit mittlerweile vier Tagen verbarrikadiert hat! Gestern schon hat er diesen Entwurf begonnen, doch er hat so sehr con fuoco geschrieben, daß er die Seiten heute kaum noch lesen kann. Auch jetzt wieder: was er schreibt, wird er morgen kaum entziffern können – es rast im Hirn, rotiert in der Bauchhöhle – vor allem jetzt, wo er sich ein wenig streckt: Schmerzzotten, Schmerzfransen im Magen – zerfranste Schleimhaut, lappig hängend. Er weiß, eigentlich ist es Unsinn, daß er ihr Vorhaltungen, Vorwürfe macht, mit ihr hadert, mit ihr rechtet – in wilden Schreibattacken versucht er zu erzwingen, daß die Situation sich ändert, zu seinen Gunsten, obwohl er manchmal fast sicher ist: das wird nicht mehr möglich sein. Aber dies könnte er nicht ertragen: abzuwarten und hinzunehmen. In diesen Briefentwürfen läßt er seine Enttäuschung heraus und all seinen Zorn. Wenn sie das so lesen würde, es müßte ihr übertrieben erscheinen, maßlos überzogen, er würde sich in ihren Augen blamieren oder bloßstellen, und davor will er sie bewahren und sich selbst ebenfalls. Deshalb erst einmal der Briefentwurf.

Der richtet sich vor allem gegen einen Satz, den er George bisher bewußt verschwieg: »Ich weiß, das ist nicht gut für mich – aber ich komme nicht von ihm los.« Alle Rätselsprüche sonst lassen sich lösen, auf diesen Satz aber findet er keine Antwort: Zermartern des Hirns – Selbstzermartern: Warum kommt sie von Christian nicht los? Sie hat doch schon nach kurzer Zeit gewußt, daß dieses Verhältnis sie nur belastet, vielleicht sogar zerstört. »Ich weiß, es ist nicht gut für mich – aber ich komme nicht von ihm los.« Der Grund dafür kann nicht sein, daß er Josephine gezeugt hat – das geschah einige Monate nach der Genfer Verführung, es war kein Kind der Liebe. Charlotte hat ihm das angedeutet, und weil er nicht den geringsten Anlaß sieht, diesen Pimock zu schützen, kann er das weitersagen: Dieser Mann schlief mit Charlotte, auch wenn das keine einzige ihrer Körperzellen wollte. Am nächsten Morgen war er jeweils genauso schroff, brüsk wie zuvor.

Da sitzt er in diesem Zimmer, draußen das hochtonige Dauergeräusch, und er zermartert sein Hirn. Warum kommt sie, trotz aller demütigenden Erfahrungen, noch immer nicht von diesem Mann los und von den Gedanken an ihn, womöglich von Gefühlen für ihn? Welche Magie übt der aus? »Ich weiß, es ist nicht gut für mich – aber ich komme nicht von ihm los.« Warum will Charlotte sich nicht wieder entfalten, mit ihrem Charme, ihrer Schönheit, ihrer Intelligenz, ihrem Witz, warum läßt sie sich lieber von ihm einengen, einzwängen, unterwerfen, auch nachträglich? Dieser Mann ist doch weiß Gott keine strahlende Erscheinung. Er hat zwar keine Pockennarben, aber welch eine arrogante Visage – nach dem Scherenschnitt zu schließen, den sie mitgenommen hat. Signaturen des Hochmuts, des völlig unbegründeten Hochmuts! Ihm wird übel bei der Vorstellung, daß dieser Mann mit Charlotte geschlafen hat. Er haßt ihn – haßt ihn auch, weil er ihn zu Haßgefühlen verleitet, damit beschämt er sich selbst – auch mit Schimpfworten beschämt er sich selbst, aber dieser Mann ist wirklich ein Schubiak, ein Scheißkerl!

Heftiges Kopfschütteln. Dieser Mann hat sie ganz simpel und ganz brutal ausgenutzt. Hat sie zum Undank auch noch schlecht behandelt. Wie viele Beispiele dafür hat sie genannt! Viele hat er schon wieder vergessen – ein paar sind präsent geblieben. Sie muß Holz für den Winter bestellen, er kann sich »um so was nicht auch noch« kümmern, und weil dieses Brennholz feucht ist: Vorwürfe! An einem Tag, für den sie einen Ausflug vorbereitet hat, ist schlechtes Wetter, wertvolle Zeit wird mit der Regenfahrt vertan: Gemecker. In einem Restaurant, das sie vorschlug, ist der Wein etwas überteuert: Genörgel. Immer wieder, unablässig: kleinmütiges Gemäkel, pedantisches Genörgel, miesepetriges Gezeter.

Sie hat ihm kürzlich eine exemplarische Situation geschildert, sehr eindringlich: Sie hält die Demütigungen nicht mehr aus, sie weint. Und dieser Unhold sitzt im selben Zimmer und liest. Er fühlt sich durch ihr Schluchzen gestört bei seiner Lektüre, verbittet sich das »Flennen«. So sitzt er wie in einem Iglu innerhalb des Zimmers, sie existiert nicht für ihn, während er liest – sie existiert überhaupt nicht für ihn in langen Zeitphasen – er stellt ihr keine Fragen, schon gar nicht die Frage, wie es ihr geht – er hat keine Frage für sie übrig, lebt von ihr abgewendet. Und weil sie es nicht aushält in diesem Raum ohne Echos, wie sie sagt, in dieser lebensbedrohend dünnen Luft, geht sie zu ihrem Mann, berührt ihn vorsichtig am Rücken, an der Schulter, und er schüttelt ihre Hand ab mit brüsker Bewegung, er will, darf nicht gestört werden – sein großes Projekt. Bei dem hilft sie ihm auch nach dieser Erfahrung. Warum nur, weshalb?

Als er zuletzt mit ihr darüber sprach, gab sie eine Antwort, die um Verständnis warb: Er möge bitte bedenken, daß Christian, der sich so selbstlos in den Dienst der Erziehung, in den Dienst des Meisters

gestellt hatte, zu der Zeit, als sie ihn kennenlernte, immerhin vier-
unddreißig war; es wurde überfällig, daß er sich von Yverdon löste.
Und sie war sicher: Wenn ihm dieser Schritt gelingt, wird er sich
ändern, auch ihr gegenüber. Und wenn sie ihm half, verkürzte sie
die Zeit bis zu dieser Änderung, Besserung – also tat sie es auch für
sich. Dagegen: wenn sie sich sperrte, verweigerte, konnte alles nur
schlimmer werden, vor allem für die Kinder.

So viel Verständnis ... Viel zuviel Verständnis! Und dafür hat er,
Ludwig, eben kein Verständnis mehr! Dieser Schubiak hat es zuweilen so weit getrieben, daß sie mit den drei Kindern zu ihrer
Schwester floh. Als sie ihm einmal sagte in ihrem Zorn, sie würde am
liebsten ganz wegbleiben, da wurden ihr moralische Vorhaltungen
gemacht: Die notwendige gemeinsame Anstrengung, die sie nicht
aufkündigen darf; es kann doch wohl nicht ihr Wunsch sein, daß er
Schüler, Gehilfe bleibt, Jünger, Adlatus. Dies war die General-
klausel, damit wurde alles, aber auch alles gerechtfertigt. Ihre Arbeit, ihre Schufterei sowieso. Und seine paschahafte Faulheit –
tagelang saß er herum und schmökerte. Und seine Reisen ...! Er
behauptete, die seien notwendig, um Distanz und Klarheit zu finden, für seine Arbeit – in Wirklichkeit machte er diese Reisen mit
einer anderen Frau – dafür gab es Indizien. Warum ließ sie das alles
zu? Sie war sich doch klar darüber, wie dieser Mann sie einengte,
verformte, erniedrigte – warum riß, warum reißt sie sich nicht endgültig von ihm los? »Ich weiß ja, das ist nicht gut für mich«, und so
weiter. Dieser Schubiak konnte noch so kaltschnäuzig und harther-
zig sein, konnte sie noch so brutal zurückweisen, sie kam nicht los
von ihm – das merkte er natürlich, das nutzte er aus. Und genau das
will er ihr klarmachen, in diesem Brief: er wird ihr das Wort »Hö-
rigkeit« zumuten müssen, damit sie endlich klarsieht und eine definitive Entscheidung trifft.

Wenn er nur schon davon redet – er hat wieder das Gefühl, die
Schleimhaut löst sich in Fetzen von der Magenwand – hängt in
Schmerzzotten! Er liebt diese Frau – er gäbe fast sein Leben dafür,
mit ihr beisammenzubleiben – und diese Frau wird von ihrem Mann
verachtet, wird von ihm erniedrigt, wird von ihm fast vernichtet.
Alles, was dieser elende Pädagoge tut oder zu tun vorgibt, hat abso-

luten Vorrang – vor ihrer Entfaltung. Er, Ludwig, definiert Liebe als den Wunsch, die geliebte Person möge sich entfalten – und hier ist dieser Mann der verkörperte Gegen-Satz! Er tut alles, um ihren Glanz zu verdunkeln – legt Schatten auf sie – macht sie klein. Dieser Mann müßte auf den Knien dankbar sein für das unvergleichliche Geschenk, das ihm mit dieser Frau zugefallen ist – der hat mit diesem Geschenk eine Verantwortung übernommen für ein besonders gut gelungenes Stück Schöpfung – der müßte dreimal täglich die Arme hochwerfen vor Glück. Statt dessen dieses Meckern und Maulen – dieses Zurechtweisen, Zurechtstauchen. Müßte sich nicht die ganze Schöpfung dagegen wehren, daß ein beinah vollendetes Geschöpf verachtet, erniedrigt wird? Kann in den Elementen der Schöpfung so etwas wie der ätherische Stoff Liebe sein, wenn so etwas möglich ist?

Er wird ihr das in dieser Form nicht schreiben, das könnte ihr doch pathetisch erscheinen, er hat das nun ausgesprochen, will das nicht zurücknehmen. Schreiben aber wird er ihr die Frage, von der er nicht loskommt, über die er nicht hinwegkommt: Warum ist sie diesem Mann immer noch hörig? Warum will sie sich nicht heilen lassen vom »morbus trebnitz«, wie sie das selbst definiert hat? Das weiß sie doch selbst – dies wird sie zumindest spüren: daß sie sich erst wieder entfalten kann an der Seite eines anderen Mannes – und sie weiß, mit Verlaub, daß es diesen anderen Mann gibt – daß er auf sie wartet – warum reißt sie sich nicht endgültig los und wendet sich ihm zu? Er fühlt sich dazu verurteilt, dazu verdammt – ja, dazu verdammt – eine höllische Verdammnis – er muß abwarten, was zwischen Charlotte und diesem Schubiak geschieht, innerlich, welche Echos die Gespräche und Auseinandersetzungen in Charlotte noch finden, Monate später und Tausende von Seemeilen entfernt. Warum ist ihr das Unglück mit dem einen wichtiger als Glück mit einem anderen? Alles nur, weil sie diesen Mann früher einmal geliebt hat, für kurze Zeit? Weil er Vater ihrer Tochter ist? Sie läßt sich von diesem Mann im Würgegriff halten. Genauso sieht er das: der hält sie im Würgegriff, und sie wird starr, dort drüben in ihrem Zimmer – Erstarren und Verharren – innerer Starrkrampf.

Und Beethoven schweigt, als hätte sich der Starrkrampf übertragen. Nun läßt sich ansetzen: George rät davon ab, den Brief an Charlotte zu schreiben, denn: über Liebe läßt sich nicht argumentieren, über Liebesgefühle. Und er fügt knappe Begründungen hinzu. Beispielsweise: Ludwig kann sich die überzeugendsten, brillantesten Argumente zurechtlegen, die werden Charlottes Distanz zu ihm nicht verkürzen. Folgerung: Wenn er das Gefühl hat, er verliere für sie an Präsenz, dann soll er sich auf seine Weise in Erinnerung bringen, und er spielt für sie eine Sonate, gibt im Hause ein Gastkonzert. Einschränkung: Musik nicht als Zaubermittel, aber vielleicht weckt sie ein Echo auf die polyphone Intensität ihres Liebesverhältnisses auf dem Schiff – nach der imaginierten Vorführung der gran opera marittima. Appell: Mahne nicht bei ihr an, erhebe keine Ansprüche, schenk ihr etwas!

D ougall »Tootie« Higginbotham führt furchteinflößende Stärke vor zwischen der noch kleinen Siedlung am Hafen und dem Haus auf dem Odongo-Hügel, läßt sich dabei bestaunen von Dutzenden Eingeborener: Tossing the Caber – zum erstenmal in Afrika!

Mit der Axt, die ihm Aimant überreichte, entästet er einen gut fünf Meter langen Stamm, im Durchmesser von ein bis zwei Spannen, verjüngt ein Ende, spitzt es freilich nicht zu. Schon bei dieser Arbeit findet er aufmerksame fachmännische Zuschauer, erringt er – nicht nur bei Aimant – Respekt für die Energie und Schnelligkeit, mit der er einen Baum in ein Wurfholz verwandelt.

Um mehr Spannung zu schaffen für seine Vorführung, senkt er das Stamm-Ende in ein Loch, umkreist den Stamm mit einem Dudelsack-Marsch, bläst, in einen weiten Halbkreis hinausmarschierend, die Wurffläche frei. Dann übergibt er Aimant sein Instrument, packt den Stamm, und zwar am verjüngten Ende, balanciert ihn in der Senkrechten, reißt und wirft ihn hoch mit einem zugleich herausexplodierenden Schrei, der Stamm macht einen Salto, schlägt dumpf auf mit dem dicken Ende, schnellt vom trockenen Boden ab, setzt, nach weiterem Salto, mit dem verjüngten Ende auf. Dieses Aufdröhnen des Stamms auf afrikanischem Boden: wie ein Doppelschlag auf eine riesige Trommel. Mit vielen Trommelschlägen soll denn auch die Nachricht verbreitet werden vom Fremden, der einen Baumstamm durch die Luft wirbeln läßt, einen Stamm, der mindestens doppelt, fast dreimal so lang ist wie er selbst. Und je weiter diese Nachricht hinausgetrommelt wird, nordwärts, südwärts, vor allem ostwärts, desto riesiger wird der Baumstamm, und der schlägt nicht bloß zweimal auf, sondern dreimal, viermal, der zeigt fast, obwohl von dröhnender Starrheit, die Schnellkraft einer Weidengerte.

Die handschriftliche Kopie der A-Dur-Sonate auf dem Notenbrett des Flügels; bastbespannte Stühle im Halbkreis aufgestellt, zwei Reihen; der Salon voller Gäste, aber noch beginnt die verabredete Aufführung nicht. Beethoven ist vom Hausherrn gebeten worden, mitzuteilen, wann er zu spielen bereit sei, ein Wink von ihm genüge; Beethoven will aber noch etwas am Fenster stehen und mit George plaudern; er schaut dabei unauffällig zu Charlotte.

Mit in seinem Blickfeld: der Ingenieur, der die Zukunft unter der Einwirkung geregelter Dampfkräfte sieht; der Kaufmann, der auf die ölhaltigen Erdnüsse setzt; ein zweiter Kaufmann, sichtlich stolz auf seine schönste Akquisition: eine junge Frau; ein Arzt, der zugleich Apotheker ist; Johanna im Gespräch mit einem englischen Kapitän, dessen Schiff seit zwei Tagen im Hafen liegt: neueste, erst drei Wochen alte Nachrichten aus London. Und aus St. Louis: von dort hat er den Engländer mitgebracht, mit dem Massah Martin und seine Tochter plaudern – weißhaariger Mann mit rot durchädertem Gesicht.

Dieser Besucher war bereits Tage zuvor Gesprächsthema, halblautes, dabei erfuhr George von Johanna: vertreten durch Sir Edmond Langrish soll die Allianz zwischen England und den deutschen Landen ihre Entsprechung finden in Westafrika; England will es nun endlich unter seine Oberhoheit bringen, nach allem Hin und allem Her. Dabei würde, so sieht es gegenwärtig aus, Sir Langrish in St. Louis residieren, der sehr viel attraktiveren Stadt, der eigentlichen Hauptstadt der Region, und Martin Sartorius würde, als sein

»Vize«, die Allianz hier am Kap repräsentieren, im Amtssitz, den er sich bereits geschaffen hat – im genauen Wortsinn hat er hier vorgebaut; sogar schon ein Fahnenmast auf dem Dach des Wohntrakts.

Auffällig ist jedenfalls, das bestätigt ein Seitenblick, mit welch betonter Aufmerksamkeit der Hausherr sich dem Gast widmet, und Charlotte beteiligt sich temperamentvoll am Gespräch, scheint zu brillieren.

»Die sin do schwer am maggele.« Und als wolle er das übersetzen: »Die klüngele sich do jet zesamme!«

Und wie zum Ausgleich für diese »endlose Maggelei«: sie beide werden vorerst diesen Herrschaften nicht zur Verfügung stehen! Da wird der Herr Vize sie noch mal expressis verbis einladen müssen zu spielen. Ja, der muß hier antanzen und sie bitten …! Es ist schließlich nicht selbstverständlich, daß ein Beethoven und ein Bridgetower in einem westafrikanischen Salon spielen … Die bereitgelegten Noten verpflichten zu gar nichts, die können auch wieder eingepackt werden. Den Deckel auf die Tasten, die Geige in den Kasten …! Und er lacht auf.

George formuliert einige Bedenken: Schließlich und immerhin und endlich. Aber Beethoven schneidet seine Äußerungen ab: Er hat noch ganz andere Herrschaften zappeln lassen! Dem einen und andren muß man sowieso gelegentlich vor den Kopf hauen, sonst wachen Messieursdames nicht auf! Er hat das immer schon so gehalten. »Die sollen sich – verdammt noch mal, was gibt es da eigentlich so viel zu reden?!« Wenn einer aus St. Louis am Senegal kommt, muß man deshalb gleich stundenlang konspirieren?

George ändert rasch das Thema, leitet ein Fachgespräch ein: Wieweit ist es notwendig, bei Klavierwerken jeweils zu notieren, wann das Pedal benutzt wird? Die Bezeichnung »ped« nur an Stellen, an denen dies zur Interpretation besonders wichtig ist, oder systematische Pedalangaben? Diese Ablenkung ist notwendig, denn Beethoven scheint dicht vor einer Einsicht zu stehen, von der man ihn fernhalten muß: Die Aufführung seiner großen Sonate nicht nur als musikalisches Ereignis (westafrikanische Erstaufführung!), sondern einbezogen in Vorbereitungen eines Zukunftsprojekts (das womöglich Gedankenspiel bleibt): das Haus des Martin Sartorius empfiehlt sich auch als musischer, damit doppelt repräsentativer Sitz eines Vize-Gouverneurs ... Wenn Beethoven auf solch eine Gedankenverbindung käme, würde er sofort den Salon verlassen, ihn an diesem Abend nicht mehr betreten.

Das etwas mühsame Gespräch fortführen: Pedal und Legato. Endlich kommt Martin Sartorius herüber, als »Parlamentär«, wiederholt seine Bitte; er kann sich dabei kurz fassen, denn er stellt sie im Namen der Tochter. »Na schön ...«

Der Gast aus St. Louis wird von Vater und Tochter zur ersten Reihe der Stühle geführt, darf in der Mitte Platz nehmen; rechts von ihm Charlotte, links Sartorius.

Und Beethoven spielt einige Tonleitern, Läufe, als wäre ihm das Instrument mittlerweile fremd geworden. Es bleibt hörbares Einspielen – eine Improvisation, eine Phantasie vorweg will sich nicht entwickeln. Ein paar abschließende Akkorde, und der Maskierte huscht in den Raum. Das soll offenbar unauffällig geschehen, doch Beethoven registriert es an der Grenze des Blickfelds, nickt ihm beruhigend zu.

George verharrt noch – wie viele Schwierigkeiten liegen nun vor ihm als Geiger, und damit: wie viele Entscheidungen, vorbedacht und spontan?

Bereits die vier Anfangstakte – hier erfüllen sich Wünsche eines Geigers: alle Hör-Aufmerksamkeit auf ihn konzentriert, das noch schweigende Klavier; zugleich Angst vor diesen Takten: wenn er einen Patzer macht, wie geht es weiter? Bereits der erste Akkord als Vorzeichen des Kommenden, und dieses Vorzeichen muß klar sein. Wenn er den ersten Takt hinter sich hat, wartet der nächste Takt mit dem Problem auf: wie die Bindung durchhalten ohne Bogenwechsel? Und der dritte, der vierte Takt: wie diese Akkorde brechen? Zwei zu zwei oder eins zu zwei? Vier Takte für ihn allein, vier teuflische und himmlische Takte. Soll er sie im Crescendo spielen? Und Beethoven damit zwingen, erst nach einer kurzen Pause einzusetzen – Raum für inneres Echo bei den Zuhörern? Oder wird Ludwig mit dem fünften Takt sofort einsetzen, ungeduldig, vorwärtstreibend, wird im Tempo womöglich anziehen? Und am Schluß der Introduktion: wird Beethoven hier, wie verabredet, das A mit dem F der

Violine als verklingende Terz spielen? Und gleich darauf der Beginn des Presto: Spiccato am Frosch?

All diese Probleme muß er souverän lösen, damit Beethoven bewußt wird: er hat diese bisher schwierigste aller Violin-Klavier-Sonaten ihm, George Augustus Polgreen Bridgetower, in die Finger, auf den Leib geschrieben, zumindest im ersten und zweiten Satz: Musik primär für den Geiger Bridgetower. Und falls ihm das Werk doch nicht wieder gewidmet wird, muß eine Sonate für ihn geschrieben werden, die ähnliche Herausforderungen stellt, die ähnliche Resonanz findet.

Mit einem Machtwort will er all diese Fragen aus dem Kopf räumen, aber er kann sie nicht herausbefehlen. So hockt er sich auf den Boden, schräg hinter Beethoven, stützt die Geige senkrecht auf den linken der gekreuzten Oberschenkel, hält den Bogen waagerecht, simuliert mit der Linken, ohne die Saiten zu berühren, die Fingersätze der ersten vier Takte, verharrt einige Atemzüge lang reglos.

Stille der Überraschung im Raum, eine Stille, die Fragen, Bedenken, Ängste aus seinem Kopf saugt. Er steht auf, nickt Beethoven zu, der erstaunlicherweise keine Bemerkung gemacht hat, nicht einmal rheinisch. Und er weiß, er wird jetzt den Mut haben, den ersten Akkord piano zu spielen. Brechung ohne Intonationstrübung, strahlend reiner Klang: die Mulattensonate in Afrika!

Nach der zwar mitreißenden, aber pannenreichen Aufführung ist Beethoven von einem Kreis umgeben: Ja, die Sonate ist lang, ist exzeptionell lang, gewiß, ein Brocken, aber er haßt es, Konzessionen zu machen, man muß fordern, fordern, muß von sich das Letzte fordern, muß die anderen herausfordern, nur so ist das Außerordentliche möglich, von dem man lange zehrt.

Massah Martin winkt zur offenen Tür, schon kommen der Koch und zwei »Musiksklaven« herein mit Klarinette, Fagott, Kürbisharfe. Beifall: das Publikum will sich Bewegung verschaffen.

George wird vom Kapitän angesprochen, Stichwort Antillen, er möchte ein wenig schwärmen: die grünen Hänge, die Bananen, die Kokosnüsse, die laue Luft, die freie Liebe ...

Das Trio infernal spielt ein erstes Menuett, westafrikanisch akzentuiert. Der enge Kreis um Beethoven weitet sich, der Herr Komponist soll mit der Dame des Hauses den ersten Tanz machen – offenbar will Sir Langrish in »nobler Zurückhaltung« sein gefährdetes Gefäßsystem schonen. Oder verabschiedet er sich bereits? Soll er doch gehen – George wird ihn sowieso nicht mehr erwähnen.

Charlotte also will mit Ludwig tanzen. Zwar phrasieren die Musiker ziemlich afrikanisch, intonieren rauh, Echos auch der Vorliebe für schnarrende Klänge, doch der Rhythmus, den man ihnen beigebracht hat, den halten sie unbeirrbar, also dürften keine Unsicherheiten entstehen für die Tänzer. Dennoch, Ludwig versucht sich herauszureden, aber Charlotte faßt ihn am Arm, zieht ihn sanft in die Mitte des Kreises der Erwartungsvollen. Und Beethoven beginnt zu tanzen, als wären fast alle Gelenke bandagiert, er findet nicht hinein in die Musik, trampelt, stampft neben dem Takt. Dig it! Charlotte versucht, seine Schwerfälligkeit zu überspielen, umgibt ihn mit einem Wirbel von Drehbewegungen, doch es läßt sich nicht kaschieren: die Musik will ihm nicht ins Blut, sie scheint sich eher in Substanzen umzuwandeln, die sich in seinen Gelenken anlagern, immer schwerer die Beine, die Füße. Er rempelt sogar einen der Stühle, der wird von Kaufmann zwo aufgefangen, in der Kippbewegung. Wie kann ein Mann, der eine so rhythmische Musik schreibt, eine in rhythmischen Figuren unaufhaltsam vorwärtsdrängende Musik, wie kann der in seinen Körperbewegungen so unbeholfen hinter der Musik zurückbleiben?

Schlußakkord, Beifall! Aufatmend greift Beethoven zum Glas, das ihm gereicht wird. Charlotte redet ihm offenbar Bedenken aus. Diese begütigenden Anmerkungen scheinen zu einem Gespräch zu führen, das rasch intensiver wird im allgemeinen Gequirle.

Aber darauf achtet George nicht weiter, er kommt ins Plaudern mit der schönen Frau des zweiten Händlers: sie war schon mal in Brighton, hat dort, in der Loggia der Buchhandlung sitzend, den Thronfolger vorbeireiten sehen. Prince George und das Kapitel Frauen: zuweilen sind sie noch älter als der alternde Thronfolger, sind ebenfalls korpulent. Dennoch: verzehrende Leidenschaften! Kleine Kontributionen zum Klatsch ... Einstimmen in das Thema aller Themen ...

Beethoven scheint kaum zu trinken, es genügt ihm offenbar, auf Charlottes Lippen zu blicken, auf die pupillenkleine Öffnung: er redet wieder presto, con brio. Um die Aufmerksamkeit von diesem Paar abzulenken, beginnt George mit der schönen Händlersfrau zu tanzen, spürt schon bei den ersten Tanzschritten, daß er mit ihr rasch handelseins werden könnte. Zuvor soll das gemischte Publikum sehen, wie sich ein Mann bewegt, der indirekt aus Westindien kommt und letztlich hier aus Afrika, wie gelöst, zugleich sicher seine Bewegungen sein können …! Die anderen Paare lassen sich mitreißen von seinem Tanz, die Musiksklaven ziehen im Tempo an, Getränke werden nachgereicht, es wird noch lauter im Salon. An der Grenze seiner verwischten Wahrnehmung registriert er, wie Charlotte mit Ludwig hinausgeht, begleitet oder eher: geleitet von Aimant, die auf sie einredet, als wäre sie gekommen, um ihnen Wichtiges zu zeigen. Martin Sartorius in einer Auseinandersetzung mit dem Ehemann der schönen Händlersfrau. George wird in den nächsten Stunden weitertanzen, ganz leicht fühlt sich sein Körper; bei Virginia zeigen sich Erregungsflecken auf den Wangen.

Aufbruch! Die Reisenden werden etwa eine Stunde weit Richtung Osten begleitet.

Charlotte hat rechtzeitig Kiste zwo öffnen, das einachsige Wägelchen zusammenbauen lassen. Und sie bestand darauf, daß Beethoven diese erste Fahrt mit ihr gemeinsam macht. Ludwig und Charlotte in heller Kleidung, mit weiten Hüten. In der Kalesche vor ihnen Hausherr und Aimant, Johanna und George; schwarzer Kutscher auf dem Bock, keine Peitsche. Hinter Kalesche und Wägelchen reitet der Dragoman mit pendelndem Kinnbartzopf, zwei Gewehre auf den Oberschenkeln; schräg hinter ihm der Schiffsjunge – Strohhut in den Nacken geschoben. Schwarze führen die gesattelten Pferde der Musiker, die beiden Saumtiere mit den Kisten, dem zusammengerollten Zelt des Segelmachers. An einem Seil mitgeführt ein kleiner schwarzer Widder.

Rotbrauner Boden; bewässerte Felder; rotbrauner Boden; Zitronenbäume, Bananenstauden; rotbrauner Boden; eine Gruppe von

Hütten: Strohmattenwände, kegelförmige Strohdächer; rotbrauner Boden. Charlotte hält die Zügel; das Wägelchen langsamer als die Kalesche. So kann George, mit dem Rücken in Fahrtrichtung, von ihren Gesichtern nichts ablesen. Und kein Wort wird hörbar. Die beiden Hutkrempen scheinen sich gelegentlich zu berühren.

Massah Martin, mit dem Rücken zu ihnen, rekapituliert Verabredungen. Dieser Aufbruch zu einem Zeitpunkt, an dem Signore maschera noch auf der Gorée weilt; in einem Gespräch hat Beethoven dem Hausherrn klargemacht, und zwar mit Entschiedenheit, daß er – solange eine »gewisse Grundfrage« nicht geklärt ist – vom Maskierten nicht auch noch begleitet, »bewacht« werden will: dieser Herr soll die Erfahrung machen, daß ein Ludwig van Beethoven unabhängig ist; in »angemessenem Abstand« aber dürfen Signore und sein Leibwächter dieser Gruppe folgen; der Schiffsjunge wird Markierungen hinterlassen.

Kleiner Zeitsprung: die Kalesche hält an. Und George nimmt eine jähe, für ihn undeutliche Bewegung auf dem Wägelchen wahr. Sobald es hält, wird Ludwig etwas um den Hals gehängt, das er ins offne Hemd schiebt; er knöpft es sofort zu.

Als Ausgleich für den mangelhaften Schutz der ersten Reisetage brauchen sie christlichen und heidnischen Segen, meint Massah Martin, als sie in lockerem Kreis stehen; jeder spreche für sich ein Gebet. Nur wenige Atemzüge lang die Frist, dann muß der schwarze Widder herangeführt werden, am Baststrick. Aimant erteilt eine knappe Anweisung, dem Widder wird in den Hals gestochen, das Blut läuft auf den Pfad, versickert sofort.

Beethoven, stumm neben ihm herreitend: das helle Hemd bis zum Adamsapfel geschlossen, trotz der Wärme an diesem Tag des Novemberbeginns. Beinah faustgroße Ausbeulung unter der Knopfreihe, über dem Brustbein. Nach einer längeren Berührung des geheimnisvollen Objekts, bei halb geschlossenen Augen, beginnt er zu sprechen, leise, als käme seine Stimme von weit her.

Noch starke Resonanzen auf den Konzertabend – opus siebenundvierzig am Kap Verde! Da sprang etwas über, was oft beschworen, nie genau definiert worden ist. Für ihn freilich begann das eigentliche Ereignis im Anschluß an das Konzert – starke innere Resonanz auf die Nachgeschichte, die für ihn Hauptgeschichte ist. Charlottes Umarmung als Zeichen des Danks, im Namen aller Besucher, doch er spürte sofort, dies war nicht bloß formell – ein heftiges Klopfen ihrer Bauchschlagader. Nach einigem Geplauder in Grüppchen ging er mit ihr hinaus, von Aimant geleitet – sicherlich sah es so aus, als hätte sie beide aufgefordert, ihr zu folgen, weil sie ihnen Wichtiges zeigen wollte. Erst als sie oben waren, im »Tochterzimmer«, machte Aimant ihren Vorschlag: Sie würde »entretemps« oben bleiben, in ihrem eigenen Zimmer, würde sie vor Überraschungen schützen. Und sie schritt hinaus, schloß ohne Betonung die Tür.

Er wird nicht erzählen, im eventuell erwünschten Detail, was in den folgenden Stunden geschah – will das nicht preisgeben. Doch vom einleitenden Gespräch kann er einiges wiedergeben – schließlich hat er George zu danken für den Impuls zu diesem Konzert.

Was als erstes geschah, will er trotz dieses Vorsatzes erwähnen, denn es wird George nicht im geringsten überraschen, der geht sowieso davon aus: sie umarmte ihn. In dieser Umarmung, in der sie lange verharrten, waren bei ihr Freude und Trauer zugleich, Überschwang und Schwermut. Das erste Konzert, das er in Afrika gegeben hat, vor allem für sie; also Freude, Enthusiasmus. Doch während dieses Konzertes wurde ihr bewußt: dies wird das letzte Konzert sein vor dem Ritt ins Landesinnere. Also: Melancholie. Ihr Dank: ihr Körper an ihn gepreßt. Ihre Traurigkeit: sie mußte sich an ihn klammern. Noch in dieser Umarmung begann sie zu sprechen.

Gefühl der Trauer, weil ihr wieder bewußt wurde, daß sie ihre so eindringlichen wie ausfächernden Gespräche längere Zeit nicht weiterführen können. An den vier, fünf Tagen vor dem Aufbruch aber hätte sie mit ihm sprechen können. Jedoch: während dieser Tage blieb sie im Zimmer.

Weil er mit George mehrfach nach Gründen suchte für dieses Verschwinden innerhalb des Hauses, will er ihm einiges berichten – ohne indiskret zu werden, hoffentlich.

Ihr erschien alles falsch, was sie bisher in ihrem Leben gemacht hatte, und nun ihre Angst, auch bei ihm würde sie alles falsch machen. Hier führte sie Grübeln immer tiefer hinein in Verdüsterung – ihr Gehirn schien vollgesogen mit schwarzer, sämiger Flüssigkeit – und sie kam erst recht nicht mehr los vom Gefühl, falsch gehandelt zu haben, und aus dem falschen Handeln könnten sich weitere falsche Handlungen ergeben – als wäre alles in ihr darauf eingeschworen. Sie handelte denn auch falsch, völlig falsch, das sah sie ein: hat Zeit zerstört, die sie eigentlich mit ihm verbringen wollte.

Und sie sprach über entscheidende Fehler in ihrem Leben. Der gravierende Fehler in Genf: als sie Christian nachgab, sich ihm hingab. Sie war krank geworden nach dem Besuch bei P., fühlte sich körperlich, seelisch erschöpft – in dieser Situation sein vehementes Werben, sie erlag ihm. Er konnte von da an Rechte geltend machen – Rechte auf Wiederholung – dieser Fluch der Wiederholung! Sie hätte ihm nicht nachgegeben, so argumentierte der Schubiak, wenn sie ihm diese Rechte nicht hätte zugestehen wollen. Ihr Fehler, ihr Kardinalfehler in Genf!

Der zweite, ebenso schwerwiegende Fehler, der sich aus dieser Verfehlung ergab: daß sie Christian heiratete, weil sie seiner Behauptung glaubte, er würde sich dann, offiziell an die Familie gebunden, der Erziehung ihrer Söhne widmen.

Aus den beiden sehr großen Fehlern ergaben sich weitere, ziemlich große Fehler. Einen dieser Fehler habe er, Ludwig, ihr mit Nachdruck bewußtgemacht: das ›Werk‹, das ›Buch‹, die ›Schrift‹ nur mit Christians Augen zu sehen, diese ›Schrift‹ so zu bewerten, wie er das tat, nicht einmal den Ansatz gefunden zu haben zu einer notwendig kritischen Distanz. Daß er ihr das so klar sagte, hat ihr weh getan und wohlgetan. Ja, sie hat Zeit, hat Lebenskraft einem Phantom geopfert, einer aufgeblähten Kleinigkeit, einer Petitesse ...

George muß sich den Zustand dieser viereinhalb Tage vorstellen als den einer inneren Lähmung. Sie wurde immer schwächer; ihr wurde schwindlig, wenn sie nur schon aufstand; nach zwei Tagen kamen Kopfschmerzen hinzu.

Ihre Kopfschmerzen sind zuweilen so stark, daß sie das Gefühl hat, ihre Hirnsubstanz würde von einem Apothekerstößel zerdrückt, in umgedrehter Hirnschale. Kopfschmerzen: die lassen sich nicht relativieren oder isolieren wie Schmerzen im Arm, im Bauch, im Bein – mit Kopfschmerzen ist das Zentrum gelähmt, und das wirkt zurück auf den ganzen Körper – bei diesen oft lang anhaltenden Kopfschmerzen ist sie im Gefängnis ihrer selbst, ist in sich selbst eingemauert.

Einen Vorteil haben Kopfschmerzen für sie allerdings doch: man läßt sie wenigstens in Ruhe, für einige Zeit. Sie hat zwar den Eindruck, Zahnschmerzen oder Kreuzschmerzen würden eher anerkannt als Kopfschmerzen, würden eher Mitleid auslösen oder Mitgefühl; bei Kopfschmerzen entstehe leicht der Verdacht, der Jammernde stelle sich wehleidig an. Doch wenn sie deutlich genug macht, wie stark die Kopfschmerzen sind und daß sie lähmend einwirken auf ihren Körper, so überläßt man sie, wenigstens für Stunden, sich selbst.

Das war auch so im Haus auf dem Odongo-Hügel. Aber die Stunden, in denen sie sich selbst überlassen blieb, sie glitten dahin, glitten dahin, und als sie sich das bewußtmachte, wurde ihr Zustand vollends desolat. In dieser Verfassung wollte sie sich ihm schon gar nicht zeigen – das hätte ihn nur bedrückt, sagte sie, hätte ihn mit heruntergezogen. Zugleich ihr Bewußtsein: sie verlor Zeit, gemeinsame Zeit. So viel Zeit, daß er mit ihrem Vater sogar in das Tälchen zog zur Schießübung. Bei jedem der Schüsse zuckte sie zusammen, jeder dieser Schüsse war eine sie treffende Bestätigung dafür, daß sie sich wieder einmal falsch verhielt: auch dies war Zeit, die sie eigentlich gemeinsam hätten verbringen sollen, jede Stunde kostbar, und sie verbrachte diese Zeit mit einem Gespenst, einem Phantom. Und das wuchs sich aus zum Moloch: über Tausende von Meilen hinweg forderte der noch Opfer und erhielt sie auch. Das Opfer diesmal von viereinhalb Tagen, in denen sie viel lieber mit Ludwig gesprochen, mit ihm musiziert hätte, und sie hätten eine Exkursion gemacht im Wägelchen. Statt dessen: fast starres Dasitzen, ergebnisloses Sinnieren. Sie konnte sich aus dem Zustand einer sich unaufhaltsam verfinsternden Schwermut nicht herausreißen – sie würde ja doch alles falsch machen, sagte sie sich.

Aimant hat in diesen Tagen ein längeres Gespräch mit ihr geführt. Worauf es hinauslief: Da ist ein Mann im Haus, der dich liebt, und du denkst an einen Mann, der dich immer nur ausgenutzt hat. So jedenfalls übersetzte Charlotte ihre Äußerungen. Die waren zum Teil drastischer, sarkastischer. Zum Beispiel: Nach allem, was sie über den Mann in Genf gehört hat, würde sie keine drei Centimes für ihn ausgeben ...

Charlotte brauchte Zeit, um auch mit solchen Vorhaltungen fertig zu werden. Und als sie endlich, endlich wieder miteinander sprachen, war es fast zu spät. Sie hätte alles tun mögen, um diese versäumte Zeit nachzuholen. Zugleich aber wünschte sie, daß er möglichst bald aufbrach – damit er um so eher zurück ist. Er mußte ihr versprechen, daß sie nicht zu einer anderen Hafenstadt reiten. Auch deshalb muß er George von diesem Gespräch berichten: damit er versteht, weshalb er unbedingt ans Kap Verde zurückkehren muß, warum er das zur Bedingung macht, er würde sonst keine Meile weiter ostwärts reiten. Feierlicher Handschlag, von Sattel zu Sattel: Rückkehr nur über Kap Verde!

Das Nachtgespräch am Kap Verde. Er verstand nun, weshalb sie nicht aus ihrem Zimmer gekommen war, aber: diese Zeit blieb auch für ihn vertan! Dabei hat sie wiederholt an die Gespräche gedacht, die sie auf dem Schiff geführt hatten – diese auf Vertrauen gegründeten Gespräche, in ihrer dichten Versträhnung oder Verflechtung – dieses Gewebe hätte sie liebend gern mit afrikanischen Mustern fortgesetzt. Aber sie hat dagesessen wie betäubt und gelähmt – hatte auf dem Schiff entscheidende Fehler gemacht, hat nun auch noch Tage zerstört, die gemeinsame Tage hätten sein können. Hat fast hypnotisiert zugesehen, wie diese Zeit verschwand oder bildlich: versickerte – ja, wie Wasser im Sand wegsickert, unaufhaltsam, unaufhaltsam. Viele Tränen in diesen vier Tagen – und Tränen, als sie von diesen Tagen im Zimmer sprach. Da hing sie in seinen Armen wie ein schlaffes Bündel – der Zustand, von dem sie sprach, schien sich zu wiederholen, fortzusetzen.

Und plötzlich umklammerte sie ihn – die versäumte Zeit nachholen ...! Das überkam, das überfiel Charlotte. Um es abstrakt zu sagen: als müßten alle Bewegungen, die sie in den Tagen ihrer Erstarrung versäumt hatten, in rasendem Wirbel nachgeholt werden.

Und Ludwig schweigt, viele Hufschläge lang. Dann: er freut sich auf die Rückkehr, das Wiedersehen – und hat zugleich Angst vor Rückkehr und Wiedersehn. Heiseres Auflachen: »Stell dir vor, ich erfahre dann, sie ist schwanger!« Er will wieder ansetzen zu einem Lachen.

Wenn du dir so vorstellst, da könnte ein Kind heranwachsen – siehst du eher einen Sohn oder eine Tochter vor dir?

»Eine Tochter!«

Und wie würdest du sie nennen?

Ludwig, wieder ohne Zögern: »Minona«. Er hat weitere Namen parat für sie: Selma, Arria, Cornelia – jeder Name mit gebührenden Anklängen an literarische Figuren, aber Minona müßte der Rufname sein – seltener Vorname, für dieses Kind gerade richtig. Minona: Sprachklang gewordene Musik – Minona van Beethoven …

Unregelmäßig verteilte Schirmakazien rücken in der Ferne zum Schirmakazienwald zusammen, es umgibt sie ein Schirmakazien-Horizont, der löst sich vor ihnen auf in einzelne Schirmakazien, solange sie reiten. Fortgesetzt: unter Schirmakazien hindurchreiten, an Schirmakazien vorbeireiten, die sich von den Schirmakazien nicht weiter unterscheiden, unter denen sie hindurchritten, an denen sie vorbeiritten. Nach einigen Stunden bereits die Vorstellung, im Kreis zu reiten. Nur eine Denkanstrengung kann aus diesem Kreisritt eine Bewegung Richtung Osten machen, aber diese in den Schirmakazien-Raum hinausgedachte Linie krümmt sich in der Erfahrung bald wieder ein: das Gefühl, in ein Feld verstärkter Schwerkraft zu geraten, die auf die gerade Linie einwirkt. Fast jede halbe Stunde muß George den Kompaß waagrecht halten, den ihm Massah Martin überreicht hat und der an seinem Gürtel hängt; fast jedesmal zeigt sich, daß sie von der gedacht geraden Linie wieder abgewichen sind, daß sich zumindest eine Andeutung des Abweichens ergeben hat. Und er zeigt die korrigierte Richtung an, sie reiten weiter. Der Schiffsjunge legt Markierungen.

Nach der ersten afrikanischen Aufführung der an Intensität und Extensität bisher von keiner anderen Violinsonate erreichten oder gar übertroffenen A-Dur-Sonate, gespielt, und das ist für ihn symbolisch, von einem Weißen und einem Farbigen – nach dieser mit berechtigter Begeisterung aufgenommenen, trotz einiger Patzer bisher wohl auch besten Aufführung der Sonate will er sich zwar nicht darüber beklagen, daß sie nicht mehr den ursprünglichen, vom Meister selbst notierten Namen trägt, aber melancholisch konstatieren muß er das nun doch einmal wieder, und das möge Ludwig ihm nachsehen als Freund, schließlich hat ihn die Aufführung nicht nur als Musiker ergriffen – seine ganze Person ist ins Schwingen geraten! Was auch immer geschehen sein mochte seit der ersten Aufführung im Augartensaal, er hat das Gefühl, es sei eigentlich noch immer *seine* Sonate, und er fragte sich, ob es nicht – trotz allem – eine Möglichkeit geben könnte, dies nach außen hin zu dokumentieren.

Das alles, ruft Beethoven, liegt nun schon ein Jahrzehnt zurück – wie kann er sich noch darüber aufregen?! In diesem Jahrzehnt machte sich Napoleon zum Kaiser und es fand die Schlacht bei Austerlitz statt und Hegel schrieb die Phänomenologie des Geistes und Napoleon marschierte siegreich durch Preußen und Spanien und die Leibeigenschaft wurde aufgehoben und Amerika verbot die Einfuhr von Sklaven und man grub Pompeji aus und Napoleon marschierte mit dem größten Heer der bisherigen Geschichte in Rußland ein und die Schlacht von Borodino und der Brand von Moskau und der äußerst verlustreiche Übergang über die Beresina – zehn Jahre voller gewichtiger Ereignisse, über die man noch in Jahrzehnten, Jahrhunderten schreiben und sprechen wird, und er, Brischdauer, ist noch immer fixiert auf die Frage der Umwidmung?!

Dieser Vorgang hat ihn in den zehn Jahren nicht andauernd beschäftigt, wahrhaftig nicht, es gab auch für ihn wichtigere Ereignisse, historisch und privat, aber nun, nach dieser Aufführung, ist alles wieder gegenwärtig geworden, und es ärgert ihn aufs neue. Er kann sich das nicht ausreden – schon gar nicht mit dem belehrenden Hinweis auf die Schlacht von Austerlitz. Er fühlt sich beiseite geschoben, und er haßt es, beiseite geschoben zu werden, wie und wo und von wem auch immer – das wird er ja wohl mal aussprechen dürfen! Es war eine Fieserei, diese Sonate dem Kreutzer zu widmen! Er würde gern mal die wahren Gründe erfahren, erst dann wird er in diesem Punkt Ruhe geben. Hatte Beethoven vielleicht Angst, man würde ihn schief anschauen, wenn er dieses Werk offiziell einem Mulatten widmet?

Das ist eine Unterstellung, die weist er mit aller Entschiedenheit zurück! Er will das Glück der Menschheit, sein Leben und sein Werk gelten ihrer Erziehung zur Mündigkeit. Und wenn er Menschheit sagt, so meint er Menschheit in allen Hautfarben! In dieser Hinsicht will er auch nicht mehr den leisesten Zweifel hören! Überhaupt: er ist George in diesem Punkt keine Rechenschaft schuldig. Die Widmung ist gedruckt, er kann sie nicht zurücknehmen, Kreutzersonate bleibt Kreutzersonate!

Und warum, ruft George – und es ist rauhe Heiserkeit in seiner Stimme, das hört er jetzt gern – warum, zum Teufel, bleibt dann eine Mulattensonate nicht Mulattensonate?

»Das kann ich dir sagen, wenn du es unbedingt hören willst: weil du meine Sonate lächerlich gemacht hast, damals in Wien!« Er hat es klar gesehen, trotz der Konzentration aufs Spielen: man hat über Brischdauer gelacht …! Er hat fast ununterbrochen die Aufmerksamkeit des Publikums auf sich gezogen mit extravagantem und exotischem Getue! Und darüber ist gelacht worden! Dieses Gelächter konnte er nicht sanktionieren, indem er die eher scherzhaft gemeinte Widmung drucken ließ!

Und der Beifall?! schreit George – Beethoven ist vor Staunen über diese Vehemenz einen Moment stumm. Sie haben den zweiten Satz wiederholen müssen, weil der Beifall so groß war! Das ist bekundet und bezeugt! Zweimal haben sie das Andante aufgeführt!

»Ja, weil sie noch was zum Lachen haben wollten.«

Das ist eine Lüge! schreit er und spürt, daß sein Gesicht nun afrikanisch schwarz wird: das alles ist gelogen, gelogen, nochmals gelogen!

»Höchstens ein bißchen stilisiert«, lenkt Beethoven ein, schon erheblich leiser. Im übrigen müsse er der Gerechtigkeit halber zugestehen, daß George eine doppelt schwierige Aufgabe zu bewältigen hatte: schwierig von der Komposition her, schwierig, weil er einen

Teil vom Blatt spielen mußte. Vielleicht hat er mit einigen Extravaganzen ablenken wollen von diesen Erschwernissen. Im übrigen, um das noch anzudeuten: es spielten bei der Umwidmung auch andere Faktoren mit, aber er fühlt sich nicht verpflichtet, sie hier darzulegen.

Fortsetzung des Ritts. Auch wenn sich Aufmerksamkeit nun wieder weiträumig verteilen kann: er wird nicht über Tiere schreiben im geplanten Reisebuch, schon gar nicht wird er Tiere beschreiben. In diesem Punkt ist er schon in England ganz sicher, dies wird kein noch so exotisches Angebot ändern in Afrika. Nur eine Handvoll Tiernamen wird er über die Wortfläche ›Savanne‹ werfen, Gazelle und Antilope, Okapi und Bongo, Gnu und Giraffe, Nashorn und Springbock, Elefant und Zebra … Er gibt ihnen keine Wörter mit; Farben und Umrisse dieser Tiere lassen sich in Büchern nachsehen und ablesen, nicht nur in Donaldson's Royal Circulating Library. Auch Vögel wird er nicht beschreiben, die können noch so schöne Flankenfedern, noch so bunte Schwanzfedern zeigen, er wirft nur ein paar Namen in die trockne, hellhörige Luft, dort verteilt sich, was Leser sich selbst vor Augen führen sollen: Nashornvogel, Laufhühnchen; Gabelracke, Glanzstar; Bienenfresser, Regenpfeifer; Flötenwürger. Selbst wenn zu den Savannenvögeln noch Singvögel aus dem fernen Europa kommen, er wird sich nicht zu Beschreibungen verleiten lassen, da können sich noch so weite Kantilenen bilden und Melodien in jähen Tonsprüngen, er wird es abstrakt flöten und singen lassen. Ja, es bleibt beim Namenswurf horziontal für Lauftiere, beim Namenswurf vertikal in den Wind, nach diesem Doppelwurf wendet er die Aufmerksamkeit wieder den Mitreisenden zu.

Ein kleiner Hügel, betont durch eine Schirmakazie mit besonders weiter Krone. Unter ihr werden die Pferde entsattelt, von Lasten befreit, werden versorgt. Der Schiffsjunge sammelt Brennholz, mit einem Prügel auf den Boden schlagend, aber es zeigt sich keine Schlange. Der Dragoman entzündet ein Feuer, um den mitgebrachten Hirsebrei (mit Zutaten à la Aimant) aufzuwärmen. Diese Mahlzeit essen sie nach Landessitte, Kontinentsitte mit den Fingern, die sich zu kleinen Schaufeln formen: das führt der Dragoman vor, das imitiert der Junge als erster, das bereitet George keine Probleme, das scheint Ludwig Spaß zu machen – so etwas wäre ihm als Kind verboten worden, hätte ihm Kopfnüsse eingebracht. Am Himmel blühen opulente Farben aus, im Osten kristallisieren sich erste Sterne.

Nun, am Lagerfeuer, könnte Beethoven Auskunft geben über die Aufwölbung unter der Hemdknopfreihe, die bis zum Adamsapfel geschlossen ist, immer noch. Ein günstiger Zeitpunkt für die Frage: der Dragoman eingeschlafen, der Junge längst im Tiefschlaf.

Als Antwort öffnet Ludwig zwei Knöpfe, zieht an der Lederschnur einen Lederbeutel hervor, braunschwarz, prall gefüllt: Amulett, am Kap gris-gris genannt, nicht aber wie üblich vollgestopft mit Koransprüchen auf Zetteln, sondern mit einem kleinen Seidentuch von Charlotte, ein weiteres Geheimnis umhüllend. Ins Leder geritzt: Maskengesicht, dämonisch. Dieses zugegeben fratzenhafte Gesicht soll direkten räuberischen Zugriff verhindern – laut Aimant. Die hat das Amulett besorgt, und Charlotte hat es ihm geschenkt.

Ist das Amulett nicht etwas groß ausgefallen, fragt er, vor allem für einen so langen Ritt?

Ludwig lacht: eine Gabe aus Charlottes Hand kann gar nicht groß genug sein …! Sie hat es ihm kurz vor dem Abschied übergeben, noch im Wägelchen. Und erteilte ihm den Auftrag, dieses Amulett zum Kap Verde zurückzubringen, in ihre Hände zu legen.

Beethoven hebt den Beutel an die Lippen, küßt ihn auf der Rückseite. Wenn er zurückkehrt, wird das Leder dort glänzen wie das Knie der Bronzefigur eines Heiligen, das von Pilgern berührt wird. Charlotte hat als erste diese glatte, nicht gestaltete Rückseite geküßt, vor der feierlichen Übergabe. Sie hat dieses Amulett übrigens nicht nur geküßt, im Wägelchen, sie hat damit eine körperliche Selbstberührung vollzogen, ja. Völlig überraschend: solch eine Bewegung kam aus Charlotte heraus, solch eine Bewegung war in ihr angelegt – in derselben Charlotte, die mit ihm über Spinoza gesprochen hat! Diese Geste mit völliger Gelassenheit, beinah Selbstverständlichkeit. Und es war ein stummer Aufschrei in ihm: Das ist sie …! So habe ich mir die Frau gewünscht, mit der ich zusammenbleibe – eine Frau, bei der solche Überraschungen möglich sind …! Hohoo, das war eine Geste …! Der Lederbeutel ist dabei aufgeladen worden – wie eine Leydener Flasche mit Strom oder magnetischer Kraft. Ah! ruft er und preßt den schwarzbraunen, abgeflachten Beutel noch einmal an die Lippen.

Aimant war es übrigens, die in dieses Amulett die wahre Bedeutung eingebracht hat. Und Charlotte, sonst schnell im Denken, sie hat zugeben müssen, daß sie auf eine so naheliegende, so überzeugende Idee nicht gekommen wäre. Und er flüstert ein Wort ans Leder, das mit einem A zu enden scheint, und ein O könnte der erste Vokal gewesen sein: das A und das O? Magische Formel? Alpha und Omega seiner Liebe?

Als hätte er diesen Gedanken erraten, nickt Beethoven. Das Amulett wird sich vollsaugen mit Gefühlen für diese Frau – das wird wahrhaftig gefühlsschwer – zusätzlich wird es gewürzt mit allen westafrikanischen Düften, die werden sich einnisten in den Randnähten. Er wird nach der Rückkehr dieses Amulett nicht bloß in ihre Hände legen, er wird es ihr umhängen. Und dieses Leder wird den Ansatz ihres Busens berühren, ihres schönen Busens. Mag sein, diese Äußerung ist ein wenig indiskret, aber gris-gris erlaubt das. Oder: im Zeichen dieses Amuletts ist das nicht nur möglich, sondern beinah selbstverständlich. Denn sie hat es aufgeladen mit pochendem Magnetismus. Er lacht. Viele Zweifel, ruft Ludwig, viele, viele Zweifel, aber sobald er das Amulett berührt, mit den Fingerspitzen, der Handfläche, ist da Gewißheit – handgreifliche Gewißheit. Und er kann diese Gewißheit jederzeit an den Mund pressen!

Blitzschnell wie eine Eidechse, die hinter einem Stein hervorhuscht, zeigt sich die Zungenspitze, fährt über die glatte Rückseite. Und ein Kuß, der sich beschreiben ließe als besiegelnder Kuß.

»Soll ich dir was anvertrauen? Dann leih mir dein braunes Ohr.« Die Hand, die eben noch das Leder gepackt hielt, faßt ihn sanft am Ohrläppchen. Er möchte – großes Geheimnis – er möchte – ganz großes Geheimnis – er möchte – höchstes Geheimnis! – er möchte mit Charlotte zusammenleben! Wenn er vom Kap Verde wieder nordwärts segelt, erst mal nach England, mit dem braunen George zum dicken George, müßte sich dieser Wunsch erfüllen: daß sie ihren Aufenthalt in Afrika abkürzt, auf einem zuverlässigen Schiff folgt, alles Notwendige in Wiesbaden erledigt, dem Herrn zu Genf einen definitiven Abschiedsbrief schreibt, mit den drei Kindern nach Wien reist, ihm sagt, daß sie bei ihm bleiben will. Dann wird man über der Mölker Bastei einen Jubelschrei hören. Und er wird eine neue, größere Wohnung suchen, sie werden zusammenziehen. Wenn Charlotte darauf besteht, wird er auch bereit sein, sie zu heiraten. Aber lieber wäre ihm eine andere Form des Zusammenlebens für immer. »Was sagst du dazu?«

George äußert Erstaunen: für immer ...? Wie soll das bitte schön passen zu den Bonner Prinzipien zeitlich begrenzten Zusammenlebens?

Die sind für Ludwig mitbedacht, das Zusammenleben als Versuch – gelingt er, läßt es sich fortsetzen – die Bonner Prinzipien schließen keineswegs aus, daß man den Kontrakt verlängert, sie sollen es notfalls nur leichter machen, den Kontrakt aufzukündigen. Es könnte also durchaus zu lebenslanger Bindung kommen, wenn sie nur in jeder Phase freiwillig ist – auch im Verlängern, gerade im Verlängern. Nur darf nicht Gewohnheit über alles entscheiden und die dreimal verfluchte Bequemlichkeit – Gemeinsamkeit vielmehr als ständig erneuerter Aufbruch. Er ist sicher: mit dieser so außergewöhnlichen Frau könnte sich eine Form des Zusammenlebens entwickeln, in der jeder sich frei entfalten kann. »Ich will, ich will mit dieser Frau leben!« ruft er in die nächtliche Savanne. Der Junge regt sich nicht; Schlafknurren des Dragoman. Diese Frau ist dauernd gegenwärtig für ihn. Schaut er zu dieser Schirmakazie, scheint sie aus dem Stamm hervorzutreten, herauszugleiten, im Feuerschein; schaut er unterwegs zu einem Felsblock, so tritt Charlotte an seine Oberfläche wie Wasser beim Moses-Wunder; blickt er vom Sattel herab auf den Boden, so sieht er ihren Schatten, als ritte sie dicht vor ihm her; legt er den Kopf in den Nacken, vorher den Hut abnehmend, und blickt in einen der Vogelschwärme, so gleitet sie ebenfalls dort oben, flugleicht, gedankenleicht. Sobald er aufwacht, ist Charlotte in seinem Kopf, und sie begleitet ihn den ganzen Tag!

Und er schweigt. Nachtvogelpfiffe, Nachtvogelarien, Nachtvogelduette. Heulen von Hyänen, Jaulen von Schakalen, in respektvoller Distanz. Sobald sie sich gute Nacht gewünscht haben, werden sie einsinken in tiefsten afrikanischen Schlaf. Der ließe sich preisen in einer Variationsreihe: Als wären Stirn und Schläfen mit Schlafsalbe eingerieben ... als wären ihre Häupter mit Schlafbalsam beträufelt ... als wären sie eingefärbt mit Schlaftinkturen, pastellblau, blaugrau, blauschwarz, dann schwarzblau ...

Der Dragoman, der mit langen Atemzügen schlief, während sie sprachen, er bleibt von nun an dicht unter der Oberfläche des Schlafs – das geringste Geräusch, das verdächtig sein könnte, es wird ihn wecken. Zuweilen wird er Aststücke nachlegen ins Feuer, wird auf und ab gehen, wird einen furchteinflößenden Schatten werfen vom kleinen Hügel herab.

Entwurfs-Skizze des Dragoman: Ndongmba. Sorgsam gepflegtes Kennzeichen: der Kinnbartzopf. Den hätte er sich in den Jahren als Sklave nicht erlauben können, also hatte er sich bereits auf Trinidad vorgenommen: sobald er frei ist, läßt er sich einen Kinnzopf wachsen. Und keiner wird ihn dran packen und hinter sich herzerren! Wenn doch, würde er sich Federn des Kammadlers in die Mundwinkel stecken und diesen Mann erstechen! Mit einem Lächeln versucht er, diese Drohung in die Schwebe zu bringen.

Seine Geschichte: sich verdichtende Andeutungen. Im beinah üblichen Alter von vierzehn gefaßt von Sklavenjägern; lange Märsche in Fesseln – jeweils sechs Mann von Hals zu Hals durch einen Rindsledergurt gekoppelt; auch er in einem der Keller der Insel Gorée; verfrachtet zu den Antillen. Ein ausnahmsweise gut geführtes Schiff; täglich mußten sie das Zwischendeck reinigen: Schwemmstein, dann Essigwasser. Kaum Erkrankungen in den sechs Wochen der Überfahrt, nur wenige Tote. Hoher Marktwert der Sklavinnen und Sklaven, die vom Portugiesen verfrachtet wurden. Sein eigener Marktwert so bestimmt: er mußte auf einem Platz im Kreis laufen, von der Peitsche gehetzt, dann die Probe: wie rasch er atmete. Und: Muskeln betastet, Gebiß geprüft, Griff ans Geschlecht. Der Marktwert einer Frau in einem Raum bestimmt, in dem außer ihr nur Männer waren; Schreie.

Arbeit im Haus eines Plantagenbesitzers. Das bedeutete: Überleben. Auf den Zuckerrohr-Feldern hielten die meisten nur vier oder sechs Jahre durch, dann waren sie tödlich erschöpft.

Ein Fernhändler kaufte ihn frei, nahm ihn wieder mit nach Afrika. Verkauf von Schußwaffen an Stammeshäuptlinge, er mußte bei den oft sehr langen Verhandlungen übersetzen. Die Waffen waren meist schlecht, immer zahlreicher die Vorwürfe, die ihnen folgten, er verließ den Waffenhändler, floh zum Kap Verde: dort fällt einer wie er am wenigsten auf. Nun im Dienst der beiden Masters.

Ndongmba, Dragoman. Hält den Burnus rein, pflegt seinen Kinnbartzopf. Soll es einer wagen, ihn dort anzupacken: er trägt einen arabischen Dolch bei sich, den hat er dem Waffenhändler zuletzt gestohlen. Nein: es war der angemessene Ausgleich für ausstehendes Honorar. Ndongmba. Bei einer Verbeugung pendelt der Kinnzopf vor den Knien.

Lear! Während der Mittagsrast habe er noch einmal im Drama geblättert, und ihm sei erneut aufgefallen, mit welch starken Kontrasten Master Shakespeare gearbeitet habe. Die müßten sich auch in einer Lear-Oper wiederfinden – nur ja keine sanften Übergänge oder besänftigenden Überleitungen! Gonerils Streit mit ihrem Mann – und »Tom« führt den blinden Vater nach Dover … Kontraste auch innerhalb einer Szene: wie Cordelia ihren Vater vom Wahnsinn kurieren will. Dabei müßte Musik die innere Harmonie wiederherstellen, zumindest: sie müßte innere Dissonanzen aufheben – die müßten aber erst einmal hörbar gemacht werden, und das hieße: riskieren, was noch kein Komponist zuvor gewagt hat. Dissonanzen schichten …! Und gleich darauf: die Besänftigungs- oder Harmonisierungsarie. Und wieder, in innerem Kontrast: die Wahnsinns-Szene – auch hier müßte er musikalisch bis zum Äußersten gehen. Vielleicht sollte er in dieser Szene König Lear

nicht, wie das erwartet würde, forte singen lassen, fortissimo – eher:
wie im Würgegriff – herausgepreßte Töne – Krächzen –

Ein Beethoven, der sich mit Schwärmen von Moskitos herum-
schlagen muß, in Wassernähe, dessen Lippen sich blähen, dessen Hände klumpig werden, oder: ein Beethoven, der vom Pferd
stürzt, sich Verstauchungen zuzieht, Prellungen, oder: ein Beethoven, der von einem Pfeil oder einem Schwert oder einer Gewehr-
kugel verwundet wird – so etwas würde kaum einer der Leser des
Reisebuchs dem Verfasser verzeihen, sie würden ihm den Vorwurf
machen, er hätte den Meister in ein sinnloses Abenteuer gelockt, ihn
unnötigen Gefahren ausgeliefert. Also störende Realitäten aussor-
tieren? Völlig ohne Schaden könnte Beethoven auf dieser Exkursion
wohl kaum davonkommen, damit wäre die Grenze zum Unwahr-
scheinlichen überschritten.

Schwere Krankheit, Sturz, Verwundung – dramatische Vorgänge!
Aber ist das Banalste, Simpelste nicht das Wahrscheinlichste? Entwurf eines Beispiels: Beethoven wird von einem Insekt gestochen,
obwohl er von Stechmücken und anderen Insekten so ziemlich verschont wird – deren Wahrnehmungsorgane werden vom Blut eines
Rheinländers offenbar kaum stimuliert. Trotzdem: er wird gestochen, am Schulterblatt – Bagatelle, mit kurzem Kratzen registriert.
Doch die Stichstelle rötet sich, die Rötung dehnt sich aus, zugleich
setzt Schwellung ein. Schon einen Tag später kann die Rötung hand-
flächengroß sein, die Schwellung daumendick; Schübe von erhöhter
Temperatur; Schweiß auf der Stirn; es klopft, pocht.

Auch der Dragoman inspiziert die Schwellung. Er könnte erst
einmal versuchen, sie mit aufgelegten Kräutern zu verkleinern, damit auch die Rötung zu reduzieren. Aber es helfen nicht die Kräuter
unter dem Preßverband, es hilft nicht der Kräuterbrei, den er vorsichtig aufstreicht. Das Pochen in der Schwellung nimmt zu, die
Haut spannt sich, die daumendicke Erhebung geht in die Breite, die
Dragoman erklärt: Da bruddelt unter der Haut ein gefährlicher
Brei, der Deckel muß abgehoben werden.

Über einem Feuer reinigt er die Klinge seines arabischen Dolchs, reibt sie ein mit betäubendem Kraut. Ludwig muß sich auf den Boden setzen, Knie angezogen, Fersen an den Oberschenkeln, die Arme um die hochgezogenen Beine gelegt, Kinn auf den Knien. Jäh der Schnitt!

Dieses Buch, das Charlotte ihm mitgegeben hat, im dunkelgrauen, festen Papierumschlag, der es schützen soll vor Salzwasser-Spritzern oder Steinkanten – dieses Buch von Spinoza ist Faustpfand für Erinnerungen an eins der Gespräche, in denen Charlotte Protuberanzen aufsteigen, Kaskaden herabstürzen ließ, und er war hingerissen, mitgerissen: ihre leuchtenden Augen – ihr von innen her illuminiertes Gesicht – die raschen und entschiedenen Handbewegungen, mit denen sie Akzente setzte – ihr Charme, auch beim Argumentieren – er wußte wieder, bis in die Haarwurzeln: Dies ist die Frau, die ich gesucht habe, in dieser Frau erfüllen sich all meine Wünsche! Was sonst verteilt ist auf mehrere weibliche Erscheinungen – Charme hier, Intelligenz dort, Schönheit bei einer dritten – dies ist in ihr harmonisch zusammengefaßt, läßt sich in die Arme nehmen. Er kam sich vor wie Odysseus, den es an ein fremdes Gestade verschlägt, und plötzlich vor ihm die leuchtende Erscheinung der Königstochter, sie spricht zu ihm, er starrt sie an – das Gefühl, vor einem Wunder zu stehen!

So karg, so trocken wie bisher darf die Landschaft sich nicht fortsetzen, nun braucht George eine Zäsur: Naturtheater, veranstaltet von einem der großen Flüsse Afrikas, vom Senegal.

Und die Fläche, auf der sich Schirmakazien verteilen, sie bricht ab: brausende, tosende, donnernde Selbstdarstellung des Flusses im Wasserfall! Das grünblaue Wasser stürzt weißschäumend hinab in eine Tiefe, die zuerst nicht erkennbar ist, denn schon im freien Sturz der vollendet hinausgewölbten Riesenwelle löst sich die Wassermasse auf in Wasserstaub, dennoch Aufschäumen irgendwo tief unten, es ziehen Gischtschwaden herauf, bilden eine Kuppe von Gischtkondensat, in dem schreiend einige Fischreiher kreisen. Zuweilen werden die Wasserschleier, Wassernebel von einer Luftbewegung geteilt, man sieht tief unten langgestreckte Schaumstreifen, Schaumbahnen, die sich vereinen, und wieder der Wasserstaubschleier davor, und all das Tosen, das selbst nahe Tierschreie aufhebt: ein Riesenklang, der sämtliche Geräusche Afrikas zu verschmelzen scheint. Manchmal steigen Gischtschleier hinauf über den Abbruch der Hochebene, und es bildet sich nicht nur ein Regenbogen in diesem sonnenbeleuchteten Gischtnebel, der Regenbogen schließt sich zu einem Kreis! Diese Vollendung des Regenbogens auch noch verdoppelt, dabei stufen sich die Farben spiegelbildlich ab, der äußere Regenbogenkreis mit Blau und Gelb und Rot, der innere Regenbogenkreis rötlich, gelblich, bläulich – Zeichen der Vollendung, schwebend im Wasserstaub ohne Horizontlinie, lautlos im Tosen und Donnern.

Hinunter ins Flußtal! Ein Pfad mit zahlreichen Kehren, Wenden. Die Aufmerksamkeit der Reiter absorbiert von der Oberfläche des steilen Zickzackweges, von Steinbrocken, Steingeröll, von Buckeln und Mulden. Gelegentlich ein Warnruf, halblaut, des vorausreitenden Dragoman. Bewegung, die nicht begleitet wird von Sätzen einer Unterhaltung oder einer Reiseerzählung, Bewegung, die fast die Konzentration des Musizierens fordert, prima vista. Zuweilen zieht aus dem Strudelkessel ein Schwall feuchtkühler Luft zu ihnen herüber; zuweilen purrt ein feldhuhnähnlicher Vogel vor ihnen hoch, ohne die Pferde zu erschrecken – die schweigende Konzentration der Reiter scheint sich zu übertragen von Schenkeln zu Rumpf.

Auch für Beethoven wird dies eine neue Erfahrung sein: wie bei gesenkten Köpfen, sondierenden Blicken Wahrnehmung verengt wird, wie die Realität von Steinen, Wurzelwerk, kleinem Gesträuch betont wird. Nur gelegentlich erlauben sie sich Seitenblicke zum Wasserfall, nur ab und zu spähen sie hinauf zur Kante des Abbruchs der Savannen-Ebene, schauen hinunter ins dichte Grün.

Schließlich erreichen sie den Fluß. An der Erdschräge sehen sie, vertäut, ein Floß; auf der Holzfläche hockt ein alter Mann. Der Dragoman füllt beide Hände des Fährmanns mit Kauri-Muscheln, legt zwei Messingketten neben ihm ab, zeigt ihm weitere Muscheln, rote Glasperlenketten. Da läßt der Alte seinen ausgemergelten rechten Arm schwingen, als wollte er sagen: Macht nur! Und sie führen die unruhigen Pferde auf das Floß, machen sie fest am schulterhohen Rick in der Mitte, füttern die Pferde, um sie zu beruhigen. Der alte Mann bleibt hocken, blickt aufs Wasser, schaut ihnen gelegentlich zu. Er scheint sicher zu sein, traumhaft sicher, daß sie alles richtig machen.

Und so muß sich der Mann mit dem Zopf am Kinn als versierter Steuermann eines größeren, schwer beladenen Floßes erweisen, nachdem Beethoven formell befohlen hat: Leinen los! George und Ludwig setzen sich dicht hinter den ausgemergelten Mann. Der redet mit Beginn der Gleitfahrt vor sich hin, als spräche er diese Fahrt herbei oder als wäre er der gute Geist der Erzählung, zumindest für diesen Abschnitt, für dieses Kapitel. Doch was er vor sich hin spricht, ist so leise, daß der Dragoman es nicht übersetzen könnte; vielleicht ist das auch gar nicht notwendig, es überträgt sich direkt ins Geschehen, das wiederum von George in Wörter übersetzt wird. Wenn er kurz die Augen schließt, nimmt er wahr: das sanfte, gleichförmige Sprechen des alten Mannes; das gleichmäßige Geräusch des Flusses; das Gluckern, Schnalzen kleiner Wellen am Holz; gelegentlich dumpfer Hufschlag, ein Schnauben; zahlreich die Vogelsignale an beiden Ufern des Flusses.

Der alte Mann beginnt zu singen: ein erzählendes Lied. Das Grün, Grünblau, Blaugrau des Wassers, die hochschnellenden Fische, die gleitenden, schwebenden, umherzuckenden Schmetterlinge, Vögel, und an den Ufern das Kreischen, Rufen, Pfeifen, Röhren, Dommeln – all dies findet sein Echo im mitfließenden, mitströmenden Lied, das in jeder Biegung des Flusses eine neue Strophe erhält, einleitend akzentuiert von heftigtrockenem Räuspergeräusch, und nach jeder Strophe spuckt der alte Mann, ohne seine Körperhaltung zu ändern, ins Wasser.

George habe ihm vergangene Tage gewisse Vorwürfe gemacht, Stichwort Mulattensonate, sagt Ludwig, auf dem Floß kauernd. Nach seiner Version klang es fast so, als hätte er mit linksrheinischer Schlitzohrigkeit dem armen Mischling die Sonate einfach weggepatscht! Er muß ihm bezüglich dieser leidigen Angelegenheit etwas anvertrauen, und George muß schwören, nie darüber zu schreiben, auch nicht eine Silbe: Daß diese Sonate einem anderen übertragen wurde, per Widmung, dahinter steckt vor allem sein Bruder Karl. Ja, sein kleiner, rothaariger Bruder Karl! Der hatte damals, vor zehn Jahren, noch nicht die Schwindsucht, aber ihm ging es in verschiedener Hinsicht gar nicht gut: als Musiker kam er nie recht weiter, im Staatsdienst auch nicht. Deshalb wollte er Karl gegenüber ein bißchen ausgleichende Gerechtigkeit spielen, erteilte ihm gelegentlich Aufträge: Arrangements der einen und anderen Komposition schreiben, meist für Klavier; Verhandlungen führen mit Verlegern; Briefe beantworten; Gelder eintreiben. Diese Vertrauensstellung hat sein Bruder zuweilen mißbraucht. So hat er frühe Kompositionen, die bewußt nicht ins Werkverzeichnis aufgenommen wurden – dazu gehört auch das »Duett mit zwei obligaten Augengläsern« – solche Werke also hat Karl aus dem Notenwust geklaubt und verscherbelt. Seine beiden Brüder, über die will er nichts Nachteiliges sagen, aber gottverdammte Krämerseelen sind sie doch! Was die Sonata mulattica betrifft, so hat sein Bruder hier wie folgt gedacht beziehungsweise argumentiert: Du mußt den französischen Markt erobern, die Franzosen sind zwar offiziell unsere Feinde, doch alle Welt redet und schwärmt von den Franzosen, und dieser Monsieur Kreutzer ist sehr bekannt, auch in Wien, der war hier seinerzeit im Gefolge des Marschalls Bernadotte aufgekreuzt, das ist noch nicht ganz vergessen, und wenn du diese Sonate einem so bekannten Franzosen widmest, so hast du, Herr Obergeneral, einen ersten Brückenkopf geschlagen jenseits des Rheins.

So ungefähr – sinngemäß – hat Karl die illegale Übertragung gerechtfertigt – hinterher, wohlgemerkt hinterher! Abgelaufen war dies wohl so: er hat diese Komposition an sich genommen unter irgendeinem Vorwand, hat sie Monsieur zugesteckt, respektive: hat ihm versichert, daß er für eine Dedikation sorgen wird – unter bestimmten Konditionen, versteht sich. Sein Bruder oder eher: sein Brüderl hat die Sonate also in übertragenem Sinne veruntreut, und sie wurde mit der Widmung an Rodolphe in Druck gegeben. Der wußte von seinem Glück so wenig wie er selbst, Ludwig, von seinem Unglück – bis alles herauskam. Da zeigte sich gleich, wie jeck sein Bruder bei all seiner eingebildeten Schlauheit ist: hat diese Sonate einem Mann zugespielt, der an ihr überhaupt nicht interessiert ist! Monsieur hat es nicht für nötig gehalten – in diesem Jahrzehnt mittlerweile – die Sonate auch nur ein einziges Mal aufzuführen!

Wenn es wirklich darum gegangen wäre, einen ›Brückenkopf‹ zu bilden, so hätte man diese Sonate einem Franzosen von Rang und womöglich von Würden dedizieren müssen. Der Karl hat ganz einfach aufs falsche Pferd gesetzt. Das möge George bitte zur Kenntnis nehmen und sofort wieder vergessen, Wort für Wort.

Wieder auf dem Trocknen – betont durch das Zirpen von Grillen, das Schrillen von Zikaden. Daß Ludwig nicht in westafrikanischen Mittagsschlaf versinkt wie Dragoman und Schiffsjunge, dankt er den Grillen und Zikaden: er hört sie wieder! Das will er nicht verschlafen, er will das Zirpen und Schrillen auf sich einwirken lassen … Geschenk der afrikanischen Luft, die seine Gehörgänge so warm ausfüllt; dieses Geschenk vorbereitet von der Luft über dem Mittelmeer, der Luft über dem Atlantik. Ja, er sagte das schon, kann es nicht oft genug wiederholen: als wären seine Gehörgänge durchpustet worden, sanft, unablässig, und es löste sich auf, was sich in beiden Ohren zusammengeklumpt hat – schwarze Pfropfen tief in den Ohren – die Hämmerchen konnten nicht mehr präzis genug auf die kleinen Ambosse schlagen, die Trommelfelle konnten nicht mehr frei vibrieren – alles wie mit Teer ausgegossen. Nein, so schlimm war es doch nicht: die Ohren eher wie zugestopft mit dem auf Schiffen unablässig gezupften Werg, und das sog sich gemächlich voll mit Teer. Kalfaterpfropfen. Aber die schufen keine Stille, vielmehr war da ein unablässiges Zischen und Pfeifen in den Ohren, ein Sausen und Brausen – es konnte fast so dumpf sein wie das Brausen des Wasserfalls.

Ja, dieses massive Wassergeräusch hat ihm die Verwandlung wieder bewußtgemacht – je weiter er sich vom Wassersturz entfernte, desto zahlreicher die Geräusche, die wieder in ihn hereinfanden, von beiden Seiten her, wenn auch auf einer Seite noch etwas gedämpft. Was vor einem Jahr noch verklumpt schien, undurchlässig massiv, das ist nun leicht atmende Materie geworden, die wieder in ihn hereinschwingt. Und was in ihn hereinschwingt, das will wieder hinausschwingen: im Kopf erste Klänge einer Afrikanischen Pastorale. Die würde er den freundlichen Ohrengeistern Afrikas widmen, die ihm, gemeinsam mit den Ohrengeistern der Meere, das Gehör wiederschenkten. Dankgesang in lydischer Tonart nach drohender Ertaubung. Und mit einem Stock zieht er die fünf magischen Linien in den Sand, viele Meter weit, bohrt Notenköpfe, ritzt Notenhälse, hakt Notenwimpel, kratzt Taktstriche. An dieser baumlangen Notenreihe geht er entlang, als präge er sich die Noten ein, die er im Sand dem Wind überläßt.

Vielleicht sollte er Beethoven warnen: Das Publikum, das schon so viele Überraschungen mit seinen Kompositionen erlebt hat, das sich an Überraschungen bei neuen Werken fast schon gewöhnt hat, es würde diese erneute Überraschung wohl kaum verkraften: eine Sinfonie mit afrikanischer Rhythmik, womöglich Polyrhythmik. Bei einem Bridgetower hingegen würde das konsequent erscheinen: reitet in den Kontinent seiner Vorväter, deren Musik wirkt ein auf seine Musik, hörbar verwandelt kehrt er als schwarzer Komponist, als schwarzer Geiger zurück, sein Erscheinungsbild mit der Aura flirrender afrikanischer Hitze, die zu Licht wird, zu vibrierendem Licht ...

Er hört schon seine Musik, »composed by an African«: so unwiderstehlich mitreißend in ihrem rhythmisch akzentuierten Vorwärtsdrängen, daß man ihm Auftritte anbieten wird, anbieten muß auf den großen Podien, zuerst in Paris, dann in Rom und Wien, selbstverständlich, und in Dresden, London, Mailand – die gloriose Wiederkehr des George Odongo Bridgetower, der mit Ludwig van Beethoven eine Reise nach Afrika unternahm, und, von Beethoven ermutigt, von der Musik der Afrikaner inspiriert, schreibt er ein Violinkonzert mit einer elementaren Kraft der Rhythmen, über den Wiederholungsfiguren weiträumige Kantilenen der Geige, die schließlich mit rhythmischen Motiven die Perkussionsgruppe anfeuert bis zur Klimax der Generalpause.

Ja, das Violinkonzert mit der Generalpause! Einen Satz auf eine Generalpause hin zu konzipieren, das hat er sich schon seit langem vorgenommen. Beispielsweise ein Andante, und die Musik muß kontinuierlich an Dichte gewinnen, im Tempo nur scheinbar anziehend, weil er in immer kürzeren Notenwerten spielt, rasche Bewegung sich wiederholender Muster, und dicht geschichtet die Figurationen der Violinen, Violen, Celli und Bässe, und Sanduhrtrommel und Wassertrommel, und die Holzbläser spielen Wiederholungsphrasen, synkopisch versetzt, und Bückelgong und Pauke, und die Blechbläser mit kurzen rhythmischen Figuren, in vorwärtstreibenden, voranpeitschenden Wiederholungen – jäh die Stille!

War richtig, das Waldhorn nach Afrika mitzunehmen, das kann eher einen Stoß vertragen. Wie ungeheuer empfindlich dagegen ein Streichinstrument – das wird ihm erst richtig bewußt hier in Afrika. Das Horn dagegen: ansetzen, blasen …! Mit dem Horn hinausrufen in das afrikanische Land, in die Savanne, vielleicht reagieren böse Tiere auf den Schall, lassen sich vertreiben, womöglich umstimmen, und Freßgier wird transponiert in Sanftheit.

Doch vor allem: das Waldhorn gespielt in solchen Pausen des Savannenritts – Hornrufe, Hornsignale con brio, auch Hornkantilenen – das Rauhe und das Zarte dieses Instruments …!

Er streichelt es mit der kurzfingrigen, breiten Hand, klopft mit dem Knöchel ans Blech. Könnte nach dieser Expedition etwas geblötscht aussehen, aber dann ließe es sich immer noch verwenden im Haus von Master Sartorius.

Und er bläst ein Rufsignal, als sollte das auch am Kap Verde gehört werden, wiederholt es. Schmetternder Schlußklang: Übungsstündlein beendet. Weitere Fortsetzung des Savannenritts.

Das Buch, das Ludwig mit sich herumträgt, im dunkelgrauen Schutzumschlag von Charlottes Hand: er hat versucht, sich einzulesen, sich einige Seiten voranzuarbeiten, aber bald schon stieß, nein: prallte er auf Begriffe, die ihm nichts sagen. Zum Beispiel: Ak-zi-den-zi-en. Er hat das Buch ziemlich rasch wieder zugeklappt. Dabei müßte es erregend sein, sich auf dieses Leihbuch einzulassen – Seiten aufschlagen, die sie aufgeschlagen hat, Zeilen lesen, die sie gelesen hat, Buchstaben, von ihr in identischer Form wahrgenommen – und vor allem: Papierflächen berühren, die sie berührt hat ...

Er läßt Seitenkanten an der Daumenkuppe entlanggleiten, preßt das Buch zusammen. Er wußte, weiß bei dieser Frau nie, woran er ist. Vor jeder Begegnung Ungewißheit, Aufregung: kommen sie sich näher, erzwingt sie neue Distanz? Auch beim scheinbar philosophischen Exkurs: er fühlte sich auf neue Weise zu ihr hingezogen, aber sie bereitete Distanzierung vor. Das Konzert, nach dem sie wieder zusammenfanden, dennoch: sie bat ihn am Morgen des Abschieds, dieses Buch in Ruhe zu lesen, unterwegs, es sei wichtig für sie beide. Sie hätte es behalten sollen! Andererseits: es bleibt für ihn Faustpfand der Erinnerung an ein wichtiges Gespräch – nein, an einen längeren Monolog Charlottes.

Sie sprach von freien Menschen, die sich miteinander verbinden in Freundschaft; diese Menschen, sagte sie mit Spinoza, stimmen von Natur aus miteinander überein; es sind Menschen, die nach Leitung oder Führung der Vernunft leben. Mit Spinozas Hilfe wollte sie ihre Liebe in Freundschaft umwandeln, unter Beistand der Vernunft, auf die sie beschwörend hinwies.

Und plötzlich überfiel ihn Traurigkeit, er fühlte, wie er – eben noch angespannt dasitzend – innerlich alle Kraft verlor. Das muß sie ihm angesehen haben – ihr illuminiertes Gesicht plötzlich weich und die Augen groß, die Pupillen geweitet – sie legte die Hand auf seinen Handrücken, aber es war nicht mehr eine Geste von Zuneigung, von Liebe – eher von Trost, und den kann man auch Menschen spenden, die man nicht liebt – die man nur mag oder schätzt, an die man sich zumindest gewöhnt hat. Sie bat ihn, nicht gar so traurig dreinzublicken – aber was hilft schon solch ein Appell! Daß sie sofort spürte, was in ihm vorging – auch wieder eine Bestätigung dafür, daß er mit Recht in ihr die Erfüllung seiner Wünsche sieht. Und nun sollte aus einer Liebe, die, so sagte mal Charlotte: alles umfaßte, Freundschaft werden, die – also man redet von jetzt an nicht mehr oder kaum noch von sich selbst, man spricht über einen Jacobi oder einen Spinoza und dabei Weite, eine gewisse Weite – aber man selbst? Dieses Teegespräch schon als Einübung in das zwar intelligente und vielleicht auch lehrreiche Reden über Themen und Probleme, die man in der Tat mit einem Freund erörtern kann? Nicht mehr dieses Mitschwingen – nicht mehr das erotische Timbre – nicht mehr Altstimme und Bratsche – nicht mehr diese Wärme, die sie selbst abstrakten Begriffen mitgab? In diesem Gespräch, in dem er ihr erst gierig zugehört hatte, begann es also schon, das große Neutralisieren? Begann die Herrschaft der Vernunft über alle Gefahren, die Spinoza aufführte, und über Gefahren, die Charlotte zusätzlich nennen könnte?

Ja, er wurde von Trauer überfallen, stand auf, ging ins Nebenzimmer, blieb am Fenster stehen, sah nichts, sah nichts.

Sie schwieg, dann hörte er sie kommen: ihr leichter Schritt, graziler Gang – sein Herzschlag beschleunigt. Charlotte blieb hinter ihm stehen, lehnte die Stirn an seine Schulter, und er fragte sich: Warum läßt sie unsre Liebe nicht zu? Beinah gleichzeitig dachte er: Wenn ich mich jetzt umdrehe, sie in die Arme schließe, ihr sage: Alles Unsinn, intelligenter Unsinn, was du hier über Freundschaft redest, hören wir lieber auf unsere Gefühle – da könnte ihr Widerstand ganz plötzlich wegschmelzen. Aber das wäre wohl nur für Minuten so gewesen, für Stunden – spätestens am nächsten Tag hätte sie mit Spinozas Hilfe erneut die Vernunft leuchten lassen über der traurigen Szenerie. Und wieder hätte sie ihn beiseite geschoben oder: hätte er sich beiseite geschoben gefühlt. So drehte er sich nicht um, und sie hob die Stirn wieder vom Schulterblatt.

Er schweigt. Feuchter Schimmer in den Augenwinkeln, er wendet sich ab. Er hat diese Frau geliebt, er liebt sie wie keinen Menschen zuvor – warum ist er jetzt hier in der Savanne?! Was bedeuten ihm Akazien, Steppengras, Schibutterbäume?! All dies einsammeln, in kilometerweite Körbe werfen, in kilometerlange Säcke stecken und eintauschen für ein paar Stunden mit ihr! »Dies zu meiner Situation.«

Bäume, dichter aneinandergerückt, zwischen ihnen Buschwerk, Rauch steigt auf, sie hören probeweises Anschlagen einer Trommel, deren Klang das Zwerchfell mitschwingen läßt, hören Stimmen hinter dem spröden, staubigen Grün. Ja, und da ist auch der Rhythmus des Hirsestampfens!

Ehe sie beraten, eine Entscheidung treffen können, bricht aus dem Gebüsch ein Junge hervor mit kleinem Speer – er hält ein, als sei er gegen eine unsichtbare, durchsichtige Wand gerannt: ein weißer Mann, ein brauner Mann, ein weißer Junge, ein Schwarzer mit Kinnbartzopf – der Junge stößt einen hohen Schrei aus, fast so hoch wie der Schrei einer Fledermaus, den nur manche Kinder hören, er rennt zurück, schickt Schreie hinein ins Stimmengewirr, das sich aufbläht. Der Dragoman rät stehenzubleiben, Flucht wäre vergeblich, sie würden sofort eingeholt, umstellt, also: abwarten, ruhig bleiben ...

Die Stimmen entfernen sich nicht in verschiedene Fluchtrichtungen, sie bleiben im Dorf verdichtet. Aus Büschen heraus werden sie beobachtet – Bewegungen, Handzeichen. Der Dragoman wiederholt mit flachen Händen eine Gebärde, die wohl Friedlichkeit signalisiert. Schon kommt, zwischen Büschen und Bäumen hervor, ein Trupp von etwa zehn Reitern, im Schritt; Bogen, Speere, Flinten. Der Dragoman reitet ihnen entgegen, sieht mit dem sanft pendelnden Kinnbartzopf beinah würdig aus. Ein Reiter löst sich von der Gruppe, die beiden Verhandlungsführer halten an, einen kurzen Steinwurf voneinander entfernt, rufen sich Sätze zu. Das Grüppchen unterstützt die Verhandlung durch wiederholtes Zuwinken, das findet keine Antwort im Trupp. Fortgesetzt der fast rituelle Austausch von Sätzen. Beethoven dreht sich zum Schiffsjungen um: »Stöpsel, biste bang?« Gerry reagiert auf den Klang dieser Frage. »Nein, Mijnheer.«

Der Dragoman reitet wieder zu ihnen heran, ihm folgt der Reitertrupp. Der Häuptling des Dorfs geruhe sie zu empfangen. Die Reiter wenden, der Dragoman will sich ihnen anschließen, doch Beethoven hebt gebieterisch die Hand: »Stöpsel, die Weste!«

Der Schiffsjunge gleitet aus dem Sattel, öffnet am Saumtier das Reisebündel, nimmt die weinrote Weste heraus. Beethoven zieht sie, weiterhin im Sattel, mit betonter Ruhe an, schiebt die vier metallenen Knöpfe durch die Schlitze. Die Reiter schauen aufmerksam zu, ohne das geringste Zeichen von Ungeduld.

Nun fordert George den Jungen auf, ihm ebenfalls die Weste zu bringen. Die wird aus der Seekiste genommen, wird rasch überbracht. Auch George zieht sie mit langsamen Bewegungen an. Nun können sie sich nebeneinander sehen lassen: beide Musiker in Nankinghosen, weil sie kräftiges Gewebe brauchen im dornenreichen Afrika, und helle Hemden mit langen Ärmeln, wegen stechender Insekten und der auch im afrikanischen Winter hautfressenden Sonne und jeweils ein heller Hut mit breiter, fester Krempe. Dazu jetzt die Westen. Ludwig reibt mit dem Handballen kurz über alle vier Knöpfe, schlägt Staub von der Hose, nickt. Das wird von den Bewaffneten verstanden, sie reiten los.

Ein Kreis runder Hütten, Wände aus Flechtwerk, Dächer kegelförmig aus Stroh. Mitten auf dem Dorfplatz das Feuer; eine riesige Trommel auf einem Gestell, sie ist bestimmt zwei Meter lang; die Dorfbewohner haben sich offenbar in die Hütten zurückgezogen. Der Trupp hält am Feuer, die Bewaffneten sitzen ab, der Dragoman fordert sie auf, das ebenfalls zu tun: der Verhandlungsführer geht in die Häuptlingshütte.

Sie bleiben bei ihren Pferden stehen, Zügel in den Händen. Männer des Trupps führen jeweils zwei Pferde vom Platz, kehren zurück, holen auch die Pferde der Reisenden – der Dragoman rät, das zu gestatten. Vor der größten Hütte wird ein Teppich ausgerollt; zwei kleine Holzgestelle – Varianten von Fußbänkchen – werden abgesetzt, das eine für eine sichtlich teure Pistole, das andere für einen offenbar stark beschädigten Quadranten. Zwei große Krieger bleiben rechts und links von diesen Insignien der Macht stehen, mit Speeren. Durch zahlreiche Spalten in Flechtwerk-Wänden werden die Fremden beobachtet, auch aus der Häuptlingshütte. Beethoven nimmt den Hut ab – der kleine Wind des Nachmittags kühlt seinen

Kopf. Außer den Bewaffneten ist noch keiner auf dem Dorfplatz; die Krieger stehen gruppiert, lassen sie nicht aus den Augen – feindselig wachsam? In der Häuptlingshütte scheint sich Bewegung zu verdichten, von Rufen markiert, die weitergegeben werden von Hütte zu Hütte.

Der Häuptling tritt auf: stattlicher, noch junger Mann; Fell-Umhang; sein Gesicht mit weißen Tupfen bemalt, so zahlreich wie Ludwigs Blatternarben. Der Häuptling setzt sich zwischen seinen Machtzeichen auf einen breiten Stuhl, drapiert seinen Umhang. Und vor die Hütten im Kreis setzen sich Frauen, Männer, Kinder. Auch die Reiter hocken sich hin. Der Häuptling hält eine offenbar würdevolle oder weihevolle Ansprache, der Dragoman übersetzt nicht, will nicht stören.

Zwei Frauen bringen eine Bastmatte aus der Hütte und einen Stuhl; die Matte wird ausgerollt, der Stuhl mittendrauf gestellt – hier soll Beethoven sich setzen. Da versteht es sich von selbst, daß George sich mit auf die Matte hockt, auch der Schiffsjunge. Nun erst gibt der Dragoman die Rede wieder, stark zusammengefaßt: Begrüßung des weißen Häuptlings mit den Pockennarben; nur die Alten dieses Dorfes haben schon mal einen Weißen gesehen, hier in der Nähe; Beschwören von Vorfahren, Ahnen …

Es gehe nun auf den Abend zu, führt der Häuptling seine Rede fort, blickt hoch zum Himmel – nicht der fernste Ansatz von Dämmerung. Der weiße Häuptling mit den Pockennarben möge ihnen zeigen, wie er sein Abendgebet verrichtet.

»Was soll ich jetzt machen?!«

George rät halblaut zu einer Antwort, die sogleich gedolmetscht wird: Die Mutter und der Gott des Weißen haben es verboten, das Abendgebet vor Zuschauern zu verrichten; der weiße Häuptling müßte sich dazu in eine Hütte zurückziehen; nur so kann er hören, was seine Mutter über die sehr große Entfernung hinweg sagt und sein Gott ebenfalls.

Der Häuptling läßt sich Zeit, über diese Antwort nachzudenken; sie scheint ihn zu überzeugen. Sie werden eine Hütte erhalten, werden die Nacht unter seinem Schutz verbringen.

Der Dragoman bedankt sich mit drei rituellen Verbeugungen. Sie schauen sich um: dichtes Gedrängel vor den Hütten, zwischen den Hütten – Sitzen, Hocken, Kauern. Der Häuptling spricht eine zweite Bitte aus, und die läßt sich nicht mehr abschlagen: Der weiße Häuptling mit den Pockennarben möge zeigen, wie er Eier zu sich nimmt.

Schon werden, nach gebieterischem Wink, von einer Frau einige (schon bereitgelegte?) Eier zur Bastmatte gebracht, werden von Ludwig abgelegt, langsam, eins nach dem andren, zum Mitzählen: eins bis sieben. »Rohe Eier?!«

Selbstverständlich, sagt der Dragoman, Eier werden hier getrunken.

Beethoven weigert sich strikt, auch nur ein einziges Ei auszuschlürfen. »Sag das dem Herrn mit den Tüpfchen!«

Der Dragoman erklärt, daß für den weißen Häuptling die Eier gekocht werden müssen. Der Häuptling zeigt keine Reaktion, ruft eine Anweisung in die Hütte. Erneut kommt die Frau heraus, Lendenschurz, pendelnde Brüste, bringt einen Topf Wasser, zeigt es Beethoven, das Gefäß wird an das Eisengestell über dem Feuer gehängt.

Schweigendes Abwarten, bis das Wasser erhitzt ist, dann erteilt Ludwig dem Schiffsjungen den Auftrag, mit beinah königlicher Geste, die Eier vorsichtig ins Wasser gleiten zu lassen. Ei Nr. 1 bis Ei Nr. 7 sinken ins Wasser. Und Gerry setzt sich, einem Wink folgend, neben Ludwigs Stuhl. Will er damit betonen, daß hier noch ein dritter Weißer ist, wenn auch ein kleiner? Man beachtet den Jungen auch jetzt nicht.

Vor der Hütte des Häuptlings und ringsum werden Beobachtungen bestätigt: Der weiße Häuptling läßt Eier in heißes Wasser legen ...! Lippen werden gespitzt: lange, hohe, pfeifende Töne ringsum – einige trillern dabei mit den Fingern auf den Lippen.

Als das Wasser siedet, steht Beethoven auf, höhlt erst die Hand ein hinter dem linken Ohr, hebt dann beschwörend die Arme, und das Pfeifen, Trillern, Flüstern verstummt – man hört die Eier kollern. Nach einigen Atemzügen Stille setzt Beethoven sich wieder, ringsum wächst Flüstern auf: Die Eier sprechen miteinander ...! Die Eier stimmen einen gemeinsamen Abendgesang an im Topf ...!

Aufgerissene Augen; Fingerspitzen zwischen Lippen geschoben; Lippentrillern, Pfeifen: Hört nur, wie die Eier trommeln! Gut fünf Minuten lang setzt sich das Eier-Tamtam fort. Immer wieder, wie auf ein Zeichen, verstummt selbst das Flüstern im Kreis.

George läßt einen weiteren Topf holen mit Brunnenwasser. Und er stellt sich dar als Zeremonienmeister oder Herr eines Rituals, hebt mit einem Holzlöffel Ei um Ei aus dem siedenden Wasser, läßt es ins Brunnenwasser gleiten – noch größer die Stille. Die sieben Eier werden vor Beethoven abgelegt, am Kopfende der Matte – im Kreis der Frauen, Männer, Kinder wird es laut. George kauert sich vor Ludwig, aber so, daß der Häuptling alles sehen kann, dellt die erste Schale ein, löst sie vom Ei, hebt es hoch, damit alle das gepellte Ei sehen können, reicht es Ludwig, und der ißt es langsam auf.

Noch mehr Finger zwischen Lippen geschoben, noch zahlreicher die langen, hohen Pfeiftöne, noch mehr Lippen getrillert, und manche knicken den hochgereckten rechten Arm über dem Kopf ein, legen eine Hand im Nacken auf, kippen den Kopf zurück, aber nur kurz. George läßt die Schale des zweiten Eis knacken, pult es heraus. Pfeifend, trillernd schauen die Schwarzen zu, wie der weiße Häuptling Eier ißt, die für ihn weiß gemacht werden mußten. Keiner achtet auf das Seufzen nach dem dritten, das kleine Stöhnen nach dem vierten Ei.

Während Ludwig das fünfte Ei verzehrt, langsam, beginnt ein Mann zu musizieren: ein Streichinstrument mit nur einer Saite, senkrecht aufgesetzt am linken Oberschenkel der gekreuzten Beine, mit waagrechtem Bogen wird eine Melodie gespielt, und der Mann beginnt zu singen mit tiefer, etwas aufgerauhter Stimme.

Der Dragoman gibt halblaut wieder, zusammenfassend: Lied über einen Fremden, einen Weißen, der Eier nicht trinkt, sondern beißt und kaut ... zuvor hat man diese Eier in heißes Wasser geworfen, das hat sie innen weiß gemacht ... ein Ei nach dem andren ißt dieser Mann aus dem Norden ... er ist nach Afrika gereist, aber die Eier verzehrt er wie zu Hause ... Und was sieht, was hört dieser weiße Häuptling in Afrika? Diese Musik hört er, während er weiter-ißt, und er versteht nicht, was gesungen wird, solange der Mann mit dem Kinnbartzopf das nicht übersetzt. Er versteht auch nicht die Botschaften, die von Trommeln geschlagen werden ... versteht auch nicht, was die verschiedenen Laute des Löwengebrülls bedeuten ... versteht nicht einmal, was sich die Vögel zurufen, morgens und abends ... reitet über Tierspuren hinweg, vor denen jeder andere stehenbleibt – auch diese Sprache verstehen die Weißen nicht. Dies also sind die Menschen, die Eier in heißes Wasser werfen, das sie tot macht ... Sieben Eierleichen verzehrt der eierbleiche Europäer ... Gedanken gehen in dessen Kopf umher, aber was für Gedanken? Wenn er, der Sänger, dieses Lied noch einmal vorträgt, wird er ihm sieben Strophen geben, eine für jedes Ei. Und nach der siebten Strophe wird er aufstehen, wie jetzt, und das Lied über die sieben verzehrten Eierleichen beenden mit einem Tanz.

Weitersingend legt der alte Mann das Saiteninstrument auf den Boden, greift zu einer flachen Trommel, steht auf, hält die Trommel in der Linken, schlägt mit prellendem Handballen auf das Fell, singt weiter mit rauher Stimme, tanzt in sehr engem Kreis – wie um ein Ei herum. Dennoch können viele Zuschauer die Blicke nicht lösen von der Bauchregion des Weißen: dort drinnen liegen sie, die sieben weißen Eier ... Vielleicht wird man aus dem Magen des weißen Häuptlings später ein Kollern hören, fortgesetzt die halbe Nacht hindurch, aber keiner wird diese dumpfe Botschaft verstehen ...

Wie selbstvergessen dreht sich der tanzende alte Mann: weißes Kraushaar; weißer, kurzer Kinnbart; hagerer Körper, sehnige Arme. Er hat aufgehört zu singen, trommelt und tanzt aber weiter, als sollte George Gelegenheit haben, ihn von allen Seiten zu betrachten. Und er löst den Blick nicht vom Spielmann, auch nicht, während er sich zu Ludwig hinüberlehnt, der mit fast schon afrikanischem Gleichmut dasitzt: Jetzt endlich – seine Stimme ist vor Erregung heiser – jetzt endlich hat er ein Vorbild für seinen Großvater gefunden, den Spielmann!

Und George beugt sich vor, schlägt auf der Bastmatte den Trommeltakt des Sängers mit, sein Oberkörper beginnt sich einzuschwingen in den Rhythmus – wie die Oberkörper der meisten Zuschauer. Er wird, flüstert er, zum Alten hinübergehen, sobald der nicht mehr tanzt, wird ihn umarmen: diese leibhaftig gewordene Figur des

Großvaters für einige kostbare, lang nachwirkende Sekunden fest in den Armen halten ...

Als hätte er das gehört und verstanden, öffnet der Sänger lächelnd den Mund: die beiden Schneidezähne fehlen.

Nach dem Eieressen, dem Eierlied zeigt der Häuptling auf eine der Hütten, erhebt sich, steht würdevoll da im Fellumhang; die weißen Punkte auf der dunklen Haut scheinen stärker betont. Er läßt sich kurz noch bewundern von den Reisenden, von den Untertanen, schreitet in seine Hütte.

Der Dragoman arrangiert, er weiß, was erwartet wird: Der weiße Häuptling schreite voran, ihm folge Master Bridgetower; mit dem Jungen geht er indes die Pferde versorgen, das Gepäck holen.

Sobald die beiden Fremden den Eingang der Gasthütte erreicht haben, springen die ringsum Kauernden auf, drängeln sich mit in die Hütte, die bereits leergeräumt scheint. Immer dichter rücken Dorfbewohner, sich durch den Eingang nachschiebend, auf George und Ludwig zu, die nebeneinander stehen, schon strecken sich erste Hände zum weißen Häuptling.

Was die Eingeborenen als erstes sehen wollen, und zwar möglichst genau: die vier metallenen Knöpfe der Weste. Die kann George in gleicher Größe und Zahl vorweisen, aber unter seinen Knöpfen ist keine weiße Haut. Er rät Ludwig, zur Ablenkung vorzuführen, wie man die Weste öffnet, schließt. Das wollen alle in der Hütte sehen, die nun so voll ist, daß die Flechtwerk-Wände knistern, knacken. Ah, diese unnachahmliche Selbstverständlichkeit, mit der ein Europäer Knöpfe aus Knopflöchern drückt, leicht verkantet, sie dann, ebenfalls verkantet, durch Knopflöcher zurückschiebt ...! Knurrend schiebt Ludwig den ersten und zweiten und dritten Knopf in den ersten und zweiten und dritten Knopfschlitz; bei dreien sieht er sein Pensum erfüllt. Wer das gesehen hat, eins und zwei und drei, muß aus dem innersten Kreis heraus – die hinter ihnen stehen, wollen das ebenfalls aus unmittelbarer Nähe sehen, wollen auch mal Fingerspitzen in Knopfschlitze stecken, prüfend – so sind sie dem Leinen, damit der Haut schon näher. George sorgt dafür, daß Betrachter, Bewunderer, Befühler sich rasch abwechseln, denn bald wird Ludwig es leid sein, die Weste zu öffnen, die Weste zu schließen, zu öffnen, zu schließen.

Fünf- oder sechsmal wird der umkämpfte innerste Kreis der Knopfgucker ausgetauscht. Es riecht nach ranzigem Fett, nach Schweiß, nach Lehm. Endlich ist der erste Kreis ganz außen, doch die siebenfache Umgürtung will sich nicht auflösen: nun wollen die Afrikaner sehen, wie der Fremde die Weste auszieht. Ludwig lehnt ab.

Abenddämmerung. Der Häuptling thront wieder vor der Hütte, die weißen Tupfen aufgefrischt, der Umhang gewechselt. Beethoven hat erneut Platz genommen auf dem Stuhl; George hockt dicht neben ihm auf der Matte.

Noch einmal hält der Häuptling eine Rede. Einleitend schmeichelhafte Äußerungen über die besonderen Fähigkeiten von Weißen – er zeigt auf die Holzbänkchen mit Pistole und Quadrant. Dann berichtet er, man habe vorhin im Gepäck des weißen Häuptlings Blätter mit geheimer, womöglich magischer Schrift gesehen; er bittet den weißen Häuptling, ihm ein »Safi« zu schreiben. Das übersetzt der Dragoman mit »Schutzzauber« – der müßte selbstverständlich in Geheimschrift verfaßt sein.

Der Häuptling schickt einen Jungen, der überreicht eine etwa spannenlange Holztafel, geglättet. Von allen genau beobachtet, mustert Ludwig diese Tafel, streicht mit der Handkante mehrfach über das Holz, auf beiden Seiten – ja, glatt genug, ließe sich beschreiben … Aber womit? Und weshalb in Geheimschrift? Wie soll die bitte schön aussehen?

Schreib Noten, sagt George, die sind für den Häuptling die wahre Geheimschrift. Sind sie auch für die meisten Europäer …

Beethoven findet den Vorschlag gut, aber soll er beliebig Noten reihen?

Am einfachsten, er schreibt den Anfang der A-Dur-Sonate!

Ludwig schaut ihn an: Blick, der ihn fixiert, der zugleich durch ihn hindurch oder an ihm vorbei auf einen fernen Perspektivpunkt gerichtet ist. Rasch holt er den Blick zurück. »Stöpsel, die Bleistifte!«

Gerry rennt zur Hütte, als wolle er allen Jungen im Ort zeigen, welche Geschwindigkeit ein Weißer in ihrem Alter entwickeln kann. Schon wirbelt er zurück mit allen sechs Zimmermannsbleistiften, scheint mit den Hacken abzubremsen, überreicht Beethoven den ersten Bleistift, den zweiten, den dritten – das geschieht in kontrastierender Langsamkeit, offenbar hat ihm die Übergabe der sieben rohen Eier imponiert. Ludwig geht auf das Ritual ein, hält jeden Bleistift hoch ins Abendlicht, mustert die Spitzen vor dem satten Orange im Westen, entscheidet sich für zwei der Bleistifte. Die Tafel quer auf seinen aneinandergepreßten Oberschenkeln, er zieht erste Notenlinien, benutzt dabei einen Bleistift als Lineal. Alles schaut zu mit Ernsthaftigkeit. Mit bröselnder Bleistiftspitze schreibt Beethoven die ersten Takte des Adagio sostenuto.

Rituell langsamer Beginn des Schreibens, doch nach wenigen Taktstrichen findet Ludwig zu seinem alten Tempo zurück, muß den Bleistift wechseln. Beethoven wendet das Holztäfelchen, zieht rasch Notenlinien, setzt die Niederschrift zügig fort, immer hastiger schreibt er furiose Noten, gegen Ende drängeln, überstürzen sie sich. Kurzes Verharren.

Er steht auf, hebt die kleine Holztafel wie eine der Gesetzestafeln des Moses. Ja, diese Notation hat für George die Wucht eines mosaischen Gesetzes! Was immer der Häuptling von dieser Geheimschrift erwarten mag – es muß sich etwas von der inneren Kraft dieser Musik auf ihn übertragen.

Beethoven schreitet auf die Häuptlingshütte zu, trägt die Holztafel beinah feierlich: rheinische Mimikry, oder sieht er sich als Figur einer Opernszene? Er bleibt vor dem Teppich des Häuptlings stehen, überreicht die beiderseits beschriebene Holztafel.

Der Häuptling betrachtet sie, küßt beide Seiten. Kurze Anweisung, eine Frau überreicht ihm einen Holznapf mit Wasser. Den setzt der Häuptling auf seinen nun ebenfalls aneinandergepreßten Oberschenkeln ab, hält die Tafel über den Napf, beginnt das körnige Granulat der Bleistift-Notation vom Holz zu wischen mit nasser Hand, umständlich genau – Noten nur noch geisterhaft eingeprägt im glatten, weichen Holz. Die Fingerkuppen, die Handkante wäscht der Häuptling wiederholt ab im Napfwasser: alles Dunkelgrau muß sich hier sammeln. Auch die Rückseite wird abgewischt.

Als die Tafel fast wieder blank ist, legt er sie auf den Knien ab, hebt das Holzgefäß, trinkt es mit geschlossenen Augen leer. Ludwig beobachtet diesen Vorgang sehr genau. Der Häuptling läßt das Notenwasser des Adagio sostenuto in sich einwirken. Vielleicht entsteht eine sanfte Wärmekugel in seinem Magen, oder – in Afrika eher wünschenswert – eine Kugel von angenehmer Kühle, die sich als Selbstgewißheit ausdehnt im Körper, im Kopf.

Mit plötzlicher Bewegung greift er zu einem Fell, das ein Mann hinter ihm bereithält, reicht es Beethoven. Der nimmt es an mit einer Würde, als erhielte er wiederholt solche Geschenke

Aufbruch am nächsten Morgen. »Klabastert op de Biester!« ruft Beethoven, erleichtert. Also aufsitzen, weiterreiten.

Und was sich wiederholte, wird durch erneute Wiederholung bestätigt: die unregelmäßig in der Savanne verteilten Schirmakazien rücken in der Ferne zu einem Schirmakazien-Wald zusammen, es umgibt sie ein Schirmakazien-Horizont, der löst sich auf in Schirmakazien-Waldgruppen, in einzelne Schirmakazien, die sich vor ihnen wieder zum scheinbar unveränderten Schirmakazien-Horizont formieren. Und fortgesetzt der Eindruck, in ein Feld verstärkter Schwerkraft geraten zu sein, das die gerade Linie ihrer Bewegung einkrümmt, sie hereinlockt in weites Kreisen.

Unter Baumkronen erst Schattenovale, dann Schatten-Ellipsen. Und sie entscheiden sich für einen dieser unablässig ausgetauschten Bäume – der soll wenigstens auffallen durch eine besonders breite Krone. Doch auch die Konturen eines so betonten Baums prägen sich ihrer Erinnerung nicht ein. Damit im Gedächtnis gelöscht auch die Tätigkeiten unter der Schirmakazie, die gewohnten Abläufe: die Pferde entsatteln, von den Lasten befreien, sie versorgen, Holz sammeln, Feuer machen und so weiter – da winkt er schreibend ab.

Er hat in der vergangenen Nacht, und zwar für Stunden, und er hat während dieses Ritts, ebenfalls für Stunden, versucht, Klarheit zu gewinnen über sein Liebesverhältnis mit Charlotte, aber er ist heute nur zum Ergebnis gekommen: Daß er in den Nachtstunden mit dem Denken nicht weitergekommen ist. Dabei bestanden gute Voraussetzungen: er hatte keine Schmerzen, kaum etwas lenkte ihn ab, da war nicht einmal der verpflichtende Gedanke, schlafen zu müssen – er sagte sich, er würde am nächsten Tag schon nicht vor Müdigkeit vom Gaul fallen. Nachdenken unter weitgefächerter Schirmakazie, Nachdenken unter afrikanischem Halbmond, Nachdenken mit Grillen-Grundierung und fernen Hyänen-Akzenten. Er wollte zu einer Erkenntnis kommen, mit dieser Erkenntnis zu einem Ergebnis – dies müßte, sagte er sich, in mehreren Stunden möglich sein. Aber es wiederholte sich nur ständig dieser Ansatz: Wenn unsere Liebe scheitert –. Ja, im Mittelpunkt die Angst, das Liebesverhältnis mit Charlotte könnte scheitern. Wenn diese Liebe scheitert – würde er an nichts mehr glauben, schon gar nicht an große Liebe? Begänne eine innere Eiszeit?

Er versuchte zurückzudenken, systematisch: Was waren die Voraussetzungen dieses Halbsatzes, welche Annahmen, welche Erwartungen, welche Hoffnungen? Er sagte sich: Diese Liebesbeziehung hat bessere Voraussetzungen als viele andere Liebesverhältnisse: Wir beide wissen nach etlichen Erfahrungen, was auf dem Spiele steht – wir haben es als Geschenk empfunden, daß wir uns in vielfacher Hinsicht verstehen – wir sind offen füreinander – wir gehen behutsam miteinander um – wir horchen aufeinander – wir fühlen uns zueinander hingezogen – viele, viele Voraussetzungen …! Wenn wir diese Beziehung dennoch nicht durchhalten, nicht weiterführen können, nicht einmal diese Liebe, solch eine Liebe, dann – ja, was dann? Aber könnte überhaupt denkbar sein, daß solch eine Liebe scheitert? Wie, bei allen klassischen Göttern und afrikanischen Dämonen, sollte das möglich sein? Bei so viel Verstehen und so viel Verständnis – doch Mißverständnisse? Bei so viel Hinhören – doch aneinander vorbeireden? Dieses intensive Gefühl – kann es sich verbrauchen …? sich auflösen …? sich verflüchtigen …?

Wenn unsere Liebe scheitert – dieser halbe oder drittel Satz wie ein Pflock, in den Boden gerammt, und er, hier festgebunden, bewegte sich in den Nachtstunden um und um und um den Pflock herum – kam nicht weiter, kam nicht weiter. Für Stunden, für Stunden: nur die Angst, dieses Liebesverhältnis könnte scheitern. Bei so vielen Möglichkeiten der Verständigung! Bei so genauem Hinhören, Mitdenken! Wie kann solch eine Beziehung scheitern? Er ging von dieser Frage aus, kehrte zu dieser Frage zurück, ging von dieser Frage aus, kehrte zu ihr zurück. Wie ein tödliches Ritornell: Wenn diese Liebe scheitert – Wenn diese Liebe scheitert ... Wenn diese Liebe scheitert!

Aufbrechen zwischen Schirmakazien, unter Schirmakazien hindurchreiten, an Schirmakazien vorbeireiten, unter einer Schirmakazie rasten, die sich von der Schirmakazie des Nachtlagers nicht weiter unterscheidet ... unter Schirmakazien hindurchreiten, an Schirmakazien vorbeireiten, unter einer Schirmakazie lagern, die sich von der Schirmakazie der Mittagsrast nicht weiter unterscheidet ... Also muß er jede halbe Stunde den Kompaß einnorden, und fast immer sind sie ein paar Striche von der Linie ostwärts abgewichen. Er ist sicher: ohne Kompaß würden sie heineingesogen in die weite Kreisbewegung, die sich in ihren Köpfen bildet, hier könnte auch die Beachtung des Sonnenstandes nur notdürftig korrigieren. Und der Dragoman findet in diesem Savannen-Einerlei keine Sichtmarkierungen – auch er verläßt sich auf die Richtungszeichen des Mulatten. So entsteht fast ein Ritual: anhalten, den Kompaß heben, der am Gürtel hängt, auf flacher Hand einnorden, die Linie von der Mitte über die Markierung Ost hinausdenken, und der »Stöpsel« legt ein neues Wegzeichen für Signore maschera und den Schotten.

Beethoven zwischen zwei Schirmakazien, der aufgehenden Sonne zugewendet. Er stellt sich neben ihn, und Ludwig beginnt zu sprechen, ohne den Blick von der rotglühenden, goldglühenden, schließlich weißglühenden Scheibe zu lösen: Diese Sonne ist eins mit der Sonne, die Odysseus über dem Mittelmeer aufsteigen sah, ist eins mit der Sonne, die ein Homer aufgehen sah, ist eins mit der Sonne, die Newton aufsteigen sah, ist eins mit der Sonne, die Immanuel Kant östlich von Königsberg aufgehen sah, ist eins mit der Sonne, die Haydn über ungarischer Ebene aufsteigen sah, ist eins mit der Sonne, die Lodewyk van Beethoven über Flandern aufgehen sah, ist eins mit der Sonne, die Brischdauer senior über dem karibischen Meer aufsteigen sah, ist eins mit der Sonne, die er als Junge aufgehen sah jenseits des Rheins, ist eins mit der Sonne, die vielleicht, die hoffentlich einmal eine Tochter oder ein Sohn von ihm sehen wird ...

Ludwig hat die Augen geschlossen – nur weil die Sonne ihn blendet?

Letzthin, als er über Charlotte sprach, über Spinoza, über Liebe und Freundschaft – er hatte einen Raptus, nen Raptes, nen Rappel – ließ sich hinreißen – hat Charlotte ungerecht behandelt. Denn sie hat ihm sehr genau erklärt, mit wahrhaftig liebevoller Genauigkeit – und er weiß erst seit den Gesprächen mit ihr, was dies ist: liebevolle Genauigkeit – hat ihm klarzumachen versucht, worum es ihr geht, und das hat er über Nacht etwas genauer rekonstruiert.

Es ging und es geht ihr nicht allein darum, das Liebesverhältnis zwischen Ludwig und Charlotte in Freundschaft, ja, zurückzustufen, entscheidend ist: sie will nicht wieder Opfer ihrer Gefühle werden. So ähnlich hat sie das gesagt. Sie möchte endlich ein Leben führen mit klaren Linien, eindeutigen Konturen. Auf diesem Weg versucht er ihr ein paar Schritte, Denkschritte zu folgen, vielleicht hilft das auch ihm etwas weiter – er fühlt sich ebenfalls oft von Gefühlen beherrscht – könnte sein, daß er einen Kant auch deshalb bewundert, weil der in dieser Hinsicht so autonom wirkt – autonom ist, damit souverän – ein Souverän seiner selbst. Das hat Charlotte so beschrieben: Ein Leben führen im hellen, klaren Licht des Verstandes und der Vernunft. Charlotte hat sich – um diesem Ziel näher zu kommen – von einigen Philosophen helfen lassen, vor allem von Spinoza und Kant – Licht des Verstandes, Aura der Vernunft. So wurden diese Textquellen für sie zu Lichtquellen – eine ihrer

Pointen! – die ließen Helligkeit eindringen in ihr wirres, oft verdüstertes Leben. Sie wollte allerdings nicht den Eindruck erwecken, als hätte sie Schriften der beiden Leibphilosophen systematisch studiert – ihre »Lichtquellen« waren meist nur einzelne Sätze – Lehrsätze, die in direktem Sinne zu Leitsätzen werden – Leitsätze von Leitfiguren. Denen war es offenbar gelungen, ein Leben zu führen im Licht des Verstandes, der Vernunft – ein Leben, in dem man nicht hin und her gerissen wird.

Das geht bei ihr wie folgt: sie entscheidet sich, nicht länger mit Christian zu leben – einige Zeit später kehrt er von einer Reise zurück, niedergeschlagen, und während er berichtet, hat er Tränen in den Augen – schon ist bei ihr eine Regung des Mitleids, sie bietet ihm an, fürs erste dazubleiben. Im Licht des Verstandes sagt sie sich später, schonungslos deutlich: Sie beherrscht ihre Gefühle nicht. Beziehungsweise: ihre Gefühle verändern sich unablässig – erst ein Gefühl der Distanzierung – dann ein Gefühl des Mitleids – bald darauf wieder ein Gefühl der Abneigung. Sie kommt sich in ihrem Gefühl »molluskenhaft« vor – sie stellt sich unter einer Molluske ein Lebewesen vor, das dauernd verformt wird, sich ständig selbst verformt – »konfuse Molluske«. Eine ihrer Formulierungen. Ihre Schwester stöhnte manchmal auf, wenn sie ihr erzählte, wie der neueste Stand des Verhältnisses zu Christian war: Nicht auch das noch, bitte …! Sie wagte kaum noch, mit Dorothee darüber zu sprechen. Die Gefühle bewirkten, daß sie sich andauernd inkonsequent verhielt. Als sie nach etlichem Hin und Her ihrer Schwester mitteilte, sie werde nun doch mit Joan nach Afrika reisen, da rief sie: Endlich, endlich! Eine klare, unwiderrufliche Entscheidung …!

Eine ebenso klare Entscheidung für die Zeit nach der Rückkehr: sich zu konzentrieren auf die Erziehung ihrer drei Kinder. Die sollen zu Menschenwesen geformt werden, die ihr Leben im klaren Licht des Verstandes führen, die nicht hin und her gerissen werden – die Leiden des Hin- und Hergerissenwerdens – alles erhält dabei scharfe Konturen, an denen man sich stößt, verletzt – Schmerzen. Sie redete hier nicht in übertragenem Sinne von Schmerzen – in solchen Zeiten oft heftigste Kopfschmerzen – bis zur Betäubung. Nicht nur ihr Verstand will Klarheit, nicht nur ihr Gefühl – ein auch körperliches Verlangen nach Klarheit. Etwas von dieser mühsam errungenen Klarheit möchte sie weitergeben an die Kinder, die sollen innerlich souverän werden, und das geht eben nicht, wenn man von Gefühlen beherrscht wird, die sich andauernd ändern. Sie will nach Europa zurückkehren mit endlich klaren Umrissen, innerlich. Klarheit, Klarheit, Klarheit – sie lechzt danach! Klarheit und Mündigkeit! Innere Souveränität! Denken im Licht des Verstandes, handeln im Licht der Vernunft! Wenn sie dreißig ist, will sie das geschafft haben, spätestens!

Und Beethoven schweigt, minutenlang. Setzt wieder ein, fast flüsterleise. Was sie ihm sagte über Verstand und Vernunft, innere Souveränität – keins von diesen Prinzipien kann es wert sein, daß man einen Menschen, den man gern hat, den man liebt, nicht mehr in die Arme nimmt, daß man den nur noch wie einen Freund behandeln möchte, mit dem man am Tisch sitzt oder auf dem Sofa, und man trinkt Tee und führt eine ›angeregte Unterhaltung‹. Es muß etwas entscheidend anderes dahinterstecken …! Vielleicht sieht sie ihn plötzlich mit anderen Augen – ihr ist klargeworden, daß er achtzehn Jahre älter ist – als sie geboren wurde, war er bereits Familienoberhaupt in Bonn, war Orchestermusiker und Organist – ja, und als ihr dieser Altersunterschied klar wurde, löste sich eine Art Gefühlshülle auf, und was kam zum Vorschein?! Die ersten ›Alterszeichen‹ – graue Haare im schwarzen Gestrüpp … Und überhaupt, sie sieht plötzlich ganz klar sein Gesicht, erschreckend klar? Der Rübenkopf, sein flandrischer Rübenschädel, mit grobem Werkzeug bearbeitet – bitte beachten Sie diese spätflandrische Knollennase, meine Damen und Herren – und der Abstand zwischen Nase und Mund unproportioniert weit – und am Kinn, wenn man es genau betrachtet, wurde unsachgemäß herumgeschnitzt – und das Gesicht, in seiner Oberfläche: als hätte der unbekannte Schädelschnitzer das Messer zuletzt umgedreht und mit dem stumpfen Griffende lauter Dellen reingeschlagen – flämisch-rheinischer Knollekopp, dementsprechend sein Benehmen – und das soll der Mann fürs Leben sein …?!

Ludwig steht reglos. Dann hebt er beide Arme an, waagrecht, in den Ellbogen eingewinkelt, die Hände schlaff herabhängend: Flügelstummel. Er läßt die Arme sinken, wendet sich ab.

Fortsetzung des Ritts zu den Dogons. Bei einer Rast holen Signore maschera und der Schotte das Grüppchen ein: beinah herzliche Begrüßung zwischen Beethoven und dem Maskierten. Der verleiht dem Schiffsjungen das »große Diplom der Spurenleger«, repräsentiert durch eine Silbermünze, die vorerst sicherheitshalber im Gürtel des Schotten bleibt, jederzeit aber »in Augenschein genommen werden kann«.

Das Bild des Reitertrüppchens reproduziert und erweitert. Vorneweg George im Burnus mit einem Beduinen-Kopftuch, das zwar nicht kühlt, aber vor der Savannensonne schützt. Hinter ihm reiten nebeneinander Beethoven und der Maskierte, plaudernd. Die helle Nankinghose des Komponisten rotbraun bestäubt, ebenso die seidene Bundhose des Signore sine nomine. Ludwigs Kopf geschützt vom breitkrempigen Hut; der Maskierte mit einem Sonnenschirm; auf dem Rücken ein Gewehr. Einige Pferdelängen hinter den beiden Higginbotham, er scheint im Reiten halb zu schlafen, schielt aber zuweilen nach rechts, nach links; auf den Oberschenkeln die zweite der Waffen des Herrn Sartorius; auf dem Rücken verzurrt der Dudelsack; von der größten Pfeife baumelt schlaff das Wimpelchen.

Wiederum einige Pferdelängen hinter ihm der Dragoman, im Burnus – vor dem hellen Stoff betont der Kinnbartzopf, der beim Reiten leicht pendelt. Schräg hinter dem Dolmetscher der Schiffsjunge, in Seemannsleinen mit Strohhut, und er führt an langen Zügeln die beiden Saumpferde mit dem zusammengerollten Zelt, mit Topf und Pfanne, mit Wassersäcken, dem kleinen Sack Hirseschrot.

Beethoven schließt im Ritt auf zu George. Er habe noch einmal nachgedacht über das Gespräch, das sie kürzlich geführt hätten, Stichwort Eigenmächtigkeiten des Bruders Karl, Stichwort Mulattensonate. Er kann sich den Vorwurf nicht ersparen, daß er zu sehr vereinfacht hat in seiner Darstellung, und zwar zu Lasten des Bruders, mit dem er sich eigentlich gut versteht. Wenn ihm die Staatskasse, in der er arbeitet, etwas spendiert hätte, wäre Karl bestimmt mit auf die Reise gekommen, die hätte seinen Lungen gutgetan ...

Eigentlich hätte auch Johann mitkommen können, der verdient in seiner Apotheke zu Linz so viel mit den Heereslieferungen, daß er die Reise ohne weiteres hätte bezahlen können. Die Beethoven-Brüder in Afrika: der rothaarige Karl, der schielende Johann, der struppige Ludwig…

Wirklich, so eine gemeinsame Reise würde am ehesten ihrem wahren, ihrem inneren Verhältnis entsprechen. Aber er hätte bei seinen Brüdern mit diesem Thema gar nicht erst anzufangen brauchen – ihre Frauen hätten so eine Unternehmung rigoros verhindert. Sowohl sein Bruder Johann als auch sein Bruder Karl hatten das Unglück, an die falsche Frau zu geraten!

Über die Therese Obermeyer, die der Linzer vor kurzem geheiratet hat, kein Wort. Sie war Haushälterin und zugleich Mätresse, die hat er »gepudert«, und dann mußte er sie eben heiraten – aber welche Grundlage hat so eine Ehe?! Dann die Frau vom Karl! Die ist bekannt dafür, daß sie mit dem Haushaltsgeld nicht umgehen kann, und weil es infolgedessen vorn und hinten nicht reicht, heckt sie ständig Neues aus. Es würde ihn nicht wundern, wenn ihm mal zu Ohren käme, daß Johanna sich von Fremden pudern läßt und dafür Geld nimmt. Ja, die gibt sich in jeder Form Blößen, die Schwägerin Johanna – dieser Name ist wie ein Schwamm vollgesogen mit Fiesereien. Ihr Name müßte gelöscht werden im Verzeichnis der Vornamen, die von Kirchen und Behörden anerkannt werden! Jedenfalls, ihm kommt dieser Name nicht mehr über die Lippen! Höchstens wird er von Frau J. sprechen. Frau Jot – klingt fast wie Frau Lot, nur kürzer. Diese Frau Jot müßte eigentlich vor Gericht gestellt werden in Sachen Bruderraub. Sie hat den Karl in die Falle gelockt – in jene gewisse Falle. Auch das muß einmal klar gesagt werden! Als diese Circe auf der Bildfläche erschien, teilte er mit dem Karl die Dienstwohnung beim Theater an der Wien – und das seit zwei Jahren!

Er hatte für den Karl bereits gesorgt, als der noch Kind war. Schon mit fünfzehn mußte er, wie schon angedeutet, das Familienoberhaupt spielen, weil sein Vater infolge Trunksucht nicht mehr dienstfähig war, und so hat er nicht nur für seine Mutter, sondern auch für seine Brüder gesorgt – Karl ist vier, Johann sechs Jahre jünger … Er hat dem Karl die Einstellung erwirkt bei der Staatskasse, als Praktikant, hat ihn danach zu seinem Sekretär gemacht.

Und kaum hat man sich gut aufeinander eingespielt, kommt dieses Weib namens Jot daher und lockt ihn weg. Leider gibt sie sich damit nicht zufrieden, sie versucht, ihn nach ihrem Bild zu verformen, ihn – ja, das trifft eher zu: ihn zu verunstalten. Es zeigt sich immer deutlicher: sie hat den Karl verleitet und verlockt, die Vertrauensstellung zu mißbrauchen und damit dem guten Namen der Familie zu schaden. Er ist ziemlich sicher: sein Bruder hat, ihren Einflüsterungen erliegend, Werke verkauft, die bewußt nicht ins Werkverzeichnis aufgenommen wurden – mehr und mehr Werke ohne Opuszahl treiben sich in der musikalischen Öffentlichkeit herum, sogar gedruckt! Klaviervariationen über God Save the King, über Rule Britannia – man kann mal so was schreiben, als Freundschaftsdienst oder aus Begeisterung für eine Sache, aber das sind und bleiben Schusterflicken! So was mögen Freunde, gute Bekannte nach Abschriften spielen, doch im Notendruck will er so was nicht sehen! Dennoch, sie werden aus seinen Notenstößen herausgefischt und skrupellos in Druck gegeben – so läuft das! Zu solchem Verhalten konnte den Karl wirklich nur diese Frau verleiten – wie die Schlange hat sie ihm böse Ratschläge zugezischelt mit gespaltener Zunge. So muß das gewesen sein, so und nicht anders. Cherchez la femme! Wenn es der gelungen ist, ihm den Bruder abspenstig zu machen, mit dem er zwei Jahre die Wohnung geteilt hat, wenn sie ihn dazu verleitet hat, sie zu pudern und zu schwängern – das Kind wurde ein halbes Jahr nach der Heirat geboren, was ja wohl alles sagt! – eine Frau, die ihn derart von seinem Lebensweg abbringen konnte, die schaffte es auch, ihn zu fragwürdigen Manipulationen bezüglich der Mulattensonate zu überreden. Er kann sich hier nicht auf Indizien stützen, kann keine Dokumente vorlegen, aber dies alles besitzt für ihn eine zwingende innere Wahrheit.

Damit George das rechte Vertrauen gewinne in die Planung der Rückreise, berichtet ihm der Maskierte halblaut, was er zum Teil noch auf dem Schiff, zumeist jedoch auf der Insel Gorée erfahren hat: Kapitän Flamsteed fährt so rasch von England nach Indien und zurück, daß man teils an himmlische Protektion, teils an einen

Kontrakt mit dem Teufel glaubt. Sein Warenumschlag ist in der Tat unvorstellbar rasch – solange man nicht weiß, wie der abgewickelt wird. Die honorige East Indian Company zu London will bezeichnenderweise nichts über dieses sehr spezielle Verfahren hören, so wird die Loyalität nicht weiter belastet. Aber sie beide, in ihrer Verantwortung für den Maestro, sie sollten in diesem Punkt Bescheid wissen: Die Southern Cross kann nur deshalb in derart kurzer Zeit zum Kap Verde zurückkehren, weil sie gar nicht bis Indien fährt. Dennoch kehrt die Southern Cross zurück mit einer vollen Ladung indischer Waren. Wie das? fragt Signore rhetorisch.

Der mysteriöse Warenaustausch verläuft wie folgt: Kevin »Cargo« Flamsteed zwingt einen niederländischen oder portugiesischen Ostindienfahrer auf Westkurs durch Kanonenschüsse vor den Bug zum Beilegen: dies geschieht südöstlich vom Kap der Guten Hoffnung – nachdem er in Kapstadt optische Geräte aus Genua gewinnbringend verkauft hat. Der gestoppte Ostindienfahrer wird geentert. Selbstverständlich wird diese Aktion unter falscher Flagge durchgeführt: mit der verhaßten Trikolore. Und der Name des Schiffs überdeckt durch ein Schild mit dem französischen Pendant: Croix du Sud. Und an Deck steht nicht Kapitän Flamsteed, sondern »Dirty Harry« Stanhope. Dieser kleine, laute Mann mit der Handspake geistert bereits durch Erzählungen von Seeleuten. Wenn man durch das Fernrohr einen hageren Mann mit Handspake auf dem Oberdeck eines Ostindienfahrers unter französischer Flagge sieht, sollte man auf Widerstand von vornherein verzichten …

Sobald die Mannschaft des geenterten Schiffs kapituliert hat, was meist im Handumdrehen geschieht, tauschen die Seeleute der beiden miteinander vertäuten Schiffe die Ladungen aus. Dabei absolutes Sprechverbot – vorbildlich schweigsam, Handspake in der Rechten, steht der vielumraunte Korsar auf dem Oberdeck; Mister Cargo sitzt indes in der Kajüte, liest. In der Croix du Sud, der Southern Cross wird sämtliche Handelsware des gekaperten Schiffs verstaut: Reis und Gewürze, Salpeter und Indigo, Musselin; die für Indien bestimmten Waren (Glas, Wein, Kleidung) kommen in die Laderäume des geenterten Schiffs. Flamsteed raubt also nur REISE-ZEIT: das gekaperte Schiff muß ein zweites Mal auf dieser Tour nach Indien segeln, die Southern Cross nimmt sofort wieder Kurs auf Kap Verde. Die Trikolore ausgetauscht gegen die Flagge der East Indian Company ...

Je schneller die Southern Cross mit den indischen Waren nach London zurückkehrt, desto höher der Aufschlag für Mister Cargo, für den Offizier, für die Mannschaft: Bonus, zugleich Schweigegeld. Mit jeder dieser märchenhaft raschen Fahrten verstärkt sich die Aureole des Geheimnisvollen um Flamsteed. Dem sagt man sogar nach, er herrsche – zumindest im Umkreis jeweils einiger Seemeilen – über die Elemente: »magic Kevin«. Nur bei Flauten scheint er machtlos. Es gibt – weniger unter moralischen als unter nautischen Aspekten – keinen Kapitän, unter dessen Befehl der Maestro besser, weil sicherer reisen könnte. Er hat sich erlaubt, die Kajüten für die Rückfahrt bereits reservieren zu lassen – schon in wenigen Wochen dürfte die Southern Cross erneut Kap Verde anlaufen, zur Zwischenlandung auf der Heimreise.

George hört sich aufatmen.

»Noch einmal: kein Wort zum Maestro! Er hätte bestimmt Vorurteile gegen die Praktiken des Kapitäns.«

Gerry, der Schiffsjunge, darf inzwischen die Geige selbst aus der Seekiste nehmen, er tut das bedächtig, ernst. Nur George schaut ihm dabei zu, im Schattenoval einer benachbarten Schirmakazie.

Bevor Beethoven die Geigenstunde gibt, die George ihm eingeräumt hat, will er ein Kapitel zu Ende lesen: Anton Reiser. Seiten, über die er mit Charlotte gesprochen hat? Er hockt auf dem Boden, Knie angezogen, Kopf gesenkt. Der afrikanische Kontinent scheint weggedriftet – bewegt er sich mit Reiser durch ein weites nächtliches Kornfeld?

Der Schiffsjunge setzt die Geige senkrecht an, im Schneidersitz, probiert das Spiel mit waagrechtem Bogen.

Unter der nächsten Schirmakazie Signore – er hat die Maske abgenommen, denn er sitzt mit dem Rücken zum Maestro, läßt sich von der Abendbrise umfächeln.

Der dicke Schotte liegt auf dem Rücken, neben einem Stamm, hat den Gürtel ein wenig gelockert; sehr gleichmäßig die Atemzüge. Wiederum unter eigenem Baum der Dragoman, er dröselt den Kinnbartzopf auf, singt dabei halblaut vor sich hin, melancholisches Lied mit vielen Strophen.

Es war ein Tag der Lustlosigkeit in der Schirmakazien-Savanne, im Schirmakazien-Rundhorizont, der nie aufriß. Auch George ist ermüdet. Aufraffen vor jedem Satz, den er ins Reisetagebuch schreibt: kein Sprachdruck einer neuen Wahrnehmung oder Erfahrung. Wie viele Hufschläge an diesem Tag und wie wenige Sätze über diesen Tag. Eigentlich nur Stichworte: Schirmakazie ... Gnu ... Schirmakazie ... Steppengras ... Schirmakazie ... Flötenwürger ... Schirmakazie ... Melancholie ... Solch eine Sequenz von Stichworten als ungefähres Abbild des Tages. Sie hätten genausogut von der Schirmakazie des Nachtbiwaks aufbrechen und in tagesweitem Kreis zu ihr zurückreiten können ...

Der Stöpsel imitiert nun die Spielweise des afrikanischen Sängers, die Geige in Knienähe auf den linken Oberschenkel gestützt, den Bogen waagrecht geführt. Higginbotham schläft. Der Dragoman kämmt den Kinnzopf aus, der nun ein unterarmlanger Bart ist. Ludwig erreicht das Ende des Kapitels, das er unbedingt noch mal lesen wollte, schließt das Buch. Nur zögernd kehrt er nach Afrika zurück, im Schlingerkurs einer irritierten Wahrnehmung, registriert schließlich den Jungen mit der Geige, legt das Buch mit einem Ruck auf den Boden, springt auf – Energie scheint in ihm hochzuschießen mit der Kraft eines artesischen Brunnens. Schon stampft er auf den Jungen los, entreißt ihm die Geige, läßt ihm den Bogen. So was will er nicht hören! So was will er nicht noch einmal sehen! So mag man die Geige in Afrika spielen, er aber lernt das Geigen für Europa! Außerdem wird prinzipiell nicht drauflosgeschrappt, es wird nach Noten gespielt! Und dies in der richtigen Haltung! Also los, aufgestanden, die Geige angesetzt und zur Strafe zwölfmal die Tonleiter, sprossenklar!

Gerry steht auf, Beethoven streckt ihm die Geige hin – fast sieht es so aus, als würde er mit der Geige nach dem Jungen stoßen. Der wirft den Bogen hin, rennt weg. Ihm folgen Rufe, Schreie; Gerry rennt noch schneller zwischen Schirmakazien. Ludwig legt die Geige ab, läuft ebenfalls los, aber nur ein paar Schirmakazien weit, er wird langsamer, bleibt stehen. Seine Befehlsrufe noch lauter, der Junge ist nicht mehr zu sehen.

Klagend kehrt Beethoven zurück: Angst, daß der Stöpsel zu weit wegläuft, daß er die Richtung verliert zwischen den verdammten Schirmakazien, daß ein Skorpion ihn beißt oder eine Schlange, daß ein Leopard oder Löwe ihn anspringt. Er schlägt mit der Faust vor die Stirn.

George verkündet, er werde den Jungen zurückholen – vielleicht ergeben sich damit noch einige Sätze für das Reisetagebuch.

Der Dragoman flicht mit raschen Bewegungen seinen Kinnzopf; der Schotte hat sich aufgerichtet; Signore hat die Maske wieder vorgebunden.

Keine Wahrnehmungen auf diesem Ritt – der Suchblick sortiert Büsche, Vögel, Abendsonne aus. Es bleiben Schirmakazien, Schirmakazien, der Wiederholungszwang ihres Erscheinens.

In der Krone einer Schirmakazie hockt, auf mächtigem Ast, der Junge. Abendvogel – aber der will nicht abheben; Abendfrucht – aber die will nicht herunterfallen. Nachdrückliche Sätze; anbiedernde Sätze: Auch er habe sich auch schon mal über Beethoven geärgert, aber der meine es gut, wirklich. Keine Reaktion.

George reitet zurück. Schirmakazie, Schirmakazie – jede Schirmakazie mit Wiederholungszeichen. Die Reitspur wird nun verdoppelt. Beethoven ist erleichtert, will persönlich den Jungen abholen und ihm gestehen, daß er, Ludwig, sich selbst weh tut, wenn er ihm weh tut.

Ndongmba hört zu, rafft den Burnus, steigt aufs Pferd: Besser, er hole den Jungen ab! Als wäre das so abgesprochen oder verstünde sich von selbst, schwingt sich der Schotte auf sein ungesatteltes Pferd, mit Dudelsack. Zwei Pferdekuppen, zwei Reiterrücken.

Beethoven beklagt, daß er sich hat hinreißen lassen. Immer wieder denkt er, so etwas könnte ihm nicht mehr passieren, und dann platzt es doch wieder aus ihm heraus – diese Erfahrung hätte er sich gern erspart! Friedliche Abendlektüre und schon dieser unheilige Zorn! Wie steht er jetzt wieder da, vor sich selbst, vor George, vor

Signore? Er muß den Eindruck erwecken, als wäre er unbeherrscht wie ein niederländischer Raufbold, wie ein rheinischer Trunkenbold – dabei ist er der verletzlichste Mensch! Wo andere keine Widerstände spüren, dort stößt er sich schmerzhaft, holt sich seelische Wunden. Eigentlich hat er den Jungen gern, sehr gern – warum ist er so hart zu ihm? Wann ist er endlich einmal Herr seiner Gefühle, Herr seiner Sinne? Dreiundvierzig Jahre alt und noch immer den wildesten Schwankungen unterworfen. In der Liebe wird er von Gefühlen beherrscht – Ohnmacht des Verstandes; auch von der Wut wird er zeitweise beherrscht – Ohnmacht der Vernunft. Selbstbeherrschung – wie funktioniert das? Wenn er sich neben einen Nelson oder einen Newton stellt – wie erbärmlich kommt er sich vor: die haben sich bestimmt nicht so hinreißen lassen ...! Er könnte sich ins Gesicht schlagen, mit beiden Fäusten!

Das geschieht nicht, er steht reglos: Bild des Wartens. Auch die anderen Figuren wie erstarrt.

»Aha«, ruft endlich der Maskierte, »sie kommen!« Dudelsackklänge – sie rücken zusammen zu einer Melodie, Sechsachtel-Takt. In Ludwigs Gesicht lösen sich gestreng verspannte Muskeln. Er geht der Musik entgegen, und nun sieht auch George: vor dem Dragoman der Junge, neben ihm reitet der Schotte, spielt weiterhin. George stellt sich zu Ludwig: Keine Vorhaltungen und keine Versprechen bitte! Am besten, du gehst ein paar Schritt zur Seite und kümmerst dich vorerst nicht weiter um ihn. Wird sich alles wieder einrenken ...

Folgsam geht Beethoven weg aus der Bildmitte; weher Blick. Der Schotte spielt einen der drei Rheinischen Tänze, Werk ohne Opuszahl. Der Junge, zwischen Pferdenacken und Kinnzopf, wirkt kleiner als sonst. Während die drei heranreiten, sieht George entwerfend voraus: der Junge wird diese Nacht zwischen Dragoman und Scotsman schlafen.

S tundenlang hat er wach gelegen diese Nacht, berichtet Beethoven, und es hat sich in seinem Kopf etwas nach vorn gearbeitet, das er nicht für sich behalten kann: Charlotte denkt gelegentlich an eine Verbindung, eine sogar dauerhafte Verbindung mit einem Mann ihres Alters. Wäre eigentlich verständlich. Ehemann eins: fünfzehn Jahre älter. Ehemann zwei: gut ein Jahrzehnt älter. Er, Ludwig, beinah zwei Jahrzehnte älter. Der vierte Partner also sollte gleichaltrig sein. Der Betreffende kann sich rasch und leicht einfinden – er sieht das voraus mit leider zwingender Deutlichkeit: alle Schiffe von und nach Indien laufen Kap Verde an, wegen des Trinkwassers, wegen des Proviants, wegen der sexuellen Bedrängnis der Seeleute. Und Charlotte lernt einen jungen Offizier kennen oder einen Offiziersanwärter, das ist womöglich schon geschehen – plötzliche Liebe oder jähes Begehren – sie läßt sich dazu überreden, ihn auf dem Schiff zu besuchen, ihm in die Kajüte zu folgen – Joan hat vorgeführt, wie leicht sich das ergeben kann. Ja, und das Kind, das Ludwigs Kind sein könnte, es wäre später, wie selbstverständlich, das Kind des jungen Offiziers, der sie mitnimmt nach England, dort soll es zur Welt kommen, und es wird nicht den Namen Minona erhalten.

Dies alles wäre, so heißt es, das Natürlichste der Welt. Aber schon dieser Gedanke, diese Vorstellung: wie ein Schlag, wie ein Tritt in den Magen. Ja, er glaubt das körperlich zu spüren – manchmal krümmt er sich ein im Sattelsitz. Was ihn keineswegs aufrichtet: daß er in dieser Hinsicht zuweilen so denkt wie Charlotte. Das bestätigt wieder, quälend genau, wie sehr sie zusammenpassen – auch auf diese sinnverwirrende Weise! So viele Entsprechungen, so viele innere Verbindungen ...! Eine dieser Verbindungen auch im Gedanken, die Liebe etwas leichter zu nehmen. Er macht es sich schwer beim Komponieren – warum unbedingt noch in der Liebe? Warum nicht eine Frau zu sich nehmen, die beschenkt, ohne zu fordern?

Ein Gedanke, mit dem er nur spielt – beinah müßig. Denn er weiß genau: Wenn er mit solch einer Geliebten glücklich wäre – in eingeschränkter, beinah stummer Weise – er würde an Charlotte denken, käme nicht los von den Gedanken an sie. Würde sich ausmalen, dennoch, was er jetzt im Ungefähren sieht: Irgendwann trifft er Charlotte wieder, Jahre später, scheinbarer Zufall, und sie stellen fest, daß sich die Gefühle füreinander nicht verändert haben. So etwas hat er schon einmal erlebt, und George hat es mit Jennifer erlebt, sie teilen also diese Erfahrung, deshalb spricht er auch so offen darüber. Gefühle füreinander können verkapselt sein, über Jahre hinweg, und es genügt eine zärtliche Berührung, genügt ein Seufzer, schon sind die Gefühle wieder in Kopf und Herz.

Mit plötzlicher Bewegung zückt Ludwig das Brillenkästchen: Afrika wieder klar sehen ...!

Doch die Augen dann hinter den Gläsern: tränenverschleiert. Als sei eine Erklärung dafür nötig: Alles geht durcheinander – er reitet ostwärts, denkt westwärts – sie reiste südwärts, denkt nordwärts, denkt hoffentlich auch ostwärts – im Schnittpunkt dieser Linien das Phantom des jungen Mannes. Am liebsten würde er jetzt in voller Sehschärfe eine Gefahr entdecken, die ihn ablenkt von der Misere.

Ritt ohne Ereignisse. Beethoven stumm, sogar der Maskierte; am Ende des kleinen Trupps unterhalten sich Schotte und Schiffsjunge mit Rätseln.

Und George: hinter halb geschlossenen Augen sieht er den Sänger, den er als Großvater ›adoptiert‹ hat, und der singt, eine Geige spielend, die er auf den Oberschenkel stützt. George fragt sich, jäh: Warum schreibt er sich diese Rolle nicht selbst auf den Leib?! Schon mit dieser Frage sieht er sich auf kleinem Bühnenpodest hocken in einem Burnus, auf dem linken Oberschenkel senkrecht eine Geige, und er führt waagrecht den Bogen – das würde bei ihm, G.A.P. Odongo Bridgetower, doch wohl besonders suggestiv wirken. Und in rhythmischer Phrasierung erzählt er, singt er, wie sein Großvater, als der noch Junge war, Hirse schnitt, die Hirsestauden größer als er selbst, er hieb sie überm Boden um, hackte ihre Spitzen ab, schlug sie in der Mitte durch und weiter, gleich die nächste Staude, und Fliegen dicht auf seiner Haut, die Hände und die Füße schwärend, doch weiter, weiter, schwang das Messer – und begann zu singen.

Er müsse nun doch einmal eine Frage loswerden, sagt Beethoven zum Maskierten während der Fortsetzung des Ritts, eine Frage, die er ihm bitte nicht verübeln möge: Ob auch er mit dieser Reise die Absicht verbinde, ein Buch zu schreiben?

Der Maskierte verneint; nicht einmal Schreibzeug hat er mitgenommen. Denn er weiß, ihm wird nach der Reise nicht mehr viel Lebenszeit bleiben – noch zwei, drei Jährchen, mehr werden es kaum sein. In dieser Frist könnte er nicht mehr ausführen, was er unterwegs notiert hätte; jedenfalls wäre das nicht mehr möglich mit der Ausführlichkeit und Eindringlichkeit, die dem Sujet entspräche. Er ist zwar erst 58, doch er spürt bis in die Knochen: seine Lebenskraft ist verbraucht. Er will hier auf dem Pferderücken keine Lebensbeichte ablegen, doch andeuten muß er zumindest: Er hat ein intensives Leben geführt und ein exzessives. Es traf bei ihm zu das bekannte, immer noch brauchbare Bild von der Kerze, die an beiden Seiten brennt. Nun ist nicht mehr viel Docht und Wachs zwischen den Enden. Er ist nach Afrika gekommen mit dem Bewußtsein, daß sich dieser Prozeß noch beschleunigen wird: erwärmtes Wachs brennt rascher weg. Doch er empfindet keine Reue über dieses beschleunigte Schwinden von Lebenszeit: dieser Verlust wurde aufgewogen durch Gewinn. Um es wenigstens anzudeuten: weil er sich stets zu seinem exzessiven Leben bekannt hat, ist er zuweilen als Zyniker bezeichnet worden; dieses Wort ging ihm nach, von diesem Wort mußte er loskommen, und er ist sicher, jedenfalls vor sich selbst: mit dieser Reise ist ihm das gelungen. Und: er hat mit sich, vor allem auf dem Schiff, Erfahrungen gemacht, für die er sich vorher nicht disponiert glaubte, er hat sich zuweilen auf neue Weise erlebt.

Dougall »Tootie« Higginbotham fordert Aufmerksamkeit: steht als erster der kleinen Gruppe auf, bürstet seine Kleidung aus, bürstet sogar den Fellsack seines Instruments. Als sie den Morgen-Hirsebrei gelöffelt haben, baut sich Dougall vor ihnen auf, im Schottenrock, doch ohne Wollstrümpfe, spielt den ersten der drei Rheinischen Tänze, legt den Dudelsack auf den Boden, ruft: »Post-office is open now«, zieht aus dem breiten Gürtel zwei Briefe mit Knickspuren. Hiermit erfülle er pünktlich den Auftrag, die Briefe drei Tage nach dem Zusammentreffen auszuhändigen. Den dickeren Umschlag reicht er Beethoven, den dünneren erhält George.

Beethoven ist blaß geworden, das Blut scheint selbst aus den Pockennarben gewichen. Die leergesogenen Lippen preßt er auf den Umschlag, legt den vor sich ab, betrachtet ihn. Der Schotte schließt den Gürtelspalt: »Post-office is closed, Bank of Scotland is closed.« Und er hebt den Dudelsack auf, spielt, auf der Stelle stampfend, den zweiten der Rheinischen Tänze. Beethoven, wie in Trance, hat den Umschlag wieder in die Hand genommen – er scheint Higginbotham trotz Körpervolumen und Klangfülle nicht wahrzunehmen, sein Blick nach innen verspiegelt, die Ohren wie verschlossen mit dem Wachs des Odysseus. Schließlich geht er weg, als bewege er sich im Schlaf, kehrt nach ein paar Schritten um, nimmt aus dem Reisebündel das Kästchen mit Brille, setzt sie auf, geht zu einer Schirmakazie. Mit einer langen Fermate beendet der Schotte das Morgenkonzert. Da hat sich Beethoven ihren Blicken schon entzogen.

Nun erst öffnet George den Brief – er hat an der Aufschrift erkannt, was die Unterschrift bestätigt: Zeilen von Johanna. »Dear George! This is no comment to her letter. Only one sentence: the thoughts and feelings of my niece are very different from mine. So Louis and you will be very welcome. Sincerely yours – Joan.«

Warum hat sie für diese Zeilen ihr Englisch bemüht? Wollte sie sicher sein, daß Beethoven diese Mitteilung nicht lesen, verstehen kann? Drei Zeilen könnte ein neugieriger Seitenblick leicht erfassen ... »The thoughts and feelings« – er nimmt sich vor, den kleinen Brief als Entwurf zu betrachten, ihn umzuschreiben für das Reisebuch. Er faltet den Brief zusammen, steckt ihn in seine Ledertasche mit Aufzeichnungen.

Muß er im geplanten Reisebuch genau, peinlich genau beschreiben, wie er auf Ludwigs Rückkehr wartet? Wie er ihn anschaut, prüfend? Das schiene ihm so indiskret, so zudringlich, als starre er einer Frau ins Gesicht, die mit offenem Mund neben ihm schläft – oder hat er das schon mal geschrieben? Falls noch nicht: dies erschiene ihm als gemeinste, rücksichtsloseste Form des Eindringens. Also will er nicht forschend in Ludwigs Gesicht blicken – Zeichen einer Verwundung ablesen …?!

Er gibt dem Schotten – mit Einverständnis des Maskierten – den Auftrag, an diesem Tag in Beethovens Nähe zu bleiben. Dem Komponisten notfalls diskret helfen, die Augen für ihn offenhalten …

Am nächsten Morgen bringt er Ludwig den Wasserkrug – er trinkt gierig wie ein Kind. Absetzen, Ächzen … Keine gute Nacht gehabt: Grollen, Kollern, Rumpeln im Gedärm – Schmerzen im Unterleib – eine Kolik. Ludwig scheint sich einzukrümmen – Erinnerungsschmerz? Er schließt die Augen.

Was George nun hört, nimmt Ludwig bestimmt nicht wahr: afrikanische Vogelpfiffe, afrikanisches Grillenzirpen, afrikanische Hyänenrufe, afrikanische Elefantenschreie, in der Ferne.

Er gibt Ludwig wieder zu trinken – winzige Risse in den Lippen?

Als er den Brief überflogen hatte: Lähmung im Hirn, Stocken des Herzschlags, Schmerz. Dieser Schmerz nicht erst im Kopf, dann in der Brust, danach im Bauch – vierfach gleichzeitiger Fausthieb ins Hirn, ins Herz, in die Lunge, in den Magen. Im Reflex vergeblicher Abwehr hebt er die Hände, läßt sie wieder sinken. Leichtes Einkrümmen des Körpers. Noch jetzt, während er davon spricht, bläht sich sein Herz, drückt zugleich eine Faust aufs Herz.

Wieder Schweigen. Dann: Was er vergangene Nacht dachte, das hat er früher schon gedacht, das wurde bloß noch im Kreis umhergetrieben. Er lag und lauschte: wieviel Wind auf der Welt, vor allem Nachtwind … Wie lang solch eine Nacht, und mit wie wenigen Worten läßt sie sich abtun: Schlaflosigkeit … Denken im Kreis … Die Liebe gescheitert, ausgerechnet diese Liebe gescheitert! Warum können sich zwei Menschen, die füreinander offene Ohren und offene Augen und offene Hände und offene Herzen haben, warum können die nicht alles beiseite schieben, was zwischen ihnen ist, was gegen sie ist? Er fühlt sich vom Unglück dieses Mißlingens, dieses Scheiterns wie leergesogen. Ein paarmal der Gedanke, auszulöschen, was noch übriggeblieben ist, es ist sowieso nur wenig. Sich in einen Wasserfall stürzen und im Aufschäumen verschwinden. Oder die Vorstellung, Pfeile und Speere würden ihn durchbohren, von vorn wie von hinten, die Spitzen vergiftet.

Damit George nachvollziehen kann, was geschehen ist, doch ein paar Andeutungen zum Brief. Der ist im Grundton liebevoll, im Ergebnis grausam. Freundschaft – wieder dieser entsetzliche Begriff, nach wie vor will sie auf Freundschaft hinaus, aber jetzt schon mit allerlei Vorkehrungen, Einschränkungen. Er wird, betonte sie, mit seinem Freund willkommen sein nach der Rückkehr von den Dogons, vor der Heimreise, aber sie beide, Charlotte und Ludwig, werden sich auf Distanz halten müssen. Es darf nicht wieder so weit kommen, daß sie gemeinsam musizieren, über Anton Reiser und über Odysseus sprechen, sich Lebens- und Liebeserfahrungen mitteilen – da würden sie sich nur wieder aneinander gewöhnen wie auf dem Schiff, und sie hätte bald kein Heilmittel mehr für ihre Gefühle ihm gegenüber. Deshalb müssen sie ständig den Abschied an-ti-zi-pieren; dieser Abschied darf kein schmerzliches Losreißen sein. Wie könnte sie sonst die restliche Zeit in Afrika aushalten, ohne die Chance, über Monate hinaus, mit ihm sprechen zu können oder ganz einfach mit ihm beisammenzusein? Das Abschiedsgeschenk, um das sie ihn bittet: Distanz, Distanz, Distanz. Je weniger – und je kürzer jeweils – sie sich sehen werden in der Zeit seines zweiten Aufenthalts auf dem Odongo-Hügel, desto leichter wird ihnen beiden der unausweichliche Abschied fallen, der eine endgültige Trennung sein muß.

Endgültige Trennung! Als er diese beiden Wörter las, beim ersten schweifenden oder eher zuckenden Blick über die aufgefalteten Briefseiten – der vierfach gleichzeitige Faustschlag! Und der Schmerz blieb in den ersten Stunden, dann so etwas wie innere Lähmung, fast den ganzen Tag über – er ritt dahin, als wäre die Seele aus dem Körper entflohen – Ritt einer sterblichen Hülle.

Was ihn wieder belebte, gestern abend, für kurze Zeit: Wut! Nicht Wut über den Inhalt des Briefes, sondern über die Umstände seiner Übermittlung: sie hat sich ihm gegenüber berechnend verhalten, also kühl. Ihm erst nach insgesamt acht Tagen Ritt den Brief überreichen lassen, damit er nicht kehrtmachen und auf einem Gespräch bestehen kann! Nach diesen immerhin acht Tagen, so wird sie weiter gedacht haben, werden sie den Ritt bestimmt fortsetzen – um so mehr Zeit, in der auch innere Distanz entstehen kann; vielleicht kehrt er schließlich nicht einmal mehr als Freund zurück, nur noch als guter Bekannter.

Wie hat sie sich so etwas zurechtlegen können …? Als sie Abschied nahmen auf ihrem Wägelchen, nach dem kleinen Ritual mit dem Amulett – zu dieser Zeit war der Brief bestimmt schon vorgeplant! Wo bleiben ihre Wünsche, ihre Sehnsüchte? Nichts mehr davon? Statt dessen diese Briefaktion!

Er preßt die Hände vors Gesicht. Behaarte Handrücken, Finger mit breiten Kuppen.

George wendet sich ab, verläßt den langgezogenen Morgenschatten der Schirmakazie, schaut erst nach hundert Schritten zurück: der auf dem Boden hockende Mann hält weiter die Hände vors Gesicht. Die Figur wird noch kleiner, Schirmakazien rücken ins Blickfeld.

Fortsetzung des Ritts, in verkleinerter Gruppe: der Maskierte und sein Schotte folgen außerhalb Sicht- und Hörweite. Denn Beethoven ist heftig geworden: Der Schotte soll ihm aus den Augen …! Jaja, das mag ungerecht sein, der Bote ist nicht schuld an der Botschaft, doch er *kann* diesen Mann vorerst nicht sehen! Distanz, Distanz, Distanz …!

Beethoven schweigt während des langsamen Ritts ostwärts, schweigt mit Ingrimm. Dann winkt er George zu sich heran, mit beinah herrischer Geste.

Erst als sie auf gleicher Höhe reiten, beginnt Beethoven zu sprechen: Er hat sich bei der Frage ertappt, warum er sich den Hintern wundreiten soll auf dem Weg zu den Dogons. Selbstverständlich: George hatte sich in Brighton, sie hatten sich gemeinsam in Wien und ein letztes Mal in Genua vorgenommen, sie reiten vom Kap Verde zu den Dogons – eine derart weite Reise muß ein klares Ziel haben, aber eigentlich, wenn er so recht in sich hineinhorcht, eigentlich können ihm die Dogons gestohlen bleiben, mitsamt der Steilwand, in der sie sich eingenistet haben. Tut ihm leid, das so auszusprechen, es ist den Dogons gegenüber nicht sehr freundlich, aber: man verfährt ja auch nicht gerade freundlich mit ihm.

Und Beethoven fragt, nach kurzem Schweigen, ob man es nicht so ähnlich machen könnte wie Käptn Flämmtitsch, der das Reiseziel Indien schon an der Südspitze Afrikas erreicht, und trotzdem bringt er indische Waren nach London? Muß er dafür persönlich in Indien gewesen sein mit kompletter Mannschaft? Strenggenommen eine krumme Tour, aber was spräche dagegen, dieses Verfahren zu übernehmen, modifiziert? Nach allem, was sie bereits gesehen haben, könnte George in seinem geplanten Reisebuch von den Dogons genauso bunt erzählen, als wären sie bei den Dogons gewesen. Und auch sie würden Zeit gewinnen, viel Zeit …

George fragt, woher Ludwig weiß, wie Captain Cargo an seinen Spitznamen gekommen ist.

Der Stöpsel hat es erzählt, mit ansteckender Begeisterung.

»Und warum willst du zurück?«

Der Brief von Joan – soweit George ihm den Inhalt anvertraut hat – dieser Brief läßt doch wieder ein klein wenig Hoffnung zu. Demnach werden Gespräche nicht ganz ausgeschlossen sein. Und selbst ein Gespräch mit Charlotte, das ihn noch einmal bodenlos traurig stimmte – besser unglücklich mit ihr als unglücklicherweise völlig ohne sie …

Mit diesen Sätzen wird die Rückkehr eingeleitet – allerdings nicht als Kehrtwende, sie holen zu einem Bogen nordwärts aus. Kleiner Kompromiß, den George mit Ludwig aushandelt.

Dieser Bogen führt durch eine Wüstenregion, die etwa den Durchmesser einer Tagesreise hat. Wüstensenke, Wüstenpfanne.

Und damit: Bewegung in erstarrter Weite. Keine Bäume, keine Büsche, nicht einmal krautiges Gestrüpp, struppiges Kraut. Nur Felsbrocken, Steingeröll, grobkörniger Sand, der sich nicht zu Dünen formen läßt: Steinwüste. Zuweilen ein Hügel, ein Felsrücken. Weite der Wüste, Weite des Schweigens.

Er fragt sich beinah ständig, wo zum Teufel der eigentliche Grund für Charlottes Brief liegen könnte, Stichwort »endgültige Trennung«. Beethoven reitet wieder dicht neben George, will leise sprechen. Zwischen Charlotte und ihm ist nichts derart Gravierendes geschehen, daß sie solch eine Folgerung hätte ziehen müssen – da war nicht mal ein Streit. Also muß der Grund woanders liegen. Und ihm ist deutlich geworden, in dieser verdammten Wüste: er steht zwischen ihr und ihrem Mann. Beziehungsweise: weil sie zu Christian zurück will, schiebt sie Ludwig zur Seite – ganz einfacher, brutal einfacher Vorgang ...!

Der Beweis: ihr Plan, auf der Rückreise den Umweg über Genf zu machen, sich dort mit ihrem Mann zu treffen. Selbstverständlich wird es einiges zu besprechen geben wegen der Kinder, wegen der Galerie, aber der Hauptgrund ist offenbar, daß sie ihm berichten soll über Verhaltensformen afrikanischer Kinder – jedenfalls hat sie das angedeutet. Offen bleibt, was sie vom Schmock zu Genf nach diesem Bericht erwartet. Daß er diverse Beobachtungen auf einen Nenner bringt ...? Daß er die große Formel entwickelt ...? Ausgerechnet der Mann, der für eine läppische Flugschrift Jahre braucht?! Alles nur Vorwand, um mit dem Herrn von Treppwitz im Gespräch zu bleiben! Damit wiederum die Frage: Warum will sie sich nach der Zeit in Afrika erneut in den Bereich der Schwerkraft dieses Mannes begeben – um das im Geiste Newtons zu sagen? Sie riß sich von diesem schlesischen Pimock los und denkt an ihn zurück. Trotz ihres illuminierten Gehirns – sie hat sich allerlei vorgemacht auf der Reise! Und nun sieht sie ihre vertrackte Situation offenbar so: sie muß Abstand schaffen, damit wieder Nähe entstehen kann. Auf dem Umweg über Afrika wollte, will sie zu diesem Kerl zurückfinden. Weil sie sich darüber klargeworden ist, steht ihr Ludwig im Weg. Ja, das Postulat der »endgültigen Trennung« ist der Beweis dafür, daß sie sich von Christian nicht definitiv trennen will. Und weshalb nicht?! Diese Frage ist wie ein sperriger Fremdkörper, um diesen Fremdkörper herum tobt es im Kopf – vergebliche Anstrengungen – nicht einmal mit Zorn kriegt er diesen Fremdkörper zerbröselt!

Kampfrufe in hoher Schwingung! Ein halbes Dutzend Reiter mit Schwertern, Lanzen, Pistolen hinter einem Felsrücken hervor! Schon sind die vier umzingelt, werden von den Pferden gerissen, wird auf sie eingeschlagen, werden ihnen die Schuhe von den Füßen, die Hosen vom Leib gezerrt – bloß die Hemden bleiben ihnen.

Wie sie aus der Wüste herausfinden, das ist den durcheinanderschreienden, zuschlagenden Wüstensöhnen gleichgültig, da helfen alle Bitten nichts, auch nicht die Hinweise auf das geringe Alter des Jungen, auf die besondere Bedeutung des schwarzhaarigen Reisenden. Alles soll weggeführt werden: die Reitpferde und die Saumtiere mit Zelt, Reisebündel und Seekiste, mit Wasserschläuchen und dem Sack Hirseschrot.

Während des Gebrülls und Getümmels, des Flehens und Fluchens fährt es wie eine Kanonenkugel, eine Zweihundertpfünder-Kanonenkugel in das Gewirr, der Schotte ist unbemerkt herangaloppiert, beide Schwerter schlägt er mit den Breitseiten an Räuberstirnen, Räuberschläfen. Stürze von Pferden: der Maskierte steht an einem Felsklotz und schießt, ein Pferd bricht zusammen, das Gewehr gewechselt, ein weiterer Räuber stürzt aus dem Sattel. Der Schotte kassiert Waffen ein mit gälischem Kampfgeschrei. Und Befehlsrufe des Maskierten, österreichisch-schlesisch, aber der Ton wird verstanden, hier ist der Spielraum der Auslegung gering, der Schotte weiter in Bewegung, seine Schwertklingen klatschen vor Stirnflächen, sobald man versucht, sich wieder zu erheben, und reglos wie eine Statue der Maskierte, der mit professioneller Geschwindigkeit die beiden Gewehre des Herrn Sartorius nachlädt, schon ist ein zweites Pferd niedergestreckt. Von Befehlsrufen dirigiert, von wirbelnden Schwertern gelenkt, beginnt der ungeordnete Rückzug des Räubertrupps, nachdem George und der Dragoman geprüft haben, ob wirklich alles zurückgelassen wurde. Die Räuber ziehen dahin, ohne Waffen, ohne Pferde.

Erst als der Trupp verschwunden ist, wird ihnen bewußt, daß sie gerettet sind: der bisher betäubende Wirbel von Aktionen. Beethoven geht auf den Schotten zu, umarmt den heftig keuchenden Leib, geht dann, noch barfuß, zum Maskierten, der herangekommen ist, preßt ihn an sich mit beiden Armen. Erst nach mehrfachem Nicken kann er den Dank auch aussprechen.

Verschnaufpause. Die zurückeroberten Kleidungsstücke anziehen, den zerstreuten Besitz einsammeln, die Beutepferde an die Saumtiere koppeln. Durch diese Tätigkeiten auch die kleine Lähmung überwinden, die mit Schreck und Angst vom Kopf in die Glieder gefahren ist. Besonders agil der Schiffsjunge – während des Überfalls in einem großäugigen Zustand der Erstarrung; auf Gefahren zur See war er vorbereitet durch Erzählungen, hier aber geschah das völlig Überraschende.

Der Maskierte spricht Higginbotham formell Dank und Anerkennung aus; der Schotte gratuliert zur Zielsicherheit. Und: Geier sollen die beiden toten Pferde fressen …!

Als das Grüppchen wieder aussieht wie vor dem Überfall, faßt der Maskierte den Maestro am linken Ellbogen, George am rechten, geht mit ihnen auf und ab. Er bittet um Verständnis dafür, daß er ihnen so dicht, ja fast auf den Fersen gefolgt ist, aber: daß sie überfallen würden, war nicht nur wahrscheinlich, es war beinah sicher. Bei gemeinsamem Ritt mit ihm und vor allem mit dem Schotten wären sie – vor allem nach dessen demonstrativen Baumwürfen – vor dieser Erfahrung wohl bewahrt worden. Es war aber auf Beethovens ausdrücklichen Wunsch Distanz eingehalten worden – die hatte er, Signore, allerdings eigenmächtig verkürzt, und das hat sich als richtig erwiesen. Diesem Überfall wird kein zweiter folgen – noch nie hat der Maskierte gelesen, daß jemand zweimal andere Personen aus der gleichen Gefahr rettet, und die Wirklichkeit hält sich zuweilen an das Abbild, das von ihr hergestellt wird. So könne er nun beruhigt Abschied nehmen, um mit Higginbotham vorauszureiten zum Kap Verde. Am einfachsten wäre freilich, sie würden nun gemeinsam umkehren – nicht weil er andere Gefahren befürchte oder gar wittre, sondern weil es, ganz einfach, kurzweiliger sein dürfte. Und alle im Haus am Kap hätten Verständnis: spontane Rückkehr nach dem Überfall …

George antwortet auch im Namen Ludwigs. Den Plan, zu den Dogons zu reiten, haben sie – mehr oder weniger spontan – aufgegeben. Aber nun auf kürzestem Weg zum Kap zurückzukehren, dies erschiene ihnen allzu verfrüht. Das sähe fast nach Flucht aus, zumindest nach Verzagen. In das Verständnis für ihren Entschluß zur raschen Rückkehr würde sich auch Mitleid mischen: so weit angereist und so wenig von Afrika gesehen ...

Dies sei der eine Aspekt. Dann dürfe er hier auch mal für sich sprechen: ihm fehle noch die afrikanische Erfüllung. Oder: das Erlebnis, das ihn zum Afrikaner macht – er hat dazu bereits ziemlich genaue Vorstellungen entwickelt, die müssen eingelöst werden. Und er bittet Ludwig, ihm noch die Chance zur Erfüllung zu gewähren. Wenn sie dann innerlich bereit sind zur Umkehr, werden sie auf kürzestem Weg zurückkreiten ans Kap, werden dort auf die Southern Cross warten, die in absehbarem Zeitraum zurückkehren dürfte – nach den Informationen von Signore. »Also, mit dem Vorschlag einverstanden, Louis?«

»D'accord ...«

Dann, sagt der Maskierte, dürfe er vom Maestro Abschied nehmen. Er bitte um Verständnis dafür, daß er dieses Adieu ein wenig ausgestalte, auch wenn es nur vorläufig sei, sie werden ja, aller Voraussicht und Planung nach, auf demselben Ostindienfahrer heimkehren. Aber zuvor will er sich noch ein wenig selbständig machen – er möchte Afrika nicht nur sehen mit Blick oder Seitenblick auf den verehrten Maestro. Außerdem wartet auf der Insel Gorée die junge Schwarze auf ihn, und dies, wie er hofft, ungeduldig. Und er möchte wieder die Bougainvillea riechen, die fast die gesamte Fassade des Hauses bedeckt ... Der Maskierte saugt Luft ein, entläßt sie mit einem Seufzer.

George löst sich aus dem sanften Ellbogengriff, dankt, geht zum Grüppchen. Dragoman und Schiffsjunge nehmen Sättel und Zügel von den beiden toten Pferden.

Signore möchte dem Maestro noch mitteilen, was ihm sehr am Herzen liegt. Es war dem hochverehrten Meister in der ersten Zeit verständlicherweise äußerst schwergefallen, ihn richtig einzuschätzen, einzuordnen – die Maske führte zu Fehlschlüssen, Fehleinschätzungen, begründet durch etliche in Wien leider unausweichliche Erfahrungen. Ohne die Maske wäre es gleich am Beginn der Reise zu einer erneuten heftigen Konfrontation gekommen, die all seine Pläne zunichte gemacht, all seine Hoffnungen zerstört hätte – und die standen und stehen nur unter *einem* Zeichen: dem der Versöhnung. Diese Maskerade wiederum, darüber war er sich im klaren, konnte zur Erschwernis werden auf diesem Weg zur Versöhnung, doch er fand keine andere Möglichkeit. Nun steht er ganz dicht vor dem Moment, auf den all seine Gedanken und Hoffnungen fixiert waren während der Meeresreise und nun hier in Afrika.

Er kniet nieder – auf einem Knie, wie bei einem Festakt oder auf einer Bühne. Und er senkt, erwartungsvoll oder ergeben, den Kopf.

Nun macht Beethoven zwei Schritte auf ihn zu, streckt den rechten Arm vor, legt die Hand auf die Schulter des Maskierten. Mit jähem Kopfdrehen küßt er die breite Hand. Beethoven, Tränen in den Augen, streicht über das ausgedünnte rotblonde Haar. »Werter Fürst – liebster Karl!« Und er löst den Knoten der Maskenschnüre, schlenkert die Stoffmaske beiseite. Der Kniende drückt das Gesicht an Beethovens Hüfte; zuckender Rücken. Beethoven beugt sich vor, sagt Dank für alle Hilfe, Unterstützung, diesen Dank wird er auf dem Schiff und in Wien offiziell wiederholen. Der Rücken des Fürsten wird ruhiger, er steht auf, wieder umarmen sich die beiden Männer. Und Beethoven gibt ihm einen Kuß auf das nasse linke Auge, einen Kuß auf das nasse rechte Auge. Lichnowsky reißt sich los.

Beschleunigt die üblichen Abläufe eines Aufbruchs …! Der Schotte führt das gesattelte Pferd vor, Fürst Lichnowsky sitzt auf, der Schotte wälzt sich in den Sattel seines Pferds, die beiden reiten los, winkend.

Beethoven setzt an zu einer Bewegung, als wolle er ihnen ein paar Schritte folgen, doch es bleibt bei einem Hochschlenkern des Arms. Der Schotte bläst den Fellsack prall, spielt ein beschwingtes Hochlandlied, dem Beethoven und George und der Dragoman und der Stöpsel nachlauschen. In der klaren afrikanischen Luft, in der Windstille trägt der Klang sehr weit.

Sobald man die beiden Reiter nicht mehr sieht, setzt sich das Trüppchen in Bewegung, nordwärts. Reitend lauschen sie. Als erster hört Beethoven nicht mehr die Dudelsackmelodie, dann der Dragoman, danach George; für den Jungen scheint eine Strophe mehr gespielt zu werden, bis er mit kleinem Nicken signalisiert: Ende des Lieds.

L eih mir dein Ohr, ich muß etwas beichten.« Sehr geheime Gedanken – so tief in ihm verborgen, daß er sie jetzt erst aufspürt. Er muß sie George verraten, damit der nicht seinen Umriß verliert vor lauter Mitleid – schmelzender Mohr ... Lachgeräusch – wie das Aufplatzen einer großen, schwarzen Ginsterschote. Noch dumpfer Schmerz über die »endgültige Trennung«, aber nun auch ein Gefühl der ... Ein Wort, zur Seite gesprochen, so leise, daß George um Wiederholung bitten muß: »Erleichterung«.

Ja, sagt Beethoven, ein schimpfliches, schändliches, schmähliches Gefühl der Erleichterung ...! Das wollte er gar nicht erst in sich aufkommen lassen, doch es arbeitete sich wie Wasser durch Gestein.

Erleichterung vor allem, weil er nie mehr Gedanken verschwenden muß an den Pimock! Wieviel Zeit war in den letzten Wochen draufgegangen mit nutzlosen Spekulationen über die Rolle, die der Schlesier für Charlotte spielt und welche Rückwirkungen das hat oder haben könnte auf ihn selbst. Andauernd mußte er zu diesem Christian hinüberschielen – er kam sich schon vor wie sein Bruder Johann, der Apotheker – ein Auge nach vorn gerichtet, eins nach steuerbord. Ja, er mußte ständig mit im Auge behalten, was der Pimock für sie bedeutete! Aber nun sagt er sich: Wenn Charlotte sich so gern von ihm kujonieren läßt, soll sie so bald wie möglich nach Genf reisen, sich ihm zu Füßen werfen: Hier bin ich wieder, mach mich fertig! Ihn wird das nicht mehr belasten. Er hat jetzt endlich den Kopf wieder frei. Seit Wochen hat diese Frau seinen Kopf beherrscht – mächtiger Magnet, der alle Kraftlinien – Newton könnte das besser beschreiben. Jedenfalls, dieser Magnet hat plötzlich alle Kraft verloren – er kann seine Gedanken wieder ordnen.

Er sitzt reglos. Betrachtet sein Gehirn nun die neuen, freien Gedankenmuster? Doch bald setzt er wieder ein, heiser. »Damit du nicht denkst, hier wäre nun die Wahrheit mit Händen zu greifen –« Er unterbricht sich, starrt vor sich hin. Diese »endgültige Trennung« von der Frau, die er liebte, immer noch liebt, mit allen Hirnfasern, Herzfasern, Körperfasern – es ist, als wäre etwas aus ihm herausgerissen, herausgeschnitten worden ...!

Er scheint in die Ebene hinauszulauschen. »Was war das jetzt?!« Bevor George das Tier benennen kann, steht Ludwig auf. »Geschwind weiter!« Wenn er in Bewegung bleibt, wächst die Wunde eher zu!

Ebene, von Mimosenbüschen bedeckt und vor ihnen drei hochstämmige Giraffenbäume mit weiten Kronen. In denen kauern Schwarze, melden das Nahen des Grüppchens. Aber das ist so klein, daß man nicht von den Bäumen steigt, zu den Waffen greift.

Ein paar Mann kommen ihnen gelassen entgegen, verharren stumm, sobald sie voreinander stehen, mustern den weißen und den braunen Mann, den Begleiter, den Schiffsjungen. George läßt den Dolmetscher mitteilen, er sei Prinz der Kleinen Antillen, der Weiße sei König im Reich der Töne. Einer der Schwarzen scheint das zu schlucken, läuft voraus zum Bericht.

Sie folgen ihm. Bald sind sie auf weiter, freier Fläche: die drei Giraffenbäume und hinter ihnen Rundhütten mit sanft angewinkelten Kegeldächern. Unter dem mittleren und höchsten Baum der Häuptling auf einem fellbezogenen Bänkchen: Knitter- und Faltenmann mit schief gehaltenem Kopf. Nichts Löwenhaftes an diesem Alten, auch wenn er, wie sich beim Aufstehen zeigt, auf einem Löwenfell sitzt – es ist abgewetzt. Auch der Häuptling wirkt abgewetzt: sein graues Kraushaar kurz, die Augen trübe, die Wangen eingefallen, das Kinnbärtchen wie zerzaust, zahlreiche Falten um Augen und Mund; er trägt einen blauen Umhang, der schmutzig und fadenscheinig ist, seine Hände am Schaft eines Speers, der ihn weit überragt; sein Kopf nach rechts, links, rechts zuckend, als müßte er die Trägheit der Augen ausgleichen. So bleibt er vor ihnen stehen, im Schatten des Giraffenbaum-Thronbaldachins. George betont noch einmal, damit es keine Verwechslungen gibt, er sei Prinz der Kleinen Antillen, der Weiße sei König im Reich der Töne.

Aus allen Rundhütten ist man indes herbeigeeilt, es hat sich ein weiter Kreis gebildet. Der Alte beginnt eine Rede zu halten, in der er sich hörbar korrigiert; es soll wohl eine Rede werden, mit der er sich vor Prinz und König in Positur wirft. Die Rede offenbar als Beschwörung, in der taucht ein Missionar auf und ein »morre«, als Echo eines »Good morning«; dieses »morre« mehrfach wiederholt.

Der Dragoman faßt die Rede zusammen: In dieser Region hat sich, vor nicht allzu langer Zeit, der ihnen bekannte Missionar aufgehalten; Weiße müssen hier also nicht mehr ermüdend lange auf- und zuknöpfen, ergänzt er. Der Häuptling spricht weiter, zuweilen zuckt die freie Hand umher. Auch dies scheint Beethovens Aufmerksamkeit nicht zu wecken – ist er in Gedanken verloren?

Nach der Rede bleibt der Knittermann reglos. Und George versteht: schon jetzt wünscht er ein angemessenes Geschenk. Mit der Würde eines Prinzen winkt er Dragoman und Schiffsjungen heran, eine Saumkiste wird geöffnet, er hebt einen kleinen, blauen Leinentuchballen heraus, legt ihn, ein paar Meter abrollend, vor den Häuptling.

Nicht das geringste Zeichen von Interesse, obwohl Blau, dem Umhang nach, seine Farbe ist. Der Faltenmann starrt vielmehr auf den Kompaß, der George am Gürtel hängt. Mit seinem langen Speer schreitet er am ausgerollten Leinen entlang zur offenen Saumtierkiste, blickt sondierend hinein, kehrt zurück. Die hohe Sonne betont die Falten in seiner trocken-ledrigen Haut. Der Alte bleibt vor George stehen, den Speerschaft senkrecht haltend, blickt wieder auf den Kompaß. Also muß er ihm den Kompaß zeigen, aber so, daß der Knittermann nicht allzu begehrlich wird – was ein Häuptling mit besonderem Interesse betrachtet, so las er schon in Brighton, das wünscht er sich als Geschenk. So lenkt er die Aufmerksamkeit auf die Rückseite mit den eingravierten Buchstaben des Firmennamens, doch beim Wegschwenken entdeckt der Alte, der nach Lehm und Zwiebeln riecht, die Nadel – halt, die möchte er betrachten!

So muß George den Kompaß doch umdrehen, waagrecht halten; die Nadel zittert sich zurecht.

Der Knittermann beugt sich vor, schnippt an den Kompaß, die Nadel hält die Richtung ein. Der Häuptling, der so etwas wie Experimentierlust zu entwickeln scheint, drückt die braune Hand mit dem Kompaß in Kniehöhe hinab, doch die Nadel weicht nicht ab.

Der Alte stellt nun die Frage, die unvermeidliche: Weshalb das Stäbchen immer in dieselbe Richtung zeigt – er macht sie deutlich mit waagrecht gehaltenem Speer.

Um das gefährlich wachsende Interesse zu neutralisieren, behauptet er, diese Nadel zeige während der Reise stets dorthin, wo seine Mutter sei, Mary Bridgetower.

Der Häuptling, den Speer wieder gesenkt, starrt in die Richtung, in die weiterhin die Nadel weist: sieht er als Fata Morgana eine alte Frau, über der Mimosenfläche? Sich am Speerschaft festhaltend, den Blick zurückholend, fragt er über den Dolmetscher, wohin die Nadel zeigen werde, wenn die Mutter gestorben sei.

Mit einer Schlagfertigkeit, die er im Reisebuch ein wenig betonen wird, antwortet er: Dann zeigt die Nadel dorthin, wo die Mutter begraben liegt.

Wieder scheint es im Hirn des Knittermanns zu arbeiten. Noch immer sind sie in weitem Kreis umgeben von den Dorfbewohnern, aber die werden nur registrieren: es geht um etwas Geheimnisvolles – und das ist bannend genug! Der Häuptling streckt die rechte Hand aus, will den Kompaß mal halten.

Zögernd überreicht George das Instrument – und steht angespannt vorgebeugt, um den Kompaß aufzufangen, falls er aus der Zitterhand rutscht.

Der Häuptling dreht sich mit waagrecht gehaltenem Kompaß einmal um sich selbst, langsam, als wäre das ein Ritual – die Nadel zeigt unbeirrt nach Norden. Seine eigene Mutter, sagt er schließlich, sei aber dort begraben – und er zeigt mit dem Speerschaft nach Südwesten, zur dichter bewachsenen Senke – warum weist dieses Zitterstäbchen nicht auf ihr Grab?

Diese Nadel, so improvisiert er, zeigt allein zur Mutter oder zum Grab der Mutter dessen, dem der Kompaß gehört.

Hinter der faltenreichen Stirn des trübäugigen Mannes scheint es zu arbeiten. Und wenn der Prinz ihm dieses Gerät schenkt – wird es dann zum Grab seiner eigenen Mutter zeigen?

Die Nadel, so sagt George, zeigt nur zum Grab einer Mutter, wenn es mehrere Tagesritte vom Reisenden entfernt liegt, ist sie hingegen am Dorfrand begraben, braucht man das Gerät nicht – man weiß ja, wo sie liegt. Und er fügt hinzu: Außerdem lebt seine Mutter ja noch, und sie hat ihm dieses Gerät mitgegeben, damit er ständig weiß, wo sie ist; wenn er dieses Gerät, das seine Mutter ihm anvertraut hat, weggibt, könnte sie der Tod ereilen.

Aus dem Häuptling dringt ein kleines Geräusch, wie Seufzen und Stöhnen zugleich. Er hält den Kompaß weiter in der breiten, gekrümmten, zittrigen Hand, dreht sich noch einmal um sich selbst, legt das Instrument zurück in die Hand, die fordernd ausgestreckt ist. Und George hängt den Kompaß wieder an den Gürtel – so lässig, als sei dies ein Gegenstand ohne besonderen Wert.

Der alte Mann geht, mit dem übermannslangen Speer, zum Thron unter der Acacia giraffea, wirft dabei einen kurzen Blick auf das ausgerollte Leinentuch, setzt sich auf das Bänkchen mit dem Löwenfell.

Beethoven, aus der Erstarrung erwacht, betrachtet ihn: »Von diesem räudigen Häuptling ist nichts Gutes zu erwarten!«

Auch um den Knittermann abzulenken von Gedanken, Vorstellungen, Wünschen, die sich auf den Kompaß eingeordnet haben, befiehlt er dem Dragoman und dem Schiffsjungen, das Zelt aufzubauen. Schauspiel für einen Häuptling und die neben, hinter ihm stehenden Frauen und Männer. Weil sie Zuschauer haben, bauen Ndongmba und Gerry das Segeltuchzelt perfekt auf.

Der Häuptling regt sich nicht – unter seiner von hellgrauem Kraushaar notdürftig bedeckten Schädelschale eine mittelfingerlange, zitternd zum Kompaß zeigende Nadel?

Beethoven hat sich inzwischen in den Schatten des Nebenbaumes gesetzt – ihn beachtet der Häuptling nicht weiter, folgt aber mit trüben Augen jeder Bewegung des Prinzen, der den begehrten Kompaß am Gürtel trägt.

Als das Zelt fertig ist, rührt sich erst mal nichts unter dem größten der Giraffenbäume. George läßt die Saumtierlasten neben dem Zelt aufreihen, zur Seite der Mimosenbüsche; dort kann der begehrliche Häuptling sie nicht sehen.

Das weite Halbrund von Zuschauern dünnt aus, der Häuptling weiterhin reglos auf seiner Thronbank. Plötzlich steht er auf, winkt einige Männer heran. Wieder scheint er eine Rede zu halten, eine kurze. Wer sich aus dem Halbkreis gelöst hat, eilt zurück. Die Männer in den Baumkronen schauen nicht mehr nach Norden, Westen, Süden, Osten, sie starren herab zum Häuptling, der eine fast königliche Geste vollführt. Und mehrere Männer mit Speeren gehen zum Nebenbaum, in dessen Schatten Beethoven lagert, auf den linken Ellbogen gestützt – sie schreiten so entschieden auf ihn zu, daß er im Reflex aufsteht. Schon treiben sie ihn vor sich her mit heftigen Handbewegungen, vorzuckenden Speeren, dirigieren ihn zum Zelt, zur Zeltöffnung – Ludwig kriecht hinein. Dann treiben die Männer auch George mit schlenkernden Handbewegungen, vorzuckenden Speeren ins Zelt. Dabei ruft er über den Dragoman dem Häuptling zu, er habe ihr Geschenk angenommen, das kostbare Tuch, damit seien sie Gäste! Doch der Häuptling bleibt stumm in der reglosen Haltung, in die er hineingefunden hat. Nachdruck, schmerzhafter, mit einer Speerspitze, auch George kriecht ins Zelt, sieht noch: Dragoman und Schiffsjunge werden zum Nebenbaum eskortiert, samt Reitpferden, Saumtieren, Beutepferden.

Als erstes umwickelt George den Kompaß mit seinem Taschentuch, vergräbt ihn innerhalb des Zeltes, tief genug, daß kein Tritt, auch kein fordernder oder wütender, ihn beschädigen kann.

Jetzt erst schlägt er die Plane des Zelteingangs zurück, mit einer Geste, die demonstrieren soll: Dies muß von nun an so bleiben! Vor dem Eingang kauern drei Krieger mit Speeren; ein Blick zur Seite zeigt, daß Bewaffnete auch zwischen Mimosenbüschen stehen.

»Nun?« fragt Ludwig.

Wir werden uns in Geduld fassen müssen.

Er zieht, wie im Scherz, eine Trennlinie genau unter dem Zeltfirst, verdoppelt sie: als wäre sie einmal von Ludwig, einmal von George gezogen worden. Brummelnd rückt Ludwig sich zurecht – er ist weiterhin gelassen, erstaunlich gelassen. Sicherlich wirkt hier Müdigkeit nach.

Etwa nach einer Stunde die erste Erkundung: er ruft durch den Zelteingang dem Dragoman, dem Schiffsjungen zu, sie sollten zur Probe mal herüberkommen. Doch wie zu erwarten: Speerspitzen verwehren es ihnen. Sie setzen sich wieder in den Schatten zu den Pferden. Die stehen mit hängenden Köpfen. Nach diesem vergeblichen Versuch wieder eine Phase der Reglosigkeit. Wie schwarze Klumpen die gekauerten Späher in den Kronen der Giraffenbäume.

Zweite Erkundung: er kriecht aus dem Zelt, richtet sich auf, und ehe einer der dösenden Wächter hochspringen, ihm mit der Waffe in den Weg treten kann, stellt er sich an den nächsten Mimosenbusch, pinkelt. Viele Augenpaare schauen zu, gleichgültig. Jetzt brauche ich Wasser, demonstriert er einem der Bewacher, aber der rührt sich nicht. Er signalisiert: Dort Wasser raus, hier Wasser rein …! Und der weiße König im Reich der Töne ist durstig, als wäre er im Würgegriff – den führt er vor, hechelnd. Eine Speerspitze weist ihn ins Zelt zurück.

Erneut Reglosigkeit. Auch Zeit scheint sich zu stauen im segeltuchumspannten Raum. Erst als die Baumschatten wachsen, zu Ovalen, zu Ellipsen, scheint Zeit wieder in Fluß zu kommen, und Ludwig regt sich.

Einer der Wächter schiebt ein Tongefäß mit Wasser ins Zelt, hastig, als dürfe keiner das sehen. Langsam trinken sie, lassen eine Doppelration übrig. Zu essen bekommen sie nichts.

Als erster Feuerschein das Segeltuch durchzuckt, als ein zweites Feuer hinzukommt, als Kühle in den Segeltuchraum wächst, kriecht auch Ludwig vors Zelt. Nach kurzem Durchatmen, Strecken wird er ins Zelt zurückgewiesen, mit einer Speerspitze. Was er als Eindruck mitnimmt: wachsam große Augen, von Feuerschein gerötetes Metall.

Sehr langsam, wie in einem Morgenritual, hebt Beethoven das Amulett an die Lippen, küßt es. Verharrt so.

Als er wahrnimmt, daß George die Augen schon offen hat, beginnt er zu sprechen – doch so, als wäre es ein Beraunen der glänzendglatten Rückseite des gris-gris. Ja, es gab, es gibt jenen Brief – aber hier ist das Amulett! Charlotte hat ihm halb offiziell den Auftrag erteilt, es zurückzubringen in das Haus auf dem Odongo-Hügel. Dieser ›Auftrag‹ schien wie durchkreuzt vom Brief – einmal, in aufsiedendem Zorn, hätte er das Amulett beinah weggeschleudert. Aber jetzt – sobald er das anfaßt, mit den Lippen berührt, durchpulst ihn wieder

Hoffnung. Diese Hoffnung hatte sich verkapselt, nun ist die Kapsel geplatzt.

Nein, es war eher so: diese Kapsel wurde aufgebrochen, durch Gedankenkraft. Und er wundert sich, daß er nicht längst schon, daß er nicht sofort auf diesen Gedanken gekommen ist – so naheliegend ist der! Dieser vom Druck, vom Alptraum befreiende Gedanke stellte sich vergangene Nacht ein, ohne Vorbereitung: Charlotte muß diesen Brief in einem erneuten Anfall von Schwermut geschrieben haben. Diesen Zustand hat sie ungefähr so dargestellt: undurchdringlich verdichtete innere Schwärze. Oder: erstickender schwarzer Staub, der sich auf alles legt. In solch einer Verfinsterung mußte er ihr unvorstellbar, völlig undenkbar scheinen, daß es eine europäische Fortsetzung geben könnte ihres atlantischen und afrikanischen Liebesverhältnisses – in der undurchdringlichen Schwärze keine Perspektiven ... So hat sie, mit letzten Kräften, diesen Brief verfaßt. In einer Phase innerer Illumination hätte sie den gar nicht so schreiben können!

Eine wahrhaft erhellende Einsicht! Hoffnung auch durch eine Einzelheit, die ihm vergangene Nacht wieder mal einfiel: Charlottes überraschende Geste bei der Übergabe des Amuletts! Diese Geste hat sich seinem Hirn eingeprägt, tausendundeine Wiederholung haben sie fixiert! Und nicht zehntausend Briefzeilen können diese Geste aus der Welt schreiben – das Amulett ist hier, greifbar, ein Faustpfand! Wenn er das Lederbeutelchen zurückgibt, wird er ihr sagen: Auch nach der Übergabe des Briefs mit jenen Spinoza-Zitaten hat sie ihn begleitet auf dem Ritt – er war nicht nur von Gedanken an sie erfüllt, er war von Gefühlen für sie durchdrungen. Obwohl der Brief ihn dazu überreden sollte, in ihr nur noch eine Freundin, womöglich nur eine gute Bekannte zu sehen – er wünschte sich sehr oft, gerade in den letzten Tagen, er wäre wieder bei ihr – nicht bloß als guter Bekannter oder als Freund. ›Schuld‹ an diesen Wünschen ist sie selbst – mit ihrer wilden Geste bei der Übergabe des Amuletts ...!

So allgemein gesagt, muß das für George rätselhaft klingen, deshalb unter Freunden: Bevor sie ihm das Amulett umhängte, schob sie es mit jäher Bewegung unter den Rock, preßte es zwischen die

Oberschenkel, zog es lachend wieder hervor, küßte es. »Jetzt ist es eingeweiht«, sagte sie. Und ihr ›Auftrag‹, es zurückzubringen. Vielleicht wird sie dieses gris-gris dann noch einmal an ihren Körper pressen, an ihren schönen Körper. Jetzt, wo er davon spricht, ist er beinah sicher: Glück mit ihr wird wieder möglich sein.

Diese Hoffnung, fast Gewißheit kommt vor allem daher: er war glücklich mit ihr. Das muß er betonen, weil unterwegs meist Schwierigkeiten, Probleme erörtert wurden – dies geschah auch zwischen Charlotte und ihm, aber stets war dabei so etwas wie Glücksgrundierung: Erinnerungen vor allem an die Nachtstunden in der Kajüte, nach der gran opera marittima. Damit hier Ausgleich entsteht zu den wiederholten Betrachtungen von höllenschwarzem Kaffeesatz, muß er – wie ein Schüler, der seine Lektion nicht richtig gelernt hat – ein paarmal aufsagen: Ich war glücklich in der Nacht auf dem Schiff, ich war glücklich in der Stunde nach dem Konzert im Salon ...

Glückszustand, Glückszustände – man ist von Glück erfüllt – das wird oft gedankenlos dahingesagt, aber für ihn traf es zu, auf den Buchstaben genau: Wohlgefühl im ganzen Körper, ihn erfüllendes Glücksgefühl ... Er wurde am nächsten Morgen noch früher wach als sonst, blieb wach – Körper und Kopf erfüllt von gleichförmigem Flirren, so hat George das mal beschrieben, von einem Vibrieren – die »Obertonschwingung«. Die setzte sich, etwas abgeschwächt, fort am Vormittag – er stand lange am Fenster, schaute erst Richtung Hafen und Kap, dann Richtung Innenhof, zum Kapokbaum, doch er sah weder Kap noch Kapok, stand herum und war zufrieden – angekommen an einem Ziel, für das es keine Koordinaten gab, frei nach Nelson oder Newton. Stand reglos, doch es war viel Bewegung in ihm. Ein Zustand wacher Müdigkeit oder angespannter Gelassenheit – gelassener Anspannung – von Intensität und – jedenfalls, es war Glücksgefühl. Louis im Glück ...

Vielleicht ist diese Beschreibung etwas zu abstrakt ausgefallen! Als er wach lag, herumstand, war nicht nur dieses »Obertonschwingen« in ihm, dann die mitschwingende und die nachschwingende Erinnerung an dieses Obertonschwingen – er sah Charlotte vor sich! Die helle Stirn – das lange, schwarze Lockenhaar – die schön gezeichneten Brauen – die dunklen Augen – die schmale Nase – als liebenswerte Besonderheit die pupillenkleine Öffnung zwischen den Lippen, auch wenn ihr Mund sanft geschlossen ist – er hört sie sprechen in ihrer schönen Ernsthaftigkeit – hört den Klang ihrer Stimme – alto – sieht ihre manchmal entschiedenen Handbewegungen dabei – ihre leichten, grazilen Bewegungen – sieht sie in der Schönheit ihres Körpers – auch jetzt, auch jetzt – Afrika kann noch so viele Wasserfälle und Waadis, noch so viele Schirmakazien und noch so viele Wüstenflächen anbieten, auch Räuber und einen räudigen Häuptling – er braucht nur an Charlotte zu denken, und all das ist wie ausgelöscht. Charlotte – dieses Amulett soll ihn auf so geheimnisvolle wie plausible Weise zu ihr zurückführen …

Mit wieder sehr langsamer Bewegung hebt er das Amulett an die Lippen, küßt es. Läßt es sinken mit einem Seufzer. Mit diesem Seufzer scheint er viele weitere Sätze auszuatmen.

Im flirrenden Mittagslicht: kein Wächter mehr zwischen Zelt und Mimosen-Ebene, Zelt und Giraffenbäumen. Dragoman und Schiffsjunge im Schatten des Nebenbaums, sie winken, signalisieren. Ja, das sieht er: die Pferde sind nicht mehr bei ihnen, ohne Pferde kommen sie nicht weg, und so sind fast alle Wächter abgezogen. Nur noch zwei Späher in den Kronen der Giraffenbäume – die anderen überreif herabgeplumpst, schwarze Früchte der Acacia giraffea? Der Löwenfellsitz des Häuptlings ist weggetragen. George will hinübergehen zum Dragoman, es erheben sich lässig zwei Eingeborene im Baumschatten, halten Speere waagrecht.

Er wechselt die Richtung, geht zur dicht bewachsenen Senke – dort könnte ein Brunnen sein, dort will er trinken, will Schweiß und Sand abwaschen.

Auf der Fläche zwischen Giraffenbäumen und Mimosen-Ebene wird er bald entdeckt: ein Mädchen, etwa zwölfjährig, taucht auf – ja, als wäre dort eine kleine Wasserfläche. Steht wie bronziert, spitze Brüstlein, Schnürgehänge um die Hüften. Das Mädchen duckt sich; als es erneut auftaucht, scheint es ein weiteres Mädchen emporgezogen zu haben, das könnte um die vierzehn sein, deutlicher ausgeprägt die Brüste. Und es taucht ein drittes Mädchen auf. Schon die Wunschvorstellung, sie würden ihm zur Senke folgen, ließen Berührungen zu – Abenteuer, endlich verdient ...!

In plötzlich gemeinsamer Bewegung rennen sie auf ihn zu, die rechten Arme schnellen vor, zwei Steine fliegen an ihm vorbei, ein dritter trifft den linken Oberarm. Er weicht aus, bleibt stehn, damit auch sie stehenbleiben, er ruft, gestikuliert: Nur Durst, keine bösen Absichten!

Sie bücken sich, grapschen, schmeißen erneut; nur durch elastisches Springen kann er sich vor den präzis geworfenen Steinen retten. Wieder versucht er es mit einer Unterhandlung, schreiend, über den Dragoman; sie hören nicht hin, klauben Brocken auf vom leider steinereichen Boden, laufen wieder auf ihn zu, werfen im Lauf, ein zweiter Stein trifft ihn hartkantig am Oberschenkel; er rennt zurück über die Fläche, die ihn übertrieben betont, Steine surren an ihm vorbei, ein dritter Stein trifft auf im Rücken; er wechselt in Sprüngen die Richtung, die Mädchen schreien hinter ihm her, steinewerfend, steinewerfend, und er nimmt sich vor, diese Episode nicht aufzunehmen in das geplante Reisebuch.

Eine Steinwurfweite vom Zelt bleiben die Mädchen stehen, schmeißen nicht mehr. Und er geht die letzten Schritte, sich zur Langsamkeit zwingend, bleibt am Zelt stehen, keuchend. Die Mädchen drehen ab, schlendern zu den Hütten hinter den Giraffenbäumen: im Körperprofil betont die Brüste, kleines Wippen. Und hoch angesetzt die Hinterbacken.

Er hockt sich vor das Zelt, in dem Beethoven wieder einmal schläft. So muß er nicht berichten, kann nachdenken: Hat er alles falsch gemacht? Und er sollte mit den Steinwürfen nicht von einer Fläche vertrieben werden, die diese Nixen der Mittagsstunde beherrschen wollen? Vielmehr sollte er den Stein, der ihn zuerst traf, zurückwerfen als Botschaft? Haben sie so deutlich Abstand voneinander gehalten, damit ein Zufallstreffer nicht möglich wurde? Wenn er das schönste der Mädchen getroffen hätte – Ende der Steinwürfe? Denn er hätte, in wortwörtlichem Sinne, seine Wahl getroffen? Hätte, in einer Gebärde des Besitzergreifens den Arm um sie legen können? Und er würde sie freikaufen von der Familie – Gaben aus der Saumtierlast? Und sie würde mitreiten auf einem der Beute-pferde ...? Kleine afrikanische Geliebte ...? Oder: Adoption für eine spätere Liebschaft ...?

»So!« ruft Beethoven hinter ihm, »jetzt reicht es mir!« Genug geschlafen, nun will er heim zum Odongo-Hügel. Er richtet sich auf vor dem Zelt, tritt kurz zur Seite, fordert ihn dann auf zu fol-gen, schreitet zum größten Giraffenbaum. Drei Bewaffnete stellen sich in den Weg – Beethoven verschränkt die Arme, marschiert auf sie los, will zwischen ihnen durchgehen, drei Speerspitzen richten sich auf Brust und Bauch, er bleibt stehen. »Ich muß euren Häuptling sprechen!« Und er imitiert die Körperhaltung des alten Mannes, der sich am überlangen Speer festhält; man scheint ihn zu verstehen, sie werden hinübergeleitet zum Giraf-fenbaum-Thronbaldachin.

»Und wo steckt der Alte?!« Er zeigt fordernd auf den Fleck, auf dem am Vortag das Thronbänkchen stand mit dem abgewetzten Löwenfell. Ausgleichend höflich fragt George über den heran-gewinkten Dragoman, ob der Häuptling sie zu empfangen geruhe, der König aus dem Reich der Töne habe eine wichtige Mitteilung zu machen. Einer der Speerträger geht zu den Hütten.

»Jetzt kann es nicht mehr lange dauern!« Und Ludwig hockt sich hin, streckt die Beine aus im Giraffenbaumschatten. Er schaut hinauf in das Geäst, in das ein dritter Eingeborener klettert, sich hinhockt auf breiter Astgabel; Ludwig schätzt ab, rückt eine Mannslänge zur Seite, als könnte dieser Wächter jeden Moment herabplumpsen, überreif, Giraffenbaumfrucht.

Auf die Entfernung sehe das Zelt noch kleiner aus, als es das ohnehin schon sei; er habe keine Lust, den ganzen Tag darin zu verbringen; der Häuptling müsse seine wilde Entschlossenheit spüren, dann werde er die Pferde wiederbringen lassen. Und sie reiten zur Küste, zum Haus auf dem Odongo-Hügel.

Zwei der Steinewerferinnen tragen die Sitzbank mit dem abge-wetzten Löwenfell heran: Töchter oder Enkelinnen des Knitter-mannes? Sie schauen George nicht an, gehen ab, Zierketten um die Hüften. Dann geschieht erst mal gar nichts. Die Späher scheinen im Geäst zu schlummern, kauernd. Der Dragoman flicht seinen

Kinnbartzopf; der Schiffsjunge schnitzt; Ludwig poliert seine Vorderzähne mit dem Taschentuch.

Und der Häuptling erscheint mit großem Gefolge von Frauen und Männern. Viele seiner Gesichtsfalten wie verspachtelt mit elastischem Rotbraun – Wüstensand mit Pflanzenöl und Essenzen, aufgetragen als Grundierung weißer Zeichen.

Der Alte bleibt vor dem Thronsitz stehen, hält den Schaft des überlangen Speers in der Mitte fest. Sobald sich die Dorfbevölkerung zusammengedrängt hat, zelebriert er eine Rede; der Dragoman übersetzt nicht; Wortklänge. Erst nach der Rede scheint sich der Blick des Häuptlings, wie zufällig, auf den Prinzen der Kleinen Antillen, auf den König des Reichs der Töne zu richten. Und er schweigt, in erstarrter Pose.

Nun tritt Beethoven vor und der Dragoman mit ihm. »Sag ihm, mein Gott und meine Mutter erwarten, daß wir morgen früh aufbrechen, zurück zur Küste.«

Der Häuptling schaut sie kurz an durch den dünnen Grauschleier seiner Augen. Auf welche Weise sie zurückkehren wollen, läßt er fragen.

»Mit den Pferden, auf deren Rückgabe wir warten und für deren Pflege wir danken.«

Der Alte schaut über sie hinweg, schweigt. Es scheint ein auf Wirkung berechnetes Schweigen zu sein. Dann: Er wisse nicht mehr, wo die Pferde sein könnten.

Nach der Übersetzung dieser Antwort schweigt auch Beethoven – es scheint aber kein Schweigen der Unsicherheit oder Verwirrung zu sein; die selbstbewußte Körperhaltung zumindest hat sich nicht geändert. »Wenn du das Gerät mit der zitternden Nadel in Händen hast, wird dir dann einfallen, wo unsere Pferde sind?«

Zeigt sich im rotbraun verspachtelten, von weißen Mustern verzierten Gesicht des Alten der Ansatz eines Lächelns? Die Pferde finden zu euch zurück, lautet schließlich die Antwort, wenn du mir dieses Gerät schenkst.

Beethoven, wohl auf starke Wirkung bedacht, antwortet diesmal prompt: »Mein Gott und meine Mutter sagen mir, daß ich dir vertrauen soll.«

George erhebt sofort Einspruch, scheinbar freundlich, doch Beethoven will keinen Disput vor Häuptling, Gefolge, Untertanen: »Alles weitere gleich!« Das ist mit königlicher Entschiedenheit gesagt, George schluckt den Widerspruch. Sogar der Häuptling scheint ein wenig den Kopf zu senken.

Schweigend die ersten Schritte. Das Zelt wabert nicht mehr auf einer Hitze-Schwimmschicht, straff sind die Schnüre zu den Pflökken gespannt.

Als sie den halben Weg hinter sich haben, stellt George die Frage, die in seinen Adern pocht: Wie kannst du ihm, mir nichts dir nichts, den Kompaß versprechen?! Ohne Kompaß reiten wir in Mäandern!

Beethoven, ebenso knapp: »Wenn du den nicht rausrückst, schreib ich dir keine Sonate!«

Darauf George, in ebenso rascher Replik: Wenn du den Kompaß weggibst, kann es sehr lange dauern, ehe du wieder zum Komponieren kommst!

Ludwig schweigt, zieht George mit ins Zelt: »Grab deinen Kompaß aus, ich hab einen zweiten!«

Er legt die Hand auf den Lederbeutel vor der Brust, auf das grisgris.

Die Frauen! ruft George. Les femmes …! Und rasch buddelt er den Kompaß frei, nimmt ihn aus dem Taschentuch. Die zitternde Nadel zeigt weiterhin nach Norden.

»Und dort ist Westen!« ruft Ludwig.

Er schlägt vor, die Übergabe feierlich zu gestalten, weiß auch gleich, wie er den Auftritt inszeniert. An der Zeltflanke nimmt er die weinrote Weste aus dem Reisebündel, faltet sie zu einem Tuchband; das legt ihm George auf die aneinandergeschobenen waagrechten Handflächen; die Enden müssen an beiden Seiten gleich lang herabhängen; mitten auf dem Tuchstreifen dann der Kompaß.

»Und du händigst ihn aus.«

Zum Thronbaldachin des Giraffenbaums schreitend, fordert Ludwig den Dragoman, den Schiffsjungen auf, Gefolge zu mimen. So gehen sie zu viert auf den Häuptling zu, der sich von seinem Löwenfell-Bänkchen erhebt, den überlangen Speer wieder in der

Mitte packt, und hinter ihm nimmt man Aufstellung, nach Rängen gestaffelt, die sie nicht durchschauen.

Mittlerweile ist der Himmel leuchtend orange, von Osten wird bald Violett hochwachsen; immer mehr Tiere finden ihre Stimmen wieder. Beethoven bleibt drei Schritte vor dem Häuptling stehen, hält eine kurze Ansprache, die George hier überspringt – schon hat sich ein Schlußsog entwickelt, dem muß er nachgeben.

Nach feierlichem Verharren geht Beethoven einen Schritt auf den Häuptling zu und noch einen halben, bleibt stehen mit dem Kompaß auf dem weinroten Tuch.

Der Häuptling, nach kurzem Zögern, übergibt den Speer einem der Männer, geht anderthalb Schritt zum König aus dem Reich der Töne, läßt sich von George den Kompaß auf die ebenfalls aneinandergepreßten Handflächen legen. Beethoven tritt zur Seite, zieht die Weste an. Der Häuptling starrt auf die Nadel, geht zwei Schritte zurück, starrt auf die Nadel, geht an Beethoven vorbei, starrt auf die Nadel, schreitet einen Halbkreis, starrt auf die Nadel, stellt sich an die Thronbank, starrt auf die Nadel. Beinah atemlos sein Gefolge, seine Untertanen; aus der Baumkrone blickt ein halbes Dutzend dunkler Augenpaare herab auf die Zitternadel. Samtweiches Violett wächst in das nachleuchtende, im Westen nachglühende Orangerot – mildes Graublau in einer Zone des Übergangs.

Der Häuptling streckt den Arm waagrecht aus, Frauen und Männer dürfen die Nadel betrachten, bewundern, kurzes Gedrängel, ein Machtwort löst es auf. Der Alte hält den Kompaß vor die Brust, weiterhin waagrecht, murmelt magische Sätze.

Und der Häuptling macht ein paar Tanzschritte, kündigt ein Fest an für diesen Abend: ein Fest, bei dem sie seine Gäste sein werden, ein Fest, auf dem sie tanzen werden, ein Fest, mit dem sie Abschied nehmen …

Auf dem von zwei Feuern erhellten, von Hütten umgebenen Dorfplatz zelebrieren Männer den Trommelrhythmus. Eine etwa zwei Meter lange, einen Meter dicke, aus riesigem Baum geschnitzte Trommel waagrecht auf einem Gestell – ihr Klang schwingt direkt in die Bauchgruben. Mehr für die Ohren bestimmt: die Wassertrommel, mit Händen geschlagen, die Felltrommeln, mit krummen Stöcken bespielt. Sitzend, stehend schwingen Dorfbewohner sich ein in den Rhythmus; das überträgt sich auf George; Ludwig markiert mit dem Kopf. Noch reglos zwischen ihnen der Häuptling, obwohl auch er bereits einen Napf Hirsebier getrunken hat. Der Dragoman läßt den Zopf pendeln, der Schiffsjunge scheint eingelullt.

Zwischen den Frauen reihen sich einige Männer, beginnen zu tanzen. Ludwig hört und schaut konzentriert zu: »Polyrhythmik!« Ja, getanzt wird nach zwei sich überlagernden, sich durchdringenden Rhythmen – Füße, Beine, Unterleiber in anderem Rhythmus als Rümpfe, Köpfe, Arme; der Nabel als Markierung des Äquators der Rhythmen. In diesen doppelten Rhythmus werden sie sich einschwingen müssen, diese Rhythmen müssen sich in ihren Körpern selbständig machen, erst dann werden sie hineinfinden in die gemeinsame Bewegung.

Immer mehr Männer und nun auch Frauen auf dem Dorfplatz, der Tanzplatz wird. George entdeckt das älteste der Mittagsmädchen, der Hitzenixen, die Hüften festlich behängt, die Brüste mit lockenden Ornamenten bemalt; sie tanzt zwischen Frauen, die sich den Männern gegenüber reihen. Nachdem zwei, dann drei Männer aus dem Gefolge des Häuptlings aufgestanden sind, sich den Tänzern angeschlossen haben, erhebt sich auch George, geht, schon in tänzerisch wiegendem Schritt, ans Ende der Männerreihe, dort wird man am wenigsten auf ihn achten.

Wenn er in den Tanzrhythmus hineingefunden hat, wird die Bewegung ihn wie von selbst in die Nähe dieser jungen Frau führen, er kann sich Zeit lassen, dieser Tanz wird mehrere Stunden dauern, das sagt ihm ererbte Erinnerung.

Und George beginnt, noch zurückhaltend, zu tanzen im Doppelrhythmus der fünf Trommeln, uhmto, silaanda, uhmto, silaanda. Noch stimmt er nicht ein in die Rufe, die Schreie, sie phonetisch nachahmend, noch klatscht er nicht in die Hände, er läßt die Trommelrhythmen auf sich, in sich einwirken, ingwa, siloosi, ingwa, siloosi; Phasen, in denen die Trommelschläge sich beschleunigen, unkuura, unluudu, Phasen, in denen sie sich verlangsamen, inueele, isibeele, das ist wie Aufblähen und Einsinken, Ebben und Fluten – er möchte die Arme seitlich ausstrecken, an den Oberkörper legen, wieder ausstrecken, doch er läßt sie pendeln, schwingen, umakuula, umakuula, er spürt, wie Rhythmus sich ballt unter dem Zwerchfell, im Sonnengeflecht, umakuula, inguula, inkaaba, isaanga, wie es hineinfährt in Beine und Füße, in Arme und Kopf, inthuuko, inguhlo, und er schließt fast völlig die Augen, will nicht an sich hinabblicken, Bewegungen prüfend, sieht durch die Wimpern zuckenden Feuerschein auf Körpern, Hütten, Bäumen, ingwa, siloosi, uhmto, silaanda, er spürt, wie die Rhythmen immer stärker, direkter seine Bewegungen bestimmen, mloomu, umloomu, poomlu, umpoomlu, eine pulsende, fast kopfgroße Kugel unter dem Zwerchfell schwebend, ipuuthi, intaaba, siduhla, sie scheint zu wachsen über den Äquator der Rhythmen hinweg, umakuula, inguula, isaanga, das schwingt hinaus zu den Giraffenbäumen, hinaus in die Mimosen-Ebene, hinaus in die Savanne, poomlu, umpoomlu, schwingt hinaus zur Küste im Westen, poomlu, umloomu, Stimmen, die Stimmen, Trommeln, die Trommeln, poomlu, umloomu, hinaus auf das Meer,